中國古典小說新刊

鏡花緣

李汝珍·著

潘光旦·著

蒼木集

中國古典文學論集

目錄

聯經出版事業公司校印

聯經出版事業公司校印

聯經出版事業公司校印

第一回　女魁星北斗垂景象　老王母西池賜芳筵

昔曹大家女誡〇云：「女有四行：一曰婦德，二曰婦言，三曰婦容，四曰婦功。」此四者，女人之大節而不可無者也。今開卷爲何以班昭女誡作引？蓋此書所載，雖閨閣瑣事，兒女閒情，然如大家所謂四行者，歷歷有人：不惟金玉其質，亦且冰雪爲心。非素日惇遵女誡，敬守良箴，何能至此。豈可因事涉杳渺，人有妍媸，一併使之泯滅？故於燈前月夕，長夏餘多，濡毫戲墨，彙爲一編：其賢者彰之，不肖者鄙之；女有爲女，婦有爲婦，常有爲常，變有爲變。所紱雖近瑣細，而曲終絲之奏，要歸於正，淫詞穢語，概所不錄。其中奇奇幻幻，悉由羣芳被謫，以發其端，試觀首卷，便知梗概。

且說天下名山，除王母所住崑崙之外，海島中有三座名山：一名蓬萊，二名方丈，三名瀛洲。都是道路寫遠，其高異常。當日史記曾言這三座山都是神仙聚集之處。後來拾遺記〇同博物志〇極言其中珍寶之盛，景致之佳。最可愛的，四時有不謝之花，八節〇有長青之草。他如仙果、瑞木、嘉穀、祥禾之類，更難枚舉。

〇曹大家（ㄍㄨ）女誡——曹大家，東漢人，姓班名昭。嫁曹世叔。曹死後，劉肇（漢和帝）找她到宮裏做皇后們的老師，尊稱她做「大家」，後人就稱她做曹大家。女誡，書名，班昭作，共七篇，內容全是要求婦女遵守封建禮敎的一些敎條。

〇拾遺記——神話書，後秦王嘉作。

〇博物志——神話書，晉張華作。其中有一部分據說是後人湊入的。

〇八節——立春、立夏、立秋、立冬，春分、秋分，夏至、冬至八個節令的總稱。

內中單講蓬萊山有個薄命岩，岩上有個紅顏洞，洞內有位仙姑，總司天下名花，乃羣芳之主，名為百花仙子，在此修行多年。這日正值三月初三日王母聖誕，正要前去祝壽，有素日相契的百草仙子來約同赴「蟠桃勝會」。百花仙子卽命女童捧了「百花釀」；又約了百果、百穀二位仙子。四位仙姑，各駕雲頭，向西方崑崙而來。行至中途，四面祥雲繚繞，紫霧繽紛，原來都是各洞神仙，也去赴會。忽見北斗宮中現出萬丈紅光，耀人眼目，內有一位星君，跳舞而出。裝束打扮，雖似魁星，而花容月貌，卻是一位美女。左手執筆，右手執斗；四面紅光圍護，駕着彩雲，也向崑崙去了。

百穀仙子道：「這位星君如此模樣，想來必是魁星夫人。——原來魁星竟有渾家，卻也罕見！」百花仙子道：「魁星既為神道，豈無四偶。且神道變幻不測，亦難詳其底細。或者此時下界別有垂兆，故此星以變相出現，亦未可知。」百果仙子笑道：「據小仙看來：今日是西王母聖誕，所以魁星特命娘子祝壽；將來到了東王公聖誕，才是魁星親自拜壽哩。但這夫人四面紅光護體，紫霧盤旋，不知是何垂兆？」百花仙子道：「小仙向聞魁星專司下界人文。近來每見斗宮紅光四射，華彩騰霄，今以變相出現，又復紫氣毫光，徹於天地。如此景象，下界人文，定卜其盛。奈吾輩道行淺薄，不知其兆應在何時何處。」百草仙子道：「小仙聞海外小蓬萊有一玉碑，上具人文，近日常發光芒，與魁星遙遙相映，大約兆應玉碑之內。」百花仙子道：「玉碑所載是何人文，我們可能一見？」百草仙子道：「此碑內寓仙機，現有仙吏把守，須俟數百年後，得遇有緣，方得出現。此時機緣尚早，我們何能驟見。」百花仙子道：「不知小仙與這玉碑可能有緣？可惜我們雖成正果，究係女身，將來卽使得覩玉碑人文之盛，其中所載，設或俱是儒生，無一閨秀，我輩豈不減色？」百草仙子道：「現在魁星既現女像，其為坤兆無疑。況聞玉碑所放文光，每交午後，或逢雙日，尤其煥彩，較平時迥不相同。以陰

陽而論，午後屬陰，雙亦屬陰，文光主才，純陰主女。據這景象，豈但一二閨秀，只怕盡是巾幗⑤奇才哩！」百花仙子道：「仙姑所見固是。小仙看來，即使所載竟是巾幗奇才，設或無緣，不能一見，豈非『鏡花水月』，終虛所望麼？」百草仙子道：「這派景象，我們今日既得預覩，豈是無緣。大約日後總有一位姐姐恭逢其盛。此時渺渺茫茫，談也無用，我們且去赴會，何必只管猜這啞謎。」

只見魁星後面又來了四位仙長，形容相貌，與眾不同：第一位，綠面獠牙，綠髮蓋頂，頭戴束髮金箍，身披蔥綠道袍；第二位，紅面獠牙，紅髮蓋頂，頭戴束髮金箍，身披朱紅道袍；第三位，黑面獠牙，黑髮蓋頂，頭戴束髮金箍，身披元⑥色道袍；第四位，黃面獠牙，黃髮蓋頂，頭戴束髮金箍，身披杏黃道袍。各人都捧奇珍異寶，也向崑崙進發。

百花仙子道：「這四位仙長，向日雖在『蟠桃會』中見過，不知都住那座名山？是何洞主？」百果仙子道：「那位嘴上無鬚，脖兒長長，臉兒黑黑，行動迂緩，倒像一個假道學⑦，仔細看去，宛似龜形，莫非烏龜大仙麼？」百草仙子道：「仙姑休得取笑。這四位仙長，乃麟、鳳、龜、龍四靈之主：那穿綠袍的，總司天下毛族，乃百獸之主，名百獸大仙；那穿紅袍的，總司天下禽族，乃百鳥之

⑤　巾幗（ㄍㄨㄛ）——原是古時婦女用的頭巾一類的東西，後來一般用這兩個字作婦女的代詞。

⑥　元——這裏是「玄」字的代字。封建時期，皇帝的名字不許臣民寫，叫做「避諱」。不得已要寫的時候，或寫缺筆，或用代字。清聖祖名玄燁，因此，就要把「玄」寫作「玄」，或用「元」字代替。本書作者生在清代，他採用後一種的避諱方法。這裏的元色，就是玄色（黑色），因此，後文的元女、元機、元道、元股、鄭元、元妙。

⑦　道學——這裏是「道學夫子」的省詞。道學，也叫理學。講的是修身養性功夫，後來卻成為腐儒的幌子，敬人聽天信命。這種人，有時就被稱為「假道學」。這種學說是矯情的；相信這種學說的，必然成為迂腐、虛偽的人。道學夫子，就指的這種人。

聯經出版事業公司校印

主，名百鳥大仙；那穿黑袍的，總司天下介族，乃百介之主，名百介大仙；那穿黃袍的，總司天下鱗族，乃百鱗之主，名百鱗大仙。今日各攜寶物，大約也因祝壽而來。」說話間，四靈大仙過去。

只見福祿壽財喜五位星君，同著木公、老君、彭祖、張仙、月老、劉海蟾、和合二仙，也遠遠而來。後面還有紅孩兒、金童兒、青女兒、玉女兒，都腳駕鸞風火輪，並各洞許多仙翁仙姑，前前後後，到了崑崙。四位仙姑，也都跟著，齊上瑤池行禮，各獻祝壽之物。侍從一一收了。留眾仙筵宴。王母坐在中間；旁有元女、織女、麻姑、嫦娥及眾女仙，左右相陪，其餘各仙，俱列瑤台兩旁，遙遙侍坐。王母各賜仙桃一枚，眾仙拜謝，按次歸坐。說不盡天庖盛饌，王府仙醪。又聞仙樂和鳴，雲停風靜。

不多時，歌舞已罷。嫦娥向眾仙道：「今日金母聖誕，難得天氣清和，各洞仙長，諸位星君，莫不齊來祝壽。今年之會，可謂極盛！適才眾仙女歌舞，雖然絕妙，但每逢桃筵，都曾見過。小仙偶然想起，素聞鸞鳳能歌，百獸能舞，既有如此妙事，何不趁此良辰，請百鳥、百獸二位大仙，分付手下眾仙童來此歌舞一番？諸位大仙以為何如？」眾仙剛要答言，那百鳥、百獸二仙都躬身道：「蒙仙姑分付，小仙自當應命。但歌難悅耳，舞難娛目。兼恐眾童兒鹵莽性成，倘或失儀，王母見罪，小仙如何禁當得起！」王母笑道：「偶爾遊戲，這有何妨。」百鳥仙同百獸仙聽了，隨即分付侍從傳命。登時只見許多仙童，圍著丹鳳、青鸞兩個童兒，腳踏祥雲，到了瑤池，拜過王母，見了百鳥大仙，領了法旨，將身一轉，變出丹鳳、青鸞兩個本相：一個是彩毫炫耀，一個是翠翼鮮明。那些隨來的童兒，也都變出各色禽鳥。隨後麒麟童兒帶著許多仙童，也如飛而至，一個個參拜王母，見了百獸大仙，領了法旨，都變出本相，無非虎豹犀象，獐狍麋鹿之類。那邊是眾鳥圍著鸞鳳，歌喉宛轉；這邊是麒麟

帶著眾獸，舞態盤旋。在瓊階玉砌之間，各獻所長。連那瑤草琪花，也分外披拂有致。王母此時不覺

大悅，隨命侍從把「百花釀」各賜眾仙一杯。

嫦娥舉杯向百花仙子道：「仙姑既將仙釀祝壽，此時鸞鳳和鳴，百獸率舞，仙姑何不趁此也發個

號令，使百花一齊開放，同來稱祝？既可助他歌舞聲容，又可添些酒興，豈不更覺有趣？」眾仙聽

了，齊聲說「妙」，都催百花仙子即刻施行，以成千秋未有一場勝會。百花仙子連忙說道：「小仙所

司各花，開放各有一定時序，非比歌舞，隨時皆可發令。月姊今出此言，這是苦我所難了！況上帝於

花，號令極嚴，稽查最密。凡下月應開之花，於上月先呈圖冊，其應否增減鬚瓣、改換顏色之處，俱

候欽裁。上命披香玉女細心詳察，務使巧奪人工，別開生面。所以同一梅花，有綠萼、硃砂之異；

同一蓮花，有重臺、並蒂⑭之奇。牡丹、芍藥，佳號極繁；秋菊、春蘭，芳名更夥。一枝一朵，悉遵

定數而開；或後或先，俱待臨期而放。設有違誤，糾察靈官奏請分別示罰。其最重的，徙植津亭，

無舛錯，註明金籙雲籤⑬。來歲即移雕欄之內，繡闥之前，令得淨土栽培，清泉灌溉，邀詩人之題

品，供上客之流連。花日增榮，以爲獎勵。不特任人攀折，兼使沾泥和土，見蹂於馬足車輪。其次重的，蜂爭蝶鬧，旋見凋殘；雨打霜

摧，登時零落。其最輕的，亦謫置深山窮谷，青眼⑫稀逢，紅顏誰顧。聽其萎謝，一任沉埋。有此種

綠琴──硃砂──綠琴梅。	白花，綠蒂；硃砂梅，
重臺、並蒂──重臺，複瓣的花；並蒂，	花作硃砂色。都是梅的異種。
金籙雲籤──神話中形容神仙所用的簿冊。	一莖上併生兩花。並蒂的蓮花，一般稱作「並頭蓮」。
津亭驛館──津亭，船隻停集的渡口碼頭；驛館，	正着眼睛看人，眼球全露，叫做「青眼」，用青眼看人，叫做「垂青」⋯⋯是睜
青眼──故事傳說，晉阮籍善為「青白眼」。	得起人的表示。反之，就叫做「白眼」。
在驛站上設置的官員招待處。	

種考察，是以小仙奉令惟謹，不敢參差，亦不敢延緩。今要開百花於片刻，聚四季於一時，月姊此言，眞是戲論了。」嫦娥聽這一片話，甚覺有理，再難勉強；當不起風姨與月府素日親密，與花氏向來不和，在旁便說出一段話來。

未知如何，下回分解。

聯經出版事業公司校印

第二回　發正言花仙順時令　定罰約月姊助風狂

話說風姨聞百花仙子之言，在旁便說道：「據仙姑說得其難其慎，斷不可逆天而行。但梅乃一歲之魁，臨春而放，莫不皆然。何獨嶺⊖上有十月先開之異？仙姑所謂稽查最密，臨期而放者又安在？他如圍叟花慵，將牡丹、碧桃之類，澆肥炙炭，歲朝時候，亦復芬芳逞豔，名曰『唐花⊜』。此又何人發號播令？總之：事權在手，任我施為。今月姊既有所懇，無須推託。待老身再助幾陣和風，成此勝會。況在金母筵前，即玉帝聞知，亦未便加罪。設有過失，老身情願與你分任，何如？」百花仙子見風姨伶牙俐齒，以話相難，不覺吃驚，含笑道：「姨姨請聽小仙告白：那嶺上梅開，乃地有南北暖寒之異，小春偶放，得氣稍先，好事者即見於吟咏，豈為定論。至花開頃刻，乃道人幻術，過眼即空。若『唐花』不過矯揉造作，更何足道。此事非可任我施為。即如姨姨職司風紀，四季不同，豈能於陽和之候，肆蕭殺之威，解慍之時，發凜冽之令，再如月輪晦明圓缺，晷刻難差，月姊能使皓魄常圓，夜夜對此青天碧海麼？今既承尊命，小仙即命桃花仙子、杏花仙子，各執上等本花，來此歌舞一番，何如？」

⊖　嶺——指梅嶺。梅嶺，大庾嶺的別名。古時大庾嶺上梅花多，所以有此別名。古人說大庾嶺的梅花十月就開花，所以這裏下文有「十月先開」的話。

⊜　唐花——唐，這裏同煻，火烘的意思。唐花，就是冬天用火烘出來的提前開放的花。

嫦娥聽了，不覺冷笑道：「桃杏二花，此時遍地皆是，何勞費心！小仙所以相懇者，並非希冀娛目，意在趁此嘉辰，博金母盡日之歡，庶不虛此勝會。不意仙姑意存愛惜，恐勞手下諸位仙子，我又何必勉強。但仙姑不過舉口之勞，偏執意作難，一味花言巧語，這樣拿腔做勢，未免太過分了！」

百花仙子見話不是頭，不覺發話道：「羣花齊放，固雖甚易。第小仙向來承乏其事，係奉上帝之命。若無帝旨，即使下界人王有令，也不敢應命，何況其餘！且小仙素本膽小，兼少作為，既不能求不死之靈丹，又不能造廣寒之勝境。種種懦弱，概不如人。道行如此之淺，豈敢妄為！此事如好得罪，有方尊命了。」

嫦娥見他話中明明譏刺「竊藥」一事，不覺又羞又氣，因冷笑道：「你不肯開花也罷了，為何語中卻帶譏諷？」織女勸道：「二位向以楸枰⊜朝夕過從，何等情厚。今忽如此，豈不有傷和氣？——況事涉遊戲，何必紛爭？」元女道：「二位角口，王母雖然寬宏，不肯出言責備；但以瑤池清靜之地，視同兒戲，任意譁謔，未免有失敬上之道。倘值日諸神奏聞上帝，他年『桃會』，恐不能再屈二位大駕了。」

嫦娥道：「適才百花仙姑說，惟有上帝敕旨，才能羣花齊放，縱讓下界帝王有令，也不能應命。此去千百年後，倘下界有位高興帝王，使出回天手段，出此一令，那時竟是百花齊開，卻如何受罰？今趁王母並諸位仙長做個證見，倒要預先說明。」麻姑戲說道：「據小仙愚見：將來如有此事，即罰百花仙子在廣寒殿打掃落花三年。月姊以為何如？」百花仙子道：「那人王乃四海九州之主，代天宣化，豈肯顛倒陰陽，強人所難。要便是嫦娥仙子臨凡，做了女皇帝，出這無道之令，別個再不肯的，那時我果糊塗，竟任百花齊放，情願墮落紅塵，受孽海無邊之苦，永無翻悔！」話言未畢，那邊女魁星早已執筆過來，把百花仙子頂上點了一筆，駕着紅光，離了瑤池，竟奔小蓬萊保護玉碑去了。

聯經出版事業公司校印

這里嫦娥聞百花仙子之言，正要發揮。織女勸道：「剛才魁星夫人因不肯開花，已將百花仙姑責了一管，憤然而去，月姊也可略消氣惱。二位如再詰譙，不獨尢誤嬌音妙舞，恐金母要下逐客之令了。」王母暗暗點頭道：「善哉！善哉！這妮子道行淺薄，只顧為着遊戲小事，角口生嫌，豈料後來許多因果，莫不從此而萌。適才彩毫點額，已露元機。無奈這妮子猶在夢中，毫無知覺。這也是羣花定數，莫可如何！」登時歌停舞罷，王母都賞賜果品瓊漿，叩頭而去。眾仙宴畢，也就拜謝四散。

百花仙子與百草、百果、百穀，四位仙姑，共坐雲軿，一同回洞。百穀仙子在路說道：「今日是慶壽良辰，爭奈這嫦娥恃強倚寵，賣弄新鮮題目，平白惹這場閒氣，我至今還覺不平！幸虧百花姊姊有情有理，說得他滿面羞慚，無言可答。」百草仙子道：「那歌舞是件有趣的事，怎麼要那不倫不類的百獸亂鬧起來！今被獸蹄鳥跡，遭邊不堪，明日那些執事仙官，著人打掃，還不知怎樣埋怨嫦娥哩！」百果仙子道：「幸而龜不能歌，蛟不能舞。若能歌舞，嫦娥少不得又請百介，還百鱗二仙發號施令，那時弄得滿瑤池盡是蝦兵蟹將，臭氣熏天，那才是個笑話哩！——當時我在座上，見百草妹妹嬉笑不止，不知為甚。想是看得樂了。」百草仙子道：「我看那些鳥兒，如鳳管鸞笙，鶯啼燕語，雖不成腔調，還不討厭。至於百獸，到底算些甚麼東西：那笨牛、癩象，搖來擺去，已覺不雅，又弄個毛猴子，夾在裏頭，東奔西跳，偏是他忙，最令人噴飯的，那小耗子又要舞，又怕貓，躲躲藏藏，賊頭賊腦，任他裝出斯文樣子，終失不了偷油的身分，還有那小兔子，站在旁邊，正自躲懶，忽然看見鳳凰手下那隻癩鷹，惟恐鷹來捉他，登時使出無窮身段，扭扭踢踢，向着癩鷹笑容可

（三）揪枰——枰，棋盤，揪枰，揪木做的棋盤，一般用「揪枰」兩字指棋具或包括下棋的意思在內。下文：「黑白雙九」，指圍棋子。

掬，百般跳舞。我因小兔子他也會哄騙，所以不覺好笑。看了他們這種樣子，無怪百花姐姐寧與我輩草木並腐，不屑與鳥獸同羣了。」百花仙子聽他三位問答，卻也化怒成歡。談笑間，已至蓬萊，各自歸洞。每逢閒暇，無非敲枰相聚。日復一日，年復一年，也不知人間歲月幾何。

一日，百花仙子因時值殘冬，羣芳暫息，既少稽查之役，又無號令之煩。消閒靜攝，頤養天和。一時忽然靜中思動，因命牡丹、蘭花眾仙子看守洞府。去訪百草仙子，不意適值外出。又訪百果、百穀二仙，亦皆不遇。忽見陰雲四合，飄下幾點雪花。正要回洞，偶然想起麻姑久未會面，於是來到麻姑洞府。彼此見面，各道久闊。麻姑道：「今日這般寒冷，滿天雪片飄揚，仙姑忽來下顧，真是意想不到。如果消閒，趁此六出紛霏之際，我們雖不必學人間暖閣圍爐那些俗態，何妨清吟聯句，遣此長宵？現在家釀初熟，先請共飲數杯。」百花仙子道：「佳釀延齡，乃不易得的，一定遵命拜領。至於聯句，有何趣味！不如以黑白雙丸，賭個勝負，倒還有些意思。──莫要偷棋摸著，施出狡獪伎倆，我就不敢請敎了。」

未知如何。下回分解。

第三回　徐英公⊖傳檄⊜起義兵　駱主簿⊜修書寄良友

話說嬴姑聞百花仙子之言，不覺笑道：「你既要騙我酒吃，又鬥我圍棋，偏有這些尖嘴薄舌的話說！我看你只怕未必延齡，反要促壽哩。若講著棋，我雖喜同你著，卻又嫌你……」百花仙子道：「這卻為何？」嬴姑道：「我喜你者：因你棋不甚高，臭的有趣，同你對著，可以無須用心，即可取勝，所謂『殺屎棋以作樂』，頗可借此消遣。無如你棋品平常，每每下到半盤，不是一攄，就想推故要走。古人云：『未角智，先練品。』誰知你是未角智，先練攄，又練走。所以我又嫌你。我們今日預先講定，或三盤五盤，必須見個勝負，不准半途而廢。如果有事，請辦過再來，免得臨時鬧詭。」百花仙子笑道：「小仙今拜南極仙翁為師，若論高手，大約除了做老師就要輪到小仙。豈可與從前一例看待。——就下十盤，我也不懼！且命貴仙女煖酒安枰，我兩人好一飲一著，分個高下。」嬴姑道：「仙姑休得誇強，到了終局，你才知利害，那才後悔不該同我對局哩！」百花仙子

⊖ 徐英公——就是本書正文中所說的徐敬業。歷史紀載：唐開國功臣徐勣，封英國公。徐敬業是徐勣的孫子，繼承爵位封號，所以稱徐英公。

⊜ 傳檄——檄，古時刻有通告文字的木片；傳檄，是把這種木片傳送各地的意思。檄上的通告文字一般是徵召、罪責、曉諭之類，後來雖然不用木片，卻仍把這一類文字稱做檄文，成為公文體裁的一種。正文中所說「同駱賓王做了一道檄文」，指駱賓王起草的「討武曌檄」，這篇檄文，武后讀了，說：「有如此才，而使之淪落不偶，宰相之過也。」

⊜ 駱主簿——就是正文中所說的駱賓王。主簿是秘書之類的官職。駱賓王曾做過主簿，所以稱駱主簿。

道：「仙姑今日如果得勝，小仙聞得下界高手甚多，我去凡間訪求明師，就便將奕秋四請來，看你可怕？」麻姑道：「那奕秋老先生，連孟夫子都佩服的，我如何不怕！但仙姑『下凡訪師』這句話，未免動了紅塵之念，將來只怕下界有人聘你去做棋中高手哩。」一面說笑，隨命仙女擺設酒肴，安排棋局，登時各逞心思，對著起來。

百花仙子只顧在此著棋，那知下界帝王忽有御旨命他百花齊放。

原來這位帝王並非鬚眉男子，係由太后而登大寶，乃唐中宗之母，姓武，名曌，自號則天。按天星心月狐臨凡。當日太祖、太宗本是隋朝臣子，後來纂了煬帝江山。雖是天命，但殺戮過重，且涉於淫私，傷殘手足，所以煬帝並各路烟塵，趁他這個虧處，都在陰曹控告唐家父子種種暴戾荼毒之苦。冥官具奏。幸虧眾神條陳：與其令楊氏出世報仇，又結來生不了之案，莫若令一天魔下界，擾亂唐室，任其自興自滅，以彰報施。適有心月狐思凡獲譴，卽請救令投胎為唐家天子，錯亂陰陽，消此罪案。心月狐得了此信，歡喜非常，日盼下凡吉期。

這日來到廣寒，與太陰告辭。嫦娥觸動前事，因怕怕說道：「星君此去下界為帝，享受玉食萬方，不獨名傳千古，也顯得星君通天手段。」心月狐笑道：「這有何難！我既為帝，莫講百花敎他齊放，他不敢不遵；就是那從不開花的鐵樹，也要開朵花兒給我看看哩。」此時說來無憑，日後便見明白。」說罷作別。——後來下凡，託生為則天皇帝，卽唐中宗之母。

當時中宗在位，一切謹守彝訓，天下雖然太平，無如做人仁慈，不合武太后之意。未及一載，廢

爲盧陵王，貶在房州。武后自立爲帝，改國號周，年號光宅。自中宗嗣聖元年甲申卽位，賴唐家一點庇蔭，天下倒也無事。武后一味尊崇武氏弟兄，荼毒唐家子孫。那時惱了一位豪傑，是英國公徐勣之孫徐敬業，在外聚集英雄，同駱賓王做了一道檄文，布告天下，以討武后。武后卽發强兵三十萬，命李孝逸率領衆將征勦。徐敬業手下雖有兵十萬，究竟寡不敵衆；兼之不聽魏思溫之言，誤從薛仲璋之計㈣，以致大敗虧輸。後來被周兵追到至急之際，手下只剩千餘人。彼時徐敬業、駱賓王各有一子，跟在軍前，都不滿十歲。徐敬業見事機萬萬無挽回，卽同駱賓王商議，選了四名精壯偏將，保護兩位公子，暗暗奔逃。並將所討武氏檄文，割下袍襟，咬破手指，每人各書一張，交付兩位公子，丁寧囑付，敎他日後務保主上復位，以承父志。——所以徐敬業之子取名徐承志，駱賓王之子取名駱承志。——當時駱賓王又割一幅袍襟，匆匆寫了一封血書，遞給兒子道：「此信日後送到隴右節度使㈥史伯伯處。此人名叫史逸，向日同我結拜至交。爲人忠心赤膽，素諳天文。刻下雖有勤王之意，因兵微將寡，未敢妄動。將來首先起兵勦滅武氏，必是此人。我兒前去，得能替我出得半臂之勞，我亦含笑九泉。切須勉力爲之！」徐敬業也寫兩封血書，遞給兒子道：「此信吾兒一送淮南節度使文伯伯處，一送河東節度

㈣ 弈秋——古時最會下棋的人。見孟子「告子」上。

不聽魏思溫之言，誤從薛仲璋之計——歷史紀載，徐敬業起兵時，薛仲璋主張渡江攻取常、潤等州做基礎，魏思溫卻主張渡過淮河，打到北方去，招集山東豪傑，直取東都（洛陽）。徐敬業沒有聽魏思溫的話，而採取了薛仲璋的計策，渡江攻佔潤州。後來武則天派軍隊進攻，徐軍打敗了，退回揚州，結果完全崩潰。

㈥ 節度使——唐代官名。主管兩三州到十幾州，用人和財政都可以自主，權力很大，也稱「藩鎮」。

使章伯伯處。文伯伯名隱，章伯伯名更。為人都是血心仗義。本欲起兵勦除內亂，迎主還朝，因兵馬

甚少，尚未舉事。吾兒只要逃得性命，或在淮南，或在河東，投了此信，得能安身，將來自有出頭

之日。……」丁寧未畢，後面追兵甚近，父子四人，只得洒淚而別。

後來徐敬業被偏將王那相刺死，即持敬業首級投降，餘黨俱被擒捕，其兄徐敬功帶領家眷，逃在

外洋。駱賓王竟無下落；其父駱龍帶領孫女，亦逃海外。餘如唐之奇、杜求仁、魏思溫、薛仲璋諸

人，悉皆奔逃。

武后勦滅徐敬業，惟恐城池不固，日與武氏弟兄計議，大興土木，於長城外，另起東西南北四座

高關，把個長安團團圍在居中，真是水泄不通。這四座關就命武氏弟兄把守。北方

屬水，兼之關下河道西通酉陽之水，取名酉水關。武五思鎮守西關：西方屬金，主蕭殺之象，兼因地

近巴蜀，取名巴刀關。武六思鎮守東關：東方屬木，又因關下河道向產紫貝，——本名木貝關，他因

「木」字犯了武氏祖諱，卻把「木」字少寫一筆，——名叫才貝關。武七思鎮守南關：南方屬火，因

造此關之後，關內屢遭回祿⑺，恐火太旺，取名无火關⑷。弟兄四個，都得異人傳授，頗有妖術。關

前各設「迷魂陣」一座，極其利害。當時雖有幾家忠良欲為勤王之計，因有此關

阻隔，未敢冒昧興師，暫且臣服於周，相時而動。

武后恃有高關，又仗武氏弟兄驍勇，自謂穩如泰山，十分得意。一日，正值殘冬，同太平公主在

暖閣飲酒，推窗賞雪，並與宮娥上官婉兒唱和吟詩。武后因雪越下越大，不覺喜道：「古人云：『雪

兆豐年。』朕才登極，就得如此佳兆，明歲自然五穀豐登，天下太平了。」公主同上官婉兒率領眾宮

娥都山呼叩賀。

未知如何，下回分解。

（七）回祿——迷信傳說：火神名回祿。後來一般用「回祿」兩字做火災的代詞。

（八）這裏四座關的名稱，是由酒、色、財、氣四字拆字而成。氣字別寫應該作「炁」，這裏却拆為「无火」，所以後文第九十六回說：「就只炁字暗中缺一筆，未免勉強。」

第四回　吟雪詩暖閣賭酒　揮醉筆上苑催花

話說武后賞雪心歡，趁著酒興，又同上官婉兒賭酒吟詩。上官婉兒每做「雪兆豐年」詩一首，武后即飲一杯。起初是一首詩一杯酒，後來從兩首詩一杯酒，慢慢加到十首詩一杯酒。上官婉兒剛把詩機做的略略活了，詩興還未一分，武后酒已十分。正飲得高興，只覺陣陣清香撲鼻，武后朝外一望，原來庭前有幾株蠟梅開了。不覺讚道：「這樣寒天，蠟梅忽然大放，豈非知朕飲酒，特來助興？如此殷勤，自應懋賞！」分付挂紅、賞金牌。宮娥答應，登時俱挂紅綾、金牌。

武后醉眼朦朧，又分付宮人道：「此地蠟梅既來伺候，想來園中各花素知朕有愛花之癖，自然也都大放。即刻備輦，朕同公主往羣芳圃、上林苑賞花去。」眾宮娥只得答應，傳旨備輦。公主道：「蠟梅本係多花，此時得了雪氣滋潤，所以大放。至別的花卉，開放各有其時，此刻離春令雖近，天氣甚寒，焉能都開呢？」武后道：「各花都是一樣草木：蠟梅既不畏寒，與朕陶情；別的花卉，自然也都討朕歡喜。古人云：『聖天子百靈相助，』我以婦人而登大寶，自古能有幾人？將來真可上得無雙譜的。此時朕又豈止百靈相助，這些花卉小事，安有不遂朕心所欲？即便朕要挽回造化，命他百花齊放，他又焉能違拗！你們且隨朕去，只怕園內各花早已伺候開了。」公主再三諫阻；武后那里肯聽，隨即乘輦，命公主、上官婉兒同去賞花。

到了羣芳圃，下得輦來，四處一望，各樣花木，除蠟梅、水仙、天竺、迎春之外，盡是一派枯枝，莫講賞花，要求賞個青葉也是難的。看了一遍，不覺面紅過耳，真是眾目之下，羞愧難當，幾乎

把酒都羞醒了。正要到上林苑走去，只見有個小太監走來奏道：「奴婢才到上苑看過，那邊也同這邊一樣。」據奴婢看來：大約眾位花仙還不曉得萬歲要來賞花，所以未來伺候。剛才奴婢已向各花宣過聖意，倘萬歲親自再下一道御旨，明日自然都來開花了。」武后聽罷，心中忽然動了一動，倒像觸起從前一件事來。再四尋思，卻又無從捉摸。不覺把頭點了兩點道：「也罷！今日已晚，權且施恩，限他明日開罷。」分付預備金箋筆硯，提起筆來，在那箋紙上，醉筆草草寫了四句：

明朝遊上苑，火速報春知：
花須連夜發，莫待曉風催！

寫罷，分付太監拿去用了御寶〔二〕，即發上林苑張掛。並命御膳房，明早預備賞花酒宴。公主同上官婉兒聽了，都不覺暗笑。武后酒醉難支，即帶眾人乘輦回宮。太監邊旨，把金箋用了御寶，張掛上林苑內。

那上林苑蠟梅仙子同水仙仙子見了這道御旨，忙到洞中送信。誰知這日百花仙子正同痲姑著棋，因天晚落雪，尚未回洞。當時牡丹仙子得了此信，不知洞主下落，即同蘭花仙子冒雪分頭到百草、百果各位仙姑洞中尋訪，毫無蹤跡，雪仍不止，只得回洞。牡丹仙子道：「此旨限期又迫，偏偏洞主又無下落，這卻怎好？」桃花仙子道：「據小仙愚見：

〔一〕無雙譜——書名，清金古良作，紀錄從漢張良起到宋文天祥止這一時期四十個「獨一無二」的人的事蹟。武則天是歷史上唯一的女皇帝，所以也被編入。因為無雙譜是唐代以後的書，這裏就說「將來真可上得無雙譜」，有意把真實的書名作為假想的書名。

〔二〕御寶——皇帝的印信、圖章。

為今之計，惟有各司本花，前去承旨。

能個個徧訪。設或逾限，違了聖旨，豈同兒戲！此時即找著洞主，稟知此事，安能另有

別見。且洞主向來謹慎，從不越分妄為，豈有違旨之理！」楊花仙子在旁聽了，不覺暗暗點頭。牡丹

仙子道：「話雖如此，洞主究係眾人領袖，豈可不候號令，擅自前去。不知蘭、桂二位仙姑，可另有

高見？」蘭花仙子道：「小仙同桂花仙姑所司之花，原有『四季』之名，四時莫不可放。此刻就去承

旨，也無不合。但細細忖度，自應找尋洞主，稟知為是。況『罰不責眾』，如果立意都不承旨，諒那

世主亦難遽將羣芳盡廢。且眾姐妹雖以花卉為名，並非獨供玩賞，其中隸於藥品濟世的亦復不少，若

都廢了，何以療疾？以此看來，更可放心。況時值隆冬，概令羣花齊放，未免時序顛倒。雖皇皇聖

諭，究竟於理不順，即使違誤，諒難加罪。所謂『言不順則事不成』。——若『名正言順』事在必

行，我們一經聞命，自應即去承旨，又何須稟知洞主？現在行止在於兩可，所以不能不候洞主之命。

小仙拙見如此。」桂花、梅花、菊花、蓮花四位仙子聽了，莫不點頭：都道：「仙姑所見極是。」只

見楊花、蘆花、藤花、蓼花、萱花、葵花、蘋花、菱花八位仙子，彼此交頭接耳，商議多時，一齊說

道：「諸位仙姑去不去，小仙也不敢勉強。但我等雖忝列羣芳，質極賤微，道行本淺，位分又卑，既

乏香艷之姿，兼無濟世之用，何能當此違旨重譴？一經被謫，區區微末，豈能保全？再四斟酌，不能

不籌『且顧眼前』之計。此時業經交丑，——那旨內說：『莫待曉風催。』——轉瞬就要發曉，我們

惟有各司本花，先去承旨。日後即使洞主責備，亦當垂鑒下情。且吾輩倘竟違旨，俱獲重罪，洞主身

為領袖，又安能置身事外？今既循分承旨，彼此均無過失，洞主犒賞不暇，豈有責備之理！」因向桃

花仙子道：「適才仙姑曾言，惟恐逾限獲罪，何不趁此結伴同行？」不由分說，即拉了桃花仙子，竟

自一同而去。九位仙子剛去，只見上林苑土地並值日功曹也來相催。登時眾仙子莫不紛紛前往。

那時天已漸曉，雪已住了。牡丹仙子向蘭花仙子歎道：「眾心不齊，又將奈何！小仙惟有再去尋訪。至於行止，只好悉聽諸位。」說着去了。蘭花仙子等之許久，總無音信。功曹、土地，絡繹來催。

轉眼間，紅日已升，眾花仙十去八九。洞中只剩桂花、梅花、菊花、蓮花、海棠、芍藥、水仙、蠟梅、玉蘭、杜鵑、蘭花，共十一位仙子。大家商議多時，並無良策，只得勉強一同去了。牡丹仙子又在四處訪問，直到辰時，仍無影響。回到洞中，只剩兩個女童看守洞門。呆了半晌，無計可施，惟恐違旨，只得也向上林苑而來。

武后自從上林苑回宮，睡到黎明，宿酒已消。猛然想起昨日寫詔之事，連忙起來，心內著實懊悔，酒後舉動，過於孟浪。倘羣花竟不開放，將來傳揚出去，這場羞愧，如何遮掩？正在尋思，早有上林苑、羣芳圃司花太監來報，各處羣花大放。武后這一喜非同小可！登時把公主宣來，用過早膳，齊到上林苑。只見滿園青翠榮目，紅紫迎人，真是錦繡乾坤，花花世界。天時甚覺和暖，池沼都已解凍，陡然變成初春光景。正是：

池魚戲藻仍含凍，谷鳥啼花乍報春。

武后細細看去，只見眾花惟牡丹尚未開放。即查羣芳圃，亦是如此。不覺大怒道：「朕自進宮以來，所有上林苑、羣芳圃各花，每於早晚，俱令宮人加意澆灌，百般培養，自號『督花天王』。因素喜牡丹，尤加愛護……多日則圍布幔以避嚴霜，夏日則遮涼篷以避烈日。三十餘年，習以為常。朕待此花，可謂深仁厚澤。不意今日羣芳大放，彼獨無花。負恩昧良，莫此為甚！」分付太監：「即將各處牡

丹，連根掘起，多架柴炭，立時燒燬。」公主勸道：「此時眾花既放，牡丹為花中之王，豈敢不遵御旨。但恐其花過大，開放不易。尚望主上再寬半日限期。倘仍無花，再治其罪，諒亦無怨。」武后道：「你既替他懇求，姑且施恩，再限兩個時辰。如再無花，就怨不得朕了。」因問太監道：「此處牡丹若干株？」太監奏道：「上林苑共約二千餘株，與羣芳圃數目相仿。」武后道：「此時已交辰初，就以辰時為限。爾等即燒炭火千盆，先把千株枝梗炙枯，不可傷根。——炙後如放葉開花，即將炭火撤去。俟到巳時無花，再將所餘千餘株，也用炭火炙枯。一交午時，如再不開，立將各處牡丹，一總掘起，用刀斧搥為虀粉。那時朕再降旨，令天下盡絕其種。所有羣芳圃牡丹，亦照此處一例辦理。」太監答應，登時炭火齊備。

未知如何，下回分解。

第五回　俏宮娥戲誇金盞草⊙　武太后怒貶牡丹花

話說太監把炭火預備，上林苑牡丹二千株，轉眼間已用炭火炙了一半。羣芳圃也是如此。上官婉兒向公主輕輕笑道：「此時只覺焦香撲鼻，倒也別有風味。向來公主最喜賞花，可曾聞過這樣異香麼？」公主也輕輕笑道：「據我看來，今日不獨賞花，還炮製藥料哩。」上官婉兒道：「請教公主：是何藥料？」公主笑道：「好好牡丹，不去澆灌，卻用火炙，豈非六味丸用的炙丹皮麼！」上官婉兒笑道：「少刻再把所餘二千株也都炙枯，將來到可開個丹皮藥材店哩。向來俗傳有『擊鼓催花⊜』之說。今主上催花，與衆不同，純用火攻，可謂『霸王風月⊜』了。」

公主道：「聞得向來你將各花有『十二師』、『十二友』、『十二婢』之稱，不知何意。此時主上正在指撥宮人炮製牡丹，趁此無事，何不將師、友、婢的寓意談談呢？」上官婉兒道：「這是奴婢偶爾遊戲，倘說的不是，公主莫要發笑。所謂師者，卽如牡丹、蘭花、梅花、菊花、桂花、蓮花、芍

⊙　金盞草──花名，屬菊科。這裏卻指的月季花。月季花作月季花的代名詞。

⊜　擊鼓催花──故事傳說：李隆基（唐玄宗）看見柳杏發芽，就在樹前打了一雙曲子，打了一陣鼓，再看杏花，都有要開的樣子。後來就把這個故事稱作『擊鼓催花之令』，是一種酒令：一人打鼓，在席的人把一枝花輪流傳遞，當鼓聲停歇的時候，花傳到誰手裏，誰就喝酒。

⊜　霸王風月──霸王，這裏用來象徵強暴和粗野；風月，指賞玩清風明月幽雅的事情。「霸王風月」就是說用強暴和粗野的態度去對待幽雅的事情。

月季花屬薔薇科，原與金盞草不同，但兩花的別名都稱「長春花」，所以這

藥、海棠、水仙、蠟梅、杜鵑、玉蘭之類，或古香自異，或國色無雙，此十二種，品列上等。當其開時，雖亦玩賞，然對此態濃意遠，骨重香嚴，每覺蕭然起敬，不啻事之如師，因而叫作『十二師』。當其開時，憑欄拈韻，相顧把杯，不獨藹然可親，真可把袂共話，亞似投契良朋，因此呼之為『友』。至如鳳仙、薔薇、梨花、李花、木香、芙蓉、藍菊、梔子、繡毬、罌粟、秋海棠、夜來香之類，或嬌紅膩翠，或送媚含情，此十二種，品列下等。當其開時，不但心存愛憎，並且意涉褻狎，消閒娛目，宛如解事小鬟一般，故呼之為『婢』。惟此三十六種，可師、可友、可婢。其餘品類雖多，或產一隅之區，見者甚少，或乏香艷之致，別無可觀。故奴婢悉皆不取。」公主道：「你把三十六花，借師、友、婢之意，分為上、中、下三等，固因各花品類，與之區別；據我看來，其中似有愛憎之偏。即如芙蓉應列于友，反列於婢；月季應列於婢，反列於友；豈不教芙蓉抱屈麼？」上官婉兒道：「芙蓉生成媚態嬌姿，外雖好看，奈朝開暮落，其性無常。如此之類，豈可與友？至月季之色雖稍遜芙蓉，但四時常開，其性最長，如何不是好友？」正在談論，已交巳初。只見宮人紛紛來報，此處同羣芳圃牡丹，俱已放葉含苞，頃刻就要開花了。武后道：「原來他也曉得朕的炮製利害！既如此，權且施恩，把火撤去。」宮人遵旨，撤去火盆。雲時，各處牡丹大放。連那炭火炙枯的，也都照常開花。——如今世上所傳的枯枝牡丹，淮南下倉最多。無論何時，將其枝梗摘下，放入火內，如乾柴一般，登時就可燒著。這個異種，大約就是武則天留的「甘棠遺愛④」。——當時武后見牡丹已放，怒氣雖消，心中究竟不快，因下一道御旨道：「昨朕賞雪，偶爾高興，欲赴上苑賞花，曾降勅旨，令百花於來晨黎明齊放，以供玩賞。牡丹乃花中

之王，理應遵旨先放。今開在羣花之後，明係玩誤。本應盡絕其種。姑念素列藥品，尚屬有用之材，著貶去洛陽。所有大內⑤牡丹四千株，俟朕宴過羣臣，即命兵部派人解赴洛陽，著該處節度使章更，每歲委員採貢丹皮若干石，以備藥料之用。」——此旨下過，後來紛紛解往，日漸滋生，所以天下牡丹，至今惟有洛陽最盛。

武后又命司花太監，將上林苑、羣芳圃所開各花，細細查點，共計若干種，開單呈覽。其中如有外域及各處所貢者，亦皆一一載明。太監領旨，登時查明，共九十九種，把各目開列清單呈上。武后見各花開的如許之多，頗有喜色。因向上官婉兒笑道；「你向有才女之名，最是博古通今，可曾見過靈芝、鐵樹均在殘冬開花？那洛如、青囊、瑞聖、曼陀羅各花來歷，可都曉得麼？」上官婉兒奏道；「臣婢向聞靈芝產自名山，乃神仙所服。因其每歲三花，又名『三秀』。雖前古聖明之世，亦屬罕有。今不獨芬芳大放，並有五色之異。至鐵樹開花，尤屬罕見。相傳每逢丁卯年，或可一放，更非其時。不意竟於寒冬，與靈芝一齊吐艷，實爲國家嘉祥。洛如花，據古人傳說，其種既不易得，其花尤爲少見，惟國有文人，始能放花。青囊花，按史鑑本出契丹。其詳雖不可考，然以『青囊』二字言之，據晉書，當日郭公曾得青囊⑥之祕，象屬文明。今同洛如一並開

四 甘棠遺愛——故事傳說：周大臣姬奭（召公）到南國巡察，曾在一株甘棠樹下休息。他走後，人民因為懷念他，就特別愛護那株甘棠樹。後來一般用「甘棠遺愛」這四個字去恭維地方官。這裏引用這句成語，是從反面說的，含譏諷的意思。

五 大內——皇宮內苑。

六 青囊——晉書載：郭璞拜郭公為師，郭公傳給他青囊中書九卷，郭璞就精通了五行、天文、卜筮的道理。這個紀載是含有迷信內容的。

放，必主人文輔佐聖明之兆。他如瑞聖花，一經開放，必經九月之久，象主國祚永長。曼陀羅花，當日世尊說法，上天雨之，象主四方寧謐。以上各花，皆爲希世之寶，今俱遵旨立時齊放，眞是主上洪福齊天所致，可謂亘古未有盛事，亦是千秋一段佳話。」

公主道，「今觀洛如、青囊所放之花，不獨鮮艷冠於羣芳，而且枝多連理，花皆並蒂，以陰陽、連理、並蒂爲雙，屬陰，陰爲女象。適才上官婉兒所奏洛如、青囊主文，以臣女所見：連理、並蒂主女。據這景象，將來必主聖上廣得閨才之兆。蓋聖上既奉天運承了大統，天下閨中，自應廣育英才，以爲輔弼，亦如古之八元、八愷⑦，風雲際會。所以草木有知，也都預爲呈兆。臣等叨蒙聖上洪福，恭逢其盛，不勝歡欣頌禱！」於是率領眾宮人山呼叩賀。武后聽罷，不覺大悅道，「此雖上天垂象，但朕何德何能，豈敢妄冀巾幗中有八元、八愷之盛。倘得一二良才，共理朝綱，得備顧問，青囊之上。誰知各花一經挂紅，開的更覺鮮艷。那洛如、青囊挂了金牌，尤其茂盛，不獨並蒂，並從花心又出一花。武后越看越愛，不覺喜笑顏開道，「此時洛如、青囊二花，經朕封爲女史，莫不蒂中結蒂，花中套花，眞是雙雙吐艷，兩兩爭妍。若以奇偶而論，其爲坤象無疑。公主所言閨才之兆，實非無因。但向來兩花並放，謂之並蒂。至花心又出一花，卻是罕見，歷來亦無其名。若據形狀，宛然子伏母懷，似宜呼爲『懷中抱子』。現在各花將及百種，至並蒂以及懷中抱子，只得洛如、青囊二種。今特降旨，『眾花中如再開有並蒂或懷中抱子者，即賜金牌一面，並賞御酒三杯。』」說罷，將旨寫了，隨即張挂。卻也作怪：不多時，各花中竟有十餘種開出並蒂，至懷中抱子，雖有數種，內中

惟石榴最盛。武后即命宮人各賞金牌，並賞御酒。

公主道：「臣女向在上苑遊玩，石榴甚少。今歲忽有數百株之多，不獨五色備具，並有花心另挺

枝葉，復又生出懷中抱子。奇奇幻幻，奪盡造物之巧。如此異種，不知從何而來？」武后道：「此處

石榴，乃朕特命隴右節度使史逸從西域採辦來的。世俗本有『榴開見子』之說，今又開出懷中抱子，並有夏秋常開者。此

時不但開出異色，且多懷中抱子，多子之象，無過

於此。宜封爲『多子麗人』。朕見此花，偶然想起姪兒武八思，年已四旬，尚無子息，昨朕派往東海

郡鎮防海口，何不將此送去，以爲姪兒得子之兆？」於是分付太監，即將石榴二百株，

傳諭兵部，解交武八王爺查收。——此花後來送至東海郡，附近流傳，莫不保護。所以沭陽地方，至

今仍有異種，並有一株而開五色者。——每花一盆，非數十金不可得，眞可甲於天下。

武后正在分付，只見宮人奏道：「現在查點各處牡丹，除解洛陽四千株，仍餘四百株。應栽何

處，請旨定奪。」武后道：「所有大內牡丹，俟宴賞後，毋許留存一株。——這樣喪心負恩，豈可仍

留於此！所餘四百株，朕聞淮南節度使文隱，昨在劍南勦滅倭寇，頗爲出力。現在積勞成疾。聞彼處

牡丹甚少，可將此花賜給文隱，令其玩花養病，以示朕軫念勞臣之意。」宮人領旨。武后又到羣芳圃

看了一遍，分付擺宴與公主賞花飲酒。

未知如何，下回分解。

⑦ 八元八愷——八元指高辛氏的八位臣子，八愷是高陽氏的八位臣子，都是上古才德之士。元，善也。愷，和

也，指其能以自己的才德去治理百姓，使天下和樂。見左傳文公十八年。

第六回　眾宰承宣遊上苑　百花獲譴降紅塵

話說武后分付擺宴，與公主賞花飲酒。次日下詔，命羣臣齊赴上苑賞花，大排筵宴。並將九十九種花名，寫牙籤九十九根，放於筒內。每擎一籤，俱照上面花名做詩一首。——武后因前日賞雪，上官婉兒做了許多詩，毫不費力，知他學問非凡。意欲賣弄他的才情，所以也令上官婉兒與羣臣一同做詩。先交卷者，賜大緞二疋；交卷過遲者，罰酒三巨觥。所有題目，或五言、七言，或用何韻，皆臨時擎籤，以免眾人之疑。誰知一連做了幾首，總是上官婉兒第一交卷。這日共做了五十首詩，上官婉兒就得了五十分賞賜。次日又同羣臣做了四十九首詞，上官婉兒只得了四十八分半的賞賜。因交卷之時，內有一位臣子，不前不後，恰恰同他一齊交卷，因此分了一半賞賜。總而言之：一連兩日，並無一人在上官婉兒之先交卷。不但才情敏捷，而且語句清新，真是「胸羅錦繡，口吐珠璣」。諸臣看了，莫不吐舌，都道：「天生奇才，自古無二！」

武后連日賞花，雖然歡喜，就只恨上苑地勢太闊，眾花開的過多，每每一眼望去，那派美景，竟不能全在目前，心裏只覺美中不足。於是下一道旨意，飭令工部於上苑適中之地，立時起一高臺，以便四面眺望。就取各花開放將及百種之意，名「百花臺」。自從宴過羣臣，日與公主在百花臺賞花。

那百花仙子那日同嫦娥著棋，因落雪無事，足足著到天明。及至五盤著完，已有辰時光景。只見女童來報：「外面眾花齊放，甚覺可愛，請二位仙姑出去賞花。」二人出洞朝外一望，果然羣花齊

放，四處青紅滿目，豔麗非常，迥然別有天地。

百花仙子看了，甚覺駭異，連忙推算，只嚇的驚疑不止道：「昨日我們著棋時，仙姑無意中曾有『終局後悔』之話，彼時小仙聽了就覺生疑，不意今日果然生出一事。剛才我見眾花開的甚奇，細細推算，誰知下界帝王昨日偶爾高興，命我羣花齊放。小仙只顧在此著棋，不知其詳，未去奏明上帝，以致數百年前同嫦娥所定那個罰約，竟自輸了。這卻怎好？」麻姑不覺歎道：「這總怪我們道行淺薄，只能曉得已往，不能深知未來。當日所定罰約，那知數百年後，卻有此事。昔日嫦娥因仙姑當眾仙之面，語帶譏刺，每每同我談起，還有瞋怪之意。今既如此，他豈肯干休。仙姑要求無事，為今之計，惟有先將『失於覺察，未及請旨』的話，具表自行檢舉，一面卽向嫦娥請罪，或可挽回。若不如此，不但嫦娥不肯干休，兼恐稽查各神參奏〇。必須早做準備，以免後患。——況嫦娥自從與我角口，至今見面不交一言，我又何必懇他。」麻姑道：「仙姑既不陪罪，將來可肯替他打掃落花？」百花仙子道：「小仙修行多年，並非他的侍從，安能去作酒掃之事！當年我原有言在先：如爽前約，教我墮落紅塵。今既犯了此誓，神明鑒察，豈能逃過此厄。這是小仙命該如此，所以不因不由就有羣花齊放一事，更有何言！只好靜聽天命。至於自行檢舉，也可不必了。」

說罷，不覺滿面愁容，道聲「失陪」，卽至本洞。兩個女童把連日奉詔之事稟過，因說道：「你回去告知你家仙姑‥我當日有命女童來請仙姑去掃落花。

百花仙子只羞的滿面緋紅，因說道：

〇　參奏——向皇帝提出對官吏的彈劾。下文「彈章」，就是提出的彈劾文件。

言在先，如爽前約，情願墮落紅塵。今我既已失信，將來自然要受一番輪迴㈠之苦。只要你家仙姑留神，看我在那紅塵中，有無根基，可能不失本性？日後緣滿，還是另須苦修，方能返本；還是剛棄紅塵，就能還原。到了那時，才知我的道行並非淺薄之輩哩。」女童答應去了。

到了下晚，只見百草、百果、百穀三位仙子，滿面愁容，來至洞中。匆匆行禮，按次歸坐。百草仙子道：「適聞有位尊神上了彈章，把仙姑參了一本。小仙同他二位偵聽眞實，特來探望。不知仙姑可曾得信？」百花仙子歎道：「小仙自知身獲重罪，追悔莫及，惟有閉門思過，敬聽天命。今承下顧，足感盛情。被參之事，小仙並無所聞，尚求明示。」百果仙子道：「仙姑被參，就因羣花齊放一事。所上彈章，大略言下界帝王雖有御詔，但非爲國計民生起見，且係酒後遊戲，該仙子何以迫不及待，並不奏聞請旨，任聽部下逞豔於非時之候，致令時序顚倒，駭人聽聞？況身爲一洞之主，任情閒曠，不能約束所屬，旣已失察獲懲，有乖職守，仍不自請處分；而屬下目無洞主，亦不恪遵約束，均有不合。請旨一併謫入紅塵，受其磨折，以爲不能約束、不遵約束者戒。聞仙姑謫在嶺南，年未及笄㈢，遍歷海外，走蠻烟瘴雨之鄉，受駭浪驚濤之險，以應前誓，即日就要下凡。我等敬治薄酒一杯奉餞，特來面請。」百花仙子道：「請敎三位仙姑：如水仙、蠟梅……幾位仙子，可在被謫之列？」百穀仙子道：「聞得他們所司之花，雖係當令，原無不合；但不能力阻衆人，亦屬非是。因此，也都謫入紅塵。連仙姑共計百人。限期雖遲早不等，大約不出三年，都要陸續下凡。」百花仙子道：「小仙身獲重譴，今被參謫，固罪所應得，第拖累多人，於心何安！此得一別，不惟天南地北，後會無期；而風流雲散，綠暗紅稀，回首仙山，能毋慘目！」說罷，歎息不止。

百草仙子道：「仙姑不消煩惱。小仙探得將來被謫之人，或在十道，或在外域，雖散居四處，日

後自能團聚一方。俟仙姑歷過各國，塵緣期滿，那時王母自然命我等前來相迎，仍至瑤池，以了這段

公案。此是仙機，我等竊聽而來，萬萬不可洩漏。」百花仙子道：「請敎仙姑：是那十道？是何外

域？」百草仙子道：「如今唐朝地理，因山川形勢，分天下爲十道。凡縣分隸於郡，郡歸於道，——

道即後世之省，——如關內、河南、河東、河北、山南、隴右、淮南、江南、劍南、嶺南之類。至於

外域，海外甚多，不能歷舉。若以眾仙姑降生而論，如君子、黑齒、淑士、歧舌、智佳、女兒各國，

大約亦有幾人，謫在其內。」

說話間，元女、織女、麻姑，也來探望。談起此事，歎息之間，大家都埋怨百花仙子並不自請處

分，又不與嫦娥陪罪，以致降落紅塵。將來棋會少了一人，好不掃興。麻姑道：「當日仙姑同嫦娥角

口時，小仙曾見王母不住點頭，似有嗟歎之意，彼時甚覺不解。及至今日，才曉得王母當日嗟歎，已

料定有此一事。若論過去未來，我們雖亦略知一二，至數百年後之事，我們道行淺薄，何能深知。」

元女道：「此事固有定數。當日倘能謹言，不必紛爭，今日再能容忍，略盡人事，想來也不至此。此

時無可如何，只好歸之於命了。」百花仙子道：「據仙姑所言，此事固由不能慎言而起，難道小仙此

厄竟非天命造定麼？」元女道：「仙姑豈不聞『小不忍則亂大謀』？又諺云『盡人事以聽天命。』今仙

姑既不能忍，又人事未盡，以致如此，何能言得天命。早間若聽麻姑之言，具表自行檢舉，並與嫦娥

㊀　輪迴——一般寫作輪廻。佛家迷信說法：陰陽世界中共分六道：三善道，三惡道。行惡的，可以從善道墮入惡道；行善的，可以從惡道升入善道。眾生像車輪一樣，在這六道裏轉來轉去，所以叫做輪迴。

㊁　及笄（ㄐㄧ）——指女子到了十五歲左右年齡。笄，簪子；及笄，到了戴簪子的時候。古時女子年十五歲，就要把頭髮用簪子綰起來，表示已經成年了。

陪罪，此時或仍被謫，所謂人事已盡，方能委之於命。即如下界俗語言：『天下無場外舉子④。』蓋未進場，如何言中；就如人事未盡，如何言得天命。世上無論何事，若人力未盡，從無坐在家中，就能平空落下隨心所欲事來。強求固屬不可；至應分當行事，坐失其機，及至事後委之於命，常人之情，往往如此。不意仙姑也有此等習氣，無怪要到凡間走一遭了。」織女道：「『成事不說，既往不咎。』我們原是各治水酒餞行的，還說我們餞行正文罷。」於是眾仙姑都當面定了日期，接二連三，各備酒宴，替百花仙子餞行。

那牡丹仙子同眾仙子，在上林苑伺候武后宴畢，陸續回洞，都在洞主面前請罪。百花仙子不但並不責備，一概歸罪於己。眾仙子見洞主如此寬洪，心中更覺不安。──那楊花、蘆花、藤花、蓼花、萱花、葵花、蘋花、菱花八位仙子，更是追悔無及。過了幾日，這九十九位仙子，也有素日許多相好仙姑，接接連連，分著餞行。

一日，紅孩兒、金童兒同青女兒、玉女兒，在入夢岩遊幻洞備了酒果，替百花仙姑並諸位仙子餞行。請百草、百果、百穀、元女、織女、麻姑並四靈大仙，相陪飲酒。百花仙子因百草仙子說他將來下凡要遍歷海外各國，恐有風波及妖魔盜賊之害，甚為憂懼。紅孩兒道：「仙姑只管放心！今日大家既來祖餞⑤，都是休戚相關之人，將來設有危急，豈有袖手之理。此後倘在下界有難，如須某人即可解脫，不妨直呼其名，令其速降。我們一時心血來潮，自然即去相救。」金童兒道：「何謂『心血來潮』？小仙自來從未『潮』過，也不知『心血』是什麼味。畢竟怎樣『潮』法？求大仙把這情節說明，日後好等他來潮。」紅孩兒道：「我見下界說部書上往往有此一說，其實我也不知怎樣潮法。大仙要問來歷，你只問那做書的就明白了。」玉女兒道：「下界說部原有幾種好的，但如『心血來潮』

舊套滿篇的也就不少。你若追他來歷，連他也是套來的，何能知道怎樣潮法。剛才紅孩大仙說，百花仙姑如在下界有難，教他呼我眾人之名前去相救，這話只怕錯了。百花仙姑既已託生，豈能記得前生之事？若能呼我眾人之名，與仙家何異？既是仙家，豈不自知趨避，何須呼人解脫？此話令人不解。」紅孩兒道：「呸！呸！這話我說錯了！將來百花諸位仙姑如在下界有難，今日我等在坐諸人，如係某位大仙或某位仙姑應分當去拯救，本人即去相救；如須某人相幫，立即知會同往。彼此務須時時在意。事關百位仙姑，非同小可。倘有遺誤，怠惰不前，教他也墮紅塵！」——只因紅孩兒這句話，又生出許多事來。

當時青女兒、玉女兒都與百花仙子把盞。酒過數巡，百獸、百鳥、百介、百鱗四仙向百花仙子道：「仙姑此去，小仙等無以奉餞，特贈靈芝一枝。此枝產於天皇盛世，至今二百餘萬年，因得先天正氣，受日月精華，故仙凡服食，莫不壽與天齊。些須微意，望仙姑哂存。」百花仙子剛要道謝，只見百草、百果、百穀、元女、織女、麻姑六位仙子也接著說道：「我等偶於海島深山覓得回生仙草一枝，特來面呈，以為臨別之贈。此草生於開闢之初，歷年即深，故功有九轉⑥之妙，淘為希世奇珍。區區微敬，略表離衷，亦望仙姑笑納。」百花

④ 舉子——唐、宋時對被薦舉去應進士科試的稱舉子，也稱舉人。到了明、清兩代，對鄉試考中的稱作舉人。

⑤ 祖餞——迷信傳說：道路的神名祖神。出門上路的人，臨行時都要祭一祭祖神，以求一路平安。「祖餞」原指的祭祖神，後來卻作為一般送行酒筵的通稱。

⑥ 九轉——道家迷信說法：仙家煉丹，把丹煉的次數越多，神力越大。煉過一次的仙丹，吃了三年成仙；煉過九次的仙丹，吃了三天就成仙。九轉，就是煉九次的意思。

聯經出版事業公司校印

仙子忙向眾仙道謝拜領，即託百草仙子代為收存，以備他年返本還原之用。青女兒道：「這兩種仙品，都是不死金丹㈦。百草仙姑雖代收存，切莫偷吃才好。誠恐日後百花仙姑在下界須用，一時呼名，命你送去，那時你雖『心血來潮』，若兩手空空，無物可送，不獨仙姑心血枉自來潮，並恐百花仙姑在下界守候著急，他的心血也要來潮哩。」說罷，合座不覺大笑。

眾仙祖餞未罷，早有幾位仙姑限期已到，一個個各按年月，都朝下界投胎去了。那百花仙子降生嶺南唐秀才㈧之家，乃河源鎮地方。

未知如何，下回分解。

㈦　金丹──道家迷信說法：丹砂加進黃金汁，煉成的丹就叫做金丹。

㈧　秀才──唐、宋時對參加科舉考試的都稱秀才。明、清兩代的科舉制度，童生先經府、縣考試，再經全省的院（或道）考錄取後，稱秀才，也稱秀士、生員、諸生。

第七回　小才女月下論文科　老書生夢中聞善果

話說這位唐秀才，名敖，表字以亭。祖籍嶺南循洲海豐郡河源縣。妻子久已去世，繼娶林氏。兄弟名唐敏，也是本郡秀士。弟婦史氏。至親四口，上無父母。弟婦素日雖功名心勝，無如秉性好遊，每每一年倒有半年出遊在外，因此學業分心，以致屢次赴試，仍是一領青衫[一]。

恰喜這年林氏生了一女。將產時，異香滿室，既非冰麝，又非㮀檀，似花香而非花香，三日之中，時刻變換，竟有百種香氣，鄰舍莫不傳以為奇，因此都將此地喚作「百香衢」。未生之先，林氏夢登五彩峭壁，醒來卽生此女，所以取名小山。小山生成美貌端莊，天姿聰俊。到了四五歲，就喜讀書，凡有書籍，一經過目，卽能不忘。且喜家中書籍最富，又得父親、叔叔指點，不上幾年，文義早已清通。兼之膽量極大，識見過人，不但喜文，並且好武，時常舞槍要棒，父母也禁他不住。

這年唐敖又去赴試。一日，正值皓月當空，小山同唐敏坐在簷下，玩月談文。小山問道：「爹爹屢赴科場[二]，叔叔也是秀才，為何不去應試？」唐敏道：「我素日功名心淡，且學業未精，去也無

聯經出版事業公司校印

一　青衫──青顏的長衫，原是古時讀書人的服裝，這裏卻是指科舉時代秀才的服裝。「仍是一領青衫」，表示仍然是個秀才的意思。

一　科場──科舉考試的考場。

用。與其奔馳辛苦，莫若在家課讀，倒覺自在。況命中不能發達，也強求不來的。」小山道：「請問

叔叔：當今㈡既開科考文，自然男有男科，女有女科了。不知我們女科幾年一考？求叔叔說明，姪女

也好用功，早作準備。」唐敏不覺笑道：「姪女今日怎麼忽然講起女科？我只曉得醫書有個『女科』；

若講考試有甚女科，我卻不知。如今雖是太后為帝，朝並無女臣。莫非姪女也想發科發甲㈣去做官？

眞是你爹爹一樣心腸，可謂『父子天性』了。」小山道：「姪女並非要去做官。因想當今既是女皇帝，

自然應該有女秀才，女丞相，以做女君輔弼，庶男女不致混雜。所以請問一聲。那知竟是未有之事。

若這樣說來，女皇帝倒用男丞相，這也奇了。既如此，我又何必讀書，跟著母親，孅孅學習針黹，豈

不是好？」過了兩日，把書果眞收過，去學針黹。學了幾時，只覺毫無意味，不如吟詩作賦有趣，於

是仍舊讀書。小山本來穎悟，再加時刻用功，腹中甚覺淵博，每與叔叔唱和，唐敏竟敵他不住：因此

外面頗有才女之名。

誰知唐敖前去赴試，雖然連捷中了探花㈤，不意有位言官㈥，上了一本，言：「唐敖於宏道㈦年

間，曾在長安同徐敬業、駱賓王、魏思溫、薛仲璋等，結拜異姓兄弟。後來徐、駱諸人謀為不軌，唐

敖雖不在內，但昔日既與叛逆結盟，究非安分之輩。今名登黃榜㈧，將來出仕，恐不免結黨營私。請

旨謫為庶人，以為結交匪類者戒。」本章上去，武后密訪，唐敖並無劣跡，因此施恩，仍舊降為秀

才。唐敖這番氣惱，非同小可，終日思思想想，

唐敏得了連捷喜音，恐哥哥需用，早已差人送了許多銀兩。唐敖有了路費，更覺放心，卽把僕從

遣回，自己帶著行囊，且到各處遊玩，暫解愁煩。一路上逢山起旱，遇水登舟，遊來遊去，業已半

載，轉瞬臘盡春初。這日，不知不覺到了嶺南，前面已是妻舅林之洋門首，相隔自己家內不過二三十里。路途雖近，但意懶心灰，羞見兄弟妻子之面，意欲另尋勝境暢遊，又不知那一路才好。一時無聊，因命船戶把船攏岸。上得岸來，走未數步，遠遠有一古廟，進前觀看，上寫「夢神觀」三個大字，不覺歎道：「我唐敖年已半百，歷來所做之事，如今想起，真如夢境一般。從前好夢歹夢，俱已做過，今看破紅塵，意欲求仙訪道，未卜此後何如，何不叩求神明指示？」於是走進神殿，暗暗禱告，拜了神像，就在神座旁席地而坐。恍惚間，有個垂髫童子走來道：「我家主人奉請處士[一〇]，有話面談。」唐敖跟著來自後殿，有一老者迎出。隨即上前行禮，分賓主坐下道：「請問老丈尊姓？不知見召有何臺命？」老者道：「老夫姓孟，向在如是觀居住。適因處士有求仙訪道之意，所以奉屈一談。請問處士[一〇]：向來有何根基？如今所恃何術？畢竟如何修為，去求仙道？」唐敖道：「我雖無甚根基，

(三)　當今——指當時在位的皇帝。

(四)　發科發甲——發，甲，指科舉考試，因為科舉考試每一屆稱為一科。考試中又有甲科、乙科之類的分別。明、清兩代稱進士考試為甲科。發，這裏作吉利，順遂，考試得中解釋。

(五)　探花——原是科舉考試對殿試中最年青的進士的稱呼，後來卻作殿試錄取的第一甲第三名的尊稱。

(六)　言官——職掌對皇帝提出有關政治、人事意見的官員，在唐代，這是門下省的職責。

(七)　宏道——宏道，就是弘道，李治（唐高宗）的年號。清高宗名弘曆，本書避諱，用「宏」字或「紅」字代「弘」字。所以把弘道寫作宏道。

(八)　黃榜——皇帝的文告是用黃紙書寫的，叫做黃榜。這裏指會試殿試錄取名早的榜示。

(九)　庶人——沒有功名和官職的平民。

(一〇)　處士——有學問而沒有出去做官的人。

聯經出版事業公司校印

至求仙一事，無非遠離紅塵，斷絕七情六慾㊀，一意靜修，自然可入仙道了。」老者笑道：「此事談何容易！處士所說清心寡慾，不過略延壽算，身無疾病而已。若講仙道，那葛仙翁說的最好，他道：『要求仙者，當以忠、孝、和、順、仁、信為本。若德行不修，務求元道，終歸無益。要成地仙，當立三百善；要成天仙，當立一千三百善。』今處士既未立功，又未立言，一無根基，忽要求仙，豈非『緣木求魚』㊁，枉自費力麼？」唐敖道：「賤性庸愚，今承指教，嗣後自當眾善奉行，以求正果。但小子初意，原想努力上進，恢復唐業，以解生靈塗炭，立功於朝，忽有意外之災。境遇如此，莫可若何。老丈何以教我？」那老者道：「處士有志未遂，甚為可惜。然『塞翁失馬，安知非福㊂』此後如棄浮幻，另結良緣，四海之大，豈無際遇？現聞百花獲愆，俱降紅塵，將來雖可團聚一方，內有名花十二，不幸飄零外洋。倘處士憫其凋零，不致淪落海外，遍歷海外，冥冥之中，或在名山，或在異域，將各花力加培植，俾歸福地，與羣芳同得返本還原，位列仙班。此中造化，豈無功德？再能眾善奉行，始終不懈，一經步入小蓬萊，自能名登寶籙，位列仙班，處士本有宿緣，即此前進，自有不期然而然者。今承下問，故述梗概，誰知自己仍坐神座之旁。仔細一想，正要朝下追問，那個老者忽然不見。連忙把眼揉了一揉。四處觀看，原來卻是一夢。將身立起，再看神像，就是夢中所見老者。因又叩拜一番。

回到船上，隨即開船。細想夢中光景，暗暗忖道：「此番若到海外，其中必有奇緣。第百花不知因何獲愆？畢竟都降何處？為何卻又飄流外洋？此事虛虛實實，令人費解。好在我生性好遊，今卻海外暢遊，以求善果，恰喜又得此夢，可謂天從人願。將來到了海外，惟有處處留神，但遇好花，即加培植，倘無望，業已看破紅塵，正想海外暢遊，以求善果，恰喜又得此夢，可謂天從人願。將來到了海外，惟有處處留神，但遇好花，即加培植，倘十二，不知都喚何名，可惜未曾問得詳細。將來到了海外，惟有處處留神，但遇好花，適才夢神所說名花

逢仙緣，亦未可知。此時且去尋訪妻舅。他常出外飄洋，倘能結伴同行，那更好了。」

於是把船攏到妻舅林之洋門首。只見裏面挑發貨物，匆匆忙忙，倒像遠出樣子。原來林之洋乃河北德州平原郡人氏，寄居嶺南，素日作些海船生意。父母久已去世。妻子呂氏。眼前一女名喚婉如，年方十三，生得品貌秀麗，聰慧異常，向日常在海船跟着父母飄洋。如今林之洋又去販賣，把家務託丈母江氏照應。正要起身，忽見唐敖到他家來。彼此道了久闊，讓至內室，同呂氏見禮。婉如也來拜見，唐敖還禮道：「姪女向未讀書，今兩年未見，爲何滿面書卷秀氣？大約近來也學小山不做針黹，一味讀書了？」林之洋道：「他心心念念原想讀書。俺也知道讀書是件好事，平時俺也替他買了許多書。奈俺近年多病窮忙，那有工夫敎他！」唐敖道：「舅兄可知近來女子讀書，如果精通，比男子登科發甲還妙哩！」林之洋道：「爲甚麼有這好處？你道從何而起？卻是宮娥上官婉兒起的根苗。此話已有十餘年了。舅兄旣不知道，待小弟慢慢講來。」

未知如何，下回分解。

第八回　棄囂塵結伴遊寰海　覓勝跡窮踪越遠山

話說唐敖向林之洋道：「舅兄：你道爲何女子讀書甚妙？只因太后有個宮娥，名喚上官婉兒，那年百花齊放，曾與羣臣作詩，滿朝羣臣都作他不過，因此文名大振。太后十分寵愛，將他封爲昭儀⊖，因要鼓勵人才，並將昭儀父母也封官職。後來又命各處大臣細心查訪，如有能文才女，准其密奏，以備召見，量才加恩。外面因有這個風聲，所以數年來無論大家小戶，凡有幼女，莫不讀書。目今召見曠典雖未舉行，若認眞用功，有了文名，何愁不有奇遇。姪女如此淸品，聽其就擱，豈不可惜！」呂氏道：「將來全仗姑夫指教。如識得幾字，那怕⊖好了。但他雖未讀書，卻喜寫字，每日拿着字帖臨寫，時刻不離。敎他送給小山姐姐批改，他又不肯。求姑夫看看批改。」唐敖道：「姪女所臨何帖？何不取來一看？」林婉如道：「姪女立意原想讀書，無奈父親最怕敎書煩心，只買一本字帖，敎俺學字，從未談及。今寫了三年，字體雖與帖上相仿，不知寫的可是。平時遇見小山姐姐，怕他恥笑，又不知從何下筆，只好依樣葫蘆，細細臨寫。究竟不知寫的何如。」說罷取來，原來是本漢隸。再將婉如所臨，細細觀看，只見筆筆藏鋒，字字秀挺，不但與帖無異，內有幾字，竟高出原帖之上。看罷，不覺歎道：「如此天資，若非宿慧，安能如此。此等人若令讀書，何患不是奇才！」林之洋道：「俺因他要讀書，原想送給甥女作伴，求妹夫敎他。誰知去年妹夫剛中探花，忽又鬧出結盟事來。俺聞前朝並無探花，這個名號，是太后新近取的。據俺看來：太后特將妹夫中個探花，必因當年百花齊放一事，派你少。只好等你作了官，再把他送去。偏這幾年妹夫在家日子

去探甚花消息哩。」唐敖道：「小弟記得那年百花齊放，太后曾將牡丹貶去洛陽，其餘各花至今仍在上苑。所有名目，現有上官昭儀之詩可憑，何須查探。舅兄此言，未免過於附會，但我們相別許久，今日見面，正要談談，不意府上如此匆忙。看這光景，莫非舅兄就要遠出麼？」林之洋道：「俺因連年多病，不曾出門。近來喜得身子強壯，販些零星貨物到外洋碰碰財運，強如在家坐吃山空。這是俺的舊營生，少不得又要吃些辛苦。」唐敖聽罷，正中下懷，因趁勢說道：「小弟因內地山水連年遊玩殆遍，近來毫無消遣。而且自從都中回來，鬱悶多病，正想到大洋看看海島山水之勝，解解愁煩。舅兄恰有此行，真是天緣湊巧。萬望攜帶攜帶！小弟帶有路費數百金，途中斷不有累。至於飯食舟資，悉聽分付，無不遵命。」林之洋道：「妹夫同俺骨肉至親，怎說船錢飯食來了！」因向妻子道：「大娘：你聽妹夫這是甚話！」呂氏道：「俺們海船甚大，豈在姑爺一人。就是飯食，又值幾何。但海外非內河可比，俺們常走，不以為意；若妹小的，初上海船，受了風浪，就有許多驚恐。你們讀書人，茶水是不離口的，鹽漱沐浴也日日不可缺的；上了海船，不獨沐浴一切先要從簡，就是每日茶水也只能略潤喉嚨，若想盡量，卻是難的。姑爺平素自在慣了，何能受這辛苦！」林之洋道：「到了海面，總以風為主，往返三年兩載，更難預定。妹夫還要忖度。若一時高興，誤了功名正事，豈非俺們躭擱你麼？」唐敖道：「小弟素日常聽令妹說：『海水極鹹，不能入口，所用甜水，俱是預裝船內，因此都要撙節。』恰好小弟平素最不喜茶，沐浴一切更是可有可無。至洋面風浪甚險，小弟向在長江大湖也常行走，這又何足為奇。若講往返難以刻期，恐誤正事，小弟只有赴考是正事，今已功名絕

㊀　昭儀──皇宮裏地位最高的女官。

㊁　敢──這裏是「敢情」的省詞，猶如說當然、自然；後文有時也作大約、莫非解釋。

望，但願遲遲回來，才趁心願，怎麼倒說你們就攔呢！」林之洋道：「你既恁般㊂立意，俺也不敢相攔。妹妹出門時，可將這話告知俺家妹子？」唐敖道：「此話我已說過。舅兄如不放心，小弟再寄一封家信，將我們起身日子也敦令妹知道，豈不更好。」

林之洋見妹夫執意要去，情不可卻，只得應允。唐敖一面修書央人寄去，一面開發船錢，把行李發來。取了一封銀子以作舟資飯食之費，林之洋執意不收，只好給了婉如爲紙筆之用。林之洋道：「姑夫給他這多銀子，若買紙筆，寫一世還寫不清哩！俺想妹夫既到海外，爲甚不買些貨物碰碰機會？」唐敖道：「小弟才拿了銀子，正要去置貨，恰被舅兄道着，可謂意見相同。」於是帶了水手，走到市上，買了許多花盆並幾擔生鐵回來。林之洋道：「妹丈帶這花盆，已是冷貨，難以出脫，這生鐵，俺見海外到處都有，帶這許多，有甚用處？」唐敖道：「花盆雖係冷貨，安知海外無惜花之人。至於生鐵，如倘乏主顧，設難出脫，舟中得此，亦壓許多風浪，縱放數年，亦無朽壞，小弟熟想許久，惟此最妙，因而買來。好在所費無多，舅兄不必在意。」林之洋聽了，明知此物難以退回，只得點頭道：「妹夫這話也是。」不多時，收拾完畢，大家另坐小船，到了海口。眾水手把貨發完，都上三板㊃渡上海船，趁着順風，揚帆而去。

此時正是正月中旬，天氣甚好，行了幾日，到了大洋。唐敖四圍眺望，眼界爲之一寬，眞是「觀於海者難爲水」，心中甚喜。走了多日，繞出門戶山，不知不覺順風飄來，也不知走出若干路程。唐敖一心記挂夢神所說名花，每逢崇山峻嶺，必要泊船，上去望望。林之洋因唐敖是讀書君子，素本敬重；又知他秉性好遊：但可停泊，必令妹夫上去。就是茶飯一切，呂氏也甚照應。唐敖得他夫妻如此

相待，十分暢意。途中雖因遊玩不無耽擱，喜得常遇順風；兼之飄洋之人，以船爲家，多走幾時也不在意。倒是林之洋惟恐過於耽擱，有誤妹夫考試，誰知唐敖立誓不談功名，因此只好由他盡興而遊了。遊玩之暇，因婉如生的聰慧，教他念念詩賦。恰喜他與詩賦有緣，一讀便會，毫不費事。沿途借着課讀，倒解許多煩悶。

這日正行之際，迎面又有一座大嶺。唐敖道：「請敎舅兄：此山較別處甚覺雄壯，不知何名？」林之洋道：「這嶺名叫東口山，是東荒第一大嶺。聞得上面景致甚好。俺路過幾次，從未上去。今日妹夫如高興，少刻停船，俺也奉陪走走。」唐敖聽見「東口」二字，甚覺耳熟，偶然想起道：「此山既名東口，那君子國，大人國，自然都在鄰近了？」林之洋道：「這山東連君子，北連大人，果然鄰近。妹夫怎麼得知？」唐敖道：「小弟聞得海外東口山有君子國，其人衣冠帶劍，好讓不爭。又聞大人國在其北，只能乘雲而不能走。不知此話可確？」林之洋道：「當日俺到大人國，曾見他們國人都有雲霧把腳托住，走路並不費力。這兩國過去，就是黑齒國，渾身上下，無處不黑。其餘如勞民、聶耳、無腸、犬封、毛民、毗騫、無𦝫、深目等國，莫不奇形怪狀，都在前面。將來到彼，妹夫去看看就曉得了。」

說話間，船已泊在山腳下。郎舅兩個下船上了山坡。林之洋提着鳥槍火繩⑤，唐敖身佩寶劍，曲

③、恁（ㄋㄣ）般——這樣。後文有時只用一個「恁」字，意思相同，如第十三回「回來恁晚」。

④　三板——小船名。現在一般寫做「舢板」。

⑤　火繩——土槍槍口裏塞有火藥，發射時要用引子把火藥點着，這種引子叫做火繩。

曲彎彎，越過前面山頭，四處一看，果是無窮美景，一望無際。唐敖忖道：「如此崇山，豈無名花在內？不知機緣如何。」只見遠遠山峯上走出一個怪獸，其形如豬，身長六尺，高四尺，渾身青色，兩隻大耳，口中伸出四個長牙，如象牙一般，拖在外面。唐敖道：「這獸如此長牙，卻也罕見。舅兄可知其名麼？」林之洋道：「這個俺不知道。俺們船上有位柁工，剛才未邀他同來。他久慣飄洋，海外山水，全能透澈，那些異草奇花，野鳥怪獸，無有不知。將來如再遊玩，俺把他邀來。」唐敖道：「船上既有如此能人，將來遊玩，倒是不可缺的。此人姓甚？也還識字麼？」林之洋道：「這人姓多，排行第九，因他年老，俺們都稱多九公，他就以此爲名。他起個反面綽號，叫作『多不識』。幼年也曾入學㊅，因不得中，棄了書本，作些海船生意。後來消折本錢，替人管船拿柁爲生，儒巾久已不戴。爲人老誠，滿腹才學。今年八旬向外，精神最好，走路如飛。平素與俺性情相投，特地邀來相幫照應。」恰好多九公從山下走來，林之洋連忙點手相招。唐敖迎上拱手道：「前與九公會面，尚未深談。剛才舅兄說起，才知都是至親，又是學中先輩。小弟向日疎忽失敬，尚求恕罪。」多九公連道：「豈敢！……」林之洋道：「九公想因船上拘束，也來舒暢舒暢？俺們正在盼望，來的恰好。」因指道：「請問九公：那個怪獸，滿嘴長牙，喚作甚名？」多九公道：「此獸名叫『當康』。其鳴自叫。每逢盛世，始露其形。今忽出現，必主天下太平。」話未說完，此獸果然口呼『當康』，鳴了幾聲，跳舞而去。唐敖正在眺望，只覺從空落一小石塊，把頭打了一下，不由吃驚道：「此石從何而來？」林之洋道：「妹夫！你看那邊一羣黑鳥，都在山坡啄取石塊。剛才落石打你的，就是這鳥。」唐敖進前細看，只見其形似鴉，身黑如墨，嘴白如玉，兩隻紅足，頭上斑斑點點，有許多花文，都在那里啄石，

聯經出版事業公司校印

來往飛騰。林之洋道：「九公可知這鳥搬取石塊有甚用處？」多九公道：「當日炎帝有個少女，偶遊東海，落水而死，其魂不散，變爲此鳥。因懷生前落水之恨，每日銜石吐入海中，意欲把海塡平，以消此恨。那知此鳥年深日久，竟有匹偶，日漸滋生，如今竟成一類了。」唐敖聽了，不覺歎息不止。

未知如何，下回分解。

（六）　入學──明、清兩代，科舉考試中取得秀才的資格的，才准許進到府、州、縣學裏讀書；因此，童生考取了秀才叫入學，也叫進學。

第九回　服肉芝延年益壽　食朱草入聖超凡

話說唐敖聞多九公之言，不覺歎道：「小弟向來以為銜石填海，失之過癡，必是後人附會。今日目睹，才知當日妄議，可謂『少所見多所怪』了。據小弟看來：此鳥秉性雖癡，但如此難為之事，並不畏難，其志可嘉。每見世人明明放着易為之事，他卻畏難偷安，一味蹉跎，及至老大，一無所能，追悔無及。如果都像精衞這樣立志，何患無成！——請問九公：小弟聞得此鳥生在發鳩山〇，為何此處也有呢？」多九公笑道：「此鳥雖有銜石填海之異，無非是個禽鳥，近海之地，何處不可生，何必定在發鳩一山。況老夫只聞鷁鶄不踰濟〇，至精衞不踰鳩，這卻未曾聽過。」

林之洋道：「九公：你看前面一帶樹林，那些樹木又高又大，不知甚樹？俺們前去看看。如有鮮果，摘取幾個，豈不是好？」登時都至崇林。迎面有株大樹，長有五丈，大有五圍〇；上面並無枝節，惟有無數稻鬚，如禾穗一般，每穗一個，約長丈餘。唐敖道：「古有『木禾』之說，今看此樹形狀，莫非木禾麼？」多九公點頭道：「可惜此時稻還未熟。若帶幾粒大米回去，倒是罕見之物。」唐敖道：「往年所結之稻，大約都被野獸吃去，竟無一顆在地。」林之洋道：「這些野獸就讓嘴饞好吃，也不能吃得顆粒無存。俺們且在草內搜尋，務要找出，長長見識。」說罷，各處尋覓。不多時，拿着一顆大米道：「俺找着了。」二人前進觀看，只見那米有三寸寬，五寸長。唐敖道：「這米若煑成飯，豈不有一尺長麼？」多九公道：「此米何足為奇！老夫向在海外，曾吃一個大米，足足飽了一年。」林之洋道：「這等說，那米定有兩丈長了？？當日怎樣煑他？這話俺不信。」多九公道：「那米寬五

寸，長一尺。羨出飯來，雖無兩丈，吃過後滿口清香，精神陡長，一年總不思食。此話不但林兄不

信，就是當時老夫自己也覺疑惑。後來因聞當年宣帝時背陰國來獻方物（四），內有『清腸稻』，每食一

粒，終年不飢，才知當日所食大約就是清腸稻了。」林之洋道：「怪不得今人射鵠（五），每每所發的箭

離那鵠子還有一二尺遠，他卻大爲可惜，只說『羨熟』，俺聽了着實疑惑，以爲世上那有那樣大

米。今聽九公這話，才知他說『差得一米』，卻是羨熟的清腸稻！」唐敖笑道：「『羨熟』二字，未

免過刻。舅兄此話被好射歪箭的聽見，只怕把嘴還要打歪哩！」

忽見遠遠有一小人，騎著一匹小馬，約長七八寸，在那里走跳。多九公一眼瞥見，早已如飛奔

去，林之洋只顧找米，未曾理會。唐敖一見，那敢怠慢，慌忙追趕。那個小人也朝前奔走。多九公腿

腳雖便，究竟筋力不及，兼之山路崎嶇，剛離小人不遠，不防路上有一石塊，一腳絆倒。及至起來，多九

腿上轉筋，寸步難移。唐敖得空，飛忙越過，趕有半里之遙，這才趕上，隨即捉住，吃入腹內。多九

公手扶林之洋，氣喘嘘嘘走來，望著唐敖歎道：「『一飮一酌，莫非前定。』何況此等大事！這是唐

（一）發鳩山——在山西境內，是太行山的分支。山海經說：「發鳩之山，有鳥焉，名曰精衞。」所以這裏有「此鳥生在發鳩山」的話。

（二）鵷鶵不踰濟——鵷鶵，八哥；濟，濟水。不踰濟，是不飛過濟水的意思。古代傳說：在濟水以北，從來找不着八哥高巢。

（三）圍——計算圓周大小的一種尺寸標準，從來說法不一：一說是人用雙臂去合抱，一把是一圍，一說是直徑一尺或五寸的圓周

是一圍。

（四）方物——土產品。

（五）射鵠——鵠是一種小鳥，很難射中。古人把鵠的形象畫在布上，作爲箭靶；射箭靶就叫「射鵠」。後來一般把射箭的目的物都稱作「鵠」。

兄仙緣湊巧，所以毫不費事，竟被得著了。」林之洋道：「俺聞九公說有個小人小馬被妹夫趕來。俺

們遠遠見你放在嘴邊，難道連人帶馬都吃了？俺甚不明，倒要請問：『有甚仙緣？』」唐敖道：「這個小

人小馬，名叫『肉芝』。當日小弟原不曉得。今年從都中回來，無志功名，時常看看古人養氣服食

等法，內有一條，言：『行山中如見小人乘着車馬，長五七寸的，名叫「肉芝」，有人吃了，延年

益壽，並可了道成仙。』此話雖不知真假，諒不致有害，因此把他捉住，有偏Ⓐ二兄吃了。」林之洋

笑道：「果真這樣，妹夫竟是活神仙了。你今吃了肉芝，自然不飢，只顧遊玩，俺倒餓了。」剛才那個

小人小馬，妹夫吃時，可還剩條腿兒，給俺解解饞麼？」

多九公道：「林兄如餓，恰好此地有個充飢之物。」隨向碧草叢中摘了幾枝青草道：「林兄把他吃

了，不但不飢，並且頭目還覺清爽。」林之洋接過，只見這草宛如韭菜，內有嫩莖，開著幾朵青花。

即放口內。不覺點點頭道：「這草一股清香，倒也好吃。請問九公。他叫甚麼名號？」已後俺若遊山餓

時，好把他來充飢。」唐敖道：「小弟聞得海外鵲山有草，青花如韭，名『祝餘』，可以療飢。大約

就是此物了？」多九公連連點頭。於是又朝前走。林之洋道：「好奇怪！果真飽了！這草有這好處，

俺要多找兩擔，放在船上，如遇缺糧，把他充飢，比當年妹夫所傳辟穀㊀方子，豈不省事？」多九公

道：「此草海外甚少，何能找得許多。況一經離土，其葉即枯。若要充飢，必須嫩莖。葉上生著一子，大如芥子。把子取下，

只見唐敖忽在路旁折了一枝青草，其葉如松，青翠異常。葉上生著一子，大如芥子。把子取下，

手執青草道：「舅兄才吃祝餘，小弟只好以此奉陪了。」說罷，吃入腹內。又把那個芥子，放在掌

中，吹氣一口，登時從那子中生出一枝青草，也如松葉，約長一尺；再吹一口，又長一尺，一連吹氣

三口，共有三尺之長。放在口邊，隨又吃了。林之洋笑道：「妹夫要這樣狠嚼，只怕這里青草都被你

吃盡哩。這芥子忽變青草，這是甚故？」多九公道：「此是『躡空草』，又名『掌中芥』。取子放在掌中，吹長一尺，再吹又長一尺，至三尺止。人若吃了，能立空中，俺擴空捉他，所以叫作『躡空草』。」林之洋道：「有這好處，俺也吃他幾枝，久後回家，倘房上有賊，俺擴空捉他，豈不省事？」於是各處尋了多時，並無踪影。多九公道：「林兄不必找了。此草不吹不生，這空山中有誰吹氣栽他？剛才唐兄所吃的，大約此子因鳥雀啄食，受了呼吸之氣，因此落地而生，並非常見之物，你卻從何尋找。老夫在海外多年，今日也是初次才見。若非唐兄吹他，老夫還不知就是躡空草哩。」林之洋道：「吃了這草，就能站在空中，俺想這話到底古怪。要求妹夫試試，果能平空站住，俺才信哩。」唐敖道：「此草才吃未久，如何就有效驗。——也罷，小弟權且試試。」隨即將身一縱，就如飛舞一般，擴將上去，離地約有五六丈。果然兩腳登空，猶如腳踹實地，將身立住，動也不動。林之洋拍手笑道：「妹夫如今竟是『平步青雲』了。果真吃了這草就能擴空，倒也好頑。妹夫何不再走幾步？若走的靈便，將來行路，你就空中行走，兩腳並不沾土，豈不省些鞋襪？」唐敖聽了，果真就要空中行走，誰知方才舉足，隨即墜下。

林之洋道：「恰好那邊有顆棗樹，上面有幾個大棗，妹夫既會擴高，爲甚不去摘他幾個？解解口渴，也是好的。」都至樹下，仔細一看，並非棗樹。多九公道：「此果名叫『刀味核』，其味全無定準，隨刀而變，所以叫作『刀味核』。有人吃了，可成地仙。我們今日如得此核，即不能成仙，也可延年益壽。無如此核生在樹杪，其高十數丈，唐兄縱會擴高，相去懸遠，何能到手？」林之洋道：「

(六) 偏——「偏背」或「偏倍」的省詞，背著人吃東西或獲取財物的意思。

(七) 辟穀——不需要吃糧食的意思。道家迷信說法：人能修煉得不需要吃糧食，就可以成仙。

妹夫只管擄去，設或轂著，也不可定。」唐敖道：「小弟擄空離地不過五六丈，此樹高不可攀，何能摘他？這是『癩蝦蟆想吃天鵝肉』了。」林之洋聽了，那肯甘心，因低頭忖了一忖，不覺喜道：「俺才想個主意：妹夫擄在空中，略停片時，隨又朝上一擄，就如登梯一般，慢慢擄去，不怕這核不能到手。」唐敖聽了仍是不肯。無奈林之洋再三催逼，唐敖只得將身一縱，擄在空中。停了片刻，靜氣凝神，將身立定，復又用力朝上一擄，只覺身如蟬翼，悠悠揚揚，飄飄蕩蕩，登時間不知不覺，倒像斷線風箏一般，落了下來，林之洋頓足道：「妹夫怎麼不朝上擄，倒朝下墜？這是甚意？」唐敖道：「小弟剛才明明朝上擄去，誰知並不由我作主，何嘗是我有意落下。倘若一層一層上擄，兩腳勢必用力，又非腳踹實地，焉有不墜？若依林兄所說，慢慢一層一層擄去，倘擄千百遍，豈不擄上天麼？安有此理！」

唐敖道：「此時忽覺一陣清香，莫非此核還有香味麼？」多九公道：「這股香氣，細細聞去，倒像別處處隨風刮來。我們何不順著香味，各處看看？」大家於是分路找尋。唐敖穿過樹林，走過峭壁，各處探望。只見路旁石縫內生出一枝紅草，約長二尺，赤若塗朱，甚覺可愛。端詳多時，猛然想起：「服食方內言：『朱草』狀如小桑，莖似珊瑚，汁流如血，以金玉投之，立刻如泥。」——投金名叫『金漿』，投玉名叫『玉漿』。——人若服了，皆能入聖超凡。且喜多、林二人俱未同來，今我得遇仙草，可謂有緣。奈身邊並無金器，這卻怎好？……」因想了一想：「頭巾上有個小小玉牌，何不試試？」想罷，取下玉牌，把朱草從根折斷，齊放掌中，連揉帶搓，果然玉已成泥，其色甚紅。隨即放入口內，只覺芳馨透腦。方才吃完，陡然精神百倍。不覺喜道：「朱草才吃未久，就覺神清氣爽，可見仙家之物，果非小可。此後如能斷穀，其餘別的工夫更好做了。今日吃了許多仙品，不知膂力可能

加增？」只見路旁有一殘碑，倒在地下，約有五七百觔。隨即走進，彎下腰去，毫不費力，輕輕用手捧起；借著躡空草之術，乘勢將身一縱，擴在空中，略停片刻，慢慢落下道：

「此時服了朱草，只覺耳聰目明，誰知回想幼年所讀經書，不但絲毫不忘，就是平時所作詩文，也都如在目前。不意朱草竟有如許妙處！」只見多九公攜著林之洋走來道：「唐兄忽然滿口通紅，是何緣故？」唐敖道：「不瞞九公說：小弟才得一枝朱草，卻又有偏二位吃了。」林之洋道：「妹夫吃他有甚好處？」多九公道：「此草乃天地精華凝結而生，人若服了，有根基的，即可了道成仙。老夫向在海外，雖然留心，無如從未一見。今日又被唐兄遇著，真是天緣湊巧。將來優遊世外，名列仙班，已可概見。那知這陣香氣，卻成就了唐兄一段仙緣」林之洋道：「妹夫不久就要成仙，為甚忽然愁眉苦臉？難道捨不得家鄉，怕做神仙麼？」唐敖道：「小弟吃了朱草，此時只覺腹痛，不知何故。」話言未了，只聽腹中響了一陣，登時濁氣下降，微微有聲。林之洋用手掩鼻道：「好了！這草把妹夫濁氣趕出，身上想必暢快？不知腹中可覺空疎？舊日所作詩文可還依舊在腹麼？」唐敖低頭想了一想，不意口中只說「奇怪」。因向多九公道：「小弟起初吃了朱草，細想幼年所作詩文，明明全都記得。不意此刻腹痛之後，再想舊作，十分中不過記得一分，其餘九分再也想不出，不解何意？」多九公道：「卻也奇怪。」林之洋道：「這事有甚奇怪！據俺看來：妹夫想不出的那九分，就是剛才那股濁氣；朱草嫌他有些氣味，把他趕出，他已露出本相，鑽入俺的鼻內，你卻那里尋他？其餘一分，並無氣味，朱草容他在內，如今好好在你腹中，自然一想就有了。——俺只記挂妹夫中探花那本卷子，不知朱草可肯留點情兒？——妹夫平日所作窗稿，將來如要發刻，據俺主意：不須託人去選，就把今日想不出的那九分全都刪去，只刻想得出的那一分，包你必是好的。若不論好歹，一概發刻，在你自己刻的是

詩，那知朱草卻大爲不然。可惜這草甚少，若帶些回去給人吃了，豈不省些刻工？朱草有這好處，九

公爲甚不吃兩枝？難道你無窮稿要刻麼？」多九公笑道：「老夫雖有窮稿要刻，但恐趕出濁氣，只怕

連一分還想不出哩。林兄爲何不吃兩枝，趕趕濁氣？」林之洋道：「俺又不刻『酒經』，又不刻『食

譜』，吃他作甚？」唐敖道：「此話怎講？」林之洋道：「俺這肚腹不過是酒囊飯袋，若要刻書，無

非酒經食譜，何能比得二位。怪不得妹夫最好遊山玩水，今日俺見這些奇禽怪獸，異草仙花，果然解

悶。」

多九公道：「林兄剛說果然，巧巧竟有『果然』來了。」只見山坡上有個異獸，——形象如猿，

渾身白毛，上有許多黑文，其體不過四尺，後面一條長尾，由身子盤至頂上，毛長而

細，頰下許多黑髯。——守著一個死獸在那里慟哭。林之洋道：「看這模樣，竟像一個絡腮鬍子。不

知爲甚這樣啼哭？難道他就叫作『果然』麼？」多九公道：「此獸就是『果然』，又名『然獸』。其

性最義，最愛其類。獵戶取皮作褥，往往捉住一個打死放在山坡，如有路過之然，一經看

見，即守住啼哭，任人捉獲，並不逃竄。此時在那里守著死然慟哭，想來又是臘戶下的鷞子㊤。少刻

臘戶看見，毫不費力，就捉住了。」

忽見山上起一陣大風，刮的樹木刷刷亂響。三人見風來的古怪，慌忙躲入樹林。風頭過去，有隻

斑毛大蟲，從空攛了下來。

未知如何，下回分解。

㊤ 鷞（ㄇㄟˊ）子——把野雞養馴，用來誘捕其他野雞，這種馴野雞就叫做「媒鷞」。訓練其他動物，來進行這一類工作的，泛稱「鷞子」。「鷞」字，同「媒」。

第十回　誅大蟲佳人施藥箭　搏奇鳥壯士奮空拳

話說三人躲入樹林。風頭過去，有隻斑毛大蟲，從高峯攧至果然面前。果然一見，嚇的雖然發抖，還是守著死然不肯遠離。那大蟲攧下，如山崩地裂一般，吼了一聲，張開血盆大口，把死然咬住。只見山坡旁隱隱躍躍，倒像攧出一箭，直向大蟲面上射去。大蟲著箭，口中落下死然，大吼一聲，將身縱起，離地數丈，隨即落下，四腳朝天。眼中插著一箭，竟自不動。多九公喝彩道：「真好神箭！果然『見血封喉』！」唐敖道：「此話怎講？」多九公道：「此箭乃獵戶放的藥箭，係用毒草所製。凡猛獸著了此箭，任他凶勇，登時血脈凝結，氣嗓緊閉，所以叫作『見血封喉』。但虎皮甚厚，箭最難入，這人把箭從虎目射入，因此藥性行的更快。若非本領高強，何能有此神箭！不意此處竟有如此能人！少刻出來，倒要會他一會。」

忽見山旁又走出一隻小虎，行至山坡，把虎皮揭去，卻是一個美貌少女。身穿白布箭衣，頭上束著白布漁婆巾，臂上跨著一張琱弓㈠。走至大蟲跟前，腰中取出利刃，把大蟲胸膛剖開，取出血淋淋斗大一顆心，提在手中。收了利刃，捲了虎皮，走下山來。林之洋道：「原來是個女獵戶。這樣小年紀，竟有恁般膽量！俺且嚇他一嚇。」說罷，舉起火繩，迎著女子放了一聲空槍。那女子叫道：「我非歹人！諸位暫停貴手，婢子有話告稟。」登時下來萬福㈡道：「請教三位長者上姓？從何至此？」

㈠　琱弓──琱，同雕。琱弓，弓背上有刻畫的弓。

㈡　萬福──從前婦女敬禮時，雙手在襟前合拜，口裏說著「萬福」。後來就稱婦女欲施敬禮為「萬福」。

唐敖道：「他二人一位姓多，一位姓林，老夫姓唐。都從中原來。」女子道：「嶺南有位姓唐的，號叫以亭，可是長者一家？」唐敖道：「以亭就是賤字。不知何以得知？」女子聽了，慌忙下拜道：「

原來唐伯伯在此。姪女不知，望求恕罰。」唐敖還禮道：「請問小姐尊姓？為何如此稱呼？府上還有何人？適才取了虎心，有何用處？」女子道：「姪女天朝⊖人氏，姓駱名紅蕖。父親曾任長安主簿，

後降臨海丞，因同敬業伯伯獲罪，不知去向。官差緝捕家屬，母親無處存身，同祖父帶了姪女，逃至海外，在此古廟中敷衍度日。此山向無人烟，儘可藏身。不意去年大蟲趕逐野獸，將住房壓倒，母親

肢體折傷，疼痛而死。姪女立誓殺盡此山之虎，替母報仇。適用藥箭射傷大蟲，取了虎心，正要回去祭母，不想得遇伯伯。姪女常聞祖父說伯伯與父親向來結拜，所以才敢如此相稱。」

唐敖歎道：「原來你是賓王兄弟之女。幸逃海外，未遭毒手。不知老伯現在何處？身體可安？望姪女帶去一見。」駱紅蕖道：「祖父現在前面廟內。伯伯既要前去，姪女在前引路。」說罷，四人走

不多時，來至廟前，上寫「蓮花菴」三字。四面牆壁俱已朽壞，並無僧道，惟剩神殿一座，廂房兩

間。光景雖然頹敗，喜得怪石縱橫，碧樹叢雜，把這古廟圍在居中，倒也清雅。進了廟門，駱紅蕖提

著虎心，先去通知；三人隨後進了大殿。只見有個鬚髮皆白的老翁迎出，唐敖認得是駱龍，連忙搶進

行禮；多、林二人也見了禮。一同讓坐獻茶。

駱龍問了多、林二人名姓，略談兩句，因向唐敖歎道：「吾兒賓王不聽賢姪之言，輕舉妄動，以

致合家離散。孫兒跟在軍前，存亡未卜。老夫自從得了凶信，即帶家口奔逃。偏偏媳婦身懷六甲，好

容易逃至海外，生下紅蕖孫女，就在此處敷衍度日。屈指算來，已一十四載。不意去歲大蟲壓倒房

屋，媳婦受傷而亡。孫女慚恨，因此棄了書本，終日搬弓弄箭，操練武藝，要替母親報仇。自製白布

箭衣一件，誓要殺盡此山猛虎，方肯除去孝衣。果然有志竟成，上月被他打死一個；今日又去打虎，誰知恰好遇見賢姪。邂逅相逢，真是『萬里他鄉遇故知』，可謂三生有幸！惟是老年已八旬，時常多病。現在此處，除孫女外，還有乳母、老蒼頭(四)二人。老夫爲癡兒賓王所累，萬不能復回故土，自投羅網；況已老邁，時光有限。紅蕖孫女，正在少年，因守在此，終非長策。老夫意欲拜懇賢姪，俯念當日結義之情，將紅蕖作爲己女，帶回故鄉，俟他年長，代爲擇配，完其終身。老夫了此心願，雖死九泉，亦必銜感(五)！」說著，落下淚來。唐敖道：「老伯說那里話來！小姪與賓王兄弟情同骨肉，原姪女紅蕖就如自己女兒一般。今蒙慈命帶回家鄉，自應好好代他擇配，何須相託。若論子姪之分，唐家當奉請老伯同回故鄉，侍奉餘年，稍盡孝心，庶不負當日結拜之情。奈近日武后純以殺戮爲事，不獨小姪受累，誅戮殆盡，何況其餘。且老伯昔日出仕多年，非比他們婦女可以隱藏，倘走露風聲，不獨小姪子孫，兼恐老伯受驚，鬢已如霜。既不能顯親揚名，又不能與邦定業，碌碌人世，共爲勤王之計，唐家以復唐業。無如功名未遂，因此不敢冒昧勸駕。小姪初意原想努力上進，約會幾家忠良，殊愧老大無成，所以浪遊海外。今雖看破紅塵，歸期未卜，家中尙有兄弟妻子，此女帶回故鄉，斷不有負慈命。老伯只管放心！」駱龍道：「蒙賢姪慷慨不棄，真令人感激涕零！但你們貿易不能躭擱，有誤程途。

(三) 天朝──從前藩屬對宗主國的尊稱；本書用作任何外國對中國的尊稱，而且中國人在外國時也用以自稱或互稱。

(四) 蒼頭──指奴僕。蒼，深青的顏色。漢代社會制度，奴僕要用著色的頭巾包頭，因此後來稱奴僕做蒼頭。

(五) 銜感──迷信傳說：漢楊寶幼年時候，救過一隻被螞蟻所困的黃雀，夜裏夢見黃雀變做一個黃衣童子，銜著四隻白環來拜謝，祝福他的子孫將如白環一樣的潔白，而且世世發達。「銜感」，像銜環一樣的感激，表示必要報恩的意思。後文「銜恩」、「雀銜」都是這個意思。

老夫寓此枯廟，也不能屈留。」因向紅蕖道：「孫女就此拜認義父，帶著乳母，跟隨前去，以了我的心願。」駱紅蕖聽了，不由大放悲聲。一面哭著，走到唐敖面前，四雙八拜，認了義父。又與多、林二人行禮。因向唐敖泣道：「姪女蒙義父天高地厚之情，自應隨歸故土。奈女兒有兩樁心事：一者，祖父年高，無人侍奉，何忍遠離；二者，此山尚有兩虎，大仇未報，豈能捨之而去。義父如念情，即將嶺南住址留下，他年倘遇皇恩大赦，那時再同祖父投奔嶺南，庶免兩下牽挂。此時若教拋撤祖父，一人獨去，即使女兒心如鐵石，亦不能忍心害理至此。」駱龍聽了，復又再三解勸。無奈紅蕖意在言外，總要侍奉祖父百年後方肯遠離。任憑苦勸，執意不從。多九公道：「小姐既如此立志，看來一時也難挽回。據老夫愚見：與其此時同到海外，莫若日後回來，老伯倒不可強他所難。況他立志甚堅，勸便？」唐敖道：「小弟日後設或不歸，卻將如何？」林之洋道：「妹夫這是甚話！今日俺們一同去，將來自然一同來，怎麼叫作『設或不歸』？俺倒不懂！」唐敖道：「這是小弟偶爾失言，舅兄為何如此認真。」因向駱龍道：「寄女具此孝心，將來自有好處，老伯倒不可強他所難。況他立志甚堅，勸也無益。」說罷，取過紙筆，開了地名。

駱紅蕖道：「義父此去，可由巫咸國路過？當日薛仲璋伯伯被難，家眷也逃海外。數年前在此路過，女兒曾與薛衡香姐姐拜為異姓姊妹，並在神前立誓：『無論何人，倘有機緣得歸故土，總要攜帶同行。』去歲有絲貨客人帶來一信，才知現在寄居巫咸。女兒有書一封，如係便路，求義父寄去。」當時駱紅蕖去寫書信。唐敖即託林之洋上船取了兩封銀子，給駱龍以為貼補薪水之用。不多時，駱紅蕖書信寫完。唐敖把信接過，唐不覺歎道：「原來仲璋哥哥家眷也在海外！當日敬業兄弟若聽思溫哥哥之言，不從仲璋哥哥之計，唐

業久已恢復，此時天下何至屬周！彼此又何至離散！這是氣數如此，莫可如何！」說罷叩辭。大家互

相囑付一番，洒淚而別。

唐敖三人因天色已晚，回歸舊路。多九公道：「如此幼女，既能不避艱險，替母報仇；此女如此

立志，大約本山大蟲從此要除根了。」林之洋道：「剛才俺見大蟲吃那果然，原不在年之大小，虎豹吃

人，總是那人前生造定，該傷虎口，若不造定，就是當面遇見，他也不吃。請問九公：這話可是？」他

多九公搖頭道：「虎豹豈敢吃人！至前生造定，更不足憑。當日老夫曾見有位老翁，說的最好。他

說：『虎豹從來不敢吃人，並且極其怕人，素日總以禽獸為糧，往往吃人者，必是此人近於禽獸，當

其遇見之時，虎豹並不知他是人，只當也是禽獸，所以吃他。』人與禽獸之別，全在頂上靈光。禽獸

頂上無光，如果然之類，縱有微光，亦甚稀罕。人之天良不滅，頂上必有靈光，虎豹看見，即遠遠迴

避。倘天良喪盡，罪大惡極，消盡靈光，虎豹看見與禽獸無異，他才吃了。至於靈光或多或少，總在

為人善惡分別。有善無惡，自然靈光數丈，不獨虎豹看見逃竄，一切鬼怪莫不遠避。即如那個果然，

一心要救死然回生，只管守住啼哭。看他那般行為，雖是獸面，心裏卻懷義氣，所謂『獸面人心』，

頂上豈無靈光？縱讓大蟲覷面，也不傷他。大蟲見了『獸面人心』的既不敢傷，若見了『人面獸心』

的如何不咬！世人只知恨那虎豹傷人，那知有這緣故。」唐敖點頭道：「九公此言，真可令人回心向

善，警戒不小。」林之洋道：「俺有一個親戚，做人甚好，時常吃齋念佛。一日，同朋友上山進香，

竟被老虎吃了。難道這樣行善，頭上反無靈光麼？」多九公道：「此等人豈無靈光。但恐此人素日外

面雖然吃齋念佛，或者一時把持不定，一念之差，害人性命，或忤逆父母，忘了根本；或淫人妻女，

壞人名節：其惡過重，就是平日有些小小靈光，陡然大惡包身，就如『杯水車薪』一般，那裏抵得

住！所以登時把靈光消盡，虎才吃了。不知此人除了吃齋念佛，別的行為若何？」林之洋道：「這人

諸般都好，就只忤逆父母，聞得還有甚麼『桑間月下⊙』之事。除了這兩樣，總是吃齋行善，並無惡

處。」多九公道：「『萬惡淫為首，百善孝為先。』此人既忤逆父母，又有『桑間月下』損人名節之

事：乃罪之魁，惡之首。就讓吃齋念佛，又有何益。」林之洋道：「據九公這話，世人如作了孽，就

是極力修為，也不中用了？」多九公道：「林兄這是甚話！善惡也有大小：以善抵惡，就如將功贖

罪，其中輕重，大有區別，豈能一概而論。卽如這人忤逆父母，淫人妻女，乃罪大惡極，不能寬有

的，你卻將他吃齋念佛那些小善，就要抵他兩樁大惡，豈非拿了杯水要救車薪之火麼？況吃齋念佛不

過外面向善，究竟不知其心如何。若外面造作行善虛名，心裏卻懷著凶惡，如此險詐，其罪尤重。總

之：為人心地最是要緊，若謂吃齋念佛都是善人，恐未盡然。」

說話間，離船不遠，忽見路旁林內飛出一隻大鳥，其形如人，滿口豬牙，渾身長毛，四肢五官，

與人無異。惟肋下舒著兩個肉翅。頂上兩個人頭：一頭像男，一頭像女。額上有文，細細看去，卻是

「不孝」二字。多九公道：「我們剛說不孝，就有『不孝鳥』出來。」林之洋聽見「不孝」二字，忙

舉火繩，放了一槍。此鳥著傷墜地，仍要展翅飛騰。林之洋趕去，一連幾拳，早已打倒。三人進前細

看，不但額有「不慈」二字，並且口有「不孝」二字，臂有「不道」二字，右脅有「愛夫」二字，左

脅有「憐婦」二字。唐敖歎道：「當日小弟雖聞古人有此傳說，以為未必實有其事。今親目所覩，果

真不錯。可見天地之大，何所不有。據小弟看來，這是世間那些不孝之人，行為近於禽獸，死後不能

復投人身，戾氣凝結，因而變為此鳥。」多九公點頭道：「唐兄高見，真是格物至論。當日夫老曾見

此鳥，雖是兩個人頭，卻都是男像，並無『愛夫』二字。——因天下並無不孝婦女，所以都是男像。

——他這人頭時常變幻，還有兩個女頭之時。聞得此鳥最通靈性，善能修真悟道：起初身上雖有文字，每每修到後來竟會一字全無；及至文字脫落，再加靜修，不上幾年，脫了皮毛，登時成仙去了。」

唐敖道：「此非『放下屠刀，立刻成佛』麼！可見上天原許眾生回心向善的。」只見船上眾水手因在山泉取水，也來觀看。問知詳細，都鼓噪道：「他既不孝，我們就要得罪了！這樣一身好翎毛，就是帶些回去做個担帚，也是好的。」說罷上前，這個一把，那個一把，只見他生前各齊，可見他生前各齊，可見他生前各齊，他是『一毛不拔』，我們是『無毛不拔』，把他拔的一乾二淨，看他如何！」

道：「他額上雖有『不孝』二字，都是戾氣所鍾，與他何干？」眾人道：「我們此時只算替他除戾氣，把戾氣除淨，將來少不得要做好人。況他身上翎毛著實富厚，可見他生前各齊，他是『一毛不拔』的。

如今我們將這『一』字換個『無』字，他是『無毛不拔』，把他拔的一乾二淨，看他如何！」

翎毛拔完，正要回船，忽見林內噴出許多膠水，腥臭異常。眾人連忙跑開。林內飛出一隻怪鳥，其形如鼠，身長五尺，一隻紅腳，兩個大翅，飛到不孝鳥跟前，隨即抱住，騰空而起。林之洋忙拿槍裝藥，對準此鳥。正要放時，誰知火繩沾水已熄，轉眼間，那鳥去遠。眾水手道：「我們常在海外，這樣怪鳥，倒也少見。向來九公最是知古知今，大約今日也要難住了。」多九公道：「此鳥海外犬封國最多，名叫『飛涎鳥』：口中有涎如膠。如遇飢時，以涎洒在樹上，別的鳥兒飛過，沾了此涎，就被粘住。今日大約還未得食，所以口內垂涎。此時得了不孝鳥，必是將他飽餐。可見這股戾氣是犯眾

（六）桑間月下——故事傳說：古代衛國男女常在桑間濮上聚會。因而後來一般用「桑間濮上」作男女幽會的代詞。這裏引用這句成語，把「濮上」改作「月下」，意指夜晚。

物所忌的：不但人要拔他的毛，禽獸還要吃他的肉哩！」說罷，一齊回船。唐敖把信收了。林之洋取出大米給婉如、呂氏看了，無不稱奇。

登時揚帆。

不多幾日，到了君子國，將船泊岸。林之洋上去賣貨。唐敖因素聞君子國好讓不爭，想來必是禮樂之邦，所以約了多九公上岸，要去瞻仰。走了數里，離城不遠，只見城門上寫著「惟善為寶」四個大字。

未知如何，下回分解。

第十一回　觀雅化閒遊君子邦　慕仁風誤入良臣府

話說唐、多二人把匾看了，隨即進城。只見人煙輳集，作買作賣，接連不斷。衣冠言談，都與天朝一樣。唐敖見言語可通，因向一位老翁問其何以「好讓不爭」之故。誰知老翁聽了，一毫不懂。又問國以「君子」為名是何緣故，老翁也回不知。一連問了幾個，都是如此。多九公道：「據老夫看來：他這國名以及『好讓不爭』四字，大約都是鄰邦替他取的，所以他們都回不知。剛才我們一路看來，那些『耕者讓畔，行者讓路』光景，已是不爭之意。而且士庶人等，無論富貴貧賤，舉止言談，莫不恭而有禮，也不愧『君子』二字。」唐敖道：「話雖如此，仍須慢慢觀玩，方能得其詳細。」

說話間，來到鬧市。只見有一隸卒在那裏買物，手中拿著貨物道：「老兄如此高貨，卻討恁般賤價，教小弟買去，如何能安！務求將價加增，方好遵教。」唐敖聽了，因暗暗說道：「九公：凡買物，只有賣者討價，買者還價。今賣者雖討過價，那買者並不還價，卻要添價。此等言談，倒也罕聞。據此看來，那『好讓不爭』四字，竟有幾分意思了。」只聽賣貨人答道：「既承照顧，敢不仰體！但適才妄討大價，已覺厚顏；不意老兄反說貨高價賤，豈不更教小弟慚愧？況敝貨並非『言無二價』，其中頗有虛頭。俗云：『漫天要價，就地還錢。』今老兄不但不減，反要加增，如此克己，只好請到別家交易，小弟實難遵命。」唐敖道：「『漫天要價，就地還錢。』原是買物之人向來俗談；至『並非言無二價，其中頗有虛頭』，亦是買者之話。不意今皆出於賣者之口，倒也有趣。」只聽隸卒又說道：「老兄以高貨討賤價，反說小弟克己，豈不失了『忠恕之

道」？凡事總要彼此無欺，方爲公允。試問那個腹中無算盤，小弟又安能受人之愚哩。」談之許久，賣貨人執意不增。隸卒賭氣，照數付價，拿了一半貨物。賣貨人那裏肯依。只說「價多貨少」，攔住不放。路旁走過兩個老翁，作好作歹，從公評定，令隸卒照價拿了八折貨物，這才交易而去。唐、多二人不覺暗暗點頭。

走未數步，市中有個小軍，也在那裏買物。小軍道：「剛才請教貴價若干，老兄執意吝教，命我酌量付給。及至遵命付價，老兄又怪過多。其實小弟所付業已刻減。若說過多，不獨太偏，竟是『違心之論』了。」賣貨人道：「小弟不敢言價，聽兄自付者，因敝貨既欠新鮮，而且平常，不如別家之美。若論價值，只照老兄所付減半，已屬過分，何敢謬領大價。」唐敖道：「『貨色平常』，原是買者之話，『付價刻減』，本係賣者之話。那知此處卻句句相反，另是一種風氣。」只聽小軍又道：「老兄說那里話來！小弟於買賣雖係外行，至貨之好醜，安有不知。以醜爲好，亦愚不至此。第以高貨只取半價，不但欺人過甚，亦失公平交易之道了。」賣貨人道：「老兄如眞心照顧，只照前價減半，最爲公平。若說價少，小弟也不敢辭，惟有請向別處再把價錢談談，才知我家並非相欺哩。」小軍說之再三，見他執意不賣，只得照前減半付價，將貨略略選擇，拿了就走。賣貨人忙攔住道：「老兄爲何只將下等貨物選去？我看老兄如此討巧，就是走遍天下，也難交易成功的。」小軍發急道：「小弟因老兄定要減價，只得委曲從命，略將次等貨物拿去，於心庶可稍安。難道老兄留下好的給小弟自用麼？」小軍發急道：「且小弟所買之物，必須次等，方能合用；至於上等，雖承美意，其實倒不適用了。」賣貨人道：「老兄既要低貨方能合用，這也不妨。但低貨自有低價，何能付大價而買醜貨呢？」小軍聽了，也不答言，拿了貨物，只管要走。那過路人看見，都說小軍欺人不公。小軍難違眾論，只

得將上等貨物，下等貨物，各携一半而去。

二人看罷，又朝前進，只見那邊又有一個農人買物。原來物已買妥，將銀付過，携了貨物要去。那賣貨的接過銀子仔細一看，用戥秤了一秤，連忙上前道：「老兄慢走。銀子平水㊀都錯了。此地向來買賣都是大市中等銀色，今老兄既將上等銀子付我，自應將色扣去。剛才小弟秤了一秤，不但銀水未扣，而且戥頭過高。此等平色小事，老兄有餘之家，原不在此；但小弟受之無因。請照例扣去。」

農人道：「些須銀色小事，何必錙銖㊁較量。既有多餘，容小弟他日奉買寶貨，再來扣除，也是一樣。」說罷，又要走。賣貨人攔住道：「這如何使得！去歲有位老兄照顧小弟，也將多餘銀子存在我處，曾言後來買貨再算。誰知至今不見。今老兄又要如此。倘一去不來，到了來生，小弟變驢變馬歸結老兄？豈非下一世又要變驢變馬歸還先前那位老兄，業已够了一忙，那里還有工夫再還老兄。况多餘若干，日子久了，倒恐難記。」彼此推讓許久，農人只得將貨拿了兩樣，作抵此銀而去。賣貨人自言自語道：「這個花子只怕就是討人便宜的後身，所以今生有這報應。」一面說著，即將多餘平色，用戥秤出，盡付乞丐而去。

唐敖道：「如此看來，這幾個交易光景，豈非『好讓不爭』一幅行樂圖㊂麼？我們還打聽甚麼！

㊀ 平水——用銀子做貨幣，在兌換和買賣貨物時，先要檢查銀子的重量和質量，然後據以計算價值。用天平、戥子去秤，決定重量，叫做「平」。質量成份，叫做「水」，也叫做「色」。「平水」或「平色」，指經過重量和質量的檢查。

㊁ 錙銖——古代極小數目的錢。後來一般用以形容微末的價值。

㊂ 行樂圖——人物畫像，從畫像中畫出愉快的動作和表情。

且到前面再去暢遊。如此美地，領略領略風景，廣廣識見，也是好的。」

只見路旁走過兩個老者，都是鶴髮童顏，滿面春風，舉止大雅。唐敖看罷，知非下等之人，忙侍立一旁。四人登時拱手見禮，問了名姓。原來這兩個老者都姓吳，乃同胞弟兄：一名吳之和，一名吳之祥。唐敖道：「不意二位老丈都是泰伯④之後，失敬，失敬！」吳之和道：「請教二位貴鄉何處？

來此有何貴幹？」多九公將鄉貫來意說了。吳之祥躬身道：「原來貴邦天朝！小子向聞天朝乃聖人之國，二位大賢榮列膠庠⑤，為天朝清貴，今得幸遇，尤其難得。第不知駕到，有失迎近，尚求海涵！」唐、多二人連道：「豈敢！……」吳之和道：「二位大賢由天朝至此，小子誼屬地主，意欲略

展杯茗之敬，少敘片時，不知可肯枉駕？如蒙賞光，寒舍就在咫尺，敢勞玉趾一行。」二人聽了，甚覺欣然。於是隨著吳氏弟兄一路行來。不多時，到了門前。只見兩扇柴扉，周圍籬牆，上面盤著許多青藤薜荔，門前一道池塘，塘內俱是菱蓮。進了柴扉，讓至一間敞廳，四人重復行禮讓坐。聽中懸著

國王賜的小額，寫著「渭川別墅」。再向廳外一看，四面都是翠竹，小童獻茶。唐敖問起吳氏昆仲事業，原來都是閒散進士⑥。多九公忖道：「他兩個既非公卿大宦，

為何國王卻替他題額？看來此人也就不凡了。」唐敖道：「小弟才同俺友瞻仰貴處風景，果然名不虛傳，真不愧『君子』二字！」吳之和躬身道：「做鄉僻處海隅，略有知識，莫非天朝文章教化所致，

得能不致隕越，已屬草野之幸，何敢遽當『君子』二字。至於天朝乃聖人之邦，自古聖聖相傳，禮樂教化，久為八荒景仰，無須小子再為稱頌。但貴處向有數事，愚弟兄草野固陋，似多未解。今日難得

二位大賢到此，意欲請示，不知可肯賜教？」唐敖道：「老丈所問，還是國家之事，還是我們世俗之事？」吳之和道：「如今天朝聖人在位，政治純美，中外久被其澤，所謂『巍巍蕩蕩，惟天為大，惟

「天朝則之⊕」。國家之事，小子僻處海濱，毫無知識，不惟不敢言，亦無可言。今日所問，卻是世俗之事。」唐敖道：「既如此，請道其詳。倘有所知，無不盡言。」吳之和聽罷，隨即說出一番話來。

未知如何，下回分解。

(四)泰伯——歷史紀載上稱讚的最能廉讓的人：古公亶父(周太王)的長子，姬昌(周文王)的伯父。他知道古公亶父希望姬昌能繼承王位，因而讓開了，跑到南方，自號「句吳」，他的子孫，就以吳為姓。這裏說「泰伯之後」，是對姓吳的敬重的話。

(五)膠庠——古時學校的名稱。科舉時代稱考取秀才進學的人為「名列膠庠」。

(六)進士——明、清兩代科舉制度，舉人會試錄取後，再經過殿試錄取的，稱進士。

(七)巍巍蕩蕩，惟天為大，惟堯則之——論語：「巍巍乎，唯天為大，唯堯則之。蕩蕩乎，民無能名焉。」是孔子讚美唐堯的。巍巍、蕩蕩，高大廣闊的樣子。意思說：天是這麼高大廣闊，只有堯才可以比得上。這裏套用這句話，把「堯」字改作「天朝」。

第十二回 雙宰輔暢談俗弊 兩書生敬服良箴

話說吳之和道：「小子向聞貴處世俗，於殯葬一事，作子孫的，並不計及『死者以入土為安』，往往因選風水㊀，置父母之柩多年不能入土，甚至就延兩代三代之久，相習成風。以至菴觀寺院，停柩如山；壙野荒郊，浮厝㊁無數。並且當日有力時，因選風水蹉跎，及至後來無力，雖要求其將就殯葬，亦不可得。久而久之，竟無入土之期。此等情形，死者稍有所知，安能瞑目！況善風水之人，豈無父母？若有好地，何不留為自用？如果一得美地，即能發達，那通曉地理的，發達曾有幾人？今以父母未曾入土之骸骨，稽遲歲月，求我將來毫無影響之富貴，為人子者，於心不安，亦且不忍。此皆不明『人傑地靈』之義，所以如此。即如伏羲、文王、孔子之陵，皆生著草，卜筮極靈㊂，他處雖有，質既不佳，卜亦無效。人傑地靈，即此可見。今人選擇陰地㊃，無非欲令子孫興旺，怕其衰敗。試以興衰而論，如陳氏之昌，則有『鳳鳴』之卜㊄；季氏之興，則有『同復』之筮㊅：此由氣數使然呢，陰地所致呢？卜筮既有先兆，可見陰地好醜，又有何用。總之：天下事非大善不能轉禍為福，非大惡亦不能轉福為禍。易經『餘慶餘殃』之言，即是明證。今以陰地，意欲挽回造化，別有希冀，豈非『緣木求魚』？與其選擇徒多浪費，何不遵著易經『積善之家，必有餘慶』之意，替父母多做好事，廣積陰功，日後安享餘慶之福？較之陰地渺渺茫茫，豈不勝如萬萬？據小子愚見：殯葬一事，無力之家，自應急辦，不可蹉跎，至有力之家，亦惟擇高阜之處，得免水患，即是美地。父母瞑目無恨，人子捫心亦安。此海外愚談，不知可合尊意？」

唐、多二人正要回答，只見吳之祥道：「小子聞得貴處世俗，凡生子女，向有三朝、滿月、百日、週歲之稱。富貴家至期非張筵，即演戲，必豬羊雞鴨類大為宰殺。吾聞『上天有好生之德』。今上天既賜子女與人，而人不知仰體好生之意，反因子女宰殺許多生靈，是上天賜一生靈，反傷無數生靈，天又何必再以子女與人？凡父母一經得有子女，或西廟燒香，或東菴許願，懺悔猶恐不及，何能福壽綿長。今以他的毫無緊要之事，殺無數生靈，花許多浪費，是先替他造孽，莫不望其無災無病、望其福壽？往往貧寒家子女多享長年，富貴家子女每多夭折，揆其所以，雖未必盡由於此，亦不可不以為戒。為人父母的，倘以子女開筵花費之資，盡為周濟貧寒及買物放生之用，自必不求福而福自至，不求壽而壽自長。並聞貴處世俗，有將子女送入空門的，謂之『捨身』。蓋因俗傳做了佛家弟子，定蒙神佛護佑，其有疾者從此自能脫體，壽短者亦可漸轉長年。此是僧尼誘人上門之語，而愚夫

① 風水──迷信的說法：墳地的山脈、方向、水源都和死者直系親屬的運氣有關。好的墳地，是能「聚氣」的。「氣」遇風就散，遇水就止。所以選擇墳地，就叫做選擇風水。專門做選擇墳地工作的人，叫做「風水先生」。

② 浮厝──棺材停在地面，淺淺遮蓋，等待理葬。

③ 蓍草──菊料，多年生草本。古人認為蓍草是長壽的草，歷年既久，知道的事情多，用它卜卦，一定靈驗；因之，蓍草成為卜卦的主要工具之一。用蓍草卜卦，叫做「筮」。

④ 陰地──墳地、墓地。活人住的房屋，叫做「陽宅」。

⑤ 陳氏之昌，則有「鳳鳴」之卜──迷信傳說：春秋時，懿氏打算把女兒嫁給陳屬公的兒子敬仲，卜卦有「鳳凰于飛，其鳴鏘鏘」這兩句，是吉利的。後來敬仲夫婦到齊國，世代繁盛，享着極高的聲譽。

⑥ 季氏之興，則有「同復」之筮──迷信傳說：春秋時，魯桓公將生兒子季友時，叫人卜筮，得了「同復」的卦，是吉利的。季友的後裔是季孫氏，為「三桓」之一。三桓是掌握魯國政權的三大家族。

愚婦無知，莫不奉爲神明，相沿既久，故僧尼日見其盛。此教固無害於人，第爲數過多，不獨陰陽有失配合之正，亦生出無窮淫奔之事。據小子愚見：凡鄉愚誤將子女送入空門的，本地父老即將『壽妖有命』以及『無後爲大』之義，向其父母愷切勸諭。久之捨身無人，其教自能漸息。此教既息，不惟陰陽得配合之正，並且鄉愚亦可保全無窮貞婦。總之，天下少一僧或少一道，則世間即多一貞婦。此中固賢愚不等，一生未近女色者，自不乏人；然如好色之輩，一生一世，又豈止姦淫一婦女而已。鄙見是否，尚求指教。」

吳之和道：「吾聞貴處向有爭訟之說。小子讀古人書，雖於『訟』字之義略知梗概，但做地從無此事，不知究竟從何而起。細訪貴鄉與訟之由，始知其端不一：或因口角不睦，不能容忍；或因財產較量，以致相爭。偶因一時尚氣，鳴之於官。訟端既起，彼此控告無休。其初莫不苦思惡想，掉弄筆頭，不獨妄造虛言，並以毫無影響之事，硬行牽入，惟期聳聽，不管喪盡天良。自訟之後，即使百般浪費，並不愛惜錢財；終日屈膝公堂，亦不顧及顏面。幸而官事了結，花卻無窮浪費，焦頭爛額，已屬不堪；設或命運坎坷，從中別生枝節，拖延日久，雖要將就了事，欲罷不能：家道由此而衰，事業因此而廢。此皆不能容忍，以致身不由己。即使醒悟，亦復何及。尤可怪的，又有一等唆訟之人，哄騙愚民，勾引興訟，捕風捉影，設計鋪謀，或誣控良善，或妄扳無辜。引人上路，卻於暗中分肥；設有敗露，他卽遠走高飛。小民無知，往往爲其所愚，莫不被害。此固唆訟之人造孽無窮，亦因本人貪心自取。據小子看來，爭訟一事，任你百般強橫，萬種機巧，久而久之，究竟不利於己。所以易經說：『訟則終凶。』世人若明此義，共臻美俗，又何爭訟之有！再聞貴處世俗，每每屠宰耕牛，小子以爲必是祭祀之用。及細爲探聽，卻是市井小人，爲獲利起見，因而饕餮口饞之輩，競相購買，以爲

口食。全不想人非五穀不生，五穀非耕牛不長。牛爲世人養命之源，不想所以酬報，反去把他飽餐，豈非恩將仇報？雖說此牛並非因我而殺，我一人所食無幾，要知小民屠宰，希圖獲利，那良善君子倘盡絕口不食，購買無人，聽其腐爛，他又安肯再爲屠宰？可見宰牛的固然有罪，而吃牛肉之人其罪更不可逃。若以罪之大小而論，那宰牛的原算罪魁；但此輩無非市井庸愚，只知利是趨，豈知善惡果報之道，況世間之牛，又焉知不是若輩後身？據小子愚見：『春秋責備賢者⑦』，其罪似應全歸買肉之人。倘仁人君子終身以此爲戒，勝如吃齋百倍，冥冥中豈無善報！又聞貴處宴客，往往珍羞羅列，窮極奢華，桌椅既設，賓主就位之初，除果品冷菜十餘種外；酒過一二巡，則上小盤小碗，——其名南喚『小吃』，北呼『熱炒』，——少者或四或八，多者十餘種至二十餘種不等。其間或上點心一二道；小吃上完，方及正餚，菜既奇豐，碗亦奇大，或八九種至十餘種不等。主人雖如此盛設，其實小吃未完而客已飽，此後所上的，不過虛設，如同供獻而已。更可怪者：其餚不辨味之好醜，惟以價貴的爲尊。因燕窩價貴，一餚可抵十餚之費，故宴會必以此物爲首。既不惡其形似粉條，亦不厭其味同嚼蠟。及至食畢，客人算吃了一碗粉條子，又算喝了半碗雞湯，而主人只覺客人滿嘴吃的都是『元絲課⑧』！豈不可笑？至主人待客，偶以盛饌一二品，略爲多費，然惟美味則可，不知可以爲花錢而客人嚼蠟，這等浪費，未免令人不解。敝地此物甚多，其價甚賤，貧者以此代糧當菜。向來市中交易，每穀一升，可換燕窩一擔。庶民因其淡而無味，不及米穀之香，吃者甚少；惟貧

⑦　春秋責備賢者——春秋，孔子作的歷史書。書中立論，對當時所謂賢者的要求比較嚴格，意思說，賢者本來應該多懂道理、少犯錯誤的。後來一般在對人進行批評的時候，常引用「春秋責備賢者」這句話，表示客氣。

⑧　元絲課——合乎官定成色標準的一種銀錠。

聯經出版事業公司校印

家每多屯積，以備荒年。不意貴處尊爲眾餚之首。可見口之於味，竟有不同嗜者。孟子云：『魚我所欲，熊掌亦我所欲。』魚則取其味鮮，熊掌取其肥美。今貴處以燕窩爲美，不知何所取義：若取其味淡，何如嚼蠟？如取其滋補，宴會非滋補之時；況葷腥滿腹，些須燕窩，豈能補人？如謂希圖好看，可以誇富，何不即以元寶放在菜中？——其實燕窩縱貴，又安能以此誇富？這總怪世人眼界過淺，把他過於尊重，以致相沿竟爲眾餚之首，而並有主人親上此菜者。此在貴處固爲敬客之道，若在敝地觀之，竟是捧了一碗粉條子上來，豈不肉麻可笑？幸而貴處倭瓜甚賤，倘竟貴於諸菜，自必以他爲首。到了宴會，主人恭恭敬敬捧一碗倭瓜上來，能不令人噴飯？若不論菜之好醜，亦不辨其有味無味，竟取價貴的爲尊，久而久之，一經宴會，勢必煎炒眞珠，烹調美玉，或煮黃金，或煨白銀，以爲首菜了。當日天朝士大夫曾作『五簋論』一篇，戒世俗宴會不可過奢，菜以五樣爲度，故曰『五簋』。其中所言，不豐不儉，酌乎其中，可爲千古定論，後世最宜效法。敝處至今敬謹遵守。無如流傳不廣。倘惜福⑼君子，將『五簋論』刊刻流傳，並於鄉黨中不時勸誡，宴會不致奢華，居家飲食自亦節儉，一歸純樸，何患家室不能充足。此話雖近迂拙，不合時宜，後之君子，豈無採取？」

吳之祥道：「吾聞貴地有三姑六婆○，一經招引入門，婦女無知，往往爲其所害，或哄騙銀錢，或拐帶衣物。及至婦女察知其惡，惟恐聲張家長得知，莫不忍氣吞聲，爲之容隱。此皆事之小者。最可怕的：來往既熟，彼此親密，若輩必於此中設法，生出姦情一事，以爲兩處起發銀錢地步。懲逞之初，或以美酒迷亂其性，或以淫詞搖蕩其心，一俟言語可入，非誇某人豪富無比，即讚某人美貌無雙。諸如哄騙上廟，引誘朝山，其法種種不一。總之：若輩一經用了手腳，隨你三貞九烈，玉潔冰清，亦不能跳出圈外。甚至以男作女，暗中姦騙，百般淫穢，更不堪言。良家婦女因此失身的不知凡

幾。幸而其事不破，敗壞門風，吃虧已屬不小；設或敗露，名節盡喪，醜聲外揚，而家長如同聾瞶，

仍在夢中。此固由於婦女無知所致，但家長不能預爲防範，預爲開導，以致『綠頭巾』戴在頂上，亦

由自取，歸咎何人？小子聞禮經有云：『內言不出於梱，外言不入於梱。』古人於婦女之言，尚且

如此謹愼，況三姑六婆，裏外搬弄是非，何能不生事端？至於出頭露面，上廟朝山，其中曖昧不明，

更不可問。倘明哲君子，洞察其奸，於家中婦女不時正言規勸，以三姑六婆視爲寇仇，諸事預爲防

範，毋許入門，他又何所施其伎倆？再聞貴處向有『後母』之稱，此等人待前妻兒女莫不視爲禍根，

百般荼毒：或以苦役致使勞頓，或以疾病故令纏綿，或任聽飢寒，或時常打罵。——貧寒之家，其苦尤甚。至富

貴家，雖有乳母親族照管，不能過於磨折；一經生有兒女，希冀獨吞家財，莫不鋪謀設計，枕邊讒

言：或誣其女不聽敎訓，或誣其兒忤逆晚娘，或誣好吃懶做，或誣胡作非爲，甚至誣男近於偸盜，誣

女事涉奸淫。種種陷害。此等弱女幼兒，從何分辯？一任拷打，無非哀號，因此磨折而死或憂忿而

亡。歷來命喪後母者，豈能勝計，無如其父始而保護嬰兒，亦知防範，繼而讒言入耳，卽身不由已，

久之染了後母習氣，不但不能保護，並且自己漸漸亦施毒手。是後母之外，又添『後父』。裏外夾

㈨ 惜福——迷信的說法：每人的壽命有一定的長短，一生的享受有一定的數量。如果享受過分，就會提前把應有的數量用完，
因而縮短了壽命。這是從迷信觀點來主張節約，從前的人把這樣的節約叫做「惜福」。

㈢ 三姑六婆——三姑：尼姑、道姑、卦姑；六婆：牙婆、媒婆、師婆、虔婆、藥婆、穩婆。

㈡ 內言不出於梱，外言不入於梱——梱，門檻，一般寫做「閫」。這兩句話的意思是：不讓家裏婦女的話傳到外面去，也不讓
外面男子的話傳到家裏來。

攻，百般凌辱。以致『枉死城』中，不知添了若干小鬼。此皆耳軟心活，只重夫婦之情，罔顧父子之恩。請看大舜捐階焚廩〔三〕，閔子多月蘆衣〔四〕，申生遭謗〔五〕，伯奇負寃〔六〕，千古之下，一經談起，莫不心傷。處此境者，視此前車之鑒，仍不加意留神，豈不可傷！」

吳之和道：「吾聞尊處向有婦女纏足之說。始纏之時，其女百般痛苦，撫足哀號，甚至皮腐肉敗，鮮血淋漓。當此之際，夜不成寐，食不下咽，種種疾病，由此而生。小子以爲此女或有不肖，其母不忍置之於死，故以此法治之。誰知係爲美觀而設，若不如此，即不爲美，試問鼻大者削之使小，額高者削之使平，人必謂爲殘廢之人，何以兩足殘缺，步履艱難，卻又爲美？即如西子、王嬙，皆絕世佳人，彼時又何嘗將其兩足削去一半？況細推其由，與造淫具何異？此聖人之所必誅，賢者之所不取。惟世之君子，盡絕其習，此風自可漸息。又聞貴處世俗，於風鑑卜筮外，有算命合婚之說。至境界不順，希冀運轉時來，偶一推算，此亦人情之常，即使推算不準，亦屬無傷。婚姻一事，關係男女終身，理宜愼重，豈可草草。既要聯姻，如果品行純正，年貌相當，門第相對，即屬絕好良姻，何必再去推算？左氏云：『卜以決疑，不疑何卜。』若謂必須推算，方可聯姻，當日河上公、陶宏景〔七〕未立命格之先，又將如何？命書豈可做得定準？那推算之人，又安能保其一無錯誤？尤可笑的：俗傳女命北以屬羊爲劣，南以屬虎爲凶。其說不知何意？至今相沿，殊不可解。人值未年而生，何至比之於羊？寅年而生，又何至竟變爲虎？——且世間懼內之人，未必皆係屬虎之婦。況鼠好偷竊，蛇最陰毒，那屬鼠、屬蛇的，豈皆偷竊、陰毒之輩？龍爲四靈之一，自然莫貴於此，豈辰年所生，都是貴命？此皆愚民無知，造此謬論，往往讀書人亦染此風，殊爲可笑。總之：婚姻一事，若不論門第相對，不管年貌相當，惟以合婚爲準，勢必將就勉強從事，雖有極美良姻，亦必當面錯過，以致日後兒

女抱恨終身，追悔無及。爲人父母的，倘能洞察合婚之謬，惟以品行、年貌、門第爲重，至於富貴壽考，亦惟聽之天命，卽日後別有不虞，此心亦可對住兒女，兒女似亦無怨了。」

吳之祥道：「小子向聞貴地世俗最尙奢華，卽如嫁娶、殯葬、飲食、衣服以及居家用度，莫不失之過侈。此在富貴家不知惜福，妄自浪費，已屬造孽，何況無力下民，只圖目前適意，不顧日後饑寒。倘惜福君子於鄉黨中不時開導，毋得奢華，各留餘地，所謂『常將有日思無日，莫待無時思有時。』如此剴切勸諭，奢侈之風，自可漸息，一歸儉樸，何患家無蓋藏㊆。卽偶遇饑歲，亦可無虞。

況世道儉樸，愚民稍可餬口，卽不致流爲奸匪，奸匪既少，盜風不禁自息，盜風既息，天下自更太平。可見『儉樸』二字，所關也非細事。……」

正說的高興，有一老僕，慌慌張張進來道：「稟二位相爺：適才官吏來報，國主因各處國王約赴

㊂ 大舜捐階焚廩──捐，除去，階，梯子，廩，米糧倉庫。故事傳說：舜是古代的皇帝。在他未做皇帝以前，他的父親瞽瞍喜歡後妻嫠的兒子象，時時想害死他。叫他修治米倉，卻放火焚燒；叫他穿井，又把梯子去掉，用土填塞。但兩次都被他逃了出來。

㊂ 閔子冬月蘆衣──閔子：閔損，字子騫，春秋時魯人。故事傳說：閔損幼年時候被後母虐待，後母給親生的兩個兒子穿棉衣，卻給他蘆花衣穿。

㊃ 申生遭謗──申生，春秋時晉獻公的太子。故事傳說：獻公寵愛驪姬，想改立她的兒子奚齊做太子，驪姬在獻公面前毀謗申生，結果申生被迫自殺。

㊄ 伯奇頁寃──古代神話：周尹伯奇因後母的讒害，被父親驅逐到野外去，由於悲怨，他變成了伯勞鳥。

㊅ 河上公、陶宏景──河上公，神話中漢代的仙人。陶宏景，就是陶弘景，南北朝時齊秣陵人，很博學，也愛研究所謂道術。

㊆ 蓋藏──本指倉庫裏收藏的東西；這裏作積蓄解釋。

軒轅祝壽，有軍國大事，面與二位相爺相商，少刻就到。」多九公聽了，暗暗忖道：「我們家鄉每每有人會客，因客坐久不走，又不好催他動身，只好暗向僕人丟個眼色。僕人會意，登時就來回話，不是『某大老即刻來拜』，就是『某大老立等說話』。如此一說，客人自然動身，誰知此處也有這個風氣，並且還以相爺嚇人。——即或就是相爺，又待如何？未免可笑。」吳氏弟兄忙還禮道：「蒙二位大賢光降，不意國主就臨敝宅，不能屈留大駕，殊覺抱歉。倘大賢尚有就擱，愚弟兄俟送過國主，再至寶舟奉拜。」

唐、多二人匆匆告別，離了吳氏相府。只見外面洒道清塵，那些庶民都遠遠迴避。二人看了，這才明白果是實情。於是回歸舊路。多九公道：「老夫看那吳氏弟兄舉止大雅，器宇軒昂，以為若非高人，必是隱士。及至見了國王那塊匾額，老夫就覺疑惑：這二人不過是個進士，何能就得國王替他題額？那知卻是兩位宰輔！如此謙恭和藹，可謂脫盡仕途習氣。若令器小易盈，妄自尊大那些驕傲俗吏看見，真要愧死！」唐敖道：「聽他那番議論，卻也不愧『君子』二字。」不多時，回到船上。林之洋業已回來，大家談起貨物之事。原來此地連年商販甚多，各色貨物，無不充足，一切價錢，均不得利。

正要開船，吳氏弟兄差家人拿著名帖，送了許多點心、果品，並賞眾水手倭瓜十擔，燕窩十擔。名帖寫著：「同學教弟吳之和、吳之祥頓首拜。」唐敖同多九公商量把禮收了，因吳氏弟兄位尊，回帖上寫的是：「天朝後學教弟多某、唐某頓首拜。」來人剛去，吳之和隨即把禮來拜，讓至船上，見禮讓坐。唐、多二人，再三道謝。吳之和道：「舍弟因國主現在敝宅，不能過來奉候。小弟適將二位光降之話奏明，國主聞係天朝大賢到此，特命前來奉拜。小弟理應恭候解纜○，因要伺候國主，只得暫且

失陪。倘寶舟尚緩開行，容日再來領教。」即匆匆去了。

眾水手把倭瓜、燕窩搬到後梢，到晚吃飯，煮了許多倭瓜燕窩湯。都歡喜道：「我們向日只聽人說燕窩貴重，卻未吃過，今日倭瓜叨了燕窩的光，口味自然另有不同。連日辛辛苦苦，開開胃口，也是好的。」彼此用箸，都把燕窩夾一整瓢，放在嘴裏嚼了一嚼，不覺皺眉道：「好奇怪！為何這樣好東西，到了我們嘴裏把味都走了！」內中有幾個呲嘴道：「這明明是粉條子，怎麼把他混充燕窩？我們被他騙了！」及至把飯吃完，倭瓜早已乾乾淨淨，還剩許多燕窩。林之洋聞知，暗暗歡喜，即託多九公照粉條子價錢給了幾貫錢向眾人買了，收在艙裏道：「怪不得連日喜鵲只管朝俺叫，原來卻有這股財氣！」這日收口，正要停泊，忽聽有人喊叫救命。

未知如何，下回分解。

(六)　解纜——纜，拴船的繩索；；解纜，指開船。

聯經出版事業公司校印

第十三回 美人入海遭羅網 儒士登山失路途

　　話說林之洋船隻方才收口，忽聽有人喊救命。唐敖連忙出艙，原來岸旁攬著一隻大漁船，因命水手將船攏靠漁船之旁。多九公、林之洋也都過來。只見漁船上站著一個少年女子，渾身水濕，生得齒白唇紅，極其美貌。頭上束著青紬包頭，身上披著一件皮衣，內穿一件銀紅小襖，腰中繫著絲絛，下面套著一條皮褲，胸前斜挿一口寶劍，絲絛上挂著一個小小口袋，頂上扣著一條草繩，拴在船桅上。旁邊立著一個漁翁、漁婆。三人看了，不解何意。唐敖道：「請教漁翁：這個女子是你何人？為何把他扣在船上？你是何方人氏？此處是何地名？」漁翁道：「此係君子國境內。小子乃青邱國人，專以打魚為業。素知此處庶民，都是正人君子，所為不肯攻其不備，暗下毒手取魚，歷來產魚甚多。今日正在煩惱，恰好網著這個女子。將來回去多賣幾貫錢，也不枉辛苦一場。誰知道女子只管求我放他。不瞞三位客人說：我從數百里到此，吃了若干辛苦，花了許多盤費，若將落在網的仍舊放去，小子只好喝風了。」唐敖向女子道：「你是何方人氏？為何這樣打扮？還是失足落水，還是有意傾生〇？快把實情講來，以便設法救你。」女子聽了，滿眼垂淚道：「婢子即本地君子國人氏，家住水仙村。現年十四歲，幼讀詩書。父親廉禮，曾任上大夫之職。三年前，鄰邦被兵，遣使求救，國主因念鄰國之誼，發兵救應，命我父參謀軍機。不意至彼失算，誤入重地，兵馬折損，以致發遣遠戍〇，死於異鄉。家產因此耗散，僕婢亦皆流亡。母親良氏，素有陰虛之症，服藥卽吐，惟以海參煮食，始能稍安。此物本國無人貨賣，向來

買自鄰邦。自從父親獲罪，母病又發，點金無術，惟有焦愁。後聞此物產自大海，如熟水性，入海可取。婢子因思：人生同一血肉之軀，他人既能熟諳水性，將身入海，我亦人身，何以不能？因置大缸一口，內中貯水，日日伏在其中，習其水性，久而久之，竟能在水中一日之久。得了此技，隨即入海取參，母病始能脫體〔三〕。今因母病又來取參，不意忽遭羅網。婢子一身如同蒿草〔四〕，上有寡母，無人侍奉。惟求大德拯救，倘得重見母面，來生當變犬馬，以報大恩！」說著，不覺放聲慟哭。唐敖聽罷，甚覺詫異道：「女子且慢傷悲。剛才你說幼讀詩書，自然該會寫字了？」女子聽了，連連點頭。唐敖因命水手把紙筆取來，送至女子面前道：「小姐請把名姓寫來賜我一看。」女子提筆在手，略想一想，匆匆寫了幾字。水手拿來，唐敖接過，原來是首七言絕句：

詩後寫著：「君子國水仙村虎口難女廉錦楓和淚拜題。」唐敖看罷，忖道：「剛才我因此女話語過於離奇，所以教他寫幾個字，試他可真讀書，誰知他不假思索，舉筆成文。可見取參奉母，並非虛言。

〔一〕　傾生——即「輕生」，自殺。

〔二〕　遠戌——充軍到邊遠的地方。

〔三〕　脫體——疾病脫離病人的身體，也就是「痊愈」。

〔四〕　蒿草——水邊長的青蒿，比喻最沒價值的東西。

〔五〕　涸鮒困行車——比喻處在困難危急的境界。寓言出莊子：莊周在路上聽見有人喊他，一看，是車輪壓地的軌印裏一條鮒魚，自稱是東海裏的「波臣」，乾渴要死，請莊周給他一點水救他性命。

〔六〕　開一面仁人網——故事傳說：商代皇帝湯，是一個仁人。他看見獵人四面張網，祝告上下四方的鳥雀都進入網中，就說：如果這樣，鳥雀都要被打盡了。於是叫獵人把三面的網都解開，只留一面。這裏引用這個故事，把網開三面作為網開一面。

聯經出版事業公司校印

真可算得才德兼全！」因向漁翁道：「據這詩句看來，此女實是千金小姐。我今給你十貫酒資，你也

發個善心，把這小姐放了，積些陰功。」林之洋道：「你果放了，以後包你網不虛發，生意興隆。」

漁翁搖頭道：「我得這股財氣，後半世全要指他過日，豈是十貫錢就能放的。奉勸客人：何必管這閒

事。」多九公不悅道：「我們好意出錢給你，為何倒說不必管閒事？難道好好千金小姐，落在網裏，

就由你主張麼？」林之洋道：「俺對你說：魚落網裏，由你做主，如今他是人，不是魚，你莫眼瞎認

差了！你教俺們莫管閒事，你也莫想分文！你不放這女子，俺就跟著你，看你把他怎

樣！」說罷，將身一縱，跳過船去。那個漁婆大哭大喊道：「青天白日，你們這些強盜敢來打劫！我

將老命拚了罷！」登時就要跳過船來。眾水手連忙攔住。唐敖進艙，即取一百銀子，付給漁翁。漁

這小姐？」漁翁道：「多也不要。只須百金，也就夠了。」唐敖道：「你究竟得幾貫錢方肯放

翁把銀收過，這才解去草繩。廉錦楓同林之洋走過大船，除去皮衣皮褲，就在船頭向唐敖拜謝，問了

三人名姓。漁船隨即開去。

唐敖道：「請問小姐：貴府離此多遠？」廉錦楓道：「婢子住在前面水仙村，此去不過數里。村

內向來水仙花最盛，所以以此為名。」唐敖道：「離此既近，我們就送小姐回去。」廉錦楓道：「婢

子剛才所取之參，都被漁翁拿去。我家雖然臨海，彼處水淺，無處可取。婢子意欲就此下去，再取幾

條，帶回奉母。不知恩人可肯稍等片時？」唐敖道：「小姐只管請便，就候片時何妨。」錦楓聽罷，

把皮衣皮褲穿好，隨即將身一縱，擕入水中。林之洋道：「妹夫不該放這女子下去！這樣小年紀，入

這大海，據俺看來，不是淹死，就被魚吞，枉送性命。」多九公道：「他時常下海，熟諳水性，如魚

入水，焉能淹死。況有寶劍在身，諒那隨常魚鱉，也不足懼。林兄放心！少刻得參，自然上來。」三

人閒談，等了多時，竟無蹤影。林之洋道：「妹夫！你看俺的話靈不靈！這女子總不上來，諒被大魚吞了。俺們不能下去探信，這便怎處？」多九公道：「老夫聞得我們船上有個水手，下得海去，可以換得五口水。何不敎他下去，看是怎樣？」只見有個水手，答應一聲，擴下海去。不多時，回報道：「那女子同一大蚌相爭，業已殺了大蚌，手捧明珠一顆，頃刻就要上來。」說話間，廉錦楓身帶血跡，擴上船來，除去皮衣皮褲，手捧明珠一顆，向唐敖下拜道：「婢子蒙恩人救命，無以報德。適在海中取參，見一大蚌，特取其珠，以爲『黃雀銜環』之報，望恩人笑納。」唐敖還禮道：「小姐得此至寶，何不敬獻國王？或可沾沐殊恩，稍助萱堂⑤甘旨⑥。何必拘拘以圖報爲念。況老夫非望報之人。請將寶珠收回，獻之國王，自有好處。」廉錦楓道：「國主向有嚴諭，臣民如將珠寶進獻，除將本物燒毀，並問典刑。國門大書『惟善爲寶』，就是此意，此珠婢子拿去無用，求恩人收了，愚心庶可稍安。」唐敖見他出於至誠，只得把珠收下，隨命水手揚帆，望水仙村進發。大家進艙，錦楓拜了呂氏，並與婉如見禮，彼此一見如故，十分親愛。

登時到了水仙村，將船停泊。錦楓別了婉如、呂氏，取了參袋、皮衣。唐敖因念廉錦楓寒苦，隨身帶了銀子，携了多、林二人，一同渡到岸上。錦楓在前引路，不多時，到了廉家門首。錦楓敲門，裏面走出一個老嫗，把門開了，接過皮衣道：「小姐爲何回來恁晚？夫人比前略覺好些。可曾取得參來？」廉錦楓不及答話，把唐敖三人讓至書房，隨卽進內，攙扶良氏夫人出來，拜謝唐敖救命之恩，並與多、林二人見禮。談起世業，原來廉錦楓曾祖向居嶺南，因避南北朝之亂，逃至海外，就在君子

⑤萱堂──古來將萱草種在北堂，北堂是婦女住的地方，後來就用萱堂、萱室做母親的代詞。

⑥甘旨──美味，一般指兒子養親的食物。

國成家立業。唐敖曾祖乃廉家女婿。細細敍起，唐敖同夫人是平輩表親。良氏不覺喜道：「難得恩人卻是中表至親！寒家在此雖住了三代，究係寄居，親友甚少；兼之丈夫去世，並無弟兄，又無產業；跟前一子，尚在年幼，賤妾母家，久已彫零，一切更無倚靠。現在嶺南尚有嫡親支派。賤妾久有回鄉之願，奈迢迢數萬里，寡婦孤兒，帶著弱女，何能前往。今幸得遇恩人，又屬親誼，將來回府，倘蒙垂念孤寡，携帶母子得歸故鄉，不致做了海外餓殍，生生世世，永感不忘！」唐敖道：「表嫂既有回鄉之意，他日小弟如回故鄉，自然奉請同往。但我們各處賣貨，歸期遲早未定，貴體有恙，斷不可時常牽挂。表嫂現年幾歲？何不請出一見？」良氏即將公子廉亮喚出，與唐敖三人行禮。唐敖道：「表姪生得眉目清秀，器宇軒昂，日後定成大器。今年貴庚多少？所讀何書？」廉亮答道：「小姪今年十三歲，因家塞無力延師，跟隨姐姐念書。九經業已讀完，現讀老、莊子書之類。」良氏道：「賤妾這所住宅雖已倒敗，尚有空房三間。去歲有一秀士來此開館⑦，小兒跟隨肄業，以房資作為脩金④。彼此都便，無如此人今歲另就他館，以致小兒又復蹉跎。」唐敖道：「表兄去世，既未留下產業，表嫂何以度日？表姪如在外面讀書，每歲脩金約須若干？」良氏道：「小兒外面附館，每年不過一二十金。至於家中用度，虧得連年米糧甚賤，母女每日作些針黹貨賣，衣食尚可敷衍。」唐敖聽罷，從懷中取出兩封銀子遞給廉亮，向夫人道：「此銀留為表姪讀書並貼補薪水之用。表姪乃極美之材，讀書一事，萬萬不可就擱。如果努力用功，將來到了故鄉，自必科名聯捷，家道復興。表嫂有此佳兒，日後福分不小。」良氏拜謝，垂淚道：「恩人大德，今生諒難圖報。恩人如回故土，所有兒女一切終身大事，尚望留意代為主張。」唐敖道：「既蒙表嫂見委，又屬至親，小弟自當在意。只管放心！」當時辭別回喘，奈病入膏肓④，不啻風中之燭。將來無論或存或亡，恩人如回故土，所有兒女一切終身大事，尚望留意代為主張。」唐敖道：「既蒙表嫂見委，又屬至親，小弟自當在意。只管放心！」當時辭別回

船。唐敖談起廉錦楓如此至孝，頗有要將此女聘爲兒媳之意。

走了幾日，到了大人國。林之洋因此處與君子國地界毗連，風俗言談以及土產，都與君子國相仿。君子國連年商販既多，此地相去甚近，看來也難得價，所以不去賣貨。因唐敖要去遊玩，即約多九公一齊登岸。唐敖道：「當日小弟聞大人國只能乘雲而不能走，每每想起，恨不能立刻見見，今果至其地，眞是天從人願。」多九公道：「到雖到了，離此二十餘里，才有人烟。我們必須趲行。恐回來過晚，路上不便。且前面有一危嶺，岔路甚多。他們國中就以此嶺爲城：嶺外俱是稻田，嶺內才有居民。」走了多時，離嶺不遠，田野中已有人烟，其人較別處略長二三尺不等。行動時，下面有雲托足，隨其轉動，離地約有半尺，一經立住，雲即不動。三人上了山坡，曲曲折折，繞過兩個峯頭，前面俱是岔路，走來走去，只在山內盤旋，不能穿過嶺去。

未知如何，下回分解。

（七）開館——館，學舍、學堂。「開館」，設立學舍和開學的意思。後文「附館」，附在別人的學舍裏讀書；「庋館」，敎書；

（八）脩金——學生送給敎書先生的報酬，就是學費。

（九）病入膏肓（ㄏㄨㄤ）——膏是心下面的脂膏，肓是鬲上面的薄膜。肓上膏下，是心鬲中間，古來認爲藥力不容易達到的地方，所以把沒有辦法醫治的病就叫做病入膏肓。

鏡花緣　第十三回　美人入海遭羅網　儒士登山失路途

七九

聯經出版事業公司校印

第十四回　談壽夭道經聶耳　論窮通路出無腸

　　話說三人走了多時，不能穿過嶺去。多九公道：「看這光景，大約走錯了。恰好那邊有個茅菴，何不找個僧人問問路徑？」登時齊至菴前。正要敲門，前面來了一個老叟，手中提著一把酒壺，一個豬首，走至菴前，推開菴門，意欲進去。唐敖拱手道：「請教老丈。此菴何名？裏面可有僧人？」老叟聽罷，道聲「得罪」，連忙進內，把豬首、酒壺放下，即走出拱手道：「此菴供著觀音大士。小子便是僧人。」林之洋不覺詫異道：「你這老兄既是和尚，為甚並不削髮？你既打酒買肉，自然養著尼姑了？」老叟道：「裏面雖有一個尼姑，卻是小僧之妻，此菴並無別人，只得小僧夫婦自幼在此看守香火。至僧人之稱，國中向無此說，因聞天朝自漢以後，住廟之人俱要削髮，男謂之僧，女謂之尼，所以此地也遵天朝之例，凡入廟看守香火的，雖不吃齋削髮，稱謂卻是一樣。即如小子稱爲僧，小子之妻即稱爲尼。——不知三位從何到此？」多九公告知來意。老叟躬身道：「原來三位卻是天朝大賢！小僧不知，多多有罪。何不請進獻茶？」唐敖道：「我們還要趕過嶺去，不敢在此耽擱。」林之洋道：「你們和尚尼姑生出兒女叫作甚麼？難道也同俺們一樣麼？」老叟笑道：「小僧夫婦不過在此看守香火，既不違條犯法，又不作盜爲娼，一切行爲，莫不與人一樣，何以生出兒女稱謂就不同呢？」林之洋道：「適見貴邦之人都有雲霧護足，可是自幼生的？」老叟道：「此雲本由足生，非人力大賢若問僧人所生兒女作甚麼，只問貴處那些看守文廟的所生兒女喚作甚麼，我們兒女也就喚作甚麼。」唐敖道：「可能勉強。其色以五彩爲貴，黃色次之，其餘無所區別，惟黑色最卑。」多九公道：「此地離船往返

甚遠，我們卽懇大師指路，趁早走罷。」老叟於是指引路徑，三人曲曲彎彎穿過嶺去。

到了市中，人烟輳集，一切光景，與君子國相仿。惟各人所登之雲，五顏六色，其形不一。只見有個乞丐，腳登彩雲走過。唐敖道：「請敎九公：雲之顏色，旣以五彩爲貴，黑色爲卑，爲何這個乞丐卻登彩雲？」林之洋道：「嶺上那個禿驢，又吃葷，又喝酒，又有老婆，明明是個酒肉和尚，他的腳下也是彩雲。難道這個花子同那和尚有甚好處麼？」多九公道：「當日老夫到此，也曾打聽。原來雲之顏色雖有高下，至於或登彩雲，或登黑雲，其色全由心生，不在富貴貧賤。如果胸襟光明正大，足下自現彩雲，倘或滿腔奸私暗昧，足下自生黑雲。雲由足生，色隨心變，絲毫不能勉強。所以富貴之人，往往竟登黑雲，貧賤之人，反登彩雲。話雖如此，究竟此間民風淳厚，腳登黑雲的竟是百無一二。蓋因國人皆以黑雲爲恥，遇見惡事，都是藏身退後，遇見善事，莫不踴躍爭先：毫無小人習氣，因而鄰邦都以『大人國』呼之。遠方人不得其詳，以爲大人國卽是長大之義，那知是這緣故。」唐敖道：「小弟正在疑惑：每每聞得人說，海外大人國，身長數丈，爲何卻只如此？原來長人』迥然不同了。」多九公道：「那身長數丈的是長人國，並非大人國。將來唐兄至彼，才知『大人』、『

忽見街上民人都向兩旁一閃，讓出一條大路。原來有位官員走過：頭戴烏紗，身穿員領，上罩紅傘；前呼後擁，卻也威嚴，就只腳下圍著紅綾，雲之顏色，看不明白。但腳下用綾遮蓋，不知何故？」多九公道：「此等人，因腳下忽生一股惡雲，其色似黑非黑，類如灰色，人都叫做『晦氣色』。凡生此雲的，必是暗中做了虧心之事，人雖被他瞞了，這雲卻不留情，在他腳下生出這股晦氣，敎他人前現醜，他雖用綾遮蓋，以掩眾

人耳目，那知卻是『掩耳盜鈴』。好在他們這雲，色隨心變，一心向善，雲的顏色也就隨心變換。若惡雲久生足下，不但國王訪其劣跡，重治其罪；就是國人因他過而不改，甘於下流，也就不敢同他親近。」林之洋道：「原來老天做事也不公！」唐敖道：「為何不公？」林之洋道：「

老天只將這雲生在大人國，別處都不生，難道不是不公？若天下人都有這塊招牌，教那些瞞心昧己、不明道德的，兩隻腳下都生一股黑雲，個個人前現醜，人人看著驚心，豈不痛快？」多九公道：「世間那些不明道德的，腳下雖未現出黑雲，他頭上卻是黑氣衝天，比腳下黑雲還更利害！」林之洋道：

「他頭上黑氣，為甚俺看不見？」多九公道：「你雖看不見，老天卻看的明白，分的清楚。善的給他善路走，惡的給他惡路走，自有一定道理。」林之洋道：「若果這樣，俺也不怪他老人家不公了。」

大家又到各處走走，惟恐天晚，隨即回船。

走了幾時，到了勞民國，收口上岸。只見人來人往，面如黑墨，身子都是搖擺而行。三人看了，以為行路匆忙，身子自然亂動，再看那些並不行路的，無論坐立，身子也是搖搖擺擺，無片刻之停。唐敖道：「這個『勞』字，果然用的切當。無怪古人說他『躁擾不定』。看這形狀，真是舉動浮躁，

坐立不安。」林之洋道：「俺看他們倒像都患羊角風。身子這樣亂動，不知晚上怎樣睡覺？幸虧俺生天朝；倘生這國，也教俺這樣，不過兩天，身子就搖散了。」唐敖道：「他們終日忙忙碌碌，舉止不甯，如此操勞，不知壽相如何？」多九公道：「老夫向聞海外傳說，勞民同智佳國有兩句口號，叫

作：『勞民永壽，智佳短年。』原來此處雖然忙碌，不過勞動筋骨，並不操心，兼之本地不產五穀，都以果木為食，煎炒烹調之物，從不入口：因此莫不長壽。但老夫向有頭目眩暈之症，今見這些搖擺樣子，只覺頭暈眼花，只好失陪，先走一步。你們二位各處走走，隨後來罷。」唐敖道：「此處街市

既小，又無可觀。九公既怕頭暈，莫若一同回去。」登時齊歸舊路。

只見那些國人提著許多雙頭鳥兒貨賣。那鳥立在籠中，百般鳴噪，極其好聽。林之洋道：「若把這鳥買去，到了歧舌國，有人見了，倘或要買，包管賺他幾罈酒吃。」於是買了兩個，又買許多雀食，回到船上。

走了數日，到了聶耳國。其人形體面貌與人無異，惟耳垂至腰，行路時兩手捧耳而行。唐敖道：「小弟聞得相書言：『兩耳垂肩，必主大壽。』他這聶耳國一定都是長壽了？」多九公道：「據老夫看來，這是『過猶不及』。大約兩耳過長，反覺沒用。當日漢武帝問東方朔㊀道：『朕聞相書言：人中長至一寸，必主百歲之壽。今朕人中約長寸餘，似可壽享百年之外，將來可能如此？』東方朔道：『當日彭祖壽享八百。若這樣說來，他的人中自然比臉還長了。──恐無此事。』」林之洋道：「若以人中比壽，只怕彭祖到了末年，臉上只長人中，把鼻子、眼睛擠的都沒地方了。」多九公道：「其實聶耳國之耳還不甚長。當日老夫曾在海外見一附庸小國，其人兩耳下垂至足，就像兩片蛤蜊殼，恰恰將人夾在其中。到了睡時，可以一耳作褥，一耳作被。還有兩耳極大的，生下兒女，都可睡在其內。若說大耳主壽，這個竟可長生不老了！」大家說笑。

誰知此國自古以來，從無壽享古稀㊁之人。」唐敖道：「這是何意？」多九公道：「老夫當日見他這個長耳，也曾打聽。

㊀ 東方朔──人名，劉徹（漢武帝）親近的侍臣，擅長文學，喜歡詼諧，說話往往語含諷刺。

㊁ 古稀──杜甫詩：「人生七十古來稀」，後來就用「古稀」做七十歲的代詞。

那日到了無腸國，唐敖意欲上去。多九公道：「

趨到元股、深目等國，再去望望罷。」唐敖道：「如此，遵命。但小弟向聞無腸之人，食物皆直通

過，此事可確？」多九公道：「老夫當日也因此說，費了許多工夫，方知其詳。原來他們未曾吃物

先找大解之處；若吃過再去大解，就如飲酒太過一般，登時下面就要還席。問其所以，才知吃下物

去，腹中並不停留，一面吃了，隨即一直通過。所以他們但凡吃物，不肯大大方方，總是賊頭賊腦

他曾問過。誰知他們所吃之物，雖不停留，只要腹中略略一過，就如我們吃飯一般，也就飽了。你看

躲躲藏藏，背人而食。」唐敖道：「既不停留，自然不能充飢，吃他何用？」多九公道：「此話老夫

的，明明曉得腹中一無所有，他偏裝作充足樣子；此等人未免臉厚了。他們國中向來也無極貧之家，

他腹中雖是空的，在他自己光景卻是充足的。這是苦於不自知，卻也無足為怪。就只可笑那不曾吃物

也無大富之家。雖有幾個富家，都從飲食打算來的。──那宗打算，人所不能行的，因此富家也不甚

多。」唐敖道：「若說飲食打算，無非『儉省』二字，為何人不能行？」多九公道：「如果儉省歸

於正道，該用則用，該省則省，那倒好了。此地人食量最大，又易飢餓，每日飲食費用過重。那想發

財人家，你道他們如何打算？說來也好笑。他因所吃之物，到了腹中隨即通過，名雖是糞，但入腹

內並不停留，尚未腐臭，所以仍將此糞好好收存，以備僕婢下頓之用。日日如此，再將各事極力刻

薄，如何不富！」林之洋道：「他可自吃？」多九公道：「這樣好東西，又不花錢，他安肯不吃！」

唐敖道：「如此腌臢，他能忍耐受享，也不必管他。第以穢物仍令僕婢吃，未免太過。」多九公道：

「他以腐臭之物，如教僕婢盡量飽餐，倒也罷了；不但忍飢不能吃飽，並且三次、四次之糞，還令吃

而再吃，必至鬧到『出而哇之』，飯糞莫辨，這才『另起爐灶』。」林之洋道：「他家主人，把下

面大解的，還要收存；若見上面哇出，更要愛惜，留爲自用了。」

正自閒談，忽覺一股酒肉之香。唐敖道：「這股香味，令人聞之好不垂涎！茫茫大海，從何而來？」多九公道：「此地乃犬封境內，所以有這酒肉之香。『犬封』，按古書又名『狗頭民』，生就人身狗頭。過了此處，就是元股，乃產魚之地了。」唐敖道：「『犬封』二字，小弟素日雖知，爲何卻有如此美味，直達境外？這是何故？」

未知如何，下回分解。

第十五回　喜相逢師生談故舊　巧遇合賓主結新親

話說唐敖道：「為何此地卻有如此美味直達境外？莫非這些『狗頭民』都善烹調麼？」多九公道：「你看他雖是狗頭狗腦，誰知他於『吃喝』二字卻甚講究。每日傷害無數生靈，想著方兒，變著樣兒，只在飲食用功。除吃喝之外，一無所能，因此海外把他又叫『酒囊、飯袋』。」唐敖道：「我們何不上去看看？」多九公吐舌道：「聞得他們都是有眼無珠，不識好人。設或上去被他狂吠亂咬起來，那還了得！」唐敖道：「小弟聞犬封之旁，有個鬼國，其人可有形像？」多九公道：「易有『伐鬼方』之說。若無形像，豈能空伐。」林之洋道：「他既有形，為甚把他叫鬼？」多九公道：「只因他終夜不眠，以夜作晝，陰陽顛倒，行為似鬼，故有『鬼國』之稱。」

這日路過元股國。那些國人，頭戴斗笠，身披坎肩，下穿一條魚皮褲，並無鞋襪。上身皮色與常人一樣，惟腿腳以下黑如鍋底。都在海邊取魚。唐敖道：「原來元股卻這樣荒涼！」正與多九公商量可以不去，因眾水手都要買魚，將船泊岸。林之洋道：「這里魚蝦又多又賤，他們買魚，俺們為甚不去望望？」唐敖道：「如此甚好。」

三人於是上去，沿著海邊，看國人取魚。只見有一漁人，網起一個怪魚，一個魚頭，十個魚身。眾人都不認識。唐敖道：「請教九公：這魚莫非就是泚水所產『茈魚』麼？聞說此魚味如虆蕪，宛如蘭花之香，不知可確？」多九公還未答言，林之洋聽了，卽到此魚跟前，彎下腰去聞了一聞。不覺眉

頭一皺，口中嘔了一聲，吐出許多清水道：「妹夫這個頑的利害！俺只當果眞香如蘭花，上前狠狠一聞，誰知比朱草趕的濁氣還臭！」多九公笑道：「林兄怎麼忽然哇出來了？你且慢哇，且去踢他一腳，不知其鳴可像犬吠？」言還未畢，那魚忽然鳴了幾聲，果如犬吠一般。唐敖猛然想起道：「九公：此魚想是『何羅魚』了？」林之洋道：「此魚既不是茈魚，妹夫為甚不早說，卻敎俺聞他臭氣？」多九公道：「何羅魚同茈魚形狀都是一首十身，其所分的，一是香如蘼蕪，一是音如犬吠。這怪他鳴的遲了，並非唐兄有意騙你。」只見那邊又網起幾個大魚，才攏岸上，轉眼間，一齊騰空而去。唐敖道：「小弟向聞飛魚善能療痔，可是此類？」多九公連連點頭。林之洋道：「這魚若不飛去，俺們帶幾條替人醫痔瘡也是好的。」「當日黃帝時，仙人甯封吃了飛魚，雖是快活，死了二百年復又重生。豈但醫痔，還能成仙哩！」忽見海面遠遠冒出一個魚背，金光閃閃，上面許多鱗甲，其背豎在那裏，就如一座山峯。唐敖道：「海中竟有如此大魚！無怪古人言：大魚行海，一日逢魚頭，七日才逢魚尾。」

只見有個白髮漁翁走來拱手道：「唐兄請了！可認得老夫麼？」唐敖看時，其人頭戴竹篾斗笠，身披魚皮坎肩，兩腿黑如鍋底，赤著一雙黑腳，並無鞋襪，也是本處打扮。再把面貌仔細一看，只嚇的驚疑不止。原來卻是原任御史、業師尹元。看了這宗光景，忍不住一陣心酸，連忙深深打躬道：「老師何日到此？為何如此打扮？莫非門生做夢麼？」尹元欵道：「此話提起甚長。今日難得海外幸遇。此間說話不便，寒舍離此不遠，賢契○如不棄嫌，就請過去略略一敍。」唐敖道：「門生多年未見老師，無日不思，今日得瞻慈顏，不勝欣慰，自應登堂叩謁。」當時尹元同多、林二人見禮，問了名

○ 賢契——觀友中長輩對晚輩和先生對學生親切而客氣的稱呼。

姓。一齊來至尹元住處。只見兩扇柴門，裏面兩間草屋，十分矮小，屋上茅草俱已朽壞，景象甚覺清寒。四人進了草屋，重復行禮。因無桌椅，就在下面席地而坐。尹元道：「老夫自從嗣聖元年因主上被廢，武后臨朝，心中鬱悶，曾三上封章㊀，勸其謹守婦道，迎主還朝，武后俱留中不發㊁。嗣因讒奸當道，朝政日非，老夫勤王無計，恥食周祿，隨即挂冠㊃而歸。在家數載，足不出戶。此賢契所深知的。不意前歲忽有新進讒臣，在武后前提起當年英公敬業之事，言起事之由，俱係老夫代為主謀，老夫聞知，惟恐被害，逃至外洋。無奈囊橐蕭瑟，衣食甚難。飄流到此，因見漁人謀食尚易，原想打魚為生，無如土人向來不准外人來分其業。幸虧小女結得好網，賣給漁人，可以稍獲其利。後來鄉舍憐我異鄉寒苦，命老夫暗將腿足用漆塗黑，假冒土人，鄉舍認為親誼，眾人這才聽我取魚，因此尚可餬口。近來朝中光景如何？主上有無復位佳音？」賢契今來外洋，有何貴幹？」唐敖歎道：「原來老師被人讒害，以致流落異鄉，若非今日相遇，門生何由得知。近年以來，唐家宗室，被武后屠戮殆盡，主上雖無復位佳音，幸而遠在房州，尚未波及。門生今春徼倖登第，因當年同徐、駱諸人結盟一事，被人參奏『妄交匪類』，依舊降為諸生。門生有志未遂，殊慚碌碌紅塵；兼得異夢，擬結來世良緣，是以浪遊海外。不意老師境界竟至如此！令人回想當年光景，能無傷感！近日師母可安？世弟、世妹㊄多來未見，諒已長成？求老師領去一見。」

尹元歎道：「拙妻久已去世。兒名尹玉，現年十二；女名紅蕖，現年十三。賢契既要相見，好在多、林二兄都是令親，並非外人。」因大聲叫道：「紅蕖女兒同尹玉都過來見見世兄。」只聽外面答應，姐弟二人，登時進來。大家連忙立起。尹元引著二人，都見了禮。尹玉生得文質彬彬，極其清秀；尹紅蕖眼含秋水，脣似塗朱，體度端莊，十分豔麗。身上衣服雖然襤褸，舉止甚是大雅。

二人見禮退出。大家仍舊歸坐。唐敖道：「門生當年見世妹、世弟時，俱在年幼；今日都生得端莊福相，將來老師後福不小。」尹元道：「老夫年已花甲⑥，如今已做海外漁人，還講甚麼後福！喜得他們還肯用心讀書，因此稍覺自慰。」

唐敖道：「連年讒臣參奏當日與徐、駱同謀之人，武后每每察訪，因事隔多年，並無實在劣跡，亦多置之不問。老師之事，大約久已消滅。據門生愚見：老師年高，此間舉目無親，在此久居，終非良策，莫若急歸故鄉。不獨世弟趁此青年可以應試，就是兩位婚姻之事，故鄉親友也易於湊合。」尹元道：「老夫因年紀日漸衰邁，未嘗不慮及此。奈現在衣食尚費張羅，何能計及數萬里路費。況被害一事，據賢契之言，雖可消滅，究竟吉凶未卜，豈可冒昧鑽入羅網。」唐敖道：「老師慎重固是。第久住在此，日與這些漁人爲伍，所謂『語言無味，面目可憎』。即如君子、大人等國，都是民風淳厚，以老師之家教，固不在乎『擇鄰』，但海外之大，何處不可棲身，──兼之世妹、世弟俱在年輕，以老師之禮義傳家，──何必定居於此？」尹元歎道：「老夫豈願處此惡劣之地。左思右想，舍此無可爲生，

① 封章──臣子呈給皇帝的文書叫做「章奏」；呈遞的章奏要封口，以免淺漏機密，所以叫做封章。

② 留中不發──皇帝收到臣子的章奏，留在宮裏，不表示意見，也不公佈出來。

③ 挂冠──指辭官不做，故事傳說：王莽做皇帝時，有一個官吏認爲他無道，把做官戴的帽子挂在城門上，丟官走了。

④ 世弟、世妹──學生和先生的子女，依彼此年齡長幼，互稱世兄或世姐妹。世，表示上一代有交情的意思。朋友或疏遠的親戚，稱對方的兒子叫世兄，是客氣的稱呼。

⑤ 花甲──甲是十千的第一位，子是十二支的第一位，數目共有六十，所以古人認爲六十年是一甲子；由於六十這個數目，是綜錯穿插組織起來的，因而把六十歲叫做花甲。

莫可如何。今幸遇賢契，快慰非常。倘蒙垂念衰殘，替我籌一善地，脫此火坑，得免飢寒，老夫又

豈甘爲漁人。無如賢契亦在客中，此時說來恐亦無用，惟望在意。他日歸來，路過此地，尚望上來一

看。倘老夫別有不測，賢契俯念師生之情，提攜孤兒弱女，同歸故鄉，不致飄流海外，就是賢契莫大

之德了。」

唐敖聽罷，思忖多時，忽然想起廉家西席㈦一事，因說道：「此時雖然有一安身之處，但係西

賓，老師可肯俯就？」尹元道：「離此多遠？是何地名？」唐敖把救廉錦楓之事告知，因又說道：「

現在其母極要兒女讀書，因無力延師，是以蹉跎。其家現有空房三間，去歲本有西賓在彼設帳，以房

租作爲脩金；今歲西賓另就他席，廉家尚未延師。莫若門生寫一信去，老師就在他家處館，再招幾個

蒙童㈧，又有世妹作些針黹，大約足可餬口。惟恐別有缺乏，門生再備百金，老師帶去，以備不虞。

日後門生如果回來，自然要到水仙村，彼時再議同回故鄉，也是一舉兩便。」尹元聽了，不覺大悅

道：「倘得如此，老夫以漁人忽升西賓之尊，不獨免了風霜勞苦，兼且兒女亦可專心讀書；將來回鄉

亦便；又得賢契慨贈，得免飢寒：如此成全，求之師生中實爲罕有！第恨老夫業已衰邁，只好來世再

爲圖報了。」

唐敖道：「老師言重！門生如何禁當得起！剛才門生偶然想起廉錦楓入海行孝一事，自古少有。

兼之品貌端正，舉筆成文，可謂才、德、貌三全。門生本欲聘爲兒婦，適因他們姐弟同世妹、世弟比

較，不獨年貌相當，而且門第相對，眞是絕好兩對良姻。門生意欲作伐㈨，成此好事。就是老師在

彼，彼此都有照應，門生也好放心。老師意下如何？」尹元道：「如此孝女佳兒，得能一爲兒婦，一

爲東牀㈩，仍有何言！奈老夫現在境界如此，彼處焉肯俯就？只怕有負賢契這番美意。」唐敖道：「

聯經出版事業公司校印

考師如携門生信去，此事斷無不諧。就只事成後，世妹、世弟做了晚親，門生未免叨長，這卻於理不順。」尹元道：「這有何妨。但只何以賢契信去，此事就能必成？」唐敖就把良氏囑託兒女婚姻之事告訴一遍。尹元不覺喜道：「當日既有此話，賢契如有信去，此事必有八九。第如此孝女，賢契不替令郎納采○，今反舍己從人，敎老夫心中如何能安！」唐敖道：「門生犬子定婚尚可從緩。且此女之外，還有一個孝女，亦可與犬子聯姻。將來向望老師留神。」於是就把東口山遇見駱紅蕖打虎認為義女之事，說了一遍。尹元道：「東口山既在君子國境內，將來到了廉家，略爲消停，此事必成。賢契只管放心！」唐敖道：「倘蒙老師作伐：門生感激不淺！此時諸事既已酌定，門生就此回船，把書信寫來，以便老師作速起身，恐廉家一時請了西賓，未免又有許多不便。」尹元連連點頭。唐敖卽同多、林二人告辭回船，把信寫好。帶了兩封銀子，又取幾件衣服上來，送交尹元。師生洒淚而別。

尹元置了鞋襪，洗去腿上黑漆，換了衣服，帶著兒女，由水路到了水仙村，投了書信。良氏見了

○七　西席——指敎書先生。古人坐席以西邊爲大，爲了尊師，先生的座位坐西朝東，所以叫做西席，也叫西賓。

○八　蒙章——初到學塾裏念書的孩子。蒙是糊裏糊塗、知識沒有開化的樣子。

○九　作伐——為人作媒。因為詩經上有「伐柯如何？匪斧不克。取妻如何？匪媒不得。」這幾句譬喻的話。

○一○　東牀——指女婿。故事傳說：晉郗鑒派人到王導家裏選擇一個好子弟做女婿，王家子弟個個顯著矜持，只有王羲之睡在東廂的牀上不加理會。郗鑒認為這樣不做作的人才是好女婿，就把女兒嫁給了王羲之。原指女方接受男方求婚的要求，後來卻作男方送給女方求婚的禮物解釋。

○一一　納采——訂婚的意思。

尹家姐弟，十分心歡；尹元見了廉亮，也甚喜愛。於是互相納聘，結爲良姻，一同居住，俟回故鄉再議合巹⊜。

過了幾日，尹元到了東口山，見了駱龍，把駱紅蕖姻事替唐小峯說定。回到水仙村，就在廉家課讀兒子女壻，並又招了幾個蒙童，兼有女兒紅蕖作些針黹，一家三口，頗可度日。

尹元因念賓王兩代同僚之誼，見駱龍年老多病，時常前去探望。未幾，駱龍去世。駱紅蕖自唐敖去後，又殺二虎，大仇已報，即將唐敖留存銀兩，置了棺椁，把駱龍葬在廟旁。良氏聞駱紅蕖是唐敖兒媳，既係至親，兼感唐敖周濟之德，即懇尹元把駱紅蕖並乳母，一同居住。隔了兩年，因唐敖查無音信，恐其另由別路回家，大家只得商酌同回家鄉，投奔唐敖去了。

唐敖那日別了尹元，來到海邊，離船不遠，忽聽許多嬰兒啼哭。順着聲音望去，原來有個漁人網起許多怪魚。恰好多，林二人也在那里觀看。唐敖進前，只見那魚鳴如兒啼，腹下四隻長足，上身宛似婦人，下身仍是魚形。多九公道：「此是海外『人魚』。唐兄來到海外，大約初次才見，何不買兩個帶回船去？」唐敖道：「小弟因此魚鳴聲甚慘，不覺可憐，何忍帶上船去！莫若把他買了放生，倒是好事。」因向漁人盡數買了，放入海內。這些人魚攛在水中，登時又都浮起，朝着岸上，將頭點了幾點，倒像叩謝一般，於是依然而逝。三人上船，付了魚錢，衆水手也都買魚登舟。

行了兩日，過了毛民國。林之洋道：「好端端的人，爲甚生這一身長毛？」多九公道：「向日老夫也因此事上去打聽。原來他們當日也同常人一樣，後來因他生性鄙吝，一毛不拔，死後冥官投其所好，所以給他一身長毛。那知久而久之，別處凡有鄙吝一毛不拔的，也託生此地，因此日見其

多。」

又走幾時，這日到了一個大邦。多九公把羅盤望一望道：「原來前面卻是毘騫國。」唐敖聽了，

不覺滿心歡喜。

未知如何，下回分解。

⑤　合卺（ㄐㄧㄣˇ）——舉行婚禮的意思。古人把瓠剖開，做成兩個瓢，新郎新娘，各取一瓢吃酒，；叫做「合卺」；是婚禮中的一個節目。後來用杯不用瓢，就叫做「吃交杯酒」。

第十六回　紫衣女殷勤問字　白髮翁傲慢談文

話說唐敖聞多九公之言，不覺喜道：「小弟向聞海外有個毗騫國，其人皆壽享長年。並聞其國有前盤古所存舊案。我們何不上去瞻仰瞻仰？」多、林二人點頭稱善。於是收口登岸，步入城中。只見其人生得面長三尺，頸長三尺，身長三尺，頗覺異樣。林之洋道：「他這頸項生得恁長，若到天朝，要教俺們家鄉裁作領子，還沒三尺長的好樣兒哩。」

登時訪到前盤古成案處，見了掌管官吏，說明來意。那官吏聞是天朝上邦來的，怎敢怠慢，當即請進獻茶，取鑰匙開了鐵櫥。唐敖伸手取了一本，面上籤子寫着「第一弓○」。林之洋道：「原來盤古舊案都是論弓的。」那官吏聽了，不覺笑了一笑。唐敖忙遮飾道：「原來舅兄今日未戴眼鏡，未將此字看明。這是『卷』字，並非『弓』字。」用手展開，只見上面圈圈點點，盡是古篆，並無一字可識。多九公也翻了幾本，皆是如此。三人只得道了攪擾，掃興而回。林之洋道：「他書上盡是圈子，大約前盤古所做的事總不能跳出這個圈子，所以篇篇都是這樣。這叫作：『惟有圈中人，才知圈中意。』俺們怎能猜這啞謎！」登時上船。

又走兩日。這日唐敖正同婉如談論詩賦，忽聽船頭放了一槍，只當遇見賊盜，嚇的驚疑不止，連忙携了林之洋出艙。——原來那些人魚，自從放入海內，無論船隻或走或住，他總緊緊相隨。眾水手看見，因用鳥槍打傷一個。唐敖道：「前因此魚身形類人，鳴聲甚慘，所以買來放生。今反傷他，前

日那件好事，豈非白做麼？」林之洋道：「他跟船後�你甚事，這樣恨他？」唐敖道：「或者此魚稍通靈性，因念救命之恩，戀戀不捨，也未可知。你們何苦傷他性命！」眾水手正要放第二槍，因聞唐敖之言，甚覺近理，這才住手。

二人來至船後，與多九公閒談。唐敖道：「前在東口，舅兄曾言過了君子、大人二國，就是黑齒，為何此時還不見到？」多九公道：「林兄只記得黑齒離君子國甚近，誰知那是旱路，並非水路。前面過了無腎，再過深目，才是黑齒交界哩。」

唐敖道：「這個無腎，大約就是無繼國。又因他們並無男女之分，甚覺不解。當日到彼，也曾上去看過，果然無男無女，光景都差不多。」多九公道：「老夫也聞此話。又因他們並無男女，何能生育？既不生育，這些國人一經死後，豈不人漸少了？自古至今，其人仍舊不絕，這是何故？」多九公道：「彼國雖不生育，那死後其屍不朽，過了一百二十年，仍舊活轉。古人所謂『百年還化為人』，就是指此而言。所以彼國之人，活了又死，死了又活，從不見少。他們雖知死後還能重生，素於名利心腸倒是雪淡。他因人生在世終有一死，縱讓爭名奪利，富貴極頂，及至『無常』一到，如同一夢，全化烏有。雖說死後還能復生，但經百餘年之久，時遷世變，物改人非，今昔情形，另是一番世界，少不得又要在那名利場中努力一番。及至略略有點意思，不知不覺，又迥不同，一經活轉，冥官又來相邀。細細想去，仍是一場春夢。因此他們國中凡有人死了叫作『做夢』。那活在世上的叫作『睡覺』[一]。他把生死看的透

徹，名利之心也就淡了。至於強求妄爲，更是未有之事。」林之洋道：「若是這樣，俺們竟是癡人！他們死後還能活轉，倒把名利看破；俺們死後並無一毫指望，爲甚倒去極力巴結？若敎無腎國看見，豈不被他恥笑麼？」唐敖道：「舅兄旣怕恥笑，何不將那名利之心略爲冷淡呢？」林之洋道：「俺也曉得，爲人在世，就如做夢，那名利二字，原是假的，平時聽人談論，也就冷淡。無奈到了爭名奪利關頭，心裏不由就覺發迷，倒像自己永世不死，一味朝前奔命。將來到了昏迷時，怎能有人當頭一棒，指破迷團？或者那位提俺一聲，也就把俺驚醒。」多九公道：「尊駕如到昏迷時，老夫雖可提你一聲，恐老兄聽了，不但並不醒悟，反要責備老夫是個癡人哩。」唐敖道：「九公此話卻也不錯。世上名利場中，他也不休。一經把眼閉了，這才曉得從前各事都是枉用心機，不過做了一場春夢。人若識透到睡覺，原是一座『迷魂陣』。此人正在陣中吐氣揚眉，洋洋得意，那個還能把他拗得過！看來不此義，那爭名奪利之心固然一時不能打斷，倘諸事略爲看破，退後一步，忍耐三分，也就免了許多煩惱，少了無限風波。如此行去，不獨算得處世良方，亦是一生快活不盡的秘訣。就讓無腎國看見，也可對得住了。小弟向聞無腎國歷來以土爲食，不知何故？」多九公道：「彼處不產五穀，雖有果木，亦都不食，惟喜以土代糧，大約性之所近，向來吃慣，也不爲怪。」林之洋道：「幸虧無腸國那些富家不知土可當飯，他若曉得，只怕連地皮都要刮盡哩。」

無腎過去，到了深目國。其人面上無目，高高舉着一手，手上生出一隻大眼：如朝上看，手掌朝天；如朝下看，手掌朝地。任憑左右前後，極其靈便。林之洋道：「幸虧眼生手上，若嘴生手上，吃東西時，隨你會搶也搶他不過。不知深目國眼睛可有近視？若將眼鏡戴在手上，倒也好看。請問九

公：「他們把眼生在手上，是甚緣故？」多九公道：「據老夫看來：大約他因近來人心不測，非上古可比，正面看人，竟難捉摸，所以把眼生手上，取其四路八方都可察看，易於防範，就如『眼觀六路，耳聽八方』，無非小心謹慎之意。」唐敖道：「古人書上雖有『眼生手掌』之說，卻未言其所以然之故。今聽九公這番妙論，真可補得古書之不足了。」

這日到了黑齒國。其人不但通身如墨，連牙齒也是黑的，再映着一點朱脣，兩道紅眉，一身紅衣，更覺其黑無比。唐敖因他們的過甚，面貌想必醜陋，奈相離過遠，看不明白，因約多九公要去走走。林之洋見他們要去遊玩，自己携了許多脂粉，先貨賣去了。唐、多二人隨後也就登岸。唐敖道：「他們形狀如此，不知其國風俗是何光景？」多九公道：「此地水路離君子國雖遠，旱路卻是緊鄰，大約其國風俗還不過於草野。老夫屢過此地，因他生的面貌可憎，想來語言也就無味，因此從未上來。今蒙唐兄携帶，卻是初次瞻仰。大約我們不過借此上來舒舒筋骨，要想有甚可觀可談之處，只怕未必。唐兄只看其人，其餘就可想見。」唐敖連連點頭。

不知不覺進了城。作買作賣，倒也熱鬧。語言也還易懂。市中也有婦女行走，男女卻不混雜，因市中有條大街，行路時，男人俱由右邊行走，婦人都向左邊走去。唐、多二人起初不知，誤向左邊走去，只聽右邊有人招呼道：「二位賓客，請向這邊走來。」二人連忙走過。細細打聽，才知那邊是婦人所行之路。唐敖笑道：「我倒看不出，他們生的雖黑，於男女禮節倒分的明白。九公，你看：他們來來往往，男女並不交言，都是目不邪視，俯首而行。不意此地竟能如此，可見君子國風氣感化也不爲不遠了。」多九公道：「前在君子國，那吳氏弟兄曾言他們國中世俗人文，

莫非天朝文章教化所致；今黑齒國又是君子國教化所感：以木本水源而論，究竟我們天朝要算萬邦根本了。」

談論間，迎面到了十字路口，旁有一條小巷。二人信步進了小巷。走了幾步，只見有一家門首貼着一張紅紙，寫着「女學塾」三個大字。唐敖因立住道：「九公，你看：此地既有女學塾，自然男子也會讀書了。不知他們女子所讀何書？」只見門內走出一個龍鍾老者，把唐、多二人看了一看，見衣服面貌不同，知是異鄉來的，因拱手道：「二位貴客，想由鄰邦至此。若不嫌草野，何不請進獻茶？」

唐敖正要問問風俗，聽了此話，忙拱手道：「初次識荆㊀，就來打擾，未免造次。」於是拉了多九公，一同進去。三人重復行禮。裏面有兩個女學生，都有十四五歲；一個穿着紅衫，一個穿着紫衫；面貌雖黑，但彎彎兩道朱眉，盈盈一雙秀目，櫻桃小口，底下露着三寸金蓮，倒也不俗。都上來拜了一拜，仍就歸位。唐、多二人還禮。老者讓坐，女學生獻茶。彼此請問姓氏。誰知這個老者兩耳甚聾，大家費了無限氣力，才把名姓來歷略略說明。

原來此人姓盧，乃本地有名老秀才，爲人忠厚，教讀有方。他聞唐、多二人都是身在黌門㊁，兼係天朝人，不覺躬身道：「小子素聞天朝爲萬國之首，乃聖人之邦，人品學問，莫不出類超羣。鄙人雖久懷欽仰，無如晦教無由。今得幸遇，足慰生平景慕。第草野無知，兼且重聽，今以草舍冒昧屈駕，未免簡褻，尚求海涵。」唐敖連道：「豈敢！……」因大聲問道：「小弟向聞貴處乃文盛之邦，向遵天朝之例，也以詩賦取士。老丈想已高發多年，如今退歸林下了？」老者道：「小子幼而失學，兼之質性魯鈍，雖屢次觀光，奈學問淺薄，至今年已八旬，仍是一領青衫。數年來無志功名，學業已廢。年老衰殘，肩不能擔，手不能提，無以餬口，惟有課讀幾個女學生，以舌耕㊂爲業。至做

鄉考試，歷來雖無女科，向有舊例，每到十餘年，國母即有觀風盛典：凡有能文處女，俱准赴試，以文之優劣，定以等第，或賜才女匾額，或賜冠帶榮身，或封其父母，或榮及翁姑，乃吾鄉勝事。因此，凡生女之家，到了四五歲，無論貧富，莫不送塾讀書，以備赴試。」因指紫衣女子道：「這是小女；那穿紅衫的姓黎，是敝門生。現在國母已定明春觀風。前者小女同敝門生赴學臣考試，幸而都取三等之末，明歲得與觀風盛典，尚有幾希之望，所以此時都在此趕緊用功。不瞞二位大賢說，這叫作『臨時抱佛腳』，也是我們讀書人通病，何況他們孤陋寡聞的幼女哩。」因向兩女子道：「今日難得二位大賢到此，你們平日所讀書內如有甚麼不明之處，何不請教？廣廣識見，豈不是好！」

多九公道：「不知二位才女可有見教？老夫於學問一道，雖未十分精通，至於眼前文義，粗枝大葉，也還略知一二。」紫衣女子聽了，因欠身道：「婢子向聞天朝為人文淵藪，人才之廣，自古皆然。大賢世居大邦，見多識廣，而且榮列膠庠，自然才貫二酉，學富五車④了。婢子僻處海隅，賦性既鈍，兼少見聞，於先聖先賢經書之旨，每每未能窺尋其端。今欲上質高賢，問字無由。蘊疑既久，又恐語涉淺陋，未免『以莛叩鐘⑤』，自覺唐突，何敢冒昧請教！」多九公忖道：「據這女子言談倒

① 識荊——唐李白寫信給荊州刺史韓朝宗說：我聽到許多人說，生不願封萬戶侯，但願一識「韓荊州」。後人就引用「識荊」作為初次見面的敬辭。

② 黌門——學校，學宮的意思。這裏意思指秀才們讀書的地方府、州、縣學。「身在黌門」，猶如說身為秀才。

③ 舌耕——指教書。

④ 二酉、五車——二酉，大酉山、小酉山的合稱。傳說二酉山洞裏古時藏書很多。五車，出莊子「惠施多方，其書五車」，也是形容書多。

⑤ 以莛叩鐘——比喻没有學問的人在有學問的人面前問話。莛，草莛。用草莛去撞鐘，是發不出什麼聲音來的。語出漢書。

也不俗，看來書是讀過幾年的。可惜是個幼年女流，不知可有一二可談之處。如稍通文墨，今同外國

黑女談談，倒也是段佳話。必須用話引他一引，只要略略懂得文墨，就可慢慢談了。」因說道：「才

女請坐，休得過謙。老夫雖忝列膠庠，素日齟齬口四方，未能博覽，惟幼年所讀經書，尚能略知一二，

其餘荒疏日久，已同隔世。才女有何下問，請道其詳。倘有所知，無不盡言。」唐敖道：「我們都是

拋了書本，荒疏多年，誠恐下問，見識不到，尚望指教。」多九公聽見「指教」二字，鼻中不覺哼了

一聲，口雖不言，心中忖道：「他們不過海外幼女，腹中學問可想而知，唐兄何必如此過謙，未免把

他看的過高了。」

只見紫衣女子又立起道：「婢子聞得讀書莫難於識字，識字莫難於辨音。若音不辨，則義不明。

即如經書所載『敦』字，其音不一。某書應讀某音，敝處未得高明指教，往往讀錯，以致後學無所適

從。大賢旁搜博覽，自知其詳了？」多九公道：「才女請坐。按這『敦』字在灰韻⑦應當讀堆，毛

詩④所謂『敦彼獨宿』；元韻音惇，易經『敦臨吉』，又元韻音豚，漢書『敦煌，郡名』；寒韻音團，毛

詩『敦彼行葦』；蕭韻音雕，毛詩『敦弓既堅』；軫韻音準，周禮『內宰出其度量敦制』；阮韻音

遯，左傳『謂之渾敦』；儀禮『黍稷四敦』；願韻音頓，爾雅⑨『太歲在子曰困敦』；號

韻音導，周禮所謂『每敦一几』：除此十音之外，不獨經傳未有他音，就是別的書上也就少了。」幸而

才女請教老夫，若問別人，只怕連一半還記不得哩。」紫衣女子道：「婢子向聞這個『敦』字倒像還

有吞音、疇音之類，今大賢言十音之外，大約各處方音不同，所以有多寡之異了。」多九

公聽見還有幾音，因剛才話已說滿，不好細問，只得說道：「這些文字小事，每每一字數音甚多，老

夫那里還去記他。況記幾個冷字，也算不得學問。這都是小孩子的工課。若過於講究，未免反覺其

聯經出版事業公司校印

醜。

可惜你們都是好好質地，未經明人指教，把工夫都錯用了。」紫衣女子聽罷，又說出一段話來。

未知如何，下回分解

⑪灰韻——按照字的音韻分部編排，以便作詩押韻時檢查之用的書，叫做詩韻。詩韻各部部首叫做韻目。灰韻，是詩韻中韻目之一。下文元、寒、蕭、豪、阮、隊、願、號，都是韻目。後文八庚，庚是韻目，八是韻目排列的次序。

⑩毛詩——就是詩經。據歷史紀載：詩經是由毛亨（大毛公）、毛萇（小毛公）傳下來的，所以又稱毛詩。

⑨爾雅——書名，共十九篇，內容包含對語言、文字、器物、天文、地理、草木、鳥獸、蟲魚等等的解釋。

第十七回　因字聲粗談切韻㊀　聞雁唳細問來賓

話說紫衣女子道：「婢子聞得要讀書必先識字，要識字必先知音。若不先將其音辨明，一概似是而非，其義何能分別？可見字音一道，乃讀書人不可忽略的。大賢學問淵博，故視爲無關緊要；我們後學，卻是不可少的。婢子以此細事上瀆高賢，眞是貽笑大方。即以聲音而論，婢子素又聞得：要知音，必先明反切；要明反切，必先辨字母。若不辨字母，無以知切；不知切，無以知音；不知音，無以識字。以此而論：切音一道，又是讀書人不可少的。但昔人有言：每每學士大夫論及反切，便瞠目無語，莫不視爲絕學㊁。若據此說，大約其義失傳已久。所以自古以來，韻書雖多，並無初學善本。應如何習學可以精通之處，尙求指敎。」

多九公道：「老夫幼年也曾留心於此，無如未得眞傳，不能十分精通。才女才說學士大夫論及反切尙且瞠目無語，何況我們不過略知皮毛，豈敢亂談，貽笑大方！」紫衣女子聽了，望着紅衣女子輕輕笑道：「若以本題而論，豈非『吳郡大老倚閭滿盈』麼？」紅衣女子點頭笑了一笑。唐敖聽了，甚覺不解。

多九公道：「適因才女談論切音，老夫偶然想起毛詩句子總是叶㊃著音韻。如『爰居爰處』，爲何次句卻用『爰喪其馬』，末句又是『于林之下』？『處』與『馬』、『下』二字，豈非聲音不同，另有假借㊄麼？」紫衣女子道：『古人讀『馬』爲『姥』，讀『下』爲『虎』，與『處』字聲音本歸一律，如何不同？卽如『吉日庚午，旣差我馬』，豈非以『馬』爲『姥』？『率西水滸，至於岐下』，

豈非以『下』為『虎』？韻書始於晉朝，秦、漢以前，並無韻書。諸如『下』字讀『虎』，『馬』字

讀『姥』，古人口音，原是如此，並非另有假借。即如『風』字毛詩讀作『分』字，『服』字讀作『

追』字，共十餘處，總是如此。若說假借，處處都是假借，倒把本音置之不問，斷無此理。即如

漢書、晉書所載童謠，每多叶韻之句。既稱為童謠，自然都是街上小兒隨口唱的歌兒。若說小兒唱歌

也會假借，必無此事。其音本出天然，可想而知。但每每讀去，其音總與毛詩相同，卻與近時不同。

即偶有一二與近時相同，也只得同晉書。因晉去古已遠，非漢可比，故晉朝聲音與今相近。音隨世轉，

即此可見。」多九公道：「據才女所講各音古今不同，若不如此，老夫心中終覺疑惑，必須才女把古人找來，老

夫同他談談，聽他到底是個甚麼聲音，才能放心，這番高論，只好將來遇見古人，才女再

同他談罷。」

紫衣女子道：「大賢所說『爰居爰處，爰喪其馬，于以求之，于林之下』這四句，音雖辨明，不

知其義怎講？」多九公道：「『毛傳鄭箋、孔疏(七)之意，大約言軍士自言：『我等從軍，或有死的、病

(一) 切韻——用兩個字的音拼成一個字的方法，叫做「反切」，依反切發聲來分別聲音，再將聲音分別成韻，叫做「切韻」。

(二) 絕學——指已經失傳，無從研究的學問，也指專門研究，別人不懂得的學問。

(三) 彈得好，對子對得好，以後不可能有人比得上的意思。

(四) 三昧——這裏作訣竅、奧妙解釋。

(五) 叶——同協，諧和、協調的意思。

(六) 假借——古人分析造字和用字共有六種方法，叫做「六書」。假借是六書中用字方法的一種，指本來沒有那一個字，利用另

外意義的字去代替，例如用長短的長代替尊長的長之類。

(七) 毛傳鄭箋孔疏——毛詩訓詁傳，是鄭玄箋釋，孔穎達註疏的。

的，有亡其馬的。於何居呢？於何處呢？於何喪其馬呢？若我家人日後求我，到何處求呢？當在山林之下。』是這個意思。才女有何高見？」紫衣女子道：「先儒雖如此解，據婢子愚見：上文言『從孫子仲，平陳與宋，不我以歸，憂心有忡。』軍士因不得歸，所以心中憂鬱。至於『爰居爰處……』四句，細繹經文，倒像承著上文不歸之意，復又逃他憂鬱不甯，精神恍惚之狀，意謂：偶於居處之地，忽然喪失其馬，以為其馬必定不見了，於是各處找求；誰知仍在樹林之下。這總是軍士憂鬱不甯，精神恍惚，所以那馬明明近在咫尺，卻誤爲喪失不見，就如『心不在焉，視而不見』之意。如此解說，似與經義略覺相近。尚求指教，何等詳明，何等親切。今才女忽發此論，據老夫看來：不獨妄作聰明，竟是『愚而好自用』。」

紫衣女子道：「大賢責備，婢子也不敢辯。適又想起論語有一段書，因前人註解，甚覺疑惑，意欲以管見請示；惟恐大賢又要責備，所以不敢亂言，只好以待將來另質高明了。」唐敖道：「適才做友失言，休要介意。才女如有下問，何不明示？論語又是常見之書，或者大家可以參酌。」紫衣女子道：「婢子要請教的，並無深微奧妙，乃『顏路⑦請子之車，以爲之椁⑧』這句書，不知怎講？」多九公笑道：「古今各家註解，言顏淵死，顏路因家貧不能置椁，要求孔子把車賣了，以便買椁。都是這樣說。才女有何見教？」紫衣女子道：「先儒雖如此解，大賢可另有高見？」多九公道：「據老夫之意，也不過如此，怎敢妄作聰明，亂發議論。」紫衣女子道：「可惜婢子雖另有管見，恨未考據的確，原想質之高明，以釋此疑，不意大賢也是如此，這就不必談了。」唐敖道：「才女雖未考據精詳，何不略將大概說說呢？」紫衣女子道：「婢子向於此書前後大旨細細參詳，顏路請車爲椁，其中

似有別的意思。若說因貧不能買椁，自應求夫子資助，爲何指名定要賣孔子之車？難道他就料定孔子家中，除車之外，就無他物可賣麼？即如今人求人資助，自有求助之理！此世俗庸愚所不肯言，何況聖門賢者。及至夫子答他之話，言當日鯉⑨死也是有棺無椁，我不肯徒行，以爲之椁。　若照上文註解，又是賣車買椁之意。何以當日鯉死之時，孔子注意要賣的在此一車；今日回死之際，顏路覬覦要賣的又在此一車。況椁非希世之寶，即使昂貴，亦不過價倍於棺。顏路既能置棺，豈難置椁？且下章又有門人厚葬之說，何不即以厚葬之資買椁，這是何意？若按『以爲之椁』這個『爲』字而論，倒像以車之木要製爲椁之意，其中並無買賣字義，若將『爲』字爲『買』，似有未協。但當年死者必要大夫之車爲椁，不知是何取義？婢子歷考諸書，不得其說。既無其說，是爲無稽之談，只好存疑，以待能者。第千古疑團，不能質之高賢一旦頓釋，亦是一件恨事。」多九公道：「若非賣車買椁，前人何必如此註解？才女所發議論，過於勉強，而且毫無考據，全是謬執一偏之見。據老夫看來⋯⋯才女自已批評那句『無稽之談』，卻有自知之明；至於學問，似乎還欠工夫。日後倘能虛心用功，或者還有幾分進益；若只管鬧這偏鋒，只怕越趨越下，豈能長進！況此等小聰明，也未有甚見長之處，實在學問，全不在此。即如那個『敦』字，就再記幾音，

⑦　顏路——春秋時魯人，和他的兒子顏回（即顏淵）同是孔子學生。顏回很年輕就死了，孔子常在言語中表示惋惜。後文第七十一回中所說的顏子，就指的顏回。

⑧　椁（ㄍㄨㄛˇ）——同槨。古來棺材外面還要套一具棺材，外面的棺材就叫做椁。前文（第十五回）、「置了棺椁」，就指的內外兩具棺材。

⑨　鯉——這裡指的是孔子兒子的名字。

也不見得就算通家；少記幾音，也不見得不通。若認幾個冷字，不論腹中好歹，就要假作高明，混充文人，只怕俺處影環小斯比你們還高哩！」

正在談論，忽聽天邊雁聲嘹亮。唐敖道：「此時才交初夏，鴻雁從何而來？可見各處時令自有不同。」只見紅衣女子道：「婢子因這雁聲，偶然想起禮記『鴻雁來賓㊀』、鄭康成㊁註解及呂覽㊂諸註，各有意見。請教大賢：應從某說爲是？」多九公見問，雖略略曉得，因記不清楚，難以回答。唐敖道：「老夫記得鄭康成註禮記，謂『季秋鴻雁來賓』者，言其客止未去，有似賓客，故曰『來賓』。而許慎㊃註淮南子，謂先至爲主，後至爲賓。迫高誘㊄註呂氏春秋，謂『鴻雁來』爲一句，『賓爵㊅入大水爲蛤』爲一句，所謂『賓爵』者，就是老雀，常棲人堂宇，有似賓客，故謂之『賓爵』。鄙意『賓爵』二字，雖亦可連；但按月令㊆，仲秋已有『鴻雁來』之句，若將『賓』字截入下句，季秋又是『鴻雁來』，未免重複。如謂仲秋來的是其父母，季秋來的是其子孫，此又誰得而知？況夏小正㊇於『雀入於海爲蛤』之句上無『賓』字，以此更見高氏之誤。據老夫愚見：似以鄭註爲當。才女以爲何如？」兩個女子一齊點頭道：「大賢高論極是。可見讀書人見解自有不同，敢不佩服！」

多九公忖道：「這女子明知鄭註爲是，他卻故意要問，看你怎樣回答。據這光景，他們那里是來請教，明是考我們的。若非唐兄，幾乎出醜。他既如此可惡，我也搜尋幾條，難他一難。」因說道：「老夫因才女講論語，偶然想起『未若貧而樂，富而好禮』之句，以近來人情而論，莫不樂富惡貧，而聖人言『貧而樂』，難道貧有甚麼好處麼？」紅衣女子剛要回答，紫衣女子即接著道：「按論語自遭秦火㊈，到了漢時，或孔壁㊉所得，或口授相傳，遂有三本：一名古論㊋，二名齊論㊌，三名魯論㊍。

今世所傳，就是魯論，向有今本、古本之別。以皇侃古本論語義疏㈢而論，其『貧而樂』一句，『貧而樂』字下有一『道』字，蓋『未若貧而樂道』與下句『富而好禮』相對。即如『古者言之不出』，古本『出』字上有一『妄』字。又如『雖有粟吾得而食諸』，古本『得』字上有一『豈』字。似此之

㈠　禮記『鴻雁來賓』——『鴻雁來賓』句出禮記月令，全句是『鴻雁來賓爵入大水為蛤』。對於此句的斷句，有人主張作：「

㈡　鴻雁來賓，爵入大水為蛤。」有人主張作：「鴻雁來，賓爵入大水為蛤。」因此而有各種不同的解釋。

㈢　鄭康成——東漢人，名玄，註書很多，流傳得廣而且久。

㈣　呂覽——書名，又名『呂氏春秋』。傳說秦呂不韋叫門客們作的。

㈤　淮南——書名，就是淮南子。傳說漢淮南王劉安作。

㈥　許慎——東漢人，作有說文解字十四篇。

㈦　高誘——東漢人，曾註解呂覽和淮南子。

㈧　爵——古寫的『雀』字

㈨　霸——羽字的代字。清代尊重三國蜀關羽，為了避諱，本書就用『霸』字替代羽字。

㈩　古今注——考證名物的書，晉崔豹作。

⑪　月令——禮記篇名，紀載十二月的政令。

⑫　夏小正——大戴禮記篇名，隋時把它另列十卷，是紀每月物候的書。物候是紀一些動物、植物隨着季節氣候而發生的變遷。

⑬　秦火——指嬴政（秦始皇）的焚書。嬴政為了執行愚民政策，下令焚書，除掉醫藥、卜筮、種樹之類的書及秦紀以外，其餘的書，一概燒掉。

⑭　孔壁——指孔子住宅的牆壁。漢時魯恭王拆毀孔子住宅，在牆壁裏發現了古文尚書、禮記、論語、孝經等書。孔壁發現的叫古論。後來通行的

⑮　古論、齊論、魯論——論語有古論、齊論、魯論三種：魯人學的叫魯論，齊人學的叫齊論，孔壁發現的古論是魯論。

⑯　皇侃古本論語義疏——皇侃，梁人，著有論語義疏一書。

類，不能枚舉。史記世家⊜亦多類此。此皆秦火後闕遺之誤。請看古本，自知其詳。」

多九公見他伶牙俐齒，一時要拿話駁他，竟無從下手。因見案上擺著一本書，取來一看，是本論

語。隨手翻了兩篇，忽然翻到「顏淵、季路⊜侍」一章，只見「衣輕裘」之旁寫著「衣，讀平聲。」

看罷，暗暗喜道：「如今被我捉住錯處了！」因向唐敖道：「唐兄，老夫記得『顧車馬衣輕裘』之『

衣』倒像應讀去聲。今此處讀作平聲，不知何意？」紫衣女子道：「『子華使於齊』此處『衣』字，按本文

輕裘』之『衣』，自應讀作去聲，蓋言子華所騎的是肥馬，所穿的是輕裘？若將『衣』字講作穿的意思，不但

明明分著『車』、『馬』、『衣』、『裘』四樣，如何讀作去聲？至此處『衣』字，自然讀作『願車馬衣裘

與『願』字文氣不連，而且有裘無衣，語氣文義，都覺不足。若無『輕』字，難道子路穿的可與友共，衣就

不可與友共麼？這總因『裘』字上既有『輕』字，『馬』字上再有『肥』字，後人讀時，自必以車與肥

馬為二，衣與輕裘為二，斷不讀作去聲。況『衣』字所包甚廣，故『輕

裘』二字倒可不用，『衣』字卻不可少。今不用『衣』字，只用『輕裘』二字可包藏其內，那個『衣』字何能包藏『

輕裘』之內？若讀去聲，豈非缺了一樣麼？」多九公不覺皺眉道：「我看才女也過於混鬧了！你說那

個『衣』字所包甚廣，無非紗的綿的，總在其內。但子路於這輕裘貴重之服，尚且與朋友共，何況別

的衣服？言外自有『衣』字神情在內。今才女必要吹毛求疵，亂加批評，莫怪老夫直言：這宗行為

不但近於狂妄，而且隨嘴亂說，竟是不知人事了！」因又忖道：「這兩個女子既要赴試，自必時常

用功，大約隨常經書也難他不住。我聞外國向無易經，何不以此難他一難？或者將他難倒，也未可

知。」

未知如何，下回分解。

⿴　世家——史記紀載侯王一類事跡的那一部分，稱做「世家」。

⿻　季路——就是子路，姓仲名由，孔子學生。

聯經出版事業公司校印

第十八回　闢清談幼女講義經　發至論書生尊孟子

話說多九公思忖多時，得了主意，因向兩女子道：「老夫聞周易一書，外邦見者甚少。貴處人文極盛，兼之二位才女博覽廣讀，於此書自能得其精奧。才女識見過人，此中善本，當以某家為最，想高明自有卓見定其優劣了？」紫衣女子道：

「自漢、晉以來，至於隋季，講易各家，據婢子所知的，除子夏周易傳□二卷，尚有九十三家。若論優劣，以上各家，莫非先儒註疏，婢子見聞既寡，何敢以井蛙之見，妄發議論。尚求指示。」

多九公忖道：「周易一書，素日耳之所聞，目之所見，至多不過五六十種；適聽此女所說，竟有九十餘種。但他並無一字評論。大約腹中並無此書，不過略略記得幾種，他就大言不慚，以為嚇人地步。我且考他一考，敎他出出醜，就是唐兄看著，也算難得了。至某人註疏若干卷，某人章句若干卷，才女也還記得麼？」紫衣女子笑道：「各書精微，雖未十分精熟，至註家名姓、卷帙，還略略記得。」多九公吃驚道：「才女何不道其一二？其卷帙、名姓，可與天朝一樣？」「大賢才言周易有一百餘種，不知就是才說這幾種，還是另有百餘種？請大賢略述一二，以廣聞見。」多九公見紫衣女子所說書名倒像素日讀熟一般，口中滔滔不絕。細細聽去，內中竟有大半所言卷帙、姓名，絲毫不錯。其餘或知其名，未見其書；或知其書，不記其名；還有連姓名、卷帙一概不知的。

登時驚的目瞪口呆，惟恐他們盤問，就要

出醜。正在發慌，適聽紫衣女子問他書名，連忙答道：「老夫向日見的，無非都是才女所說之類。奈

年邁善忘，此時都已模模糊糊，記不清了。」紫衣女子道：「書中大旨，或大賢記不明白，婢子也不

敢請教，苦人所難。但卷帙、姓名，乃書坊中三尺之童所能道的，大賢何必吝教？」多九公道：「實

是記不清楚，並非有意推辭。」紫衣女子道：「大賢若不說出幾個書名，那原諒的不過說是吝教，那

不原諒的就要疑心大賢竟是妄造狂言欺騙人了。」多九公聽罷，只急的汗如雨下，無言可答。紫衣女

子道：「剛才大賢曾言百餘種之多，此刻只求大賢除婢子所言九十三種，再說七個，共湊一百之數。

此事極其容易，難道還吝教麼？」多九公只急的抓耳搔腮，不知怎樣才好。紫衣女子道：「如此易

事，誰知還是吝教！剛才婢子費了屑舌，說了許多書名，原是抛磚引玉，以為借此長長見識。不意竟

是如此！但除我們所說之外，大賢若不加增，未免太覺空疏了！」紅衣女子道：「倘大賢七個湊不

出，就說五個；五個不能，就是兩個也是好的。」紫衣女子接著道：「如兩個不能，就是一個：一個

不能，就是半個也可解嘲了。」紅衣女子笑道：「請教姐姐：何為半個？」紫衣女

子道：「妹子惟恐大賢善忘，或記卷帙，忘其姓名：皆可謂之半個，——並非

半卷。我們不可閒談，請大賢或說一個，或半個罷。」多九公被兩個女子冷言冷語，只管催逼，急的

滿面青紅，恨無地縫可鑽。莫講所有之書，俱被紫衣女子說過：卽或尚未說過，此時心內一急，也就

想不出了。

那個老者坐在下面，看了幾篇書，見他們你一言，我一語，不知說些甚麼。後來看見多九公面上

紅一陣、白一陣，頭上只管出汗，只當怕熱。因取一把扇子，道：「天朝時令交了初夏，大約涼爽不

㊀　子夏周易傳——子夏，春秋時衛人，姓卜名商，孔子學生。擅長文學，作有周易傳。

用涼扇。今到敝處，未免受熱，所以只管出汗。請大賢搨搨，略為涼爽，慢慢再談。莫要受熱，生出別的病來。你們都是異鄉人，身子務要保重。——你看，這汗還是不止。這卻怎好？」因用汗巾替九公揩道：「有年紀的人，身體是個虛的，那裡受的慣熱！唉！可憐，可憐！」多九公接過扇子道：「此處天氣果然較別處甚熱。」老者又獻兩杯茶道：「小子這茶雖不甚佳，但有燈心在內，既能解熱，又可清心。大賢吃了，就是受熱，也無妨了。今雖幸會，奈小子福薄重聽，不能暢聆大教，真是恨事。大賢既肯屈尊同他們細談，日後還可造就麼？」多九公連連點道：「令愛來歲一定高發的。」

只見紫衣女子又接著說道：「大賢既執意不肯賜教，我們也不必苦苦相求。若不曉得其中旨趣，不過是個賣書情，何足為奇。但不知大賢所說百餘種，其中講解，當以某家為最？」多九公道：「當日仲尼既作十翼，易道大明。自商瞿㊀受易於孔子，嗣後傳授不絕。到了魏時，王直㊁各家，後漢有馬融㊃、鄭元諸人。據老夫愚見：兩漢解易各家，多溺於象占之學。前漢有京房、費弼註釋周易，撇了象占舊解，獨出心裁，暢言義理，於是天下後世，凡言易者，莫不宗之，諸書皆廢。以此看來，由漢至隋，當以王弼為最。」紫衣女子聽了，不覺笑道：「大賢這篇議論，似與各家註解及王弼之書尚未瞭然，不過撫拾前人牙慧，以為評論，豈是教誨後輩之道！漢儒所論象占，固不足盡周易之義；王弼掃棄舊聞，自標新解，惟重義理，孔子說『易有聖人之道四焉』，豈止『義理』二字？晉時韓康伯見王弼之書盛行，因缺繫辭之註，於是本王弼之義，註繫辭二卷，因而後人遂有王、韓之稱。其書既欠精詳，而又妄改古字，如以『嚮』為『鄉』，以『驅』為『毆』之類，不能枚舉。所以昔人云：『若使當年傳漢易，王、韓俗字久無存。』當日范甯說王弼的罪甚於桀、紂，豈是無因而發。今大賢說他註的為最，甚至此書一出，羣書皆廢，何至如此？可謂癡人說夢！總之：學問

從實地上用功，議論自然確有根據；若浮光掠影，中無成見，自然隨波逐流，無所適從。大賢恰受此

病。並且強不知以為知，一味大言欺人，未免把人看的過於不知文了！」

多九公聽了，滿臉是汗，走又走不得，坐又坐不得，只管發殘⑷，無言可答。正想脫身，那個老

者又獻兩杯茶道：「斗室屈尊，致令大賢受熱，殊抱不安。但汗為人之津液，也須忍耐少出才好。大

約大賢素日喜吃麻黃，所以如此。今出這場痛汗，雖痢癀之症，可以放心，以後如麻黃發汗之物，究

以少吃為是。」二人欠身接過茶杯。

只見紫衣女子又接著說道：「剛才進門就說經書之義盡知，我們聽了甚覺欽慕，以為今日遇見讀

書人，可以長長見識，所以任憑批評，無不謹謹受命。誰知談來談去，卻又不然。若以『秀才』兩字

而論，可謂有名無實。適才自稱『泵列膠庠』，談了半日，惟這『泵』字還用的切題。」紅衣女子

道：「據我看來：大約此中亦有賢愚不等，或者這位先生同我們一樣，也是常在三等、四等的亦未可

知。」紫衣女子道：「大家幸會談文，原是一件雅事，即使學問淵博，亦應處處虛心，庶不失謙謙君

子之道。誰知腹中雖離淵博尚遠，那目空一切，旁若無人光景，卻處處擺在臉上。可謂『螳臂當車，

自不量力』！」兩個女子，你一言，我一語，把多九公說的臉上青一陣，黃一陣。身如針刺，無計可

施。唐敖在旁，甚覺無趣。

⑴ 商瞿──春秋時魯人，孔子學生。歡喜研究易經，孔子就傳授他易學。

⑵ 京房、費直──兩人都是漢代人，都是易經研究者，也都認為易經是講星象、卜卦的方法的。

⑶ 馬融──漢代人，鄭玄的老師，易經的研究者，註書很多。

⑷ 發殘──殘，同「楞」。發呆叫做發楞，後文「楞了一楞」就是呆了一呆的意思。

正在爲難之際，只聽外面喊道：「請問女學生可買脂粉麼？」一面說著，手中提著包袱進來。唐敖一看，不是別人，卻是林之洋。多九公趁勢立起道：「林兄爲何此時才來？惟恐船上眾人候久，我們回去罷。」卽同唐敖拜辭老者。老者仍要挽留獻茶。林之洋因走的口渴，正想歇息，無奈二人執意要走。老者送出門外，自去課讀。

三人匆匆出了小巷，來至大街。林之洋見他二人舉動愴惶，面色如土，不覺詫異道：「俺看你們這等驚慌，必定古怪。畢竟爲著甚事？」二人略略喘息，將神定了一定，把汗揩了，慢慢走著。多九公把前後各話，略略告訴一遍。唐敖道：「小弟從未見過世上竟有這等淵博才女！而且伶牙利齒，能言善辯！」多九公道：「淵博倒也罷了，可恨他絲毫不肯放鬆，竟將老夫罵的要死。這個齷齪的不小！」老夫活了八十多歲，今日這個悶氣卻是頭一次！此時想起，惟有怨恨自己！」林之洋道：「九公：你恨甚麼？」多九公道：「恨老夫從前少讀十年書，又恨自己既知學問未深，不該冒昧同人談文。」

唐敖道：「若非舅兄前去相救，竟有走不出門之苦。不知舅兄何以不約而同，也到他家？」林之洋道：「剛才你們要來遊玩，俺也打算上來賣貨，奈這地方從未做過交易，不知那樣得利。後來俺因他們臉上比炭還黑，俺就帶了脂粉上來。那知這些女人因搽脂粉反覺醜陋，都不肯買，倒要買書，不知甚意。細細打聽，才知這里向來分別貴賤，就在幾本書上。」唐敖道：「這是何故？」林之洋道：「他們風俗，無論貧富，都以才學高的爲貴，不讀書的爲賤。就是女人，也是這樣，到了年紀略大，有了才名，才有人求親；若無才學，就是生在大戶人家，也無人同他配婚。因此，他們國中，不論男女，自幼都要讀書。聞得明年國母又有甚麼女試大典，這

些女子得了這個信息，都想中個才女，更要買書。俺聽這話，原知貨物不能出脫，正要回船，因從女學館經過，又想進去碰碰財氣，那知湊巧遇見你們二位。俺進去話未說得一句，茶未喝得一口，就被你們拉出，原來二位卻被兩個黑女難住。」唐敖道：「小弟約九公上來，原想看他國人生的怎樣醜陋，誰知只顧談文，他們面上好醜，我們還未看明，今倒被他們先把我們腹中醜處看去了！」多九公：「起初如果只作門外漢，隨他談甚麼，也不至出醜。無奈我們過於大意，一進門去，就充文人，以致露出馬腳，補救無及。偏偏他的先生又是聾子，他若不聾，只怕我們更要吃虧。你只看他小小學生尚且如此，何況先生！固然有『青出於藍而勝於藍⑥』的，究竟是他受業之師，況紫衣女子又是他女，學問豈能懸殊？若以尋常老秀才看待，又是『以貌取人』了。世人只知『紗帽底下好題詩』，那里曉得草野中每每埋沒許多鴻儒！大約這位老翁就是榜樣。」

多九公道：「剛才那女子以『衣輕裘』之『衣』讀作平聲，其言似覺近理。若果如此，那當日解作去聲的，其書豈不該廢麼？」唐敖道：「九公此話未免罪過！小弟聞得這位解作去聲的乃彼時大儒，祖居新安⑦。其書闡發孔、孟大旨，殫盡心力，折衷舊解，言近旨遠，文簡義明，一經誦習，聖賢之道，莫不燦然在目。漢、晉以來，註解各家，莫此為善，實有功於聖門，有益於後學的，豈可妄加評論。即偶有一二註解錯誤，亦不能以蚊睫⑧一毛，掩其日月之光。即如孟子『誅一夫』及『視君

⑥ 青出於藍，而勝於藍——比喻學生的學問高過了先生。語出荀子：「青，取之於藍，而青於藍。」

⑦ 彼時大儒，祖居新安——大儒，指朱熹。朱熹，宋婺源人；婺源本屬新安郡地，所以朱熹嘗自稱「新安朱熹」。

⑧ 蚊睫——比喻非常細小的東西。睫，眼睛毛；蚊睫，蚊子的眼睫毛。

如寇讎』之說㈨，後人雖多評論，但以其書體要而論，昔人有云：『總羣聖之道者，莫大乎六經㈥，紹六經之教者，莫尚乎孟子。』當日孔子既沒，儒分為八㈠；其他縱橫捭闔，波譎雲詭。惟孟子挺命世之才，距楊、墨㈡放淫辭，明王政之易行，以救時弊，闡性善之本量，以斷羣疑。致孔子之教，獨尊千古。是有功聖門，莫如孟子，學者豈可訾議。況孟子『聞誅一夫』之言，亦因當時之君，惟知戰鬥，不務修德，故以此語警戒，至『寇讎』之言，亦是勸勉宣王，待臣宜加恩禮，方能動聽，實出孟子之力，闡發孔、孟之學，卻是新安之功。小弟愚見如此，九公以為何如？』多九公聽了，不覺連連點頭。

見。時當戰國，邪說橫行，不知仁義為何物，若單講道學，徒費脣舌，必須喻之利害，方能救時弊，故不覺言之過當。讀者不以文害辭，不以辭害志，自得其義。總而言之，尊崇孔子之教，實出孟子之

未知如何，下回分解。

㈨　孟子「誅一夫」及「視君如寇讎」之說──孟子，孟軻作。孟軻有「民貴君輕」的見解，他說到殷代王朝的被推翻，是由於殷代統治君主紂為人暴虐，因而人民反對他，反對紂是反對一個孤立的人，而不是反對君主。他又說過，君主如果把臣子當作草芥那麼看，臣子就可以把君主看作仇敵。

㈥　經──通常對詩、書、禮、樂、易、春秋六種書的總稱。

㈠　儒分為八──孔子之後，儒家分為八派，有子張、子思、顏氏、孟氏、漆雕氏、仲良氏、孫氏、樂正氏各家的分別。見韓非子。

㈡　距楊、墨──距，抵制。楊，楊朱；墨，墨翟，都是戰國時人。楊朱主張為我，墨翟主張兼愛，孟軻卻反對他們的學說，認為「楊氏為我，是無君也；墨氏兼愛，是無父也。無父無君，是禽獸也。」（見孟子·滕文公下）

話說多九公聞唐敖之言，不覺點頭道：「唐兄此言，至公至當，可為千載定論。老夫適才所說，乃就事論事，未將全體看明，不無執著一偏。即如左思三都賦㊀序，他說揚雄甘泉賦『玉樹青蔥』，非本土所出，以為誤用。誰知那個玉樹，卻是漢武帝以眾寶做成，並非地土所產。諸如此類，若不看他全賦，止就此序而論，必定說他如此小事尚且考究未精，何況其餘。那知他的好處甚多，全不在此。所以當時爭著傳寫，洛陽為之紙貴。以此看來，若只就事論事，未免將他的好處都埋沒了。」

說話間，又到人烟輳集處。唐敖道：「剛才小弟因這國人過黑，此時一路看來，只覺個個美貌無比。而且無論男婦，都是滿臉書卷秀氣，那種風流儒雅光景，倒像都從這個黑氣中透出來的。細細看去，不但面上這股黑氣萬不可少，並且回想那些脂粉之流，反覺其醜。小弟被這書卷秀氣四面一襯，只覺面目可憎，俗氣逼人。與其教他們看著恥笑，莫若趁早走罷！」三人於是躲躲閃閃，聯步而行。一面走著，看那國人都是端方大雅，再看自己，只覺無窮醜態。相形之下，走也不好，不走也不好，緊走也不好，慢走也不好，不緊不慢也不好··不知怎樣才好！只好疊㊁著精神，穩著步兒，探著腰兒，挺著胸兒，直著頸兒，

㊀ 左思三都賦──左思，晉人。傳說他用十年的功夫，作成一篇三都賦。賦作成後，大家紛紛傳抄，以致洛陽地方的紙價都貴了。

㊁ 疊──「打疊」的省詞，一般做「收拾」、「整現」解釋。這裏是勉強打起精神的意思。

一步一趨，望前而行。好容易走出城外，喜得人烟稀少，這才把腰伸了一伸，頸項搖了兩搖，噓了一口氣，略為鬆動鬆動。林之洋道：「剛才被妹夫說破，細看他們，果都大大方方，見那樣子，不怕你不好好行走。俺素日散誕慣了，今被二位拘住，少不得也裝斯文混充儒雅。誰知只顧拿架子，腰也酸了，腿也直了，頸也痛了，腳也麻了，頭也暈了，眼也花了，舌也燥了，口也乾了，受也受不得了，支也支不住了。再要拿架子，俺就癱了！快逃命罷！此時走的只覺發熱。──原來九公卻帶著扇子借俺搧搧，俺今日也出汗了！」

多九公聽了，這才想起老者那把扇子還在手中，隨即站住，打開一齊觀看。只見一面寫著曹大家七篇女誡，一面寫著蘇若蘭璇璣全圖㊂，都是蠅頭㈣小楷，絕精細字。兩面俱落名款：一面寫著「墨溪夫子大人命書」，下寫「女弟子紅紅謹錄」；一面寫著「女亭亭謹錄」。下面還有兩方圖章：

「紅紅」之下是「黎氏紅薇」，「亭亭」之下是「盧氏紫萱」。唐敖道：「據這圖章，大約紅紅、亭亭是他乳名，紅薇、紫萱方是學名。」多九公道：「兩個黑女既如此善書而又能文，館中自然該是詩書滿架，為何卻自窘窘？不意腹中雖然淵博，案上倒是空疏，竟與別處不同。他們如果詩書滿架，我們見了，自然另有準備，豈肯冒昧，自討苦吃？」林之洋接過扇子搧著道：「這樣說，日後回家，俺要多買幾擔書擺在桌上作陳設了。」唐敖道：「奉勸舅兄：斷斷不要豎這文人招牌！請看我們今日光景，就是榜樣。小弟足足够了！今日過了黑齒，將來所到各國，不知那幾處文風最盛？倒要請敎，好作準備，免得又去『太歲頭上動土㈤』。」林之洋道：「俺們向日來往，只知賣貨，那里管他文風、武風。據俺看來：將來路過的，如靖人、歧踵、長人、穿胸、厭火各國，大約同俺一樣，都是文墨不通，就只可怕的前面有個白民國，倒像有些道理；還有兩面、軒轅各國，出來人物，也就不凡。這幾

處才學好醜，想來九公必知，妹夫問他就知道了。」唐敖道：「請敎九公……」說了一句，再回頭一看，不覺詫異道：「怎麼九公不見？又到何處去了？」林之洋道：「俺們只顧說話，那知他又跑開。莫非九公恨那黑女，又去同他講理麼？俺們且等一等，少不得就要回來。」二人閒談，候了多時，只見多九公從城內走來道：「唐兄，你道他們案上並無多書，卻是爲何？其中有個緣故。」唐敖笑道：「原來九公爲這小事又去打聽。如此高年，還是這等興致，可見遇事留心，自然無所不知。我們慢慢走著，請九公把這緣故談談。」多九公舉步道：「老夫才去問問風俗，原來此地讀書人雖多，書籍甚少。歷年天朝雖有人販賣，無如剛到君子、大人境內，就被二國買去。此地之書，大約都從他彼二國以重價買的。至於古書，往往出了重價，亦不可得，惟訪親友家，如有此書，方能借來抄寫。要求一書，眞是種種費事。並且無論男婦，都是絕頂聰明，日讀萬言的不計其數。他們見了無義之財，並不苟取，叫作『臨財毋苟得』。就只有個毛病：若見了書籍，登時就把『毋苟得』三字撇在九霄雲外，不是借去不還，就是設法偸騙，那作賊的心腸也由不得自己了。因此，那書更不夠他讀了。本地向無盜賊，從不偷竊，就是遺金在地，也無拾取之人。所以此地把竊物之人叫作『偸兒』，把偸書之人卻叫作『竊兒』，借物不還的叫作『拐兒』，借書不還的叫作『騙兒』。因有這些名號，那藏書之家，見了這些

㈢　璇璣全圖──璇璣，古時測天文的儀器，圓形，可以旋轉著看。前秦蘇蕙，字若蘭，做了一首迴文詩，那首詩循環可通，和璇璣一樣，所以叫做「璇璣圖」。參看第四十一回圖。

㈣　蠅頭──微細的意思。這裏拿蒼蠅頭比喻小字；第三十回目中的蠅頭卻是比喻微利。

㈤　太歲頭上動土──自找倒楣的意思。古人迷信，稱木星做太歲，認為是凶煞，如果朝著木星出現的方向動土建築，就要發生凶禍。

竊兒、騙兒，莫不害怕，都將書籍深藏內室，非至親好友，不能借觀。家家如此。我們只知以他案上之書定他腹中學問，無怪要受累了。」

說話間，不覺來到船上。林之洋道：「俺們快逃罷！」分付水手，起錨揚帆。唐敖因那扇子寫的甚好，來到後面，向多九公討了。多九公道：「今日唐兄同那老者見面，曾說『識荊』二字，是何出處。」唐敖道：「再過幾十年，九公就看見了⑤。小弟才想紫衣女子所說『吳郡大老倚閭滿盈』那句話，再也不解。九公久慣江湖，自然曉得這句鄉談了？」多九公道：「老夫細細參詳，也解不出。我們何不問問林兄？」唐敖隨把林之洋找來，林之洋也回不知。唐敖道：「若說這句隱著罵話，以字義推求，又無深奧之處。據小弟愚見：其中必定含著機關。大家必須細細猜詳，就如猜謎光景，務必把他猜出。若不猜出，被他罵了還不知哩！」林之洋道：「這話當時為甚起的？二位先把來路說說。看來，這事惟有俺林之洋還能猜，你們猜不出的。」唐敖道：「何以見得？」林之洋道：「二位老兄才被他考的膽戰心驚，如今怕還怕不來，那里還敢亂猜！若猜的不是，被黑女聽見，豈不又要吃苦出汗麼？」多九公道：「林兄且慢取笑。我把來路說說。當時談論切音，那紫衣女子因我們不知反切，向紅衣女子輕輕笑道：『若以本題而論，豈非『吳郡大老倚閭滿盈』麼？』那紅衣女子聽了，也笑一笑。這就是當時說話光景。」林之洋道：「這話既是談論反切起的，據俺看來：他這本題兩字自然就是甚麼反切。你們只管向這反切書上找去，包你找得出。」多九公猛然醒悟道：「唐兄，我們被這女子罵了！按反切而論：『吳郡』是個『問』字，『大老』是個『道』字，『倚閭』是個『於』字，『滿盈』是個『盲』字。他因請教反切，我們都回不知，所以他說：『豈非『問道於盲』麼！』」林之洋道：「你們都是雙目炯炯，為甚比作瞽目？大約彼時因他年輕，不將他們放在眼裏，未免旁若無人，因

此把你比作瞽目，卻也湊巧。」多九公道：「爲何湊巧？」林之洋道：「那『旁若無人』者，就如兩旁明明有人，他卻如未看見。既未看見，豈非瞽目麼？此話將來可作『旁若無人』的批語。海外女子這等淘氣，將來到了女兒國，他們成羣打夥，聚在一處，更不知怎樣利害。好在俺從來不會談文：他要同俺論文，俺有絕好主意，只得南方話一句，一概給他『弗得知』。任他說得天花亂墜，俺總是弗得知，他又其奈俺何！」多九公笑道：「倘女兒國執意要你談文，你不同他談文，把你留在國中，看你怎樣？」林之洋道：「把俺留下，俺也給他一概弗得知，走也走不出，若非俺去相救，怎出他們門？這樣大情，二位怎樣報俺？」多九公道：「九公才說恐女兒國將舅兄留下，日後倘有此事，我們就去救你出來，也算『以德報德』了。」唐敖道：「此話怎講？」多九公道：「據老夫看來：這不是『以德報德』，倒是『以怨報德』。」唐敖道：「此話怎講？」多九公道：「林兄如被女兒國留下，他在那里，何等有趣，你卻把他救出，豈非『以怨報德』麼？」唐敖道：「九公既說那裏有趣，將來你到了女兒國，俺去通知國王，就請九公住他國中。」多九公道：「老夫倒想住在那裏，卻敎那個替你管柁呢？」唐敖道：「豈但管柁，小弟還要求敎韻學哩。請問九公：『古來韻書『道』字本與『島』字同音，近來讀『道』爲『到』，以上聲讀作去聲。小弟素於反切雖是門外漢，但『大老』二字，按音韻呼去，爲何不是『島』字？即如是非之『是』，古人讀作『使』字，『動』字讀作『董』字，此類甚多，不能枚舉。大約古音重，讀『島』；今聲輕，讀『到』。這是音隨世傳，輕重不同，所以如此。」林之洋道：「那個『盲』字，俺們向來讀與『忙』字同音，今九公讀作『萌』字，也是輕重

⑤　再過幾十年，九公就看見了——本書託稱所演的是武則天時代的故事，約在公元六八四年到七○四年，而李白卻是七○一年到七六二年間的人。武則天時代的人，不可能知道李白『識荆』的故事，所以這裏把它說成是預言。參看第十六回註㊉。

聯經出版事業公司校印

不同麼？」多九公道：「『盲』字本歸八庚，其音同『萌』；若讀『忙』字，是林兄自己讀錯了。」

林之洋道：「若說讀錯，是俺先生教的，與俺何干！」多九公道：「你們先生如此疏忽，就該打他手心。」林之洋道：「先生犯了這樣小錯，就要打手心，那終日曠功誤人子弟的，豈不都要打殺麼？」

唐敖道：「今日受了此女恥笑，將來務要學會韻學，才能歇心。小弟賦性雖愚，如果專心，大約還可領略。」多九公道：「老夫素於此道，不過略知皮毛，若要講他所以然之故，不知從何講起。總因當日未得真傳，心中似是而非，狐疑莫定，所以如此。唐兄如果要學，老夫向聞歧舌國音韻最精，所以林兄前在轟耳，買了雙頭鳥兒，要到彼處去賣。他們各種聲音皆可隨口而出，因此鄰國俱以『歧舌』呼之。日後唐兄聽他口音就明白了。」

唐敖道：「『歧舌』二字，是何寓意？何以彼處曉得音韻？」多九公道：「彼國人自幼生來嘴巧舌能，不獨精通音律，並且能學鳥語，將來到彼，老夫陪上去，不過略為談談，就可領略了。」

走了幾日，到了靖人國。唐敖道：「請教九公：小弟聞得靖人，古人謂之諍人，身長八九寸，大約就是小人國。不知國內是何風景？」多九公道：「此地風俗磽薄⑥，人最寡情，所說之話，處處與人相反。即如此物，明是甜的，他偏說苦的，明是鹹的，他偏說淡的：教你無從捉摸。此是小人國歷來風氣如此，也不足怪。」二人於是登岸，到了城郭。城門甚矮，彎腰而進。裏面街市極窄，竟難並行。走到城內，才見國人，都是身長不滿一尺；那些兒童，只得四寸之長。行路時，恐爲大鳥所害，手執器械防身；滿口說的都是相反的話，詭詐異常。唐敖道：「世間竟有如此小人，倒也少見。」遊了片時，遇見林之洋賣貨回來，一同回船。

無論老少，都是三五成羣，遇見林之洋賣貨回來，一同回船。

走了幾日，大家正在閒談，路過一個桑林，一望無際，內有許多婦人，都生得嬌豔異常。未知如何，下回分解。

〔六〕磽（ㄑㄧㄠ）薄——本意指土地貧瘠不適宜於耕種，一般借作風俗人情「不厚道」解釋。

第二十回　丹桂岩山雞舞鏡　碧梧嶺孔雀開屏

話說那些婦人俱以絲綿纏身，棲在林內，也有吃桑葉的，也有口中吐絲的。唐敖道：「請教九公，這些婦人，是何種類？」多九公道：「此處近於北海，名叫『嘔絲之野』。古人言這婦人都是蠶類。此地既無城郭，這些婦人都以桑林為居，以桑為食，又能吐絲，倒像『鮫人泣珠⊝』光景。據老夫愚見：就仿鮫人之意，把他叫作『蠶人』。鮫人泣珠，蠶人吐絲，其義倒也相合。」林之洋道：「這些女子都生的嬌嬌滴滴，俺們帶幾個回去作妾，又會吐絲，又能生子，豈不好麼？」多九公道：「你把他作妾，倘他性子發作，吐出絲來，把你身子纏住，你擺脫不開，還把性命送了哩！你去問問，那些男子，那個不是死在他們手裏！」

這日到了跂踵國。有幾個國人在海邊取魚。一個個身長八尺，身寬也是八尺，竟是一個方人。赤髮蓬頭。兩隻大腳，有一尺厚、二尺長，行動時以腳指行走，腳跟並不著地，一步三搖，斯斯文文竟有「甯可濕衣，不可亂步」光景。唐敖因這方人過於拘板，無甚可觀，不曾上去。

這日到了一個大邦，遠遠望見一座城池，就如峻嶺一般，好不巍峨。原來卻是長人國。林之洋自去賣貨。唐敖同多九公上去，見了幾個長人，嚇的飛忙走回道：「九公！嚇殺小弟了！當日我見古人書中，言長人身長一二十丈，以為必無之事，那知今日見的，竟有七八丈高，半空中晃晃蕩蕩，他的

腳面比我們肚腹還高，令人望著好不害怕！幸虧早早逃走，；他若看見，將我們用手提起，放在面前望，我們身子已在數丈之外了！」

多九公道：「今日所見長人並不算長。若以極長的比較，他也只算個腳面。老夫向在外洋同幾位老翁閒談，各說生平所見長人。內中有位老翁道：『當日我在海外，曾見一個長人，身長千餘里，腰寬百餘里，好飲天酒〔二〕，每日一飲五百斗。當時看了，甚覺詫異。後來因見古書，才知名叫「無路」。』又一老翁道：『老朽向在丁零之北，見一長人，臥在地下，其高如山，頓腳成谷，橫身塞川，其長萬餘里。』又一老翁道：『我曾見一極長之人，若將無路比較，那無路只好算他腳面。莫講別的，單講他身上這件長衫，當日做時，不但天下的布都被他買絕，連天下的裁縫也都僱完，做了數年才能做成。那時布的行情也長，裁縫工價也貴了，人人發財。所以布店同裁縫鋪至今還在那裡禱告，但願長人再做一件長衫，他們又好齊行〔三〕了。彼時有一個裁縫，在那長衫底襟上偷了一塊布，後來就將這布開了一個大布店，因此棄了本行，另做布行交易。你道這個長人身長若干？原來這人連頭帶腳，不長不短，恰恰十九萬三千五百里！』眾老翁都問道：『為何算的這樣詳細？』老翁道：『古人言由天至地有如此之高，此人恰恰頭頂天，腳踹地，所以才知就是這個里數。他不獨身子長的恁高，並且那張大嘴還愛說大話，倒是身口相應。』眾老翁道：『聞得天上剛風最硬，每每飛鳥過高，

〔一〕鮫（ㄐㄧㄠ）人泣珠——神話傳說：南海有一種「鮫人」，同魚一樣住在水裏，哭出的眼淚能變成珠子，善於紡織，織出的東西是綠質，名「鮫綃」。

〔二〕天酒——也叫做「甘露」。迷信的說法：這是天上落下的一種露水，像油膏，味道很甜，吃了可以延年益壽。

〔三〕齊行（ㄏㄤ）——商人為了謀取暴利相約共同抬高市價。

聯經出版事業公司校印

都被吹的化為天絲。這位長人頭既頂天，他的臉上豈不吹壞麼？」老翁道：「這人極其臉厚，所以不怕風吹。」眾老翁道：「怎曉他的臉厚？」老翁道：「他臉如果不厚，為何滿嘴只管說大話，總不怕人恥笑呢？」旁邊有位老翁道：「老兄以為這人頭頂天，腳踹地就算極長了，那知老漢見過一個長人，較之剛才所說還長五百里。」眾老翁道：「這人比天還大，不知怎能抬起頭來？」老翁道：「此人肚腹業已頂天，畢竟怎樣立起？倒要請教。」老翁道：「你們所說這些長人，何足為奇！當年我見一人，睡在地下就有十九萬三千五百里之高，脊背在地，肚腹頂天，這才大哩！」眾老翁道：「他只顧大了，那知上面有天，因此只好低頭混了一世。」又一老翁道：「他睡在那裏，兩眼望著天，真是目空一切，旁若無人。如此之大，莫講不能立起，並且翻身還不能哩！」

說著閒話，回到船上。林之洋笑道：「俺看天下事只要湊巧；素日俺同妹夫飲酒存的空罈，還有向年舊罈，俺因撂了可惜，隨他撂在艙中，那知今日倒將這個出脫，免又是一番痛飲。前在小人國，也是無意賣了許多蠶繭，這兩樣都是並不值錢的，不想他們視如至寶，倒會獲利；俺帶的正經貨物，倒不得價。人說賣生意，全要機會，若不湊巧，隨你會賣也不中用。」唐敖道：「他們買這蠶繭、酒罈，有何用處？」林之洋未曾回答，先發笑道：「若要說起，真是笑話！……」正要講這緣故，因國人又來買貨，足足忙了一日，到晚方才開船。

這日到了白民國交界，迎面有一危峯，一派清光，甚覺可愛。唐敖忖道：「如此峻嶺，豈無名花？」於是請問多九公是何名山？多九公道：「此嶺總名麟鳳山，自東至西，約長千餘里，乃西海第一

大嶺。內中果木極盛，鳥獸極繁。但嶺東要求一禽也不可得，嶺西要求一獸也不可得。」唐敖道：「這卻爲何？」多九公道：「此山茂林深處，向有一麟一鳳。麟在東山，鳳在西山。所以東面五百里有獸無禽，西面五百里有禽無獸，倒像各守疆界光景。因而東山名叫麒麟山，上面桂花甚多，又名丹桂岩，西山名叫鳳凰山，上面梧桐甚多，又名碧梧嶺。此事不知始於何時，相安已久。誰知東山旁有條小嶺名叫狻猊④嶺，西山旁有條小嶺名叫鸑鷟嶺。狻猊嶺上有一惡獸，其名就叫『狻猊』，常帶許多怪獸來至東山騷擾；鸑鷟嶺上有個惡鳥，其名就叫『鸑鷟』，常帶許多怪鳥來至西山騷擾。」唐敖道：「東山有麟，麟爲獸長；西山有鳳，鳳爲禽長。難道狻猊也不畏麟，鸑鷟也不怕鳳麼？」多九公道：「當日老夫也甚疑惑。後來因見古書，才知鸑鷟乃西方神鳥，狻猊亦可算得毛羣之長，無怪要來抗橫⑤了。大約略爲騷擾，麟鳳也不同他計較；若干犯過甚，也就不免爭鬭。數年前老夫從此路過，曾見鳳凰與鸑鷟爭鬭，都是各發手下之鳥，或一個兩個，那撕打迸跳形狀，眞可山搖地動，看之令人心驚。畢竟邪不勝正，鬧來鬧去；麒麟與狻猊爭鬭，也是各發手下之獸，往往狻猊、鸑鷟大敗而歸。」

正在談論，半空中倒像人喊馬嘶，連忙出艙仰觀，只見無數大鳥，密密層層，飛向山中去了。　唐敖道：「看這光景，莫非鸑鷟又來騷擾？我們何不前去望望？」多九公道：「如此甚好。」於是通知林之洋，把船攏在山腳下，三人帶了器械，棄舟登岸，上了山坡。唐敖道：「今日之遊，別的景致還在其次，第一鳳凰不可不看：他既做了一山之主，自然另是一種氣概。」多九公道：「唐兄

④ 狻（ㄙㄨㄢ）猊（ㄋㄧˊ）——獅子。
⑤ 抗橫——這裏橫同衡。勢均力敵的敵對的意思。

要看鳳凰，我們越過前面峯頭，只檢梧桐多處遊去，倘緣分湊巧，不過略走幾步，就可遇見。」大家穿過峻嶺，尋找桐林，不知不覺，走了數里。林之洋道：「俺們今日見的都是小鳥，並無一隻大鳥，不知甚故？難道果真都去伺候鳳凰麼？」唐敖道：「今日所見各鳥，毛色或紫或碧，五彩燦爛，兼之各種嬌啼，不啻笙簧，已足悅耳娛目，如此美景，也算難得了。」

忽聽一鳥鳴之聲，宛轉嘹亮，甚覺爽耳，三人一聞此音，陡然神清氣爽。唐敖道：「詩言『鶴鳴於九皋，聲聞於天。』今聽此聲，真可上徹霄漢。」大家順著聲音望去，只當必是鶴鷥之類。看了半晌，並無蹤影，只覺其音漸漸相近，較之鶴鳴尤其洪亮，多九公道：「這又奇了！安有如此大聲，不見形象之理？」唐敖道：「九公，你看：那邊有顆大樹，樹旁圍著許多飛蠅，上下盤旋，這個聲音好像樹中發出的。」說話間，離樹不遠，其聲更覺震耳。三人朝著樹上望了一望，何嘗有個禽鳥。林之洋忽然把頭抱住，亂跳起來，口內只說：「震死俺了！」二人都吃一嚇，問其所以。林之洋道：「俺正看大樹，只覺有個蒼蠅，飛在耳邊。俺用手將他按住，誰知他在耳邊大喊一聲，就如雷鳴一般，把俺的頭暈眼花。俺趁勢把他捉在手內。」話未說完，那蠅大喊大叫，鳴的更覺震耳。林之洋把手亂搖道：「俺將你搖的發昏，看你叫！」那蠅被搖，旋即住聲。唐、多二人隨向那羣飛蠅側耳細聽，那個大聲果然竟是「不啻若自其口出」。多九公笑道：「若非此鳥飛入林兄耳內，我們何能想到如此大聲，卻出這羣小鳥之口。老夫目力不佳，不能辨其顏色。林兄把那小鳥取出，看看可是紅嘴綠毛？」如果狀如鸚鵡，老夫就知其名了。」林之洋道：「這個小鳥，從未見過，俺要帶回船去給眾人見識見識。設或取出飛了，豈不可惜？」於是捲了一個紙桶，把紙桶對著手縫，輕輕將小鳥放了進去。唐敖起初見這小鳥，以為無非蒼蠅、蜜蜂之類，今聽多九公之話，輕輕過去一看，果然都是紅嘴

綠毛，狀如鸚鵡。忙走回道：「他的形狀，小弟才去細看，果真不錯。請教何名？」多九公道：「此鳥名叫『細鳥』。元封⑦五年，勒畢國曾用玉籠以數百進貢，形如大蠅，狀似鸚鵡，聲聞數里。國人常以此鳥候日，又名『候日蟲』。那知如此小鳥，其聲竟如洪鐘，倒也罕見！」

林之洋道：「妹夫要看鳳凰，走來走去，遍山並無一鳥。如今細鳥飛散，靜悄悄連聲也不聞。這里只有樹木，沒甚好頑，俺們另向別處去罷。」多九公道；「只見有個牧童，身穿白衣，手拿器械，從路旁走來。唐敖上前拱手道：「請問小哥，此處是何地名？」牧童道：「此地叫做碧梧嶺，嶺旁就是丹桂岩，乃白民國所屬。過了此嶺，野獸最多，往往出來傷人。三位客人須要仔細！」說罷去了。

多九公道：「此處既名碧梧嶺，大約梧桐必多，或者鳳凰在這嶺上也未可知。我們且把對面山峯越過，看是如何。」不多時，越過高峯，只見西邊山頭無數梧桐，桐林內立著一隻鳳凰：毛分五彩，赤若丹霞，身高六尺，尾長丈餘，蛇頸雞喙，一身花文。對面東邊山頭桂樹林中也有一個大鳥：渾身碧綠，長頸鼠足，其形如雁。兩旁密著層層，列著無數奇禽，或身高一丈，或身高八尺，青黃赤白黑，各種顏色，不能枚舉。兩旁圍著許多怪鳥；也有三首六足的，也有四翼雙尾的，奇形怪狀，不一而足。多九公道：「東邊這隻綠鳥就是鸇鵒。大約今日又來騷擾，所以鳳凰帶著眾鳥把去路攔住，看來又要爭鬪了。」忽聽鸇鵒連鳴兩聲，身旁飛出一鳥，其狀如鳳，尾長丈餘，毛分五彩；擴至丹桂岩，抖擻翎毛，舒翅展尾，上下飛舞，如同一片錦繡，恰好旁邊有塊雲母石，就如一面大

⑥ 九皋──流水曲折滙集的的地方。

⑦ 元封──劉徹（漢武帝）的年號，共六年，相當於西元一一○～一○四年。

鏡，照的那個影兒，五彩相映，分外鮮明。林之洋道：「這鳥倒像鳳凰，就只身材短小，莫非母鳳凰麼？」多九公道：「此鳥名『山雞』，最愛其毛，每每照水顧影，眼見花墜水而死。古人因他有鳳之色，無鳳之德，呼作『啞鳳』。大約鷫鸘以為此鳥具如許彩色，可以壓倒鳳凰手下眾鳥，因此命他出來當場賣弄。」忽見西林飛出一隻孔雀，走至碧梧嶺，展開七尺長尾，舒張兩翅，朝著丹桂岩盼睞起舞；不獨金翠燦目，兼且那個長尾排著許多圓文，陡然或紅或黃，變出無窮顏色，宛如錦屏一般。山雞起初也還勉強飛舞，後來因見孔雀這條長尾變出五顏六色，華彩奪目，金碧輝煌，未免自慚形穢，鳴了兩聲，朝著雲母石一頭撞去，竟自身亡。唐敖道：「這隻山雞因毛色比不上孔雀，所以羞忿輕生。以禽鳥之微，尚有如此血性，何以世人明知己不如人，反靦顏無愧？殊不可解。」孔雀得勝退回本林。東山雞這般烈性，那里死得許多！據俺看來：只好把臉一老，也就混過去了。」多林也飛出一鳥，一身蒼毛，尖嘴黃足，跳至山坡，口中卿卿咋咋，鳴出各種聲音。此鳥鳴未數聲，西林又飛出一隻五彩鳥，尖嘴短尾，走到山岡，展翅搖翎，口中鳴的嬌嬌滴滴，悠揚宛轉，甚覺可耳。那蒼鳥不知何名？」林之洋道：「如今唐敖道：「此即『鳴鳥』毛分五彩，有百樂歌舞之風，大約就是此類了。」林之洋道：「世人都像九公道：「此即『反舌』，一名『百舌』。月令『仲夏反舌無聲』，就是此鳥。」多正是仲夏，這個反舌與眾不同，他不按月令，只管亂叫了。」忽聽東林無數鳥鳴，從中擡出一隻怪鳥，其形如鵝，身高二丈，翼廣丈餘，九條長尾，十頸環簇，只得九頭，擡至山岡，鼓翼作勢，霎時九頭齊鳴。多九公道：「原來『九頭鳥』出來了。」未知如何，下回分解。

話說多九公指著九頭鳥道：「此鳥古人謂之『鶬鴰』，一身逆毛，甚是凶惡。不知鳳凰手下那個出來招架？」登時西林飛出一隻小鳥，白頸紅嘴，一身青翠，走至山岡，望著九頭鳥鳴了幾聲，宛如狗吠。九頭鳥一聞此聲，早已抱頭鼠竄，騰空而去。此鳥退入西林。林之洋道：「這鳥為甚不是禽鳴，倒學狗叫？俺看他油嘴滑舌，南腔北調，到底算個甚麼！可笑這九頭鳥枉自又高又大，聽得一聲狗叫，他就跑了。」原來小鳥這等利害！」多九公道：「此禽名叫『鴟鳥』，又名『天狗』。這九頭鳥本有十首，不知何時被犬咬去一個，其項至今流血。血滴人家，最為不祥。如聞其聲，須令狗叫，他即逃走。因其畏犬，所以古人有『捩狗耳禳之』之法。」只見鸚鵡林內擴出一隻鴟鳥，身高八尺，狀似梟駝，其色蒼黑，翅廣丈餘，兩隻駝蹄，奔至山岡，吼叫連聲。西林也飛出一鳥，赤眼紅嘴，一身白毛，尾長丈二，身高四尺，尾上有勾，其大如斗，走至山岡，與駝鳥鬥在一處。林之洋道：「這尾上有勾的倒也異樣。俺們捉幾個送給無腸國，他必歡喜。」唐敖道：「何以見得？」林之洋道：「他們得了這鳥，既可當菜大嚼，再把尾子取下作為盛飯盛糞的勺子，豈不好麼？」唐敖道：「怪不得古人言：『駝鳥之卵，其大如甕。』原來其形竟有如許之大！這尾上有勾的，他比駝鳥，一個身高八尺，一個身高四尺，大小懸殊，何能爭鬥？豈非自討苦麼？」多九公道：「此鳥名喚『鸓勺』。他既鸓勺鬥未數合，竪起長尾，一連幾勾，打的駝鳥前擴後跳，聲如牛敢與駝鳥相鬥，自然也就非凡。」鸓勺鬥未數合，竪起長尾，一連幾勾，打的駝鳥前擴後跳，聲如牛吼。東林又跳出一隻禿鷲，身高八尺，長頸身青，頭禿無毛，擴至山岡。

來了。」西邊林內也飛出一鳥，渾身碧綠，一條豬尾，長有丈六，身高四尺，一隻長足，跳躍而出，擴至山岡，掄起豬尾，如皮鞭一般，對着禿鶩一連幾尾，把個禿頭打的鮮血淋漓，吼叫連聲。林之洋道：「這個和尚今日老大晦氣，怪不得大人國的和尚不肯削髮，他怕禿頭吃苦。」多九公道：「原來『跂踵』出來爭鬥，他這豬尾，隨你勇鳥也敵他不過，看來鶼鶼又要大敗了。」那邊百舌敵不住鳴鳥，早已飛回東林，禿鶩被打不過，騰空而去，駝鳥兩翅受傷，逃回本林。只聽鶼鶼大叫幾聲，帶著無數怪鳥，奔至山岡；西林也有許多大鳥飛出，登時鬥成一團，那鸚与掄起豬尾，跂踵舞起豬尾，一起一落，打的落花流水。正在難解難分，忽聽東邊山上，猶如千軍萬馬之聲，塵土飛空，山搖地動。密密層層，不知一羣甚麼。登時眾鳥飛騰，鳳凰鶼鶼，也都逃竄。

三人聽了，忙躲桐林深處，細細偷看。原來是羣野獸，從東奔來。為首其狀如虎，一身青毛，鈎爪鋸牙，弭耳昂鼻，目光如電，聲吼如雷，一條長尾，尾上茸毛，其大如斗，走至鳳凰所棲林內，吼了兩聲，帶著許多怪獸，渾身血跡，擴了進去。隨後一羣怪獸趕來，也是血跡淋漓，走至鶼鶼所棲林內，也都擴入。為首一獸：渾身青黃，其體似鷹，其尾似牛，其足似馬，頭生一角。唐敖道：「請教九公：這個獨角獸自然是麒麟；西邊那個青獸可是狻猊？」多九公道：「西林正是狻猊，大約又來騷擾，所以麒麟帶著眾獸趕來。」只見狻猊喘息片時，將身立起，口中叫了兩聲。旁邊擴出一隻野豬，搖著兩耳，一步三搖，倒像奉令一般，走到跟前，將頭伸出，送到狻猊口邊，狻猊嗅了一嗅，吼了一聲，把嘴一張，咬下豬頭，隨將野豬吃入腹中。林之洋道：「這個野豬，據俺看來，生的甚覺慳吝，那肯真心請客；他的意思，不過虛讓一讓，那知狻猊並不推辭，竟自咬了。原來狻猊腹飢，大約吃飽就要爭鬥了。」正自指手畫腳，談論狻猊，不意手中那個細鳥，忽又鳴聲震耳，連忙用手亂搖，那肯

住聲。狻猊聽了，把頭揚起，順著聲音望了一望，只聽大吼一聲，帶著許多怪獸，一齊奔來。三人嚇

的四處奔逃。多九公喊道：「林兄！還不放槍救命，等待何時！」林之洋跑著的氣喘噓噓，棄了細鳥，

迎著眾獸放了一槍。雖然打倒兩個，無奈眾獸密密層層，毫不畏懼，仍舊奔來。多九公道：「我的林

兄！難道放不得第二槍麼？」林之洋戰戰兢兢，又放一槍，好像火上澆油，眾獸更都如飛而至。林之

洋不覺放聲哭道：「只顧要看撕鬥，那知狻猊腹飢，要吃俺肉！無脅國以土當飯，他是以人當飯！俺

聞秀才最酸，狻猊如怕酸物倒牙，九公同妹夫還可躲這災難，就只苦殺俺了！頃刻就到跟前，只要把

口一張，就呑到腹中！這狻猊肚腸不知可像無腸國？但願呑了隨即通過，俺還有命；若不通過，存在

裏面，就要悶殺了！」唐敖正朝前奔，只覺身後鳴聲震耳，回頭一看，狻猊相離不遠，竟向身後撲

來。不由手慌腳亂，無計可施，說聲「不好」，一時著急，將身一縱，就如飛舞一般，擰在空中。眾

獸都向多、林二人撲去，二人惟有叫苦，左右亂跑。忽聽山岡上呱剌剌如雷鳴一般，響了一聲，一道

黑烟，比箭還急，直奔狻猊；狻猊將身縱起，方才躲過，轉眼間，又是一聲響亮，狻猊躲避不及，登

時打落山上。眾獸撇了多、林二人，都來圍護狻猊。只聽呱剌剌，呱剌剌、……響亮連聲，黑烟亂

冒，塵土飛空，滿山響聲不絕，四處烟霧迷漫。那個響聲，如雨點一般，滾將出來，把些怪獸打的屍

橫遍地，四處奔逃，霎時無踪。麒麟帶著眾獸，也都逃竄。

林之洋跑來道：「妹夫當日吃了躡空草，擰的高高的，有處躲避；竟把俺們撇了！幸

虧俺有槍神救命；若不遇著槍神，今日若將二位駝在肩上，大約也可擰高；無奈你們相離過遠，狻猊緊跟

口山，手捧石碑，還能擰空，只怕俺同九公久已變成狻猊的濁氣了。」唐敖道：「當日小弟在東

身後，那里還敢遲延。舅兄只顧要將細鳥帶回船去，剛才被他這陣亂叫，以致眾獸聞風而至，幾乎性

命不保。」多九公也走來道：「這陣連珠槍好不利害！若非打倒猺猔，眾獸豈能散去。散，我們前去找那放槍之人，以便拜謝。」只見山岡走下一個獵戶，身穿青布箭衣，肩上擔著鳥槍。生得眉清目秀，齒白唇紅，年紀不過十四五歲。雖是獵戶打扮，舉止甚覺秀雅。三人忙上前下拜道：「多謝壯士救命之恩！請敎尊姓？貴鄉何處？」獵戶還禮道：「小子姓魏，天朝人氏，因避難寄居於此。請敎三位老丈尊姓？從何到此？」多、林二人把名姓說了。唐敖忖道：「當初魏思溫、薛仲璋二位哥哥都以連珠槍出名。自從敬業叔叔遇難，聞得俱逃海外。此人莫非思溫哥哥之子？——待我問他一聲。」因說道：「當日天朝有位姓魏的，官名思溫，慣用連珠槍，天下馳名，壯士可是一家？」獵戶道：「這是先父。老丈何以得知？」唐敖道：「誰知壯士卻是思溫哥哥之子！不意竟於此處相會！」於是將名姓說明，又把當日結盟及被參各話細說一遍。獵戶忙下拜道：「原來卻是唐叔叔到此，姪女不知，萬望恕罪！」唐敖還禮道：「賢姪請起。為何自稱姪女？這是何故？」獵戶道：「姪女名喚紫櫻，哥哥名魏武。因敬業叔叔遇難，父親無處存身，帶領家眷，逃至此地。本山向有猺猔，常與麒麟爭鬥，傷損田苗，甚至出來傷人，附近居民，屢受其害。向來雖有獵戶，奈此獸極其狡猾，目力甚遠，一聞槍聲，即擄高逃避，非連珠槍不能捉獲。因此聘請父親，在此驅除野獸。歷來打死猺猔不計其數。前歲父親去世，雖將哥哥照舊延請，奈身弱多病，不能辛苦；若將此業棄了，無以為生。幸姪女幼年學得此槍，只得男裝，權承此業，以養寡母。連日因眾獸爭鬥，惟恐傷人，不敢動手，正要擒拿猺猔，不想得遇叔叔。剛才猺猔緊在叔叔身後，我看著只管著急，只得放了一槍；若再稍遲一步，只怕叔叔性命難保。但是將身一縱，就能擄高，若非神靈護佑，何能如此？真是吉人天相！當日父親臨危有遺書一封，命我兄妹日後投奔嶺南託叔叔照應，此書現在家中，

就請叔叔過去一看，以便獻茶。」唐敖道：「多年未見萬氏嫂嫂之面，今在海外，自應前去拜見。不意溫哥哥今已去世，竟不能一見，好不令人心酸！」當時三人同魏紫櫻越過山頭，向魏家而來。唐敖忖道：「我自到海外，凡遇名山異域，莫不上去流覽。原想遵著夢神之話，尋訪名花，誰知至今一無所見，倒與這些女子有緣，每每歧路相逢，卻也奇怪。」不多時，到了魏家，只見四處安設強弓弩箭。齊進客廳，魏紫櫻進內通知萬氏夫人同魏武出來，彼此見禮。唐敖拆開，上面寫的無非了囑「俯念結義之情，諸事照應」的倒也清秀。魏紫櫻把父親遺書呈出。唐敖看那魏武，雖然滿面病容，生的也清秀。魏紫櫻把父親遺書呈出。唐敖拆開，上面寫的無非了囑「俯念結義之情，諸事照應」的話。歡息一番，將書收過。萬氏道：「賤妾自從丈夫去世，原想攜了遺書，帶著兒女，投奔叔叔。因本地鄉鄰懼怕野獸，再三挽留，兼之家鄉近來不知可還緝捕餘黨，惟恐被害，不敢前去。今幸叔叔到此。我家現在六親無靠，故鄉舉目無親，除叔叔外，別無可託之人。將來尚懇俯推丈夫結義之情，務望攜帶，倘能仍回故土，就是我丈夫在九泉之下，也感大德了。」唐敖道：「緝捕之事，相隔十餘年，久已淡了。日後小弟海外回來，自然奉請嫂嫂並姪兒姪女同回故鄉，況今日姪女如此大德，豈敢相忘！嫂嫂只管放心！」於是又問問日用薪水。原來此處民人因魏家父子驅除野獸，感念其德，供應極厚，每年除衣食外，頗有盈餘。唐敖聽了，這才放心。隨將身邊帶著散碎銀子，送給魏紫櫻為脂粉之用。又囑魏武帶至魏思溫靈前，拈香下拜，慟哭一場，辭別回船。

次日，到了白民國。林之洋發了許多紬緞海菜去賣。唐敖來邀九公上去遊玩。多九公道：「此處人烟甚廣，地方富厚，語言也與我們相同。無如老夫與他無緣，每到此地，不是有事，就是抱病。今日叨光同去走走，卻也難得。」一齊登岸，走了數里，只見各處俱是白壤；遠遠有幾座小嶺，都是一

色礬石；田中種著蕎麥，遍地開著白花，雖有幾個農人在那裏耕田，因離的過遠，面貌看不明白，惟見一色白衣。不多時，進了玉城，步過銀橋，四處房舍店面接連不斷，俱是粉壁高牆，人來人往，作買作賣，熱鬧非凡。那些國人，無老無少，個個面白如玉，脣似塗朱，再映著兩道彎眉，一雙俊目，莫不美貌異常。而且俱是白衣白帽，一概綾羅，打扮極其素淨；腕上都戴著金鐲，手中拿著香珠，身上挂着玳瑁小刀、戳紗荷包、打子兒的扇套、雙飛燕的汗巾，還有許多翡翠瑪瑙玩器。所穿衣服，大約都用異香薰過，遠遠就覺芳馨撲鼻。唐敖此時如入山陰道上，目不暇給⊖。一面看着，一面讚不絕口道：「如此美貌，再配這些穿戴，真是風流蓋世！海外各國人物，大約以此為最了。」再看兩邊店面，接接連連，都是酒肆、飯館、香店、銀局。紬緞綾羅，堆積如山；衣冠鞋襪，擺列無數。其餘牛羊猪犬，雞鴨魚蝦，諸般海菜，各種點心，不一而足。真是：吃的，喝的，穿的，戴的，無一不精，無一不備。滿街滿巷，那股酒肉之香，竟可上徹霄漢。

只見林之洋同一水手從紬緞店出來。多九公迎着問道：「林兄貨物可曾得利？」林之洋滿面歡容道：「俺今日託二位福氣，賣了許多貨物，利息也好。少刻回去，多買酒肉奉請。如今還有幾樣腰巾、荷包零星貨物，要到前面巷內找個大戶人家賣去。俺們何不一同走走？」唐敖道：「如此甚好。」林之洋隨命水手把所賣銀錢先送上船，順便買些酒肉帶去，自己提了包袱，同唐、多二人進了前面巷子。林之洋道：「好了，前面那個高大門樓，想是大戶人家。」走到門前，適值裏面走出一個絕美後生。林之洋道：「既有寶貨，何不請進，我家先生正要買哩。」三人剛要舉步，只見門旁貼了一張白紙，上寫「學塾」兩個大字。唐敖一見，不覺吃了一嚇道：「九公！原來此處卻是學館！」多九公看了，也嚇一跳，又不好退回，只得走進。那後生見他們進來，先到裏面通信去了。

唐敖向多九公道：「此處國人生的清俊，其天姿聰慧，博覽羣書，可想而知。我們進去，須比黑齒國加倍留神才好。」林之洋道：「何必留神。據俺愚見：總是給他『弗得知』。」

三人進內，來至廳堂。裏面坐着一位先生，戴着玳瑁邊的眼鏡，約有四旬光景。還有四五個學生，都在二旬上下，一個個品貌絕美，衣帽鮮明。那先生也是一個美丈夫。裏面詩書滿架，筆墨如林。廳堂當中懸一玉匾，上寫「學海文林」四個泥金大字。兩旁挂一副粉箋對聯，寫的是：

研六經以訓世，括萬妙而為師。

唐敖同多九公見了這樣規模，不但腳下輕輕舉步，並且連鼻子氣也不敢出。唐敖輕輕說道：「這才是大邦人物！一切氣概，與眾不同。相形之下，我們又覺得有些俗氣了。」走進廳堂，也不敢冒昧行禮，只好侍立一旁。先生坐在上面，手裏拿着香珠，把三人看了一看，望着唐敖招手道：「來，來，來！那個書生走進來！」唐敖聽見先生把他叫作「書生」，不知怎樣被他看出形藏⊖，這一驚吃的不小！

未知如何，下回分解。

⊖　山陰道上，目不暇給——山陰就是現在的紹興。山陰路上風景多，看都來不及看，原是晉王獻之說的話。後來被用來表示對一般事物的欣賞。

⊜　形藏——古代醫書對人的胃、大腸、小腸、膀胱等四部分總稱做「形藏」。這裏「看出形藏」是說把內部秘密都看出來了。後文的「行藏」，那是根據論語「用之則行，舍之則藏」的句子，指出處和行為。

第二十二回　遇白民儒士聽奇文　觀藥獸武夫發妙論

話說唐敖忽聽先生把他叫做書生，嚇的連忙進前打躬道：「晚生不是書生，是商賈。」先生道：「我且問你：你是何方人氏？」唐敖躬身道：「晚生生長天朝，今因販貨到此。」先生笑道：「你頭戴儒巾，生長天朝，爲何還推不是書生？莫非怕我考你麼？」唐敖聽了，這才曉得他因儒巾看出，只得說道：「晚生幼年雖習儒業，因貿易多年，所有讀的幾句書久已忘了。」先生道：「話雖如此，大約詩賦必會作的？」唐敖說做詩，更覺發慌道：「晚生自幼從未做詩，連詩也未讀過。」先生道：「難爲你生在天朝，連詩也不會作？──斷無此事。你何必瞞我？快些實說！」唐敖發急道：「晚生實實不知，怎敢欺瞞！」先生道：「你這儒巾明明是個讀書幌子〇，如何不會作詩？你既不懂文墨，爲何假充我們儒家樣子，卻把自己本來面目失了？難道你要借此撞騙麼？還是裝出斯文樣子要謀館呢？我看你想館把心都想昏了！也罷，我且出題考你一考，看你作的何如，如作的好，我就薦你一個美館。」說罷，把詩韻取出。唐敖見他取出詩韻，更急的要死，慌忙說道：「晚生倘稍通文墨，今得幸遇當代鴻儒，尚欲勉強塗鴉〇，以求指教，豈肯自暴自棄，不知抬舉，至於如此！況且又有美館之薦，晚生敢不勉力？實因不諳文字，所以有負尊意，尚求垂問同來之人，就知晚生並非有意推辭了。」林二人道：「舅兄要坑殺我了！」只聽林之洋又接着說道：「他自幼讀書，曾中探花，怎麼不知！」唐敖暗暗頓足道：「這個儒生果眞不知文墨？」林之洋道：「俺對先生實說罷：他知是知的，自從得了功名，就把書籍撇在九霄雲外。幼年讀的『左傳右傳』、『公羊母羊』〇，還

有平日做的打油詩(七)、放屁詩,零零碎碎,一總都就了飯吃了。如今腹中只剩幾段『大唐律儀注單』,還有許多買辦賬。你要考他律例算盤,倒是熟的。俺求你老人家把這美館賞俺晚生罷。」先生道:「這個儒生既已廢業,想是實情。你同那個老兒可會作詩?」多九公躬身道:「我們二人向來貿易,從未讀書,何能作詩。」先生道:「原來你們三個都是俗人。我看你們這樣,爲何還要求我薦館?可惜你枉自生得白淨,腹中也少墨水,就是出來貿易,也該略認幾字。不是我誇口說:我的學問,只要你們在我跟前稍爲領略,就够你們終身受用,日後回到家鄉,時時習學,豈但文名,不獨近處朋友都來相訪,只怕還有朋友『自遠方來』哩。」林之洋道:「據俺晚生看來:豈但『自遠方來』,而且心裏還『樂乎』哩(六)。」先生聽了,不覺吃驚,立起身來,把玳瑁眼鏡取下,身上

鯤子——商店在門外所設的標識物,使人一望而知是在賣什麼。這裏指儒巾是讀書人的標識物。

(二)塗鴉——比喻文字寫得不好,唐盧仝詩:「忽來案上飛墨汁,塗抹詩書如老鴉。」意思說:紙上塗的一個個墨團,就如一羣黑烏鴉。

(三)左傳右傳、公羊母羊——左傳,春秋左氏傳的省稱,左丘明作;公羊,春秋公羊傳的省稱,公羊高作。都是古時解釋春秋的書。右傳、母羊,並無其書。這裏是本書作者形容發言人沒有學問,以爲有左傳就該有右傳,有公羊就該有母羊,有意打趣的話。

(四)打油詩——開玩笑的詩。唐張打油最先作這種詩,所以後來叫這種詩體做打油詩。

(五)律儀注單——法律和禮節的條文紀錄。

(六)豈但「自遠方來」,而且心裏還「樂乎」哩——這裏是引用論語:「有朋自遠方來,不亦樂乎。」所以下文有「你既曉得『樂乎』故典,明明懂得文墨」的話。

取出一塊雙飛燕的汗巾，將眼揩了一揩，望着林之洋上下看一看道：「你既曉得『樂乎』故典，明明懂得文墨，爲何故意騙我？」林之洋道，「這是俺晚生無意碰在典上，至於他的出處，俺實不知。」

先生道：「你明是通家⊕，還要推辭？」林之洋道：「俺如騙你，情願發誓。教俺來生變個老秀才，從十歲進學，不離書本，一直活到九十歲，這才壽終。」先生道：「如此長壽，你敢願意！」林之洋

道：「你只曉得長壽，那知從十歲進學活到九十歲，這八十年歲考⑧的苦處，也就是活地獄了。」先生仍舊坐下道：「你們既不曉得文理，又不會作詩，無甚可談，立在這里，只覺俗不可耐。莫若請

出，且到聽外，等我把學生功課完了，再來看貨。況且我們談文，你們也不懂。若久站在此，惟恐你們這股俗氣四處傳染，我雖『上智不移④』，但館中諸生俱在年幼，一經染了，就要費我許多陶鎔，方能脫俗哩。」三人只得諾諾連聲，慢慢退出，立在聽外。唐敖心裏還是撲撲亂跳，惟恐先生仍要談

文，意欲攜了多九公先走一步。

忽聽先生在內教學生念書。細細聽時，只得兩句，共八個字：上句三字，下句五字。學生跟着讀道：「切吾切，以反人之切。」唐敖忖道：「難道他們講究反切麼？」林之洋道：「你們聽聽：只怕

又是『問道於盲』來了。」多九公聽了，不覺毛骨悚然，連連搖手。那先生教了數遍，命學生退去，又教一個學生念書，也是兩句：上句三字，下句四字。只聽師徒高聲讀道：「永之興，柳與之興。」

也敎數遍退去。三人聽了，一毫不懂，於是閃在門旁，暗暗偷看：只見又有一個學生，捧書上去。先生把書用硃筆點了，也敎了兩遍，每句四字。只聽學生念道：「羊者，良也；交者，孝也；予者，

身也。」唐敖輕輕說道：「九公：今日千好萬好，幸未同他談文。剛才細聽他們所讀之書，不但從未見過，並且語句都是古奧。內中若無深義，爲何偌大後生，每人只讀數句？無如我們資性魯鈍，

不能領略。古人云：『不經一事，不長一智。』我們若非黑齒前車之鑒，今日稍不留神，又要吃虧了。」

忽見有個學生出來招手道：「先生要看貨哩。」林之洋連忙答應，提着包袱進去。二人等候多時。原來先生業已把貨買了，在那里議論平色。唐敖趁空暗暗踱進書館，把眾人之書，細看一遍，又把文稿翻了兩篇，連忙退出。多九公道：「他們所讀之書，唐兄都看見了，為何面上脹的這樣通紅？」唐敖剛要開言，恰好林之洋把貨賣完，也退出來，三人一齊出門，走出巷子。

唐敖道：「今日這個虧吃的不小！我只當他學問淵博，所以一切恭敬，凡有問對，自稱晚生。那知卻是這樣不通！真是聞所未聞，見所未見！」多九公道：「他們讀的『切吾切，以反人之切』，卻是何書？」唐敖道：「小弟才去偷看，誰知他把『幼』字『及』字讀錯，是孟子『幼吾幼，以及人之幼』。你道奇也不奇？」多九公不覺笑道：「若據此言，那『永之興，柳與之興』，莫非就是『求之與，抑與之與』麼？」唐敖道：「如何不是！」多九公道：「那『羊者，良也；庠者，養也；校者，教也；序者，射也』。並且書案上還有幾本文稿，小弟略略翻了兩篇，惟恐先生看見，也不敢看完，忙退出來。」

（七）通家──這裏指有學問的內行人。

（八）歲考──秀才每三年要到所屬的府、州裏應一次考，叫做歲考，也叫歲試。

（九）上智不移──上智，古人解釋是聖賢的人。論語：「惟上知與下愚不移。」（陽貨篇）意思說，聖賢意志堅定，不會因誘惑動搖而去做壞事，下愚也勉強做不來好事。知，同智。

多九公道：「他那文稿寫着甚麼？唐兄記得麼？」唐敖道：「內有一本破題○，所載甚多。小弟記得有個題目，是『聞其聲，不忍食其肉』二句。他破的是：『聞其聲，所以不忍食其肉也。』」林之洋道：「這個學生作這破題，俺不喜他別的，俺只喜他好記性。」多九公道：「何以見得？」林之洋道：「先生出的題目，他竟一字不忘，整個寫出來，難道記性還不好麼？」唐敖道：「還有一個題目，是『百畝之田，勿奪其時，八口之家，可以無飢矣』。他破的是：『一頃之壤，能致力焉，則四雙人丁，庶幾有飯吃矣。』林之洋道：「他以『四雙人丁』破那『八口之家』，俺只喜他『四雙』二字把個『八』字扣的緊緊，萬不能移到七口、九口去。」唐敖道：「還有一個題目，是『子華使於齊』至『原思為之宰』。他的破承，此時記不明白。我只記得到了這下，他有兩句是：『休言豪富貴公子，且表為官受祿人。』諸如此類，小弟也記不了許多。但此等不通之人，我在他跟前卑躬侍立口口聲聲，自稱『晚生』，豈不愧死！」林之洋道：「『晚生』二字，也無甚麼卑微。若他是早晨生的，你是晚上生的，或他先生幾年，你後生幾年。都可算得晚生，這怕甚麼！剛才那先生念的『切吾切，以反人之切』，當時俺聽了，倒替你們就心。惟恐他要講究反切，又要吃苦。如今平安回來，就是好的，管他甚麼『早生、晚生』！據俺看來，今日任憑吃虧，並未勞神，又未出汗，若比黑齒，也算體面了。」

忽見有個異獸，宛似牛形，頭上戴着帽子，身上穿着衣服，有一小童牽着，走了過去。唐敖道：「請敎九公：小弟聞當日神農時白民曾進藥獸，不知此獸可是？」多九公道：「此正藥獸，最能治病。人若有疾，對獸細告病源，此獸卽至野外銜一草歸，病人搗汁飲之，或煎湯服之，莫不見效。設或病重，一服不能除根，次日再告病源，此獸又至野外，或仍銜前草，或添一二樣，照前煎服，往往

治好。此地至今相傳。並聞此獸比當日更廣，漸漸滋生，別處也有了。」林之洋道：「原來他會行醫，怪不得穿著衣帽。請問九公：這獸不知可曉脈理？可讀醫書？」多九公道：「他不會切脈，也未讀過醫書，大約略略曉得幾樣藥味。」林之洋指著藥獸道：「俺把你這厚臉的畜牲！醫書也未讀過，又不曉得脈理，竟敢出來看病！豈非以人命當耍麼！」多九公道：「你罵他，設或被他聽見，準備給你藥吃。」林之洋道：「俺又不病，爲甚吃藥？」多九公道：「你雖無病，吃了他的藥，自然要生出病來。」說笑間，回到船上，大家痛飲一番。

走了幾時，這日風帆順利，舟行甚速。唐敖同林之洋立在柁樓，看多九公指撥眾人推柁。忽見前面似烟非烟，似霧非霧，有萬道青氣，直衝霄漢，烟霧中隱隱現出一座城池。林之洋道：「這城倒也不小，不知是甚地名？」多九公把羅盤看了看[一]，望一望道：「據老夫看來：前面已到淑士國了。」唐敖道：「小弟只覺這青氣中含着一股異味，九公可知其詳麼？」多九公道：「老夫雖路過此地，因未近觀，不知是何氣味。」林之洋道：「青屬甚味，難道書上也未載着麼？」唐敖道：「按五行五味而論：東方屬木，其色青，其味酸。不知彼處可是如此。」林之洋望着迎面嗅了一嗅，把頭點了兩點，道：「妹夫這話，只怕有些意思。」說話間，相離甚近，惟見梅樹叢雜，都有十數丈高。那座城池隱隱躍躍，被億萬梅樹圍在居中。

[一] 破題──八股文文體是死板的，起頭兩句必需點破全題，這兩句就叫做「破題」。破題和承題併在一起，省稱叫做「破承」。破題之後，必需作三句到五句加以解釋，這三五句叫做「承題」。

[二] 更香──古人沒有鐘表，就燃點更香。看香的長短，推算時間的長短和遲早。

不多時，船已收口。林之洋素知此地不通商販，並無交易，因恐唐敖在船煩悶，所以照會衆水手在此攏岸，將船停泊，三人約會同去。多九公道：「林兄何不帶些貨物？設或碰着交易，也未可知。」林之洋道：「淑士國從來買賣甚少，俺帶甚物去呢？」多九公道：「若據『淑士』兩字而論，此地似乎該有讀書人。要帶貨物，惟有筆墨之類最好，並且携帶也便。」林之洋點頭，隨卽携了一個包袱。走了多時，離關不遠，只見城門石壁上鐫着一副金字對聯，字有斗大，遠遠望去，只覺金光燦爛。上面寫的是：

欲高門第須爲善，要好兒孫必讀書。

多九公道：「據對聯看來，上句含着『淑』字意思，下句含着『士』字意思。這兩句卻是淑士國絕好招牌，怪不得就在城上施展起來。」唐敖道：「此地國王，據古人傳說乃顓頊⊜之後。看這景象，甚覺儒業，與白民國迥然不同。」來到關前，只見許多兵役上來。

未知如何，下回分解。

⊜ 顓（ㄓㄨㄢ）頊（ㄒㄩ）──歷史傳說中古代的皇帝，黃帝的孫子，在高陽建國，號高陽氏。

第二十三回　說酸話酒保咬文　講迂談腐儒嚼字

話說三人來至關前，許多兵役上來，問明來歷，個個身上搜檢一遍，才放進去。林之洋道：「關上這些凶徒竟把俺們當作賊人，細細盤查。可惜俺未得着蹻空草，若吃了蹻空草，俺就撞進城去，看他怎樣！」三人來到大街，看那國人都是頭戴儒巾，身穿青衫，也有穿着藍衫的，那些做買賣的，也是儒家打扮，斯斯文文，並無商旅習氣。所賣之物，除家常日用外，大約賣青梅、蘆荼的居多，其餘不過紙墨筆硯，眼鏡牙杖，書坊酒肆而已。唐敖道：「此地庶民，無論貧富，都是儒者打扮，卻也異樣。好在此地語言易懂，我們何不去問問風俗？」走過鬧市，只聽那些居民人家，接二連三，莫不書聲朗朗。門首都豎着金字匾額：也有寫着「賢良方正」的，也有寫着「孝悌力田」的，也有「聰明正直」的，也有「德行耆儒」的，也有「通經孝廉」的；其餘兩字匾額，如「體仁」、「好義」、「循禮」、「篤信」之類，不一而足。上面都有姓名、年月。只見旁邊一家門首貼着一張紅紙；上寫「經書文館」四字。門上有副對聯，寫的是：

優游道德之場，休息篇章之圃。

正面懸着五爪盤龍金字匾額，是「教育人才」四個大字。裏面書聲震耳。

林之洋指着包袱道：「俺要進去發個利市，二位可肯一同走走？」唐敖道：「舅兄饒了我罷！我還留着幾個『晚生』慢慢用哩！前在白民國賤賣幾個，至今還覺委屈。今到此地，看這光景，固非賤賣，但非其人，也覺委屈。」林之洋道：「當日妹夫如在紅紅、亭亭跟前稱了晚生，心中可委屈？」

唐敖道：「小弟若在兩位才女跟前稱了晚生，不但毫不委屈，並且心悅誠服。俗語說的，『學問無大小，能者為尊。』他的學問既高，一切尚要求教，如何不是晚生？豈在年紀？若老大無知，如白民之類，他在我跟前稱晚生，我還不要哩。二位才女如此通品，舅兄卻直稱其名，未免唐突。」林之洋道：「當日你們受了黑女許多恥笑，還有『問道於盲』的話，彼時他們係羞辱九公，與妹夫無涉，你不恨他也罷了，為甚反要敬他？」唐敖道：「凡事無論大小，如能處處虛心，不論走到何處，斷無受辱之虞。我們前在黑齒，若一切謙遜，他又從何恥笑？今不自己追悔，若再怨人，那更不是了。」多九公道：「那幾日老夫奉陪唐兄遊玩，每每遊到山水清秀或幽僻處，唐兄就有棄絕凡塵要去求仙之意。此雖一時有感而發，若據剛才這番言談，莫非先賢忠恕之道，倘諸事如此，就是成佛作祖的根基。唐兄學問度量，老夫萬萬不及，將來諸事竟要叨教了。」林之洋道：「兩個黑女才學高，妹夫肯稱晚生；那君子國吳家弟兄跟前，妹夫也肯稱晚生？」唐敖道：「俺們只顧亂講，莫被這些走路人聽見。你們就在左近走走，俺去去就來。」說罷，向學館去了。二人仍舊閒步，只見有兩家門首豎著兩塊黑字匾額：一寫「改過自新」，一寫「回心向善」，上面也有姓名、年月。唐敖道：「九公：你道此匾何如？」多九公道：「據這字面，此人必是做甚不法之事，所以替他豎這招牌。仔細看來，金字匾額不計其數，至於醜匾卻只此兩塊。可見此地向善的多，違法的少，也不愧『淑士』二字。」

「那吳氏弟兄學問雖不深知，據他所言，莫不盡情盡理，純是聖賢仁義之道。此等人莫講晚生，就是在他跟前負笈擔囊□，拜他為師，也長許多見識。」

二人信步又到鬧市，觀玩許久。只見林之洋提著空包袱，笑嘻嘻趕來。唐敖道：「原來舅兄把貨

物都賣了。」林之洋道：「俺雖賣了，就只賠了許多本錢。」多九公道：「這卻為何？」林之洋道：「俺進了書館，裏面是些生童，看了貨物，都要爭買。誰知這些窮酸，一錢如命，總要貪圖便宜，不肯十分出價。及至俺不賣要走，他又戀戀不捨，不放俺出來。扳談多時，許多貨物共總湊起來，不過增價一文。俺因那些窮酸又不添價，又不放走，他那戀戀不捨神情，令人看著可憐；俺本心慈面軟，又想起君子國交易光景，俺要學他樣子，只好吃些虧賣了。」多九公道：「林兄賣貨既不得利，為何滿面笑容？這笑必定有因。」林之洋道：「剛才那些生童同俺講價，因俺不戴儒巾，問俺向來可曾讀書。俺想俺林之洋今日倒談起文來，著實快活，不覺好笑。俺想妹夫常說，凡事總要謙恭；但俺腹中本無一物，若再謙恭，他們更看不起了。因此俺就說道：『俺是天朝人。幼年時節，經史子集，諸子百家，那樣不曾讀過！——就是俺們本朝唐詩，也不知讀過多少！』俺只顧說大話；他們因俺讀過詩，就要教俺做詩，考俺的學問。俺聽這話，倒嚇一身冷汗。俺思付俺又不是秀才，生平又未做甚歹事，為甚要受考的魔難？——就是做甚歹事，也罪不至此。俺急切多時，只得推辭俺要趨路，不能就擱，再三支吾。偏偏這些刻薄鬼執意不肯，務要聽聽口氣，才肯放走。俺被他們逼勒不過，忽然想起素日聽得人說，搜索枯腸，就可做詩，俺因極力搜索。奈腹中只有盛飯的枯腸，並無盛詩的枯腸，所以搜他不出。後來俺見有兩個小學生在那裏對對子：先生出的是『雲中雁』，一個對『水上鷗』，一個對『水底魚』。俺趁勢說道：『今日偏偏「詩思」不在家，不知甚時才來；好在『詩思』雖不在家，「對思」卻在家。你們要聽口氣，俺對這個「雲中雁」罷。』他

○ 負笈擔囊──笈，書箱；囊，行李。出外求學的人要背書箱、挑行李前往，因此，古人就用「負笈擔囊」四字或只用「負笈」二字代表出外求學。

們都道：「如此甚好。不知對個甚麼？」俺道：「『鳥槍打。』」他們聽了，都發獃不懂，求俺下個註

解。俺道：「難爲你們還是生童，連這意思也不懂？你們只知『雲中雁』，拿那『水上鷗』、『水底魚』

來對，請敎：這些字面與那『雲中雁』有甚瓜葛？俺對的這個『鳥槍打』，卻從雲中雁生出的。」他

們又問：『這三字爲何從『雲中雁』生發①的？倒要請敎。』俺道：『一抬頭看見雲中雁，隨卽就用

鳥槍打，如何不從雲中雁生出的？」他們聽了，這才明白，都道：『果然用意甚奇，無怪他說諸子百

家都讀過，據這意思，只怕還從莊子『見彈而求鴞炙②』套出來的。』俺聽這話，猛然想起九公常同

妹夫談論『莊子、老子』，約略必是一部大書，所以俺談『老子』，不想俺的用意在這書上，竟被你們猜

出。可見你們學問也是不凡的。幸虧俺用『莊子』，若用『老子、少子』，只怕也瞞不過了。」誰知

他們聽了，又都問道：『向來只有老子，並未聽見有甚『少子』。不知這部『少子』何時出的？內中

載著甚麼？』俺被他們這樣一問，倒問住了。俺只當旣有『老子』，一定該有『少子』；平時因聽你

們談講『前漢書、後漢書』，又是甚麼『文子、武子④』，所以俺談『老子』隨口帶出一部『少子』，

以爲多說一書，更覺好聽；那知剛把對子敷衍交卷，卻又鬧出岔頭。後來他們再三追問，定要把這『

少子』說明，才肯放走。俺想了一想，登時得一脫身主意，因向他們道：『這部『少子』乃聖朝太平

之世出的，是老子後裔。老子做的是道德經，講的都是元虛奧妙，

他這『少子』雖以遊戲爲事，卻暗寓勸善之意，不外『風人⑤之旨』。上面載著諸子百家，人物花

鳥，書畫琴棋，醫卜星相，音韻算法，無一不備；還有各樣燈謎，諸般酒令⑥，以及雙陸⑦、馬

弔④、射鵠、蹴球、鬭草、投壺④，各種百戲之類，件件都可解得睡魔，也可令人噴飯。這書俺們帶

著許多，如不嫌污目，俺就回去取來。」他們聽了，個個歡喜，都要觀看，將物價付俺，催俺上船取

書，俺才逃了回來。」

唐敖笑道：「舅兄這個『鳥槍打』幸而遇見這些生童；若教別人聽見，只怕嘴裏要打腫哩！」林之洋道：「俺嘴雖未腫，談了許多文，嘴裏著實發渴。剛才俺同生童討茶吃，他們那里雖然有茶，並無茶葉，內中只有樹葉兩片。倒了多時，只得淺淺半杯，俺喝了一口，至今還覺發渴。這卻怎好？」多

（一）生發——用聯想，推衍而發生的。

（二）見彈而求鴞（ㄒㄧㄠ）炙——聯想得太遠、太早了的意思。彈可以打鴞鳥，鴞鳥是可以燒著吃的；看見了彈，立刻就要求吃燒鴞，是太遠，太早了。語出莊子。

（三）文子、武子——文子，書名，傳說是李耳的學生文子所作。武子，指孫子十三篇，也是書名，孫武所作，省稱孫子；孫武，有時被稱作孫武子。

（四）風——古時史官採錄民間歌謠，藉以考察研究風俗，被採錄的歌謠叫做「風」。採錄歌謠的人就叫做「風人」。

（五）酒令——宴會時進行遊戲，讓輸到的人或輸了的人喝酒，屬於這類的各種方法，叫做「酒令」。行酒令時，推出一個人來主持進行，這個人就叫做「令官」。

（六）雙陸——也叫譜雙，古時一種棋：把木頭做成三寸多長、上細下粗，形如棒槌的棋子，叫做馬，黑白各十五枚。兩人對下，用兩粒或三粒骰子擲而行：白馬從右到左，黑馬從左到右，先出完的得勝。

（七）馬弔——古時一種紙牌，共四十張，牌上畫有人形和花形。分十萬貫、萬貫、索子、文錢四門。每門最尊的牌叫做賞賜，都是紅張；其次從副肩到副賜，叫做青張，捉張、滅張等規矩，還有各種賠例。四個人玩，每人拿八張，留八張做底。以大的打小的，變化很多，有冲、貫、副、散，最小的牌叫做青張，形如棒槌的棋子，叫做

（八）投壺——古時一種遊戲，一般在宴會時舉行。設置三尺高、兩旁有耳的壺，耳也有口，和壺口相平，但耳身甚短。壺中放些小豆；在一定距離的地方，大家依次把箭投擲去。或中或不中，或投到耳裏，或橫在口上，或歪插在口裏，或連中，或最初中，或最後中，都定有一定計算規則，輸的人喝酒。

聯經出版事業公司校印

九公道：「老夫口裏也覺發乾，恰喜面前有個酒樓，我們何不前去沽飲三杯，就便問問風俗？」林之洋一聞此言，口中不覺垂涎道：「九公真是好人，說出話來莫不對人心路！」

三人進了酒樓，就在樓下揀個桌兒坐了。旁邊走過一個酒保，走來向著三人打躬陪笑道：「三位先生光顧者，莫非飲酒乎？抑用菜乎？敢請明以教我。」林之洋道：「你是酒保，你臉上戴著眼鏡，已覺不配；你還滿嘴通文，這是甚意？剛才俺同那些生童講話，倒不見他有甚通文，誰知酒保倒通起文來，真是『整瓶不搖半瓶搖』！你可曉得俺最喉急，耐不慣同你通文，有酒有菜，只管快快拿來！」酒保陪笑道：「請教先生：酒要一壺乎，兩壺乎？菜要一碟乎，兩碟乎？」林之洋把手朝桌上一拍道：「甚麼『乎』不『乎』的！你只管取來就是了！你再『之乎者也』的，俺先給你一拳！」嚇的酒保連忙說道：「小子不敢！小子改過！」隨即走去取了一壺酒，兩碟下酒之物，——一碟青梅，一碟蓋菜，——三個酒杯，每人面前恭恭敬敬斟了一杯，退了下去。

林之洋素日以酒為命，見了酒，心花都開，望著二人說聲：「請了！」舉起杯來，一飲而盡。那酒方才下咽，不覺緊皺雙眉，口水直流，捧著下巴喊道：「酒保！錯了！把醋拿來了！」只見旁邊座兒有個駝背老者，身穿儒服，面戴眼鏡，手中拿著剔牙杖，坐在那裏，斯斯文文，自斟自飲。一面搖著身子，一面口中吟哦，所吟無非『之乎者也』之類。正吟的高興，忽聽林之洋說酒保錯拿醋來，慌忙住了吟哦，連連搖手道：「吾兄既已飲矣，豈可言乎？你若言者，累及我也。我甚怕哉，故爾懇懇焉。」

兄耶，兄耶！切莫語之！」唐、多二人聽見這幾個虛字，不覺渾身發麻，暗暗笑個不了。林之洋道：「又是一位通文的！——俺埋怨酒保拿醋算酒，與你何干？為甚累你？倒要請教。」老者聽罷，

隨將右手食指、中指，放在鼻孔上擦了兩擦，道：「先生聽者：今以酒醋論之，酒價賤之，醋價貴之。因何賤之？為甚貴之？其所分之，在其味之。酒味淡之，故爾賤之；醋味厚之，所以貴之。人皆買之，誰不知之。他今錯之，必無心之。先生得之，樂何如之！——第既飲之，不該言之。不獨言之，而謂誤之。他若聞之，豈無語之？苟如語之，價必增之，乃自討之；你自增之，誰來管之。但你飲之，即我飲之；飲既類之，增應同之。向你討之，必我討之；你既增之，我安免之？苟亦增之，豈非累之？你替與之，你不與之，他安肯之？既不肯之，必尋我之。我縱辯之，他豈聽之？勢必鬧之。倘鬧急之，我惟跑之；——跑之，跑之，看你怎麼了之！」唐、多二人聽了，惟有發笑。林之洋道：「你這幾個『之』字，盡是一派酸文，句句犯俺名字也弄酸了。隨你講去，俺也不懂。但俺口中這股酸氣，如何是好！」酒保答應，又取四個碟菜。看罷，口內更覺發酸。因大聲叫道：「酒保！快把下酒○多拿兩樣來！」酒保答應，再添幾樣子放在桌上：一碟鹽豆，一碟青豆，一碟豆芽，一碟豆瓣。林之洋道：「這幾樣俺吃不慣，桌上望了一望，只有兩碟青梅、鹽菜。」酒保答應，又添四樣：一碟豆腐乾，一碟豆腐皮，一碟醬豆腐，一碟糟豆腐。林之洋道：「俺們並不吃素，為甚只管拿這素菜？還有甚麼，快去取來！」酒保陪笑道：「此數餚也，以先生視之，固不堪入目矣，然以敝地論之，雖王公之尊，其所享者亦不過如斯數樣耳。先生鄙之，無乃過乎？止此而已，豈有他哉！」多九公道：「下酒菜業已夠了，可有甚麼好酒？」酒保道：「是酒也，非一類也，而有三等之分焉：上等者，其味醲；次等者，其味淡；下等者，又其淡也。先生問之，得無喜其淡者乎？」唐敖道：「我們量窄，吃不慣醲的，你把淡的換一壺來。」酒保登時把酒換了。三人嘗了

○ 下酒——指下酒的菜肴食物。

一嘗，雖覺微酸，還可吃得。」林之洋道：「怪不得有人評論酒味，都說酸爲上，苦次之。原來這話出在淑士國的。」只見外面走進一個老者，儒巾淡服，舉止大雅，也在樓下撿個座兒坐了。

未知如何，下回分解。

第二十四回　唐探花酒樓聞善政　徐公子茶肆敍衷情

話說那個老者坐下道：「酒保：取半壺淡酒，一碟鹽豆來。」唐敖見他器宇不俗，向前拱手道：

「老丈請了。請教上姓？」老者還禮道：「小弟姓儒。還未請教尊姓？」當時多九、林二人也過來，彼此見禮，各通名姓，把來意說了。老者道：「原來三位都是天朝老先生，失敬，失敬！」唐敖道：「老丈既來飲酒，與其獨酌，何不屈尊過去，奉敬一杯，一同談談呢？」老者道：「雖承雅愛，但初次見面，如何就要叨擾！」多九公道：「也罷，我們『移罇就教』罷。」隨命酒保把酒菜取了過來。三人讓老者上坐，老者因是地主，再三不肯，分賓主坐了。彼此又敬了兩杯。唐敖道：「請教老丈：貴處為何無論士農工商都是儒者打扮，並且官長也是如此？難道貴賤不分麼？」老者道：

「敝處向例，自王公以至庶民，衣冠服制，雖皆一樣，但有布帛顏色之不同：其色以黃為尊，紅紫次之，藍又次之，青色為卑。至於農工商賈，亦穿儒服，因本國向有定例，凡庶民素未考試的，謂之『游民』，此等人身充賤役，不列四民之中，即有一二或以農工為業，人皆恥笑，以為游民亦掌大業，莫不遠而避之。因此本處人自幼莫不讀書。雖不能身穿藍衫，名列膠庠，只要博得一領青衫，戴個儒巾，得列名教之中，不在游民之內：從此讀書上進固妙，如或不能，或農或工，亦可各安事業了。」唐敖道：「據老丈之言，貴處庶民，莫不從考試出來。第舉國之大，何能個個能文呢？」老者道：「考試之例，各有不同，或以通經，或以明史，或以詞賦，或以詩文，或以策論，或以書啟，或以樂律，或以音韻，或以歷算，或以書畫，或以醫卜。只要精通其一，皆可取得一頂頭巾、一

領青衫。——若要上進，卻非能文不可；至於藍衫，亦非能文不可得。所以敝處國主當日創業之始，曾於國門寫一對聯，下句是『要好兒孫必讀書』，就是勉人上進之意。」多九公道：「請教老丈：貴處各家門首所立金字匾額，想是其人賢聲素著，國主賜匾表彰，使人效法之意。」老者道：「這是其人雖在名教中，偶然失於檢點，作了違法之事，並無大罪，事後國主命豎此匾，以爲改過自新之意。此等人如再犯法，就要加等治罪。倘痛改前非，眾善奉行，或鄉鄰代具公呈，或官長訪知其事，都可奏明，將匾除去。此後或另有善行，賢聲著於鄉黨，仍可啟奏，另豎金字匾額。至豎過金字匾額之人，如有違法，不但將匾除去，即改過自新』之類，是何寓意？」老者道：『這是其人賢聲素著，國主賜匾表彰，使人效法之意。內有一二黑匾，如『春秋責備賢者』之義。這總是國主勉人向善，諄諄勸戒之意。幸而讀書者甚多，書能變化氣質，遵著聖賢之教，那爲非作歹的究竟少了。」

四人閒談，不知不覺，連飲數壺。老者也問問天朝光景，嘖嘖讚美。又說許多閒話。老者酒已夠了，意欲先走一步；唐敖見天色不早，算還酒帳，一同起身。老者立起，從身上取下一塊汗巾，鋪在桌上，把碟內所剩鹽豆之類，盡數包了，揣在懷中，道：「老先生錢已給過，這些殘餚，與其白敎酒保收去，莫若小弟順便帶回，明日倘來沽飲，就可再叨餘惠了。」一面說著，又拿起一把酒壺，揭開壺蓋，望了一望，裏面還有兩杯酒，因遞給酒保道：「此酒寄在你處。明日飲時，倘少一杯，要罰十杯哩。」又把醬豆腐、糟豆腐，倒在一個碟內，也遞給酒保道：「你也替我好好收了。」四人一同出位，走了兩步，旁邊殘桌上放著一根禿牙杖，老者取過，聞了一聞，用手揩了一揩，放入袖中。

出了酒樓，到了市中，只見許多人圍著一個美女在那裏觀看。那女子不過十三四歲，生得面如傅粉，極其俊秀，惟滿眼淚痕，哭聲甚慘。老者歎道：「如此幼女，敎他天天拋頭露面，今已數日，竟

無一人肯發慈心，卻也可憐。」唐敖道：「這女爲何如此？」老者道：「此女向充宮娥，父母久已去

世。自從公主下嫁，就在駙馬府伺候。前日不知爲甚忤了駙馬，發媒變賣，身價不拘多寡。奈敝處一

錢如命，無人肯買。兼之駙馬現掌兵權，殺人如同兒戲，庶民無不畏懼，誰敢『太歲頭上動土』？此

女因露面羞愧，每尋自盡，俱被官媒救護。此時生死不能自主，所以啼哭。二位老先生如發善心，只

消十貫錢就可買去，救其一命，也是一件好事。」林之洋道：「妹夫破費十貫錢買了，帶回嶺南，服

侍甥女，豈不是好？」唐敖道：「此女既充宮娥，其家必非下等之人，我們設法救他則可，豈敢買去

以奴婢相待。不知其家還有何人？如有親屬，小弟情願出錢，令其親屬領回，倒是一件美舉。」老者

道：「前日駙馬有令，不准親屬領回，如有不遵，就要治罪。因此親屬領回都不敢來。」唐敖聽了，不覺

搔首道：「既無親屬來領，又無人救，這卻怎好？爲今之計，只好權且買去，暫救其命，再作道理。」

於是託林之洋上船，取了十貫錢，交給老者，向官媒寫契買了。老者交代別去。

三人領了女子，回歸舊路。唐敖問其姓氏。女子道：「婢子複姓司徒，乳名蕙兒，又名斌兒；現

年十四歲。自幼選爲宮娥，伺候王妃。前年公主下嫁，蒙王妃派入駙馬府。父親在日，曾任領兵副

將，因同駙馬出兵，死在外邦。」唐敖道：「原來是千金小姐。令尊在日，小姐可曾受聘？」司徒斌

兒道：「婢子獲罪，蒙恩主收買，乃係奴婢，今恩主以小姐相稱，婢子如何禁當得起！」林之洋道：

「剛才俺妹夫說斷不肯以奴僕相待，據俺主意：小姐從今拜俺妹夫爲義父，彼此也好相稱。」說話

間，來到岸邊，水手放過三板，一齊渡上大船。林之洋命司徒斌兒拜了義父，進了內艙，與呂氏、婉

如見禮；復又出來，拜了多，林二人。唐敖又問可曾受聘之事，斌兒滴淚道：「女兒若非丈夫負心，

今日何至如此！」唐敖道：「你丈夫現在做何事業？爲何負你？」斌兒道：「他祖籍天朝。前年來此

聯經出版事業公司校印

投軍，駙馬愛他驍勇，留在府中，作為親隨。但駙馬為人剛暴，下人稍有不好，立即處死，就是國王也懼他三分；又性最多疑，惟恐此人是外邦奸細，時刻隄防。去歲把女兒許給為妻，意欲以安其心。誰知他來此投軍，果非本意。女兒既有所見，兼因駙馬暴戾異常，將來必有大禍，惟恐玉石俱焚，因此不避羞恥，曾於黑夜俟駙馬安寢，暗至他的門首，勸他急速回鄉，另尋門路。不意他把這話告知駙馬，公主立將女兒責處。此是今春的事。前日女兒因駙馬就要出外閱兵，恐他跟去，徒然勞苦，於事無益，又去勸他及早改圖，並偷給令旗一枝，以便私自出關。不意他將此話又去稟知。因此駙馬大怒，將女兒毒打，並發官媒變賣。」唐敖道：「你丈夫既來投軍，為何不是本意？你丈夫姓甚名誰？現年若干？你們既已聘定，為何尚不完婚？」斌兒道：「他姓徐，名承志；現年二旬以外。駙馬雖將女兒許配，終懷猜疑，惟恐仍有異心，故將婚期暫緩。女兒因他由天朝數萬里至此，若非避難，定有別因。意欲探其消息，奈內外相隔，不得其詳。去歲冬間，他跟駙馬進朝議事，女兒探知回來尚早，正好看其行藏，即至外廂，暗將房門撬開，搜出檄文一道，血書一封，這才曉得他是英國公忠良之後，避難到此，因此今年兩次捨死勸他，及早改圖。女兒原想救出丈夫，冀其勉承父志，立功於朝，以復祖業，庶忠良不至無後，英公亦瞑目九泉。倘得如願，女兒一身如同蒿草，今春女兒被責，即使駙馬聞知，幾至九死一生，亦必含笑就死，復有何恨！那知他無情無意，反將女兒陷害。若說他出於無心，今又和盤托出，竟是安心要害女兒，卻將自己切己之事全置度外，豈非別有肺腸麼？」說罷，放聲大哭。

唐敖聽罷，又驚又喜道：「此人既是徐姓，又是英國公之後，兼有檄文、血書，必是敬業兄弟之

子無疑。數年來,我在四處探信,那知盟姪卻在此處。吾女如此賢德,不避禍患,勸他別圖。他不聽良言,已屬非是;反將此話告訴駙馬。此等行為,真令人不解。你休要悲慟,其中必有別情,待我前去會他一面,便見分曉。」斌兒止悲道:「義父呼他為姪,是何親眷?」唐敖就把當日結拜各話,細細告知。隨即約了多、林二人,尋至駙馬府,費了許多工夫,用了無限使費,才將徐承志把唐敖上下打量,細細望了一望道:「此非說話之處。」即攜三人,走進一個茶館,檢了一間僻室,見左右無人,這才向唐敖下拜道:「伯伯何日到此?今在異鄉相逢,真令姪兒夢想不到。」唐敖忙還禮道:「賢姪如何認得老夫?」徐承志道:「當日伯伯長安赴試,常同父親相聚,那時姪兒不及十歲,曾在家中見過。此時雖隔十餘年之久,伯伯面貌如舊,所以一望而知。」因向多、林二人見禮道:「二位尊姓?」唐敖道:「這都是老夫內親。」因將二人姓名說了。茶博士送上茶來。徐承志道:「伯伯因何來到海外?近來武后可緝捕姪兒?」唐敖即將中後被參並緝捕各話告訴一遍。因又問道:「賢姪為何逃奔到此?」徐承志道:「姪兒自從父親被難,原想持著遺書,投奔文伯伯處。奈各處緝捕甚嚴,只得撇了駱家兄弟,獨自逃到海外。飄流數載,苦不堪言,甚至僮僕之役,亦曾做過。前歲投軍到此,雖比僮僕略好,仍是度日如年。但姪兒在此,伯伯何以得知?」唐敖道:「賢姪今已二旬以外,不知可曾娶有妻室?」徐承志一聞此言,不覺滴下淚來。

未知如何,下回分解。

第二十五回　越危垣潛出淑士關　登曲岸閒遊兩面國

話說徐承志因唐敖問他婚姻之事，不覺垂淚道：「伯伯若問妻室，姪兒今生只好鰥居一世。」唐敖道：「此話怎講。」徐承志走到門外望了一望，仍舊歸位道：「此處這個駙馬，性最多疑。自從姪兒進府，見我膂力過人，雖極喜愛，恐是外國奸細，時刻隄防，甚至住房夜間亦有兵役把守，虧得眾同事暗暗通知，處處謹慎，始保無虞。後來駙馬意欲作他膀臂，收為心腹，故將宮娥司徒婋兒許配為婚，以安姪兒之心。眾同事都道，駙馬如此優待，一切更要留神，將來設或婚配，宮娥面前，凡有言談，亦須仔細。誠恐人心難測，一經疏忽，性命不保。誰知今春夜間，婋兒忽來外廂，再三勸我及早遠走，此非久戀之鄉，莫要就擱自己之事，說罷去了。姪兒足足籌畫一夜，次日告知眾同事，眾人都說：『明係駙馬教他探你口氣，若不稟明，必有大禍。』姪兒因將此話稟知。後來聞得婋兒被責，因內外相隔，不知真假。不意數日前此女又來勸我急急改圖。這才曉得此女竟是一片血心待我。兼且稟知為是。不料稟過後，駙馬竟將婋兒著實毒打，發媒變賣。所謂『生我者父母，知我者婋兒』。如此賢春天為我被責；今不記前仇，不避禍患，仍有何顏活在人世！姪兒在此投軍，原因一時窮乏，走頭無路，暫圖餬口。那知誤入羅網。近來屢要逃歸，面投血書，設計勤王，以承父志。無如此處關口盤查甚嚴，向例在官人役，毋許私自出關，如有不遵，梟首示眾。姪兒在府將及三年，關上人役，無不熟識，因此更難私逃。連年如入籠中，行動不能自主。前者賢德妻子雖盜令旗一枝，彼時適值昏憒，亦

德，姪兒既不知感，反去恩將仇報，仍有何顏

呈騎馬，後悔無及。此時妻子不知賣在何處！」不覺哽咽起來。唐敖道：「此事姪媳雖是一片血心，

奈賢姪處處此境界，不能不疑，無怪有此一番舉動。幸喜姪媳無恙。」因將婉兒各話說知。徐承志這才

止淚，拜謝救拔妻子之恩。

唐敖道：「關上如此嚴緊，賢姪不能出去，這卻怎好？」徐承志道：「姪兒連年費盡心機，實無

良策。此時難得伯伯到此，務望垂救！倘出此關，不啻恩同再造。將來如有出頭之日，莫非伯伯所賜

了。」多九公道：「老夫每見靈柩出關，從不搜檢，此處雖嚴，諒無開棺之理。為今之計，何不假充

靈柩，混出關去，豈不是好？」徐承志道：「此計雖善，倘關役生疑棄知，定要開棺，那時從何措

手？此事非同兒戲，仍須另想善策。況駙馬稽查最嚴，稍有不妥，必致敗露。」唐敖道：「關上見了

令旗，既肯放出，非緊急大事，不肯輕發。前者姪媳不知怎樣費力才能盜出，倒覺省事。莫若賢姪仍

將令旗盜出。」徐承志道：「伯伯！談何容易！他這令旗素藏內室，此時既無內應，姪兒又難入內，

令旗從何到手？」林之洋道：「據俺主意。到了夜晚，妹夫把公子馱在背上，將身一縱，跳出關外，

人不知，鬼不覺，又簡便，又爽快。」多九公道：「唐兄只能攛高，豈能負重？若背上馱

人，只怕連他自己也難上高了。」林之洋道：「前在麟鳳山，俺聞妹夫說身上負重也能攛高，難道九

公忘了麼？」唐敖道：「負重固然無疑，惟恐城牆過高，也難上去。」多九公道：「只要肩能駝人，

其餘都好商量。好在內外牆根都是大樹，如果過高，唐兄先攛樹上，隨後再攛牆上，分兩

次攛去，豈不大妙？」唐敖道：「此事必須夜晚方能舉行。莫若賢姪領我們到彼，先將道路看在眼

內，以便晚上易於下手。」徐承志道：「不知伯伯何以學得此技？」唐敖把躡空草之話告知。當時算

還茶錢，出了茶館。徐承志由僻徑把三人暗暗領到城角下。唐敖看那城牆不過四五丈高，四顧寂然，

聯經出版事業公司校印

夜間正好行事。林之洋道：「如今這里無人，牆又不高，妹夫就同公子操練操練，省得晚上費手。」唐敖道：「舅兄之言甚善。」於是駝了徐承志，將身一縱，並不費力，輕輕擡在城上。四處一望，惟見梅樹叢雜，城外並無一人。因說道：「賢姪寓處可有緊要之物？如無要物，我們就此出城，豈不更覺省事？」徐承志道：「小姪自從前歲被人攛開房門，惟恐血書遺失，因此緊藏在身，時刻不離，此時房中別無要物，就求伯伯速速走罷。」唐敖隨向多、林二人招手，二人會意，即向城外走來。唐敖將徐承志前後各話說了。走了多時：恰好多、林二人也都趕到，於是轉悲為喜。唐敖即將賣契燒毀。來到外艙，與徐承志商量回鄉之事。多九公道：「此時公子只好暫往前進，俟有熟船再回故鄉，彼此才能放心。」徐承志點頭。

走了幾日，到了兩面國。唐敖要去走走。多九公道：「此國離海甚遠，向來路過，老夫從未至彼，唐兄今既高興，倒要奉陪一走。但老夫自從東口山趕那肉芝，跌了一交，被石塊墊了腳脛，雖已痊愈，近來只顧奉陪暢遊，連日竟覺步履不便。此刻上去，無如上了年紀，氣血衰敗，每每勞碌，就覺疼痛。」唐敖道：「我們且去走走。九公如走得動，同去固妙；倘走不動，半路回來，未為不可。」於是約了林之洋，別了徐承志，一齊登岸。走了數里，遠遠望去，並無一些影響。多九公道：「再走一二十里，原可支持，惟恐回來費力，又要疼痛，老夫只好失陪了。」林之洋道：「俺聞九公帶有跌打妙藥，逢人施送，此時自己有病，為甚倒不多服？」多九公道：「這怪彼時少吃兩服藥，留下病根，今

已日久，服藥恐亦無用。」林之洋道：

剛才三人同行，還不理會。如今九公回去，俺同妹夫一路行走，他是儒巾紬衫，俺是舊帽破衣，倒像

一窮一富。若教勢利人看見，還肯睬俺麼？」多九公笑道：「他不睬你，你就對他說：『俺也有件紬

衫，今日匆忙，未曾穿來。』」多九公道：「你說甚麼？」林之洋道：「俺說：『俺不獨有件紬衣，俺家中還開過當鋪，還有

親戚做過大官。』這樣一說，只怕他們還有酒飯款待哩。」說著，同唐敖去了。

多九公回船，腿腳甚痛，只得服藥歇息，不知不覺，睡了一覺。及至睡醒，疼痛已止，足疾竟自

平復，心中著實暢快。正在前艙同徐承志閒談，只見唐、林二人回來，因問道：「這兩面國是何風

景？——為何唐兄忽穿林兄衣帽，林兄又穿唐兄衣帽？這是何意？」唐敖道：「我們別了九公，又走

十餘里，才有人烟。原要看看兩面是何形狀，誰知他們個個頭戴浩然巾⊖，都把腦後遮住，只露一張

正面，卻把那面藏了。因此並未看見兩面。小弟上去問問風俗，彼此一經交談，他們那種和顏悅色、

滿面謙恭光景，令人不覺可愛可親，與別處迥不相同。」林之洋道：「他同妹夫說笑，俺也隨口問他

兩句。他掉轉頭來，把俺上下一望，陡然變了樣子，臉上冷冷的，笑容也收了，謙恭也免了。停了半

晌，他才答俺半句。」多九公道：「說話只有一句、兩句，怎麼叫作半句？」林之洋道：「他的說話

雖是一句，因他無情無緒，半吞半吐，及至到俺耳中，卻只半句。俺因他們個個把俺冷淡，後來走

開，俺同妹夫商量，俺們彼此換了衣服，看他可還冷淡。登時俺就穿起紬衫，妹夫穿了布衫，又去找

⊖　浩然巾——風帽形式的一種頭巾。唐孟浩然戴這種頭巾，大家模仿他，所以叫做「浩然巾」。

他閒話。那知他們忽又同俺謙恭，卻把妹夫冷淡起來。」多九公歎道：「原來所謂兩面，卻是如此！」

唐敖道：「豈但如此！後來舅兄又同一人說話，小弟暗暗走到此人身後，悄悄把他浩然巾揭起。不意裏面藏著一張惡臉，鼠眼鷹鼻，滿面橫肉。他見了小弟，把掃帚眉一皺，血盆口一張，伸出一條長舌，噴出一股毒氣，霎時陰風慘慘，黑霧漫漫。小弟一見，不覺大叫一聲：『嚇殺我了！』再向對面一望，誰知舅兄卻跪在地下。」多九公道：「唐兄嚇的喊叫也罷了，林兄忽然跪下，這卻爲何？」

林之洋道：「俺同這人正在說笑，妹夫猛然揭起浩然巾，識破他的行藏，登時他就露出本相，把好好一張臉變成靑面獠牙，伸出一條長舌，猶如一把鋼刀，忽隱忽現。俺怕他暗處殺人，心中一嚇，不因不由腿就軟了，望著他磕了幾個頭，這才逃回。九公！你道這事可怪？」多九公道：「諸如此類，也是世間難免之事，何足爲怪！老夫癡長幾歲，卻經歷不少。揆其所以，大約二位語不擇人，失於檢點，以致如此。幸而知覺尙早，未遭其害。此後擇人而語，諸凡留神，可免此患了。」

當時唐、林二人換了衣服，四人閒談。因落雨不能開船。到晚，雨雖住了，風仍不止。正要安歇，忽聽鄰船有婦女哭聲，十分慘切。

未知如何，下回分解。

第二十六回　遇强梁義女懷德　遭大厄靈魚報恩

話說唐敖聽鄰船婦女哭的甚覺慘切，卽命水手打聽，原來也是家鄉貨船，因在大洋遭風，船隻打壞，所以啼哭。唐敖道：「既是本國船隻，同我們卻是鄉親，所謂『兔死狐悲』。今既被難，好在我們帶有匠人，明日不妨略爲就擱，替他修理，也是一件好事。」林之洋道：「妹夫這話，甚合俺意。」隨命水手過去，告知此意。那邊甚是感激，止了哭聲。因已晚了，命水手前來道謝。大家安歇。

天將發曉，忽聽外面喊聲不絕。唐敖同多、林二人忙到船頭，只見岸上站著無數强盜，密密層層，約有百人，都執器械，頭戴浩然巾，面上塗著黑烟，個個腰粗膀闊，口口聲聲，只叫：「快拿買路錢來！」三人因見人眾，嚇的魄散魂飛！林之洋只得跪在船頭道：「告禀大王：俺是小本經紀，船上並無多貨，那有銀錢孝敬，只求大王饒命！」那爲首强盜大怒道：「同你好說也不中用！且把你性命結果了再講！」手舉利刃，朝船上奔來，忽見鄰船飛出一彈，把他打的仰面跌翻。只聽得刷、刷、刷……弓弦響處，那彈子如雨點一般打將出去，眞是「彈無虛發」：每發一彈，岸上卽倒一人。唐敖看那鄰船有個美女，頭上束著藍紬包頭，身穿蔥綠箭衣，下穿一條紫褲，立在船頭，左手舉著彈弓，右手拿著彈子，對準强人，只檢身長體壯的一個一個打將出去，一連打倒十餘條大漢。剩下許多軟弱殘卒，發一聲喊，一齊動手，把那跌倒的，三個抬著一個，兩個拖著一個，四散奔逃。

唐敖同多、林二人走過鄰船，拜謝女子拯救之恩，並問姓氏。女子還禮道：「婢子姓章，祖籍天朝。請問三位長者上姓？貴鄉何處？」唐敖道：「他二人一姓多，一姓林。老夫姓唐名敖，也都是天

朝人。」女子道：「如此說，莫非嶺南唐伯伯麼？」唐敖道：「老夫向住嶺南。小姐爲何這樣相稱？」

女子道：「當日姪女父親曾在長安同伯伯並駱、魏諸位伯伯結拜，難道伯伯就忘了？」女子道：「彼時結拜雖有數人，並無章姓，只怕小姐認差了。」女子道：「姪女原是徐姓，名喚麗蓉。父名敬功。因敬業叔叔被難，我父無處存身，即帶家眷，改姓爲章，逃至外洋，販貨度生。三年前父母相繼去世。姪女帶著乳母，原想同回故鄉，因不知本國近來光景，不敢冒昧回去，仍舊販貨度日。不意前日在洋遭風，船隻傷損。昨蒙伯伯命人道及盛意，正在感激，適逢賊人行劫，姪女因感昨日之情，拔刀相助，不想得遇伯伯。」只見徐承志也跳過船來。——原來徐承志聽見外面誼嚷，久已起來，正想動手，因見鄰船有個女子，連發數彈，打倒多人，看其光景，似可得勝，不便出來分功，俟賊人退去，這才露面，走到鄰船。——唐敖將他兄妹之事，備細告知，二人抱頭慟哭。

忽見岸上塵土飛空，遠遠有枝人馬奔來。多九公道：「不好了！此必賊寇約會多人前來報仇，這便怎好？」徐承志道：「我的兵器前在淑士國匆匆未曾帶來，船上可有器械？」徐麗蓉道：「船上向有父親所用長鎗，不知可合哥哥之用？眾水手都拿他不動，現在前艙，請哥哥自去一看。」徐承志急忙進艙，把鎗取出，恰恰合手，著實歡喜。只見岸上人馬已近，個個身穿青衫，頭戴儒巾，知是駙馬差來兵馬，連忙提鎗上岸。爲首一員大將，手執令旗出馬道：「吾乃淑士國領兵上將司空魁。今奉駙馬將令，特請徐將軍回國，立時重用；如有不遵，即取首級回話。」徐承志道：「我在淑士三年之久，並未見用，何以才出國門，就要重用？雖承駙馬美意，但我原是暫時避難，並非有志功名，即使國王讓位，我亦不願。請將軍回去，就將此話上覆駙馬。此時承志匆匆回鄉，他日如來海外，再到駙馬跟前謝罪。」司空魁大聲說道：「徐承志既不遵令，大小三軍速速擒拿！」令旗朝前一擺，眾軍發

喊齊上。徐承志舞動長鎗，略施英勇，把眾兵殺的四散奔逃。司空魁腿上早著了一鎗，幾乎墜馬，眾軍簇擁而去。

徐承志等他去遠，剛要回船，前面塵頭滾滾，喊聲漸近，又來許多草寇。個個頭戴浩然巾，手執器械，蜂擁而至。為首大盜，頭上雙插雉尾，手舉一張琱弓，大聲喊道：「何處來的幼女，擅敢傷我僂儸！」手舉彈弓，對準徐承志道：「你這漢子同那女子想是一路，且吃我一彈！」只聽弓弦一響，彈子如飛而至。徐承志忙用鎗格落塵埃，挺身上前。大盜掣出利刃，鬥在一處。正想設法取勝，忽見他棄刀跌翻，倒把徐承志吃了一嚇。──原來徐麗蓉恐有疏虞，放了一彈，正中大盜面上。隨又連放數彈，打倒多人。眾僂儸將主將搶回，紛紛四竄。

那大盜刀法甚精，徐承志只能殺個平手。

徐承志這才回船。麗蓉也到唐敖船上，與司徒嫵兒姑嫂見面，並與呂氏及婉如見禮。林之洋命人過去修理船隻。承志歸心似箭，即同妹子商議，帶著嫵兒同回故鄉。唐敖意欲承志就在船上婚配，林之洋感念徐承志兄妹相救之德，因他夫婦俱是匆促逃出，並未帶有行囊，囑付呂氏做了衣帽被褥，並備路費送去。承志因船上貨財甚多，只將衣帽被褥收下，路費璧回。當時換了衣帽，同嫵兒、麗蓉別人眾人，改為余姓，投奔文隱去了。多九公收拾開船。

一路起坐也便。承志因感念妻子賢德，不肯草草，定要日後勤王得了功名，方肯合巹。唐敖見他立意甚堅，不好勉強。過了兩日，船隻修好。

走了幾日，過了穿胸國。林之洋道：「俺聞人心生在正中。今穿胸國胸都穿通，他心生在甚麼地方？」多九公道：「老夫聞他們胸前當日原是好好的；後來因他們行為不正，每每遇事把眉頭一

鍬，心就歪在一邊，或偏在一邊。今日也歪，明日也偏，漸漸心離本位，胸無主宰。因此前心生一大疗，名叫『歪心疗』；後心生一大疽，名叫『偏心疽』：日漸潰爛。久而久之，前後相通，醫藥無效。虧得有一祝由科㈠用符咒將『中山狼』㈡、『波斯狗』㈢的心肺取來補那患處。過了幾時，病雖醫好，誰知這狼的心，狗的肺，也是歪在一邊，偏在一邊的，任他醫治，胸前竟難復舊，所以至今仍是一個大洞。」林之洋道：「原來狼心狗肺都是又歪又偏的！」

行了幾日，到了厭火國。唐敖約多、林二人登岸。走不多時，見了一羣人，生得面如黑墨，形似獼猴，都向唐敖嘤嘤呱呱，不知說些甚麼。唐敖望著，惟有發獃。——一面說話，又都伸出手來。看其光景，倒像索討物件一般。多九公道：「我們乃過路人，不過上來瞻仰貴邦風景，那有許多銀錢帶在船上。況貴邦被旱失收，將來國王自有賑濟，我們何能周濟許多！」那些人聽了，仍是七言八語，不肯散去。多九公又道：「我們本錢甚小，貨物無多，安能以貨濟人。」林之洋在旁發躁道：「九公！俺們千山萬水出來，原圖賺錢的，並不是出來捨錢的。任他怎樣，要想分文，俺是不能！」眾人見不中用，也就走散。還有數人伸手站著，林之洋道：「九公！俺們走罷，那有工夫同這窮鬼瞎纏！」話才說完，只聽眾人發一聲喊，個個口內噴出烈火，霎時煙霧迷漫，一派火光，直向對面撲來。林之洋鬍鬚早已燒的一乾二淨。三人嚇的忙向船上奔逃。幸虧這些人行路遲緩，剛到船上，眾人也都趕到，一齊迎著船頭，口中火光亂冒，烈焰飛騰，眾水手被火燒的焦頭爛額。

正在驚慌，猛見海中擁出許多婦人，都是赤身露體，浮在水面，露著半身，個個口內噴水，就如瀑布一般，滔滔不斷，一派寒光，直向眾人噴去。真是水能克火，霎時火光漸熄。林之洋趁便放了兩

槍，眾人這才退去。再看那噴水婦人，原來就是當日在元股國放的人魚。那羣人魚見火已熄了，也就入水而散。林之洋忙命水手收拾開船。多九公道：「春間只說唐兄放生積德，那知隔了數月，倒賴此魚救了一船性命。古人云：『與人方便，自己方便。』這話果真不錯。」唐敖道：「可恨水手還用鳥槍打傷一個。」林之洋道：「這魚當日跟在船後走了幾日，後來俺們走遠，他已不見，怎麼今日忽又跑來？俺見世人每每受了恩惠，到了事後，就把恩情撇在腦後，誰知這魚倒不忘恩。這等看來：世上那些忘恩的，連魚鱉也不如了，請問九公：難道這魚他就曉得俺們今日被難，趕來相救麼？」多九公道：「此魚如果未卜先知，前在元股國也不被人網著了。總而言之：凡鱗、介、鳥、獸爲四靈所屬，種類雖別，靈性則一。如馬有垂繮之報④，犬有濕草之仁⑤，若謂無知無識，何能如此？即如黃雀形體不滿三寸，尚知銜環之報，何況偌大人魚。」林之洋道：「俺火離元股甚遠，難道這魚還是春天放的那魚麼？」多九公道：「新舊固不可知。老夫曾見一人，最好食犬，後來其命竟喪眾犬之口。以此

① 祝由科——原是古時醫學中十三科之一，後來成為專用符咒治病的一種迷信方法的名稱。從前湖南辰州地方最流行，所以也叫做「辰州符」。

② 中山狼——比喻忘恩負義的人。中山有一隻狼，為獵者所追，東郭先生救了牠的性命，狼在逃脫危險之後，反要吃東郭先生。故事出宋人寓言。

③ 波斯狗——一種兇猛的狗。這種狗原產在波斯國，所以稱波斯狗。故事傳說：前秦符堅和慕容冲打仗，符堅敗了，他抓住了繮繩爬上來，才脫了難。故事出異苑。

④ 馬有垂繮之義——

⑤ 犬有濕草之仁——故事傳說：三國時吳東李信純，養一狗，名黑龍，某天，李大醉不能回家，睡在郊外草地上，獵人放火燒草，將要燒到李的身邊；黑龍跳到水溝裏把全身弄濕，然後跑回來把身上的水打濕李周圍身邊的草，因而李得未被燒死。故事出搜神記。

而論：此人因好食犬，所以爲犬所傷。當日我們放魚，今日自然爲魚所救。此魚總是一類，何必考其

新舊。以銜環、食犬二事看來，可見愛生惡死，不獨是人之恆情，亦是物之恆情。人放他生，他既知

感；人傷他生，豈不知恨？所以世人每因口腹無故殺生，不獨違了上天好生之德，亦犯物之所忌。」

唐敖道：「他們滿口唧唧呱呱，小弟一字也不懂，好不令人氣悶！」多九公道：「他這口音，還

不過於離奇，將來到了歧舌，那才難懂哩。」唐敖道：「小弟正因音韻學問，盼望歧舌，爲何總不見

到？」多九公道：「前面過了結胸、長臂、翼民、豕喙、伯慮、巫咸等國，就是歧舌疆界了。」

林之洋道：「今日把俺一嘴鬍鬚燒去，此時嘴邊還痛。」多九公道：「可惜老夫有個

妙方，連年在外，竟未配得。」唐敖道：「是何藥品？何不告訴我們，也好傳人濟世。」多九公道：

「此物到處皆有，名叫『秋葵』，其葉宛如雞爪，又名『雞爪葵』。此花盛開時，用蔴油半瓶，每

日將鮮花用筋夾入，俟花裝滿，封口收貯，遇有湯火燒傷，搽上立時敗毒止痛。傷重者連搽數次，無

不神效。凡遇此患，如急切無藥，或用蔴油調大黃末搽上也好。此時既無葵油，只好以此調治了。」

唐敖道：「天下奇物原多，總是日久失傳。或因方內並無貴重之藥，人皆忽略，埋沒的也就不少。那

知並不值錢之藥，倒會治病。卽如小弟幼時，忽從面上生一肉核，非瘡非疣，不痛不癢，起初小如綠

豆，漸漸大如黃豆，雖不疼痛，究竟可厭。後來遇人傳一妙方，用烏梅肉去核燒存性，硏末，清水調

敷，搽了數日，果然全消。又有一種肉核，俗名『猴子』，生在面上，雖不痛癢，亦甚可嫌。若用銅

錢套住，以祁艾灸三次，落後永不復發。可見用藥不在價之貴賤，若以價值而定好醜，眞是誤盡蒼

生！」多九公道：「林兄已四旬以外，今日忽把鬍鬚燒去，露出這副白臉，只得二旬光景，無怪海船

朋友把他叫做『雪見羞』。」唐敖道：「舅兄綽號雖叫『雪見羞』，但面上無雪，誰知厭火國人，口

中卻會放火！」多九公道：「這怪老夫記性不好，只顧遊玩，就把『生火出其口』這話忘了。林兄現

在嘴痛，莫把大黃又要忘了。」隨即取出遞給。林之洋用麻布敷在面上，過了兩天，果然痊愈。

這日大家正在柁樓眺望，只覺燥熱異常，頃刻就如三伏一般，人人出汗，個個喘息不止。唐敖

道：「此時業已交秋，爲何忽然燥熱？」多九公道：「此處近於壽麻疆界，所以覺熱。古人云：『壽

麻之國，正立無影，疾呼無響，爰有大暑，不可以往。』虧得另有岔路可以越過，再走半日，就不熱

了。」唐敖道：「如此煖地，他們國人如何居住？」多九公道：「據海外傳說：彼處白晝最熱，每到日

出，人伏水中；日暮熱退，才敢出水。又有人說：其人自幼如此，倒不覺熱，最怕離了本國。此話倒還近理。即如花木有善

暖的，一經移植寒地，往往致死，就是此意。」唐敖道：「小弟聞得仙人與虛合體，日中無影，又老人

之子，先天不足，亦或日中無影。壽麻之人無影，不知何故？」多九公道：「大約他們受形之始，所稟

陽氣不足，以致代代如此。即如這樣煖地，他能居住，其陽氣不足，可想而知，自然立日無影了。」

忽聽船上人聲諠譁，原來有個水手受了暑熱，忽然暈倒。眾人發慌，特來討藥。多九公忙從箱中

取了一撮藥末道：「你將此藥拿去，再取大蒜數瓣，也照此藥輕重，不多不少，一齊搗爛，用井水一

碗和勻，澄清去渣，灌入腹中，自然見效。」眾人接了，恰好水艙帶有井水，登時配好，灌了下去。

不多時，蘇醒過來，平復如舊。林之洋道：「九公…這是甚藥，恁般靈驗？」多九公道：「你道是何

妙藥？」

未知如何，下回分解。

聯經出版事業公司校印

第二十七回　觀奇形路過翼民郡　談異相道出豕喙鄉

話說多九公道：「林兄，你道是何妙藥？」——原來卻是『街心土』。凡夏月受暑昏迷，用大蒜數瓣，同街心土各等分搗爛，用井水一碗和勻，澄清去渣，服之立時即蘇。此方老夫曾救多人。雖一文不值，卻是濟世仙丹。」

這日過了結胸國。林之洋道：「他們國人為甚胸前高起一塊？」多九公道：「只因他們生性過懶，且又好吃，所謂『好吃懶做』。每日吃了就睡，睡了又吃，飲食不能消化，漸漸變成積痞，所以胸前高起一塊。久而久之，竟成痼疾，以致代代如此。」林之洋道：「這病九公可能治麼？」多九公道：「他如請我醫治，也不須服藥，只消把他懶筋抽了，再把饞蟲去了，包他是個好人。」

唐敖道：「此時忽又燥熱異常，是何緣故？」多九公道：「我們只顧閒談，那知今日風帆甚順，此處已近炎火山。古人所謂：『炎火之山，投物輒燃。』就是指此而言。」林之洋道：「《西遊記》有個火焰山，這里又有炎火山，原來海外竟有兩座火山。」多九公笑道：「林兄此言未免把天下看的過小了。若論火山，只就老夫所見而言：海外耆薄國之東有火山國，山中雖落大雨，其火仍舊，火中常有白鼠走至山邊覓食，獵人捕獲，以毛做布，就是如今『火澣布』。又自燃洲有樹生於火山，其皮亦可織為『火浣布』。西域且彌山，晝望山孔如烟，夜望如燈。崦嵫之北，其山有石，若以兩石相打，

登時只覺水潤，潤後旋即出火。又炎洲有火林山，火洲有火焰山；海中有沃焦山，遇水即燃。這都是老夫向日到過的。其餘各書所載火山不能枚舉，從前曾否走過，事隔多年，也記不清了。」唐敖道：「據小弟看來：天下既有五湖四海許多水，自然該有沃焦、炎洲許多火，不偏不倚。但小弟被這暑熱熏蒸，頭上只覺昏暈，求九公把街心土見賜一服。」多九公道：「唐水火既濟之意。兄不過偶爾受些暑氣，只消嗅些『平安散』就好了。」即取出一個小瓶。唐敖接過，揭開瓶蓋，將藥末倒在手中，嗅了許多，打了幾個噴嚏，登時神清氣爽，道：「如此妙藥，九公何不將藥方賜我？日後傳人，也是一件好事。」多九公道：「此方用西牛黃肆分，冰片陸分，麝香陸分，蟾酥壹錢，火焰參錢，滑石膏貳兩，大赤金箔肆拾張，共碾細末，越細越好，磁瓶收貯，不可透氣。專治夏月受暑，頭目昏暈，或不省人事，或患痧腹痛，吹入鼻中，立時起死回生。如騾馬受熱暈倒，也將此藥吹入即蘇，故又名『人馬平安散』。古方用硃沙配合，老夫恐他污衣，改用白色。」把方寫了。唐敖接過，再三致謝。

炎火山過去，路過長臂國。有幾個人在海邊取魚。唐敖道：「他這兩臂伸出來竟有兩丈，比他身子還長，倒也異樣。」多九公歎道：「凡事總不可強求。即如這注錢財，應有我分，自然該去伸手；若非應得之物，混去伸手，久而久之，徒然把臂弄的多長，倒像廢人一般，於事何濟！」

又走幾日，到了翼民國。將船泊岸。三人上去，走了數里，並未看見一人。林之洋惟恐過遠，意欲回船；唐敖因聞此國人頭長，有翼能飛不能遠，並非胎生，乃是卵生，決意要去看看。林之洋拗不

過，只得跟著前進。又走數里，才有人烟。只見其人身長五尺，頭長也是五尺，一張鳥嘴，兩個紅眼；一頭白髮，背生雙翼；渾身碧綠，倒像披著樹葉一般。也有走的，也有飛的。——那飛的不過離地二丈。——來來往往，倒也好看。林之洋道：「他們個個身長五尺，頭長也是五尺。他這頭為甚生得恁長？」多九公道：「老夫聞說此處最喜奉承，北邊俗語叫作『愛戴高帽子』；今日也戴，明日也戴，滿頭盡是高帽子，所以漸漸把頭弄長了．這是戴高帽子戴出來的。」

唐敖道：「怪不得古人說是卵生，果然像個四足鳥兒。」林之洋道：「若是卵生，這些女人自然都會生蛋了。俺們為甚不買些人蛋？日後到了家鄉，賣與戲班，豈不發財麼？」多九公道：「班中要他何用？」林之洋道：「俺看這些女人，也有年紀老的，若會生蛋，那年紀老的，生的自然是老蛋，年紀小的，生的自然是小蛋。俺們有了老蛋、小蛋，到了家鄉，那些戲班為甚不要？只怕小蛋還更值錢哩！」多九公道：「林兄把『旦』字認作白字了。他們小旦並非雞蛋之『蛋』，你如不信，把他肚腹剖開，裏面並無蛋黃，只有一肚曲子。還有拿⊖的好身段，推⊖的好衫子，並且還有絕妙的小嫩嗓子。」林之洋道：「九公說他並無蛋黃，據俺看來，只怕還有元絲課哩。再要搜尋，大約金鐲子也是有的。就是那紅旗兒二等小旦，萬不濟，也有幾塊洋錢，也有一個包金鐲子。就只令俺不懂的，剛才說的明明是個『旦』字，為甚是『白』字？若是『白』字，下面多了一橫，上面少了一撇，這是怎講？」

唐敖道：「舅兄何必只管談論小旦。你看這些的，飄飄揚揚，比走甚快。我們到此，離船已遠。才見幾位老翁，竟有僱人駝著飛的。據小弟愚見：我們回船，何不也僱人駝去，豈不爽快？」林之洋正因走的腿酸，聽見此話，即僱三個駝夫，一齊伏在肩上，登時展翅飛起，轉眼間到了船上，駝

夫收翅落下。三人下來，開發腳錢，起錨揚帆。

這日到豕喙國，遊了片時回船。唐敖道：「此國人爲何生一張豬嘴？而且語音不同，倒像五方雜處一般，是何緣故？」多九公道：「當日我曾打聽，不得其詳。後在海外遇一奇人，細細談起，方才明白。原來本地向無此國。只因三代以後，人心不古，撒謊的人過多，死後阿鼻地獄[三]容留不下；若令好好托生，恐將來此風更甚。因此冥官上了條陳，將歷來所有謊精，擇其罪孽輕的俱發到此處托生。因他生前最好扯謊，所以給他一張豬嘴，罰他一世以糟糠爲食。世上無論何處謊精，死後俱托生於此，因此各人語言不同。其嘴似豬，故鄰國都以『豕喙』呼之。」

走了兩日，路過伯慮國。唐敖又要上去遊玩。多九公因配藥不能同去，林之洋同唐敖去了。二人去後，多九公配了許多痢瘧及金瘡各藥，以備沿途濟人之用。方才配完，唐、林二人也就回來。唐敖道：「怪不得九公不肯上去，原來此地另是一種風氣。剛才小弟見他們那種�맞睡光景，好無興趣，並且行路時也有閉目緩步。如此疲倦，何不在家睡睡？必定勉強出來，這是何意？」多九公道：「海外有兩句口號，說這伯慮國的風俗，難道林兄也不知麼？」林之洋道：「海外都說：『杞人

一　拿——這裏指戲劇中的表演動作。

一　推——這裏指戲劇中的舞蹈動作。

三　阿鼻地獄——阿鼻，空間上沒有間隔，時間上沒有間斷的意思。是印度古文的譯音。佛家迷信說法：犯了最嚴重罪惡的人，死後發到這個地獄，到處在受苦，時刻在受苦。

憂天，伯慮愁眠。』九公所說口號，莫非就是這兩句？」怎叫『憂天、愁眠』，俺卻不懂。」多九公道：「當日杞人怕天落下把他壓死，所以日夜憂天，此人所共知的。這伯慮國雖不憂天，一生最怕睡覺：他恐睡去不醒，送了性命，因此日夜愁眠。此地向無衾枕，雖有牀帳，係為歇息而設，從無睡覺之說；終年昏昏迷迷，勉強支持。往往有人熬到數年，精神疲憊，支撐不住，一覺睡去，百般呼喚，竟不能醒。其家聚哭，以為命不可保；及至睡醒，業已數月。親友聞他醒時，都來慶賀，以為死裏逃生，舉家莫不歡喜。此地惟恐睡覺，偏偏作怪，每每有人睡去竟會一睡不醒，因睡而死的不計其數，因此更把睡覺一事視為畏途。」唐敖道：「此處既有睡去不醒之人，無怪更要愁眠。但睡去不醒，未免過奇，不知何故？」多九公道：「他們如果也像常人夜眠晝起，照常過日子，何至睡去不醒。因他終年不眠，熬的頭暈眼花，四肢無力；兼之日夜焦愁，精神渙散，就如燈盡油乾，要想氣聚神全，如何能彀！自然魄散魂銷，命歸泉路了。」唐敖道：「此地壽相如何？」多九公道：「他們自從略知人事，就是滿腹憂愁，從無一日開心，也不知喜笑歡樂為何物。你只看他終日愁眉苦臉，年未弱冠④，鬚髮已白，不過混一天是一天，那裏還講壽數。」唐敖道：「可見過於憂愁，也非養生之道。今聽九公之言，小弟從此把心事全都撇去，樂得寬心多活幾年。」

又走幾時，到了巫咸國。把船收口。林之洋發了許多紬緞去賣，唐敖因肚腹不調，不能上去，多九公向來遊玩，原是奉陪的，今見唐敖不去，樂得船上養靜。唐敖悶坐無聊，來到後面柁樓，四面望一望道：「請敎九公：那邊青枝綠葉，大小不等，是何樹木？」多九公道：「大樹是桑，居民以此為柴；小樹名叫木棉。此地不產絲貨，向無紬緞，歷來都取棉絮織而為衣，所以林兄特帶紬緞來此貨

賣。」唐敖道：「小弟向日因古人傳說：『巫咸之人，採桑往來。』以為必是產絲之地，那知卻是有桑無蠶。可惜如此好桑，竟為無用之物。舅兄此去，貨物可能得利？」多九公道：「當初有人來此販貨，如財運亨通，竟可大獲其利。因木棉失收，國人無以為衣，絲貨一到，就如得了至寶一般，莫不爭著購買。近來此樹茂盛，來此販貨的不能十分得利。但木棉究竟製造費力，兼之此地不善織紡，如有絲販到此，那富貴之家，或多或少，也都出價置買。就只利息不能預定，只要客販稀少，也就獲利了。」唐敖道：「偏偏小弟今日患痢，不能前去一看。」多九公道：「貴恙既是痢疾，何不早說？老夫有藥在此。」即取一包藥末道：「藥引都在上面，按引調服，不過五六服就可痊愈。」唐敖隨即照引服了。當時林之洋也就回來，談起貨物：「原來此地數年前外邦來了兩個幼女，帶了許多蠶子，在此養蠶織紡，連年日漸滋生，本處也有人學會織機，都以絲綿為衣。俺們絲貨雖不獲利，還不虧本。喜得前在白民國賣了一半，存的不多，再就擱兩日，就好出脫了。」安歇一宿，次日仍去賣貨。

唐敖又把藥末用了一服，竟自痊愈，著實歡喜。來至後面，再三拜謝道：「九公此藥，不啻仙丹！是何妙品，如此神效？」多九公道：「當日老夫高祖母常患此病，我曾祖百般醫治，總不見好，後來虧得割股煎藥，才能脫體。過了幾年，我高祖母年已六旬，又患此恙。因素日曉得我曾祖為人最孝，恐有割股等事，到了煎藥時，總要親自過目，方肯下咽。後來日重一日，我曾祖無計可施。因做處有座大山，名叫小方丈，恐有仙人在內，於是赤足披髮，一步一拜，來到山上，叩求神仙垂救，情願減壽代母。如是三日三夜，水米不曾沾唇；到第四日，有個漁翁傳了此方。一連進了五服，這才痊

弱冠——指男子到了二十歲左右的年齡。古時男子二十歲舉行「冠禮」，戴上成人戴的帽子，表示是少年而不再是兒童了。由於究竟還不是成人，所以稱做「弱冠」。

愈。又活四十年，到了一百歲，無疾而終，所以此方流傳至今。」唐敖道：「九公令曾祖既割股於前，又叩禱於後，如此孝心，自然該有神仙傳此妙方。既這等神效，九公何不刊刻流傳，使天下人皆免此患，共登壽域，豈不是件好事？」多九公道：「我家人丁向來指此為生，若刊刻流傳，人得此方，誰還來買？老夫原知傳方是件好事，但一經通行，家中缺了養贍，豈非自討苦吃麼？」唐敖搖頭道：「那有此事！世間行善的自有天地神明鑒察。若把藥方刊刻，做了偌大善事，反要吃苦，斷無此理。若果如此，誰肯行善？當日于公治獄，大興駟馬之門，竇氏濟人，高折五枝之桂，救蟻中狀元之選，埋蛇享宰相之榮。諸如此類，莫非因作好事而獲善報。所謂：『欲廣福田，須憑心地。』九公素稱達者，何以此等善事倒不修為？即如令曾祖以孝心感格，而得仙方之報；今九公傳了此方，焉知令郎不聯捷直上？又安知不別有富貴之報？況令郎身入黌門，目前雖以舌耕為業，若邀天相，異日腰金衣紫，那時食了皇家俸祿，又何須幾個藥資為家口之計呢？」多九公點頭道：「唐兄賜教極是。日後老夫回去，定將此方刊刻流傳，並將祖上所有秘方也都發刻，以為濟世之道。就以今日為始，我將各種秘方，先寫幾張，以便沿途施送，使海外人也得此方，豈不更好！」唐敖道：「『人有善念，天必從之。』九公既發這個善心，日後自有好處。請教此方究竟是何妙藥？」多九公道：「此方用蒼朮（米泔浸陳土炒焦）參兩，羌活（炒）貳兩，川烏（去皮，麵包煨透）壹兩伍錢，生大黃（炒）壹兩，熟大黃（炒）壹兩，生甘草（炒）壹兩伍錢，杏仁（去皮尖，去油）壹兩，共為細末。每服肆分，小兒減半；孕婦忌服。赤痢，用燈心參拾寸煎濃湯調服；白痢，生薑參片，煎濃湯調服；赤白痢，燈心、生薑各拾寸，生薑參片，煎濃湯調服；水瀉，米湯調服。病重的不過五六服即愈。但燈心、生薑濃煎，才有藥力。」把方寫了。唐敖接過，看一看道：「小弟每見醫家治痢，用大黃數錢之多，仍不

中用；何以此方只消數釐，就能立見奇效？可見用藥全要佐使配合得宜，自然與眾不同。」說著閒話，忽然想起駱紅蕖所託的事來。

未知如何，下回分解。

第二十八回　老書生仗義舞龍泉㈠　小美女銜恩脫虎穴

　　話說唐敖忽然想起前在東口山聞得薛仲璋逃在此地，今痢疾已愈，意欲前去相訪。因將駱紅蕖託寄薛蘅香之信帶在身邊，約了多九公上岸。走了多時，前面一帶樹林，極其青翠。多九公道：「此樹就是前日所說木棉了。」

　　唐敖聽了，正在仰觀，忽見樹上藏著一人。恰好林之洋回來，唐敖暗暗告知，都把器械取出，以作準備。只見遠遠有個老嫗，同一幼女走過。那大漢見了，從樹上跳下，手執利刃，把去路攔住。三人一見，各執器械迎了上去。只聽那大漢喊道：「你這女子，小小年紀，下此毒手，害得我們好苦！今日寃家狹路相逢，我且除了此害，替眾報仇！」手舉利刃，邁步上前，迎著女子，剛要用刀砍去，唐敖早已隄防，說聲不好，將身一縱，搶至跟前，手持寶劍，把刀朝上一架。大漢震的幾乎跌倒；那幼女早已嚇得跌倒。——原來唐敖自從服了仙草，兩膀添了千斤之力。此時只想救那幼女，誰知用力過猛，大漢那把刀早已飛上天去。唐敖道：「壯士住手，不可行凶。此女有何冒犯？」大漢把唐敖上下打量道：「我看先生這樣打扮，想是天朝來的。你們都是明禮之人，只因這個惡女向日所做所為，就知在下並非冒昧行凶了。」登時多、林二人也都趕到。那個老嫗把女子攙起，戰戰兢兢，嬌啼不止。女子垂淚道：「婢子姓姚，名芷馨，現年十四歲。本籍天朝，寄居在此，業已數載，向隨父母養蠶為業。父母去世，跟著舅母度日。今向乳母前來掃墓，不幸忽遇強梁。尚求恩人始終垂救，倘脫虎口，沒世難忘！」大漢道：「你這惡女只顧養

　　那老嫗把女子攙起，道：「請問女子尊姓？家住何處？為何冒犯壯士？」

那毒蟲，那知數萬人家都被你害的無以爲生！」林之洋道：「你這大漢畢竟爲甚殺他？從實說來！你

莫半吞半吐，俺不明白！」大漢道：「我是巫咸國經紀。向來本處所產木棉，都由我手交易。自從此

女同織機女子到了此地，養出無數賙絲的毒蠶，又織出許多絲片在此貨賣；我們生意雖覺冷淡，也還

不妨。那知近來他們竟將這個惡術四處傳人，以致本地婦女，也都學會養蠶織機，個個都以絲片爲

衣，不用木棉。此地凡種木棉之家，就如別處田產一般，莫不指此爲生；此女只顧把那毒蟲流傳國

內，以致向種木棉之家，大半廢了祖業，無以爲生。所以在下特來傷他，以除大害。今遇列位，雖是

他絕處逢生，那要害此女的豈止億萬，日後何能逃脫！如要保全，惟有卽離本國，另投生路。倘執迷

不醒，我自另有別法！」將手一拱，尋了利刃，忿忿而去。

唐敖道：「貴府還有何人？令尊在日作何事業？」女子道：「父名姚禹，曾任河北都督，因同九

王爺勤王未遂，家鄉不能存身，帶著家口，逃至此地，旋卽去世；我母亦相繼而亡。向同舅母宣氏同

居。喜得薛蘅香表姐善於織紡；婢子素跟母親，亦善養蠶，身邊帶有蠶子，因見此處桑樹極盛，故以

養蠶織紡爲生。不期在此日久，鄰舍婦女也跟著學會，因此四處轟傳，以致忏了衆人。今日若非恩人

相救，幾遭毒手。」說著拜了下去。唐敖還禮道：「請問小姐：那薛蘅香姪女現住何處？他父母可都

康健？」姚芷馨道：「蘅香表姐之父乃婢子母舅，久已去世；如今只有舅母宣氏同表

姐蘅香，與婢子同居。恩人呼蘅香姐姐爲姪女，是何親故？」唐敖道：「我姓唐名敖，祖籍嶺南。向

日同蘅香之父結拜至交，今日正來相訪，那知卻已去世。小姐既與蘅香姪女同居，就請引我一見。」

姚芷馨道：「原來如此。」於是同乳母引路進城。

（一）龍泉──原是古代傳說中一把寶劍的名字，後來成爲一般劍的代詞。

到了薛家，許多人圍在門首喊成一片，口口聲聲只要織機女子出來送命。姚芷馨嚇的不敢上前。

唐敖同多、林二人擠到門首，只見樹林那個大漢也在其內。唐敖因見人眾，即大聲說道：「諸位且停一停，聽我一言奉告，這薛家不過在此暫居，今我三人特來接他們回天朝。眾位暫且各散，自有計較。」那大漢聽了，曉得唐敖手頭利害，只得帶著眾人，紛紛四散。乳母把門叫開，姚芷馨引著三人進去，見了宣氏夫人。薛蘅香嚇的戰戰兢兢，帶著兄弟薛選，出來見禮。姚芷馨把唐敖樹林相救，並勸散眾人之話，告訴宣氏一遍。宣氏泣拜，備述歷年避難各話，並求唐敖設法籌一安身之地。

多公九道：「前在東口山，駱小姐曾有託寄薛小姐之信，唐兄何不取出？據老夫愚見：夫人莫若投奔彼處，彼此也好照應。」唐敖將信取出，薛蘅香接過看了道：「原來紅蕖姐姐候叔叔海外回來，如遇恩赦，即隨太公同回家鄉，因此來約姪女做件，以候機緣。他既有信來約。此處又難久居，自應投奔東口為是。」林之洋道：「昨日俺見海口有隻熟船，不日就回天朝，夫人若搭了這船，上去甚便。」

宣氏道：「如此雖善，但缺路費，這卻怎好？」唐敖道：「這個不消嫂嫂過慮，小弟自有預備。」因託林之洋允去看船，薛蘅香即同姚芷馨收拾行李。唐敖見薛香品貌甚佳，忽然想起魏家兄妹，意欲替他們作伐，卻將此意並麟鳳山相會的話說了。宣氏甚喜，欲懇唐敖賜一書信，以便順路到彼，訪到魏家，投了書信，兩家結為「秦晉之好○」。唐敖應允。

不多時，林之洋把船看定，眾水手搬發行李。宣氏與呂氏互相拜往。就擱一日。次日，唐敖寫了麟鳳、東口書信，並送許多路費，宣氏再三拜謝。姚芷馨、薛蘅香感激唐敖救命之德，戀戀不捨，洒淚而別。行了多時，到了麟鳳山，訪到魏家，投了書信，兩家結為「秦晉之好○」。萬氏夫人因薛選家傳絕好連珠槍，留下宣氏同

居，就命薛選在山驅除野獸。後來駱紅蕖在水仙村起身，寄信與薛蘅香，眾人這才同回故鄉。

那日唐敖送過宣氏，也就開船。不多幾日，到了歧舌國。唐、多二人也就上去。只見那些人滿嘴唧唧呱呱，不知說些甚麼。唐敖道：「此處講話，口中無數聲音，九公可懂得麼？」多九公道：「海外各國語音惟歧舌難懂，所以古人說：『歧舌一名反舌，語不可知，惟其自曉。』當日老夫意欲習學，竟無指點之人；後來偶因販貨路過此處，住了半月，每日上來聽他說話，就便求他指點，學來學去，竟被我學會。誰知學會歧舌之話，再學別處口音，一學就會，毫不費力。可見凡事最忌畏難，若把難的先去做了，其餘自然容易。就是林兄，也虧老夫指點，他才會的。」唐敖道：「九公既言語可通，何不前去探聽音韻來路呢？」多九公聽了，想了一想，不覺點頭道：「唐兄真好記性。此話當日老夫曾在黑齒國言過，若非此時說起，老夫也就忽略過了。今既到此，自然探聽一番。海外有兩句口號說得好：『若臨歧舌不知韻，如入寶山空手回。』可見韻學竟是此地出產。待老夫前去問問。」正要舉步，迎面走過一個老者，舉止倒也文靜。多九公因拱手學著本地聲音說了幾句，那人也拱手答了幾句，談了多時，那人忽然搖頭吐舌，似有爲難之狀。唐敖趁他吐舌時，細細一看，原來舌尖分做兩個，就如翦刀一般，說話時舌尖雙動，所以聲音不一。二人談了許久，多九公忽向老者連連打躬，那老者又說了幾句，把袖子一摔，佯長而去。多九公獃了一獃，望著唐敖，仍學歧舌口音，唧唧呱呱，說個不了。唐敖不覺發笑道：「九公何苦徒費脣舌！你這鄉談⁽²⁾暫且留著，等小弟日後學會再

⁽¹⁾秦晉之好——春秋時，秦、晉兩國的國君彼此要好，世代互相通婚，後來就把聯姻叫做「秦晉之好」。

⁽²⁾鄉談——本地土話。

說罷。」多九公聽了，不覺咥了一口道：「老夫真好昏慣！這總是那老兒把我氣昏了。剛才老夫同他說幾句閒話，趁勢談起音韻，求他指教。他聽了只管搖頭說：『音韻一道，乃本國不傳之秘。國王向有嚴示：如果希冀錢財妄傳鄰邦的，不論臣民，俱要治罪。所以不敢亂談。』老夫因又懇道：『老丈不過暗暗指教，有誰知道？我們如蒙不棄，賜之教誨，感激尚且不暇，豈有走露風聲之理。千萬放心！』他道：『若要人不知，除非己莫爲。』此事關係甚重，斷不敢遵命。」後來我又打躬，再三相懇。他道：『當日鄰邦有人送我一個大龜，說大龜腹中藏著至寶，如將音韻教會，那人情願將寶取出，以做酬勞。當日我連大龜尚且不要，不肯傳他，何況今日你有兩個指，就想指教？』難道你身上的揣比龜肚裏的寶還值錢？未免把身分看的過高了。」老夫因他以龜比我，未免氣惱，只顧出神，那知倒同唐兄說起此地話來。」唐敖不覺發愁道：「送他珠寶尚且不肯。——不意習學音韻竟如此之難，這卻怎好？惟有拜求九公，設法想個門路，也不枉小弟盼望一場。」多九公村一村道：「今日已晚，我們且回。唐兄既不懂他言語，明日也不必上來，且等老夫破⊖一天工夫，四處探聽一番。」回到船上，林之洋貨物雖已賣完，因那雙頭鳥兒有個官長要去孝敬世子，雖出若干價錢，林之洋仍不肯賣，意欲大大拿價，借此多得幾倍利息，因此尚有耽擱。

次日，多、林二人分路上岸；唐敖在船守了一日。到了下午，多九公回來，不住搖頭道：「唐兄！這個音韻，據老夫看來。只好來生托生此地再學罷。今日老夫上去，或在通衢僻巷，或在酒肆茶坊，費盡脣舌，四處探問，要想他們露出一字，比登天還難。我想問問少年人或者有些指望，誰知那些少年聽見問他音韻，掩耳就走，比年老人更難說話。」唐敖道：「他們如此害怕，九公可打聽國王

向來定的是何罪名？」多九道：「老夫也曾打聽。原來國王因近日本處文風不及鄰國，其能與鄰邦並駕齊驅者，全仗音韻之學，就如周饒國能為機巧，以飛車為不傳之秘，都是一意。他恐鄰國再把音韻學去，更難出人頭地，因此禁止國人，毋許私相傳授。但韻學究屬文藝之道，倘國人希圖錢財，私授於人，又不好重治其罪，只好定了一個小小風流罪過。──唐兄請猜一猜。」唐敖道：「小弟何能猜出。請九公說說罷。」多九公道：「他定的是：如將音韻傳與鄰邦，無論臣民，其無妻室者，終身不准娶妻，其有妻室者，立時使之離異，此後如再冒犯，立即閹割。有此定例，所以那些少年，一聞請教韻學，那有妻室的，既怕離異；其未婚娶的，正在望妻如渴：聽了此話，未免都犯所忌，莫不掩耳飛跑。」唐敖道：「既如此，九公何不請教鰥居之人呢？」多九公道：「那鰥居的雖無妻室，不怕離異，安知他將來不要續絃，不要置妾呢？況那鰥居的面上又無『鰥居』字樣，老夫何能遇見年老的就去問他有老婆、無老婆呢？」唐敖聽了，不覺好笑起來。

未知如何，下回分解。

(三)　破──這裏是挤着、耗費的意思。

第二十九回　服妙藥幼子回春　傳奇方老翁濟世

話說唐敖聽了多九公之言，又是好笑，又是氣悶道：「看這光景，難道竟無一毫門路麼？」多九公道：「今日我已筋疲力盡。如唐兄心猶不死，只好自去探問，老夫實無良策了。」

只見林之洋提著雀籠，笑嘻嘻回來。唐敖道：「舅兄今日為何這樣歡喜？」林之洋道：「本地有一位官長，連日向俺買這雙頭鳥兒，出的價錢，俺細細核算，比俺當日買價已有幾十倍利息。俺今日原想要賣，因他小廝暗對俺說：『我家主人買這鳥兒，要送世子的，你如不賣，他必添價。我今透個消息給你，俟交易後，分我幾分彩頭就是了。』俺得這個信息，那里肯賣，果然復又添價。剛才那小廝因天晚叫俺回來，明早再去，他家主人還要添價。俺素日聞得有人談論，奴僕好的叫做『義僕』；這個小廝，恁般用情待俺，果真是個義僕！俺一路想來，因此歡喜。」多九公道：「他是那官長的小廝，林兄認作己僕，不獨賴忝知己，過於臉厚，就讓你身後跟上許多豪奴，帶著無數俊僕，這個架子也薰不動誰，也嚇不倒人，令人反覺肉麻！」林之洋道：「俺怎敢認他作僕，混擺架子？俺只恨這萬世為奴的，他們總是見錢眼紅，從不記得主人衣食恩養，一見了錢，就把主人恩情，撇在九霄雲外。如今把俺林之洋待得倒像主人一般，他既這樣，俺也只好把他認作奴才了。」大家用飯安歇。次日起個黑早○，提著雀籠去了。

唐敖因韻學無望，心中煩悶，睡到巳時方起。正同多九公閒話，林之洋提著雀籠，愁眉不展，欷氣而歸。唐敖道：「舅兄為何這樣？莫非那小廝有甚欺騙麼？」林之洋道：「俺早間上去，那個官長

果又添價。

俺本意要賣，那小厮說他主人就要上朝，此時忽忙，莫若等他回來，還可慢慢增價。俺因

這鳥他總是要買的，樂得多靠半日，再增幾分利息。誰知這官長下朝，忽命小厮回俺不要了。俺暗暗

打聽，原來那個世子最喜騎射，今日出去打獵，那馬失足從高處滾下，把世子跌傷，人事不知，現在

只有呼吸之氣，國王業已預備棺木。這位官長因得這信，那肯買這鳥兒，只說別處買了。後來隨俺減

價，他也不要。俺想這鳥惟在歧舌還有人出價，若到別處，有誰來買？只好飯後再去碰碰機會，看來

要想昨日一半利息也不能了。」用過飯，又提著雀籠，歎氣而去。

唐敖把婉如做的詩賦改了幾首，悶坐無聊，同多九公上去閒步。來到鬧市，只見許多人圍著一道

黃榜，在那里高聲朗誦。二人近前看時，原來因世子墜馬跌傷，命在旦夕，如有名醫高士療治得生

本國之人，賜銀五百；鄰邦之人，贈銀一千。多九公看了，走到黃榜跟前，輕輕把榜揭了。看守兵役

見多九公不是本處打扮，有幾個飛忙去請通使(二)，一面預備車馬，將多九公送至迎賓館。唐敖茫然不

解，只好跟在後面。登時通使已到，三人見禮歸坐。多九公道：「請教老兄尊姓？」通使道：「小子

姓枝，名鐘。二位尊姓？貴邦何處？來此有何貴幹？」多九公道：「老夫姓多，乃天朝人氏，幼年忝

列黌門。」因指唐敖道：「今同這位唐敖友貿易，路過貴處，特地上來瞻仰。因見國王張挂榜文，係

為世子玉體跌傷之事。老夫於岐黃(三)雖不深知，向來祖上傳有濟世良方，凡跌打損傷，立時起死回

生。但藥有外敷內服之不同，必須面看傷之輕重，方能斟酌用藥。」通使隨即告知國王。多九公託唐

(一)黑早——天快亮還沒有亮的時候。

(二)通使——翻譯官。

(三)岐黃——歷史傳說：黃帝和他的臣子岐伯都懂得醫道，兩個名字連在一起，省稱「岐黃」。後來就把這兩個字作為醫術的代詞。

敷把藥取來。通使請二人來到王府，進了內室，只見世子睡在牀上，兩腿俱傷，頭破血出，因跌的過重，昏迷不醒。多九公託通使取了半碗童便，對了半碗黃酒，把世子牙關撬開，慢慢灌入。又從懷中取出藥瓶，將藥末倒出，敷在頭上破損處；隨即取出一把紙扇，一面敷藥，一面用力狠搧。眾宮人看見，都鼓噪喊叫起來。通使道：「大賢暫停貴手！世子跌到如此光景，命在垂危，避風還恐搧不來。如何反用扇搧？豈非雪上加霜④麼？」多九公道：「老夫所敷之藥，名叫『鐵扇散』，必須用扇搧之，方能立時結疤，可免破傷後患。此方乃異人所傳，老夫用之年久。敷藥時雖用鐵扇搧他，也無妨礙，所以叫作『鐵扇散』。尊駕只管放心，老夫豈敢以人命為兒戲！」一面說話，那些傷處果然俱已結疤。世子漸漸蘇醒，口中呻吟不絕。通使道：「大賢妙藥，真是起死仙丹！此時頭面破傷，雖醫治無礙，但兩腿俱已骨斷筋折，有何妙藥，尚求速為療治。」多九公道：「貴處可有鮮蟹？」通使道：「此地向無此物，不知有何用處？」多九公道：「凡跌打筋骨損傷，無論輕重，先取童便半碗，以醇黃酒半碗煎熱衝服，雖昏迷欲絕，亦能復蘇。每日進二三服，傷輕的不過數日即愈。每見跌打損傷而至喪命者，皆因傷筋動骨，痛入肺腑，瘀血凝結，醫治稍遲，往往無救。童便、黃酒，行瘀止痛，兼且固本，故有起死回生之妙。世人不知，良為可惜。但須早服，遲即難治。倘跌斷筋折，損傷過重，服過童便、黃酒，即取生蟹搗爛，以好燒酒衝服，其渣敷在患處，日日服之，亦能接筋續骨。其童便、黃酒，每日仍不可缺。如無生蟹，或取乾蟹燒灰，酒服亦可。——此跌打損傷第一奇方。今貴處既無此物，幸老夫帶有七釐散，也用燒酒衝調，給世子服了。又取許多七釐散，也用燒酒和勻，敷在兩腿損傷處。世子服藥，略覺甯靜，漸漸睡去。少時睡醒，又將黃酒、童便服了一碗。多九公見世子已有轉機，因向通使道：「世子之病，業

已無礙，請國王只管放心，大約不過數日，就可痊愈。如世子酒量能飲多飲，可將黃酒、童便，時時衝服。

老夫暫且告辭，明日再來用藥。」通使道：「剛才國王分付，意欲大賢在賓館暫住幾時，以便就近用藥。現在酒飯俱已預備，就請二位過去。」大家起身，來至迎賓館，用過酒飯，就在賓館宿了。

唐敖回船送信。次日，多九公又替世子敷了許多藥，又吃了一服七釐散。好在世子酒量極大，就以黃酒、童便當茶，時時衝服。每日仍舊吃藥、敷藥。不多幾日，漸漸平復，惟行路不便。多九公原要留下藥料，令他再服幾日，就可好了。因要借此訪訪韻學消息，所以略為就擱。過了兩日，世子雖已全好，韻學仍是杳然。

唐敖日日跟著，那知各處探聽，依然無用，心內十分懊惱。

這日國王排宴，命諸臣替多九公餞行。飯罷，捧出謝儀一千兩，外銀一百兩，求賜原方，以為潤筆之費。多九公向通使道：「老夫前者雖揭黃榜，因舟中帶有藥料，可治世子之病，原圖濟世，即懇代為奉還。老夫別無他圖錢財。至於藥方，頃刻可寫，不過舉筆之勞，何須厚贈。所有原銀，斷不敢領厚賜。」通使轉奏。誰知國王情願再添厚贈，不肯傳給韻學。多九公又託通使轉求，惟求國王見賜韻書一部，或將韻學略為指示，心願已足，斷不敢領厚賜。」通使道：「韻學乃敝邦不傳之秘，國主若在歡喜時，尚恐不肯輕易傳人；何況此時二位王爺都有重恙，國主心緒不寧，小子何敢再去轉求。」多九公道：「王妃所患何病？」通使道：「據說一位身懷六甲，現在已有五六個月，不意昨日失於檢點，偶持重物，以致胎動不安，此時微覺見紅，並覺腹痛。那位王妃，因患乳癰，今已兩日，雖未破頭，極其紅腫，也是痛苦呻吟不絕。因此國主甚為焦心。」多九公道：「胎動最忌下血不止，今不過微覺

〔四〕雪上加霜——使情勢更嚴重或加惡化，也就是「禍上加禍」。

見紅，倘有五分可治。至乳癰最怕就攔日久，雖未破頭，若裏面已潰，服藥也難消散；此時好在才起兩日，裏面尚未成膿，也有五分可治。老夫雖有秘方，不知國王可肯傳授韻學？倘不吝教，老夫自當效勞。」通使即對國王說了。國王一心要治王妃之病，只得勉強應允。通使回了多九公。多九公甚喜，因向唐敖道：「前日林兄因他夫人胎動不安，曾向老夫要了一個安胎方子，就煩唐兄把這藥方取來。倘能醫好，我們也好得他韻學。」唐敖點頭，將藥方取來。多九公遞給通使，只見上面寫著：

保產無憂散：

全當歸壹錢伍分　川厚朴（薑汁炒。）　生黃芪捌分　川貝母（研。）壹錢　兔絲子壹錢伍分　川羌活壹錢伍分　炙甘草伍分　菜分　川芎壹錢伍分　枳殼（麩炒。）陸分　祁艾葉分　荆芥捌分　白芍（酒炒，春夏秋用，冬不用。）壹錢伍分　生薑叁片

專治胎動不安，服之立見甯靜。如勞力見紅，尚未十分傷動者，即服數劑，亦可保胎。

通使道：「此是安胎之方；不知乳癰可有妙藥？」多九公道：「治乳癰，用葱白一斤搗爛取汁，以好黃酒分二次衝服。外用麥芽壹兩煎湯頻洗。加蝦醬少許同煎尤妙，雖鹹無妨，蓋鹹能軟堅，蝦能通乳，乳通其腫自消。仍用舊梳時常輕輕梳之，自必痊愈。這二方雖極奇效，奈已就攔兩日，此時須急煎服，或可療治。」通使連連點頭，將方拿去。過了幾日，王妃病皆脫體。

國王雖然歡喜，因想起音韻一事，甚覺後悔，意欲多送銀兩，不傳韻學。通使往返說了數遍，多九公那裏肯依，情願分文不要。國王無法，只得與諸臣計議，足足議了三日，這才寫了幾個字母，密密封固，命通使交給多九公，再三丁囑，千萬不可輕易傳人。俟到貴邦，再爲拆看。字雖無多，精華俱在其內，慢慢揣摩，自能得其三昧。多九公把字母交唐敖收了，隨即提筆寫方：

鐵扇散：

象皮（切薄片，用鐵篩微火焙黃色，以乾爲度。）　肆錢　龍骨（用上白者。）　肆錢　古
石灰（須數百年者方佳。）　肆兩　枯白礬（對生礬入鍋熬透，以體輕方妙。）　寸
柏香（即松香之黑色者。）　肆兩　松香肆兩（與寸柏香一同鎔化，傾水中，取出晾乾。）
共研極細末，收磁罐中。遇刀石破傷，或食嗓割斷，或腹破腸出，用藥即敷傷口，以扇
搧之，立時收口結疤。忌臥熱處。如傷處發腫，煎黃連水以翎毛蘸塗之即消。

七釐散：

麝香伍分　冰片伍分　硃砂伍錢　紅花陸錢　乳香陸錢　沒藥陸錢　兒茶壹兩　血竭肆
兩

共爲細末，磁瓶收貯，黃蠟封口。隨時皆可修製，五月五日午時更妙，總以虔心潔淨爲
主。專治金石打損傷，骨斷筋折。血流不止者，乾敷傷處，血即止。不破皮者，用燒酒
調敷，並用藥七釐，燒酒衝服，亦治食嗓割斷。無不神效。燒酒須用大麴佳者。

多九公把藥方寫了，付給通使，通使再三稱謝。

未知如何，下回分解。

第三十回　覓蠅頭林郎貨禽鳥　因恙體枝女作螟蛉㊀

話說多九公將藥方寫了。通使接過道：「國主因敝邦水土惡劣，向來人民多患癰疽，意欲奉懇大賢賜一妙方，可肯賜教？」多九公道：「金銀藤㊁乃瘡毒要藥，不知貴處可有？」通使道：「敝地此物甚多，因過於寒涼，人皆不用。」多九公道：「這是醫家不能深究藥性，豈可盡信。昔人言：『忍多久服，長年益壽。』若果寒涼，豈能如此？況古本本草㊂言『忍多味甘性溫』，近世本草雖有『微寒』之說，不過因其清熱敗毒，豈是泄火大涼之物。」登時又寫了兩個藥方。

忍冬湯：

金銀藤（連枝帶葉。）伍兩（如無鮮的，或用乾金銀藤肆兩伍錢、乾金銀花伍錢代之。）生甘草壹兩

將金銀藤以木槌敲碎，用水兩大碗，同甘草放砂鍋內，煎至一大碗，加入無灰黃酒一大碗，再煎數沸，共成一大碗，去渣，分作三服，一日一夜吃盡。專治癰疽、發背、一切無名腫毒，不論發在頭項腰脚等處，並皆治之。未潰即散，已潰敗毒收口。病重者不過數劑即愈。忌銅鐵器。

大歸湯：

全當歸（要整的壹個，酒洗。）捌錢貳分　金銀花陸錢　淨連翹伍錢　生黃茋叁錢　蒲公英叁錢　生甘草壹錢捌分（病在上部加川芎壹錢，中部加桔梗壹錢，下部加牛膝壹

錢。）

水對無灰黃酒各壹碗，煎至壹碗，去渣，溫服。專治癰疽、發背、一切無名腫毒。初起者即消，已潰者收功。輕者五劑，重者十劑即愈。

多九公道：「此二方專治一切腫毒，初起者速服即消，已潰者亦能敗毒收口。大約古人癰疽各方，無出其右了。」說罷拜辭，同唐敖乘了轎馬回船。國王又命大臣前來相送。通使帶領人夫，把銀子送來。多九公仍要推辭，通使再三不肯。林之洋道：「國王既實意送來，想來九公也實意要收的。與其學那俗態，半推半就，躭擱工夫；據俺主意：不如從實收了，倒也爽快。」多九公只得道謝收下。

通使向三人打躬道：「小子有個小女，乳名蘭音，現年十四歲。自從幼年患了肚腹膨脹之病，服藥無數，至今總未脫體。連日病勢甚重。小子欲求大賢一看，恐勞大駕，特命小女乘輿而來，現在外面。求大賢細細診視，可有幾希之望？倘能救其一命，真是恩同再造！」多九公道：「既如此，何不請進？」通使分付僕人。不多時，有個老嬤，攙著蘭音進艙，向眾人拜了，一齊歸坐。多九公看那女

㊀ 螟蛉——飛蟲螟蛉蛾的幼子。蜂類中的蜾蠃，常捕螟蛉去餵牠的幼子，古人錯認為蜾蠃養螟蛉做兒子，因此把乾兒子稱做「螟蛉」。

㊁ 金銀釀——就是忍冬。蔓性植物，花名忍冬花，也叫金銀花。

㊂ 本草——古人治病，多用草藥，因而把研究藥物的書，叫做「本草」。最早是漢人的神農本草經，其後，有唐本草、經史證類本草、本草綱目拾遺等書，明李時珍編著的本草綱目，是最完善的本草，近世本草，就指這一部書。

子，生得蛾眉杏目，十分清秀，惟面帶青黃，腹脹如鼓。看了多時，摸不著是何病症，只管呆呆發殘。唐敖道：「敝友素日不諳女科。小弟雖不知醫，恰好祖上傳有秘方，專治小兒肚腹膨脹。令愛此病，還是近日染的，還是自幼染的？若是近日染的，恐有天癸不調等症，小弟素於此道不精，不敢冒昧用藥；如係自幼染的，尚可代為醫治。」通使道：「小女此病，係五六歲染的，今已七八年了。」唐敖道：「既是五六歲染的，此係幼年停食不化，日久變為蟲積，以致膨脹。醫家不知，往往誤用尅食消導之藥，徒傷脾胃，與病無益。令愛歷年所服何藥？可曾服過殺蟲之劑？」通使搖頭道：「小女向來所服，總是神麴、山查、枳實、大黃之類，並未吃過甚麼殺蟲之藥。」唐敖道：「今日幸遇小弟，也是令愛病要脫體。我家祖傳秘方，只用雷丸、使君子二味，不過五六劑，蟲下即愈。」說罷，提筆開方。呂氏將女子請進內艙獻茶。此女自幼跟著父親學會三十六國番語，與婉如一見如故，言談間十分相投。唐敖把藥方遞給通使道：「小弟這個藥方，用雷丸伍錢同蒼朮貳錢煮熟，將蒼朮去了，只用雷丸去殼用肉伍錢炒乾，共研細末，分作陸服，俟小兒吃飯時，用雞蛋壹個打破去殼，用藥末壹服放入碗內攪勻，照常加油鹽葱蒜等物煎炒，給小兒吃了。——那蟲只知雞蛋之香，那知卻有藥料在內。——每日貳服。不過數日，蟲隨大解下來，自然痊愈。總而言之：凡小兒面黃肌瘦，肚腹膨脹，大約總因停食日久不化，變為蟲積。雷丸、使君子，最能殺蟲，故能立見其效。」通使收了藥方，十分歡喜，再三拜謝，即同蘭音辭別而去。

多九公道：「老夫只顧治病，忙了幾日，不知林兄雙頭鳥兒究竟如何？」林之洋道：「俺正要拜謝。虧得九公把世子醫好，俺的鳥兒才能出脫。雖有幾分利息，就只可恨那個『義僕』不肯真心待俺，務要扣俺半價，方肯付銀。扳談多時，講他不過，只得回來，銀子還存他處。就請二位同俺一

走，相幫說說，倘得少扣幾分，俺自做東相請。」三人一齊上岸，到了大宮人家。林之洋把那小廝喚出，同他討價。小廝拿出一封銀子，仍是半價。唐敖道：「我們賣貨，諸事勞動，自應重謝，但何至要分一半？未免太過了！」小廝回答幾句，唐敖不懂。忽聽多九公放開喉音，唧唧呱呱，大聲喊叫。小廝嚇的只管打躬，隨即進內，又取出一封銀子，多九公打開，取出兩錠，付給小廝；其餘交給林之洋。齊歸舊路。唐敖道：「剛才小廝所說之話，一字不懂。不知小弟同他所說之話，他可曉得？後來九公同他喊叫甚麼，他竟如此害怕？」多九公道：「我們天朝乃萬邦之首，所有言談，無人不知。那小廝因唐兄說『何至要分一半』，他道『本處向例如此，一毫不能相讓』。老夫因他『一毫不讓』之話，未免氣惱，於是大聲喊叫，說他私透消息，教我們增價，誆騙主人。他聽這話，恐主人聽見，急急將銀取出。好在我們並不圖他下次生意，那個還販雙頭鳥兒再來貨賣！樂得且多幾兩銀子，大家多醉幾日，也是好的。」

來到船上，正要開船，誰知通使忽又帶著女兒，也不命人通報，匆匆忙忙，滿眼滴淚，走進艙來。唐敖見這光景，只當藥用錯了，嚇的驚疑不止。通使滿眼垂淚，向唐敖下拜道：「求大賢救我父女兩命！」唐敖嚇的忙還禮道：「二位請起！為何行此大禮？」通使同蘭音起來歸坐道：「小女因這孽病糾纏年久，晝夜不安，屢尋自盡，俱虧乳母相救。小子正在束手無策，忽蒙大賢賜給秘方，我父女以為從此病可脫體。不意雷丸、使君子此處歷來不產，雖出千金，亦不可得，問之醫家，也都不知。小子因此驚慌，特帶小女趕來。幸喜大賢尚未開船，想是他絕處逢生。惟求大賢，或將此藥見賜兩服，或另賜妙方。倘得身安，定以千金奉謝，決不食言。」唐敖道：「小弟如有此藥，早已奉送，不過數十文之事，何須千金之贈。——奈身邊並未帶來。至另開藥方之說，小弟素不知醫，從何開

起?況令愛之症,細推病源,實係蟲積,非雷丸、使君子不能見功;即另有良方,也難見效。當日有人患一怪症,每逢說話,腹中也照樣說話,彼時雖有醫家識得此症名喚『應聲蟲』,及至用藥,仍無效驗。後來遇一名醫,付給本草一部,令病人將上面藥名按次讀去:病人每讀一藥,腹中也讀一藥;及至讀到雷丸,腹中忽然無聲,再讀別藥,仍舊有聲。於是即用雷丸與病人連進數服,蟲下而愈。可見殺蟲無過於此。不意貴處竟無此藥,這是令愛災難未退,小弟安能另有別法!」眾人聽著,莫不點頭歎息。通使聽了,默默無言,只管發痠。蘭音聽見唐敖別無良方,不覺放聲慟哭,十分慘切,再三勸解,這才止悲。停了多時,通使不便久坐,因命乳母告知蘭音,一同回去。蘭音聽見要去,復又大放悲聲,跪在唐敖面前,只求救命。唐敖命乳母攙起,再三安慰,勸他回去好好將養,將來自然痊愈。蘭音那肯動身,啼哭不止。哭了多時,因久病身弱,忽然暈倒,人事不知,虧得乳母極力解救,這才蘇醒。通使見女兒這般光景,明知凶多吉少,只急的連連頓足,淚落不止。左思右想,躊躇多時,因向僕人耳邊說了幾句,即到唐敖面前跪下道:「大賢在上。小子聞古人云:『救人一命,勝造七級浮屠④。』今我父女兩命皆懸大賢之手,只要大賢肯發慈心,我父女就可超生了。」唐敖忙攙起道:「尊駕此言,小弟不解,尚求明示。倘可為力,豈肯袖手!」通使立起道:「小子今年業已六旬,跟前只此一女。自患病以來,費盡心力,百般醫治,從無微效。其母久已憂慮而亡。前有異人,曾言此女必須投奔外邦,如遇唐氏大仙,或可冀其長年。今週大賢,雖傳秘方,奈無此藥,豈有病痊之日?所以他十分傷悲。小子因思小女既已命定投奔外邦方能長年,難得大賢恰又姓唐,一見如故;不揣冒昧,意欲懇求大賢不棄微賤,將小女作為義女,帶至天朝。倘得病痊,俟其年長,即求大德代為婚配,完其終身。

小子生生世世，永感不忘！如大賢不肯帶去，此地既少良醫，又無妙藥，多則一年，少則半載，無非命歸泉路。小子素以此女視爲掌珠，數年來因其抱病，代爲操勞，鬢髮已白，寢食俱廢；若再覩其去世，何能爲情？大約此女一死，小子也不能活了！」說罷，不覺大哭。蘭音在旁，更是嚎咷不止。合船人無不憐憫。林之洋道：「妹夫素日最喜做好事，如今這樣現成好事，你若不應承，俺替你應承了。」

未知如何，下回分解。

第三十一回　談字母妙語指迷團　看花燈戲言猜啞謎

話說林之洋向通使道：「老兄果真捨得令愛教俺妹夫帶去，俺們就替你帶去，把病治好，順便帶來還你。」蘭音向通使垂淚道：「父親說那里話來！母親既去世，父親跟前別無兒女，女兒何能拋撇遠去？今雖抱病，不能侍奉，但父女能得團聚，心是安的，豈可一旦分為兩處！」通使道：「話雖如此，吾兒之病，若不投奔他邦，以身就藥，何能脫體？現在病勢已到九分，若再躭擱，一經不起，教為父的何以為情？——少不得也是一死！此時父女遠別，雖是下策，吾女倘能病好，便中寄我一信，為父自然心安。以此看來，遠別一層，不但不是下策，竟可保全我們兩命。況天朝為萬邦之首，各國至彼朝觀的甚多，安知日後不可搭了鄰邦船隻來看我哩。你今遠去，雖不能在家侍奉，從此我能多活幾年，也就是你仰體盡孝之處。現在承繼有人，宗祧一事，亦已無虞。你在船上，又有大賢令甥女作伴，我更放心。為父主意已定，吾兒依我，方為孝女。不必猶疑，就拜大賢為父。此去天朝，倘能病痊，將來自有好處。」唐敖還禮道：「尊駕以兒女大事見委，小弟敢不盡心！誠恐劻勷不周，有負所託。至令愛行禮，再再諄託。」即携蘭音向唐敖叩拜，認為義父；並拜多、林及呂氏諸人。通使也與唐敖行禮，再為惶恐！此去惟有將令愛之恙上緊療治。第我等日後回鄉，能否繞路再到貴處，不能預定。至令愛姻事，亦惟盡心酌辦，以報知己，幸無挂懷！」只見通使僕人取了銀子送來。通使道：「這是白銀一千：內有五百，乃小弟微敬；其餘五百，為小女藥餌及婚嫁之費。至於衣服首飾，小女均已備辦，不須大賢費心。」眾僕人抬了八隻皮箱上來。唐敖道：「令愛衣飾各物既已預備，自應令其帶去；所賜

之銀，斷不敢領。至婚嫁之費，亦何須如此之多，仍請尊駕帶回，小弟才能應命。」通使道：「小子跟前別無兒女，留此無用。況家有薄田，足可度日。望大賢帶去，小子才能心安。」多九公道：「通使大人多贈銀兩，無非愛女之意，唐兄莫若權且收下，將來俟小姐婚嫁，儘其所有，多辦妝奩送去，豈不更妙？」唐敖連連點頭，卽命來人將銀裝入箱內，抬進後艙。父女灑淚而別。蘭音從此呼呂氏為舅母，呼婉如為表姐；帶著乳母，就與婉如一同居住。

眾人收拾開船。多九公要到後面看柁，唐敖道：「九公那位高徒向來看柁甚好，何必自去？難道不看字母麼？」多九公笑道：「我倒忘了。」唐敖取出字母，只見上面寫著：

昌	茫	秧	秩梯	羌	商	槍	良	囊	杭	秩批
○	○	○	○	○	○	○	○	○	○	○
○	○	○	○	○	○	○	○	○	○	○
○	○	○	○	○	○	○	○	○	○	○
○	○	○	○	○	○	○	○	○	○	○
○	○	○	○	○	○	○	○	○	○	○
○	○	○	○	○	○	○	○	○	○	○
○	○	○	○	○	○	○	○	○	○	○
○	○	○	○	○	○	○	○	○	○	○
○	○	○	○	○	○	○	○	○	○	○
○	○	○	○	○	○	○	○	○	○	○
○	○	○	○	○	○	○	○	○	○	○

幫　兵快　瓢　湯　將　當　香　滂　娘　昂　倉　康　郎　桑　妙快　姜　低快　方

○○○○○○○○○○○○○○○○○○
○○○○○○○○○○○○○○○○○○
○○○○○○○○○○○○○○○○○○
○○○○○○○○○○○○○○○○○○
○○○○○○○○○○○○○○○○○○
○○○○○○○○○○○○○○○○○○
○○○○○○○○○○○○○○○○○○
○○○○○○○○○○○○○○○○○○
○○○○○○○○○○○○○○○○○○
○○○○○○○○○○○○○○○○○○
○○○○○○○○○○○○○○○○○○
○○○○○○○○○○○○○○○○○○
○○○○○○○○○○○○○○○○○○
○○○○○○○○○○○○○○○○○○
○○○○○○○○○○○○○○○○○○
○○○○○○○○○○○○○○○○○○
○○○○○○○○○○○○○○○○○○

聯經出版事業公司校印

岡　○○○○○○○○

減　○○○○○○○○

真　○○○○○○○○

張　眞　中　珠　招　齋　知　遮　詀　氍　專

廟

張　張　張　珠　珠　張　珠　珠　珠

婀　鴉　逶　均　鶯　帆　窅　窪　汪

三人翻來覆去，看了多時，絲毫不懂。林之洋道：「他這許多圈兒，含著甚麼機關。大約他怕俺們學會，故意弄這迷團騙俺們的！」唐敖道：「他為一國之主，豈有騙人之理？據小弟看來，他這張，必有道理！」多九公道：「我們何不問問枝小姐？他生長本國，必是知音的。」林之洋把婉如、蘭音喚出，細細詢問。誰知蘭音因自幼多病，雖讀過幾年書，並未學過音韻。三人聽了，不覺興致索然，只得暫且擱起。

真、中、珠……十一字，內中必藏奧妙。他若有心騙人，何不寫許多難字，為何單寫這十一字？其中

過了幾時，到了智佳國。林之洋上去賣貨。唐敖同多九公上岸尋找雷丸，使君子，此處也無此藥。後來訪到鄰國販貨人家，費了若干唇舌，送了許多藥資，才買了一料，隨即炮製。一連三日，蘭音共吃了六服，打下許多蟲來，登時腹消病愈，飲食陡長，與好人一樣。唐敖歡喜非常，因同多、林二人商議道：「通使跟前別無兒女。此女病既脫體，又常思親，好在此地離歧舌不遠，莫若送他回去，使他骨肉團圓，豈不是件好事！」二人都以為然。蘭音聞知甚喜。林之洋道：「這里賣貨還有就擱。據俺主意：索性把他送去，俺們再到智佳賣貨也好。」唐敖道：「如此更妙。」隨即開船。走了幾日，這日剛到歧舌交界，蘭音忽然霍亂嘔吐不止；吐到後來，竟至人事不知，滿口讕語，十分沉

重。林之洋道：「這個甥女，據俺看來。只怕是個『離鄉病』。」唐敖道：「何謂『離鄉病』？」林之洋道：「一經患病，離了本鄉，登時就安，就叫『離鄉病』。這個怪症，雖是俺新謅的，但他父親曾說此女必須投奔外邦，方能有命。果然到了智佳，病就好了；如今送他回來，就患這個怪症。看這光景，他生成是個離鄉命。俺們何苦送他回去，枉送性命？據俺主意：快離此地罷。」即命水手掉轉船頭，仍向智佳而來。剛出歧舌交界，蘭音之病，果然痊愈。蘭音聞知這個詳細，只好把思親之心，暫且收了。

唐敖在船無事，又同多、林二人觀看字母，揣摹多時。唐敖道：「古人云：『書讀千遍，其義自見。』我們既不懂得，何不將這十一字讀的爛熟？今日也讀，明日也讀，少不得嚼些滋味出來。」多九公道：「唐兄所言甚是。況字句無多，我們又閒在這里，借此也可消遣。且讀兩日，看是如何。但這十一字，必須分句，方能順口。據老夫愚見：首句派他四字，次句也是四字，末句三字，不知可好？」林之洋道：「句子越短，越對俺心路，那怕兩字一句，俺更歡喜。就請九公教俺幾遍，俺好照著讀去。」多九公道：「首句是『張真中珠』，次句『招齋知遮』，三句『詁氈專』，這樣明明白白，還要教麼？你真變成小學生了。」三人讀到夜晚，各去安歇。林之洋惟恐他們學會，自己不會被人耻笑，把這十一字高聲朗誦，如念呪一般，足足讀了一夜。

次日，三人又聚一處，講來講去，仍是不懂。多九公道：「枝小姐既不曉得音韻，我想婉如把姪女他最心靈，或者教他幾遍，他能領略，也未可知。」林之洋將婉如喚出，蘭音也隨出來，唐敖把這緣故說了。婉如也把『張真中珠』讀了兩遍，拿著那張字母同蘭音看了多時。蘭音猛然說道：「寄父請看上面第六行『商』字，若照『張真中珠』一例讀去，豈非『商申椿書』麼？」唐、多二人聽了，茫

然不解。林之洋點頭道：「這句『商申椿書』，俺細聽去，狠有意味。甥女爲甚道恁四字？莫非曾見韻書書麽？」蘭音道：「甥女何嘗見過韻書。想是連日聽舅舅時常讀他，不因說出這四字。其實甥女也不知此句從何而來。」多九公道：「請敎小姐：若照『張眞中珠』，那個『香』字怎樣讀？」蘭音正要回答，林之洋道：「據俺看來，是『香欣胸虛』。」蘭音道：「舅舅說的是。」唐敖道：「九公不必談了。俗語說的：『熟能生巧。』舅兄昨日讀了一夜，不但他已嚼出此中意味。並且連寄女也都聽會，所以隨問隨答，毫不費事。我們別無良法，惟有再去狠讀，自然也就會了。」多九公連連點頭。二人復又讀了多時，唐敖不覺點頭道：「此時我也有點意思了。」林之洋道：「妹夫果眞領會？俺考你一考……若照『張眞中珠』，『岡』字怎讀？」唐敖道：「自然是『岡根公孤』了。」林之洋道：「『秧』字呢？」婉如接著道：「『秧因雍淤』。」多九公聽了，只管望著發獃。想了多時，忽然冷笑道：「老夫曉得了……你們在歧舌國不知怎樣騙了一部韻書，夜間暗暗讀熟，此時却來作弄老夫。這如何使得？快些取出給我看看！」林之洋道：「俺們何曾見過甚麼韻書。如欺九公，敎俺日後遇見黑女，也像你們那樣受罪。」多九公道：「既無韻書，爲何你們說的，老夫都不懂呢？」唐敖道：「其實並無韻書，焉敢欺瞞。此時縱說分辯，九公也不肯信，若敎小弟講他所以然之故，却又講不出。九公惟有將這『張眞中珠』再讀半日，把舌尖練熟，得了此中意味，那時才知我們並非作弄哩。」多九公沒法，只得高聲朗誦，又讀起來。讀了多時，忽聽婉如問道：「請問姑夫：若照『方分風夫』，不知『方』字怎樣讀？」唐敖道：「如今九公可明白了。這『方分風夫』四字，難道九公也從甚麼韻書看出麽？」多九公不覺點頭道：「原來讀熟却有這些好處。」大家彼此又問幾句，

都是對答如流。林之洋道：「俺們只讀得張、眞、中、珠……十一字，怎麼忽然生出許多文法？這是

甚麼緣故？」唐敖道：「據小弟看來：卽如五聲『通、同、桶、痛、禿』之類，只要略明大義，其餘

卽可類推。今日大家糊里糊塗把字母學會，已算奇了，寄女同姪女並不習學，竟能聽會，可謂奇而又

奇。而且習學之人還未學會，旁聽之人倒先聽會，若不虧寄女道破迷團，只怕我們還亂猜哩。但張、

眞、中、珠……十一字之下還有許多小字，不知是何機關？」

蘭音道：「據女兒看來：下面那些小字，大約都是反切。卽如『張鴝』二字，口中急急呼出，耳

中細細聽去，是個『周』字，又如『珠汪』二字，息息呼出，是個『莊』字。下面各字，以『周、

莊』二音而論，無非也是同母之字，想來自有用處。」唐敖道：「讀熟上段，旣學會字母何必又加下

段？豈非蛇足□麼？」多九公道：「老夫聞得近日有『空谷傳聲○』之說，大約下段就是爲此而設。

若不如此，內中缺了許多聲音，何能傳響呢？」唐敖道：「我因寄女說『珠汪』是個『莊』字，忽然

想起上面『珠窪』二字，若以『珠翁』二字，是個『中』字。原來俺也曉得反切了。妹夫：俺拍『空谷傳

聲』，內中有個故典，不知可是？」說罷，用手拍了十二拍；略停一停，又拍一拍；少停，又拍四

拍。唐、多二人聽了茫然不解。婉如道：「爹爹拍的大約是個『放』字。」林之洋聽了，喜的眉開眼

笑，不住點頭道：「將來再到黑齒，倘遇國母再考才女，俺將女兒送去，怕不奪個頭名狀元回來。」

唐敖道：「請教姪女，何以見得是個『放』字？」婉如道：「先拍十二拍，按這單字順數是第十二

行；又拍一拍，是第十二行第一字。」唐敖道：「旣是十二行第一字，自然該是『方』字，爲何卻是

『放』字？」婉如道：「雖是『方』字，內中含著『方、房、倣、放、佛』，陰、陽、上、去、入五

聯經出版事業公司校印

聲，所以第三次又拍四拍，才歸到去聲「放」字。」林之洋道：「你們慢講，俺這故典，還未拍完哩。」於是又拍十一拍，次拍七拍，後拍四拍。唐敖道：「若照姪女所說一例推去，是個『屁』字。」多九公道：「請敎林兄是何故典？」林之洋道：「這是當日吃了朱草濁氣下降的故典，豈不近於褻瀆麼？」多九公道：「兩位姪女在此，不該說這頑話。而且音韻一道，亦莫非學問，今林兄以屁夾雜在學問裏，豈不近於褻瀆麼？」林之洋道：「若說屁與學問夾雜就算褻瀆，只怕還不止俺一人哩。」唐敖道：「怪不得古人講韻學，說是天籟，果然不錯。今日小弟學會反切，也不枉歧舌辛苦一場。」林之洋道：「日後到了黑齒，再與黑女談論，他也不敢再說『問道於盲』了。」唐敖道：「前在巫咸，九公曾言要將祖傳秘方刊刻濟世，小弟彼時就說：『人有善念，天必從之。』果然到了歧舌，就有世子王妃這些病症，不但我們叨光學會字母，九公還發一注大財。可見人若存了善念，不因不由就有許多好事湊來。」

這日到了智佳國，正是中秋佳節，眾水手都要飲酒過節，把船早早停泊。唐敖因此處風景語言與君子國相倣，約了多、林二人要看此地過節是何光景。又因向聞此地素精籌算㊂，要去訪訪來歷。不多時，進了城，只聽砲竹聲喧，市中擺列許多花燈，作買作賣，人聲喧譁，極其熱鬧。林之洋道：「

㊀　蛇足——「畫蛇添足」的省詞。比喻多此一舉，勞而無功。寓言出戰國策：幾個人比賽畫蛇，約定先畫成的喝酒。有一個先畫成，因見別人還沒有畫成，就又給蛇加上了脚。第二個畫成的說：「蛇是沒有脚的，你畫的不是蛇。」就奪過酒去喝了。

㊁　空谷傳聲——用擊鼓、彈指、磬几、拍掌各種方法，按照字母排列的次序，作出不同次數的響聲，使對方一聽就知道是指的什麼字。這種方法，叫做「射字」，也叫做「空谷傳聲」。

㊂　籌算——古代算法的一種，用刻着數字的竹籌來推算數目。

看這花燈，倒像俺們元宵節了。」多九公道：「卻也奇怪！」於是找人訪問。原來此處風俗，因正月甚冷。過年無趣，不如八月天高氣爽，不冷不熱，正好過年，因此把八月初一日改爲元旦，中秋改爲上元。此時正是元宵佳節，所以熱鬧。三人觀看花燈，就便訪問素精籌算之人。訪來訪去，雖有幾人，不過知大概，都不甚精。只有一個姓米的精於此技。及至訪到米家，誰知此人已於上年中秋帶著女兒米蘭芬往天朝投奔親戚去了。——又到四處訪問。

訪了多時，忽見一家門首貼著一個紙條，上寫「春社④候敎」。唐敖不覺歡喜道：「不意此地竟有燈謎，我們何不進去一看？或者機緣湊巧，遇見善曉籌算之人，也未可知。」多九公道：「如此甚好。」三人一齊舉步，剛進大門，那二門上貼著「學館」兩個大字，唐、多二人不覺吃了一嚇，意欲退轉，奈捨不得燈謎。林之洋道：「你們只管大膽進去。他們如要談文，俺的『鳥槍打』，當日在淑士國也曾有人佩服的，怕他怎的！」二人只得跟著到了廳堂。壁上貼著各色紙條，上面寫著無數燈謎，兩旁圍著多人在那裏觀看，個個儒巾素服，斯文一脈，並且都是白髮老翁，並無少年在內，這才略略放心。主人讓坐。三人進前細看，只見內有一條，寫著「萬國咸寧」一束。多九公道：「請敎主人：『萬國咸寧』可是『天下之民舉安』？」有位老者應道：「老丈猜的不錯。」於是把紙條同贈物送來。多九公道：「偶爾遊戲，如何就要叨賜？」老者道：「承老丈高興賜敎，些須微物，不過略助雅興，敝處歷來猜謎都是如此。秀才人情，休要見笑。」多九公連道：「豈敢！」把香收了。唐敖道：「請敎九公：前在途中所見眼生手掌之上，是何國名？」多九公道：「那是深目國。」唐敖聽了，因高聲問道：「請敎主人：『分明眼底人千里』，打個國名，可是『深目』？」老者道：「老丈猜的正是。」也把贈物送來。旁邊看的人齊聲讚道：「以『千里』刻劃『深

（四）春社——猜燈謎的一種遊戲組織。因為多在元宵節前後舉行，所以叫做春社。

字，眞是絕好心思！做的也好，猜的也好！」林之洋道：「請問九公：俺聽有人把女兒叫作『千金』，想來『千金』就是女兒了？」多九公連連點頭。林之洋道：「如果這樣，他那壁上貼著一條『千金之子』，打個國名，敢是『女兒國』了？俺去問他一聲。」誰知林之洋說話聲音甚大，那個老者久已聽見，連忙答道：「小哥猜的正是。」唐敖道：「這個『兒』字做的倒也有趣。」林之洋道：「那『永賜難老』打個國名……」老者笑道：「此間所貼紙條，只有『永賜難老』，並無『永賜難老』。」林之洋忙改口道：「俺說錯了。那『永賜難老』，可是『不死國』？上面畫的那隻螃蟹，可是『無腸國』？」老者道：「不錯。」也把贈物送來。林之洋道：「可惜俺滿腹詩書，還有許多『老子、少子』，奈俺記性不好，想他不出。」旁邊有位老翁道：「請敎小哥，這部『少子』是何書名？」唐敖聽了，不覺暗暗著急。林之洋道：「你問『少子』麼？就是『張眞中珠』。」老翁道：「請敎小哥：何謂『張眞中珠』？」林之洋道：「俺對你說：這個『張眞中珠』，就是那個『方分風夫』。」老翁道：「請問『方分風夫』又是怎講？」林之洋道：「『方分風夫』，便是『岡根公孤』。」老翁笑道：「尊兄忽然打起鄉談，這比燈謎還覺難猜，與其同兄閒談，到不如猜謎了。」

未知如何，下回分解。

第三十二回　訪籌算暢遊智佳國　觀豔妝閒步女兒鄉

話說老者正同林之洋講話，忽聽那邊有人問道：「請教主人：『比肩民』打孟子五字，可是『不能以自行』？」主人道：「是的。」唐敖道：「九公，你看，那兩句滕王閣序㊀打個藥名，只怕小弟猜著了。」因問道：「請教主人：『關山難越，誰悲失路之人』，可是『生地』？」主人道：「正是。」

林之洋道：「俺又猜著幾個國名。請問老兄：『腿兒相壓』可是『交脛國』？『臉兒相偎』可是『兩面國』？『孩提之童』可是『小人國』？『高郵人』可是『元股國』？」主人應道：「是的。」於是把贈物都送來。唐敖暗暗問道：「請教舅兄：『高郵人』怎麼卻是『元股國』？」林之洋道：「高郵人綽號叫作『黑尻』，妹夫細細揣擬黑尻形狀，就知俺猜的不錯了。」多九公詫異道：「怎麼高郵人的『黑尻』，他們外國也都曉得？卻也奇怪。」林之洋道：「有了若干贈物，俺更高興要打了。請問主人：『遊方僧』打孟子四字，可是『到處化緣』？」眾人聽了，鬨堂大笑。主人道：「正是。」隨將贈物送過。唐敖羞的滿面通紅道：「請問主人：『所過者化』？」主人道：「正是。」

「這是敝友故意取笑。請問主人，可是『要等新年』？」眾人復又大笑。多九公忙說道：「敝友慣會鬨趣，諸位休得見笑。請教主人：可是『以待來年』？」主人應道：「正是。」多九公向唐敖遞個眼色，一齊起身道：「多承主人厚賜。我們還要趕路，暫且失陪，只好『以待來年』倘到貴邦，再來請教了。」主人送出門外。三人來到鬧市。多九公道：「老夫見他無數燈謎，正想多打幾條，顯顯我們

本領；林兄務必兩次三番催我們出來，這是何苦！」林之洋道：「九公這是甚話！俺好好在那里猜謎，何曾催你出來？俺正怪你打斷俺的高興，九公倒賴起俺來。你只顧隨口亂諧，他們聽了，都忍不住笑，「那部孟子乃人所共知的，舅兄既不記得，何妨問問我們？」唐敖道：「小弟同九公在旁，如何站得住？豈非舅兄催我們走麼！」林之洋道：「俺只圖多打幾個裝些體面，那知反被恥笑。他們也不知俺名姓，由他笑去。今日中秋佳節，幸虧早早回來，若只顧猜謎，還誤俺們飲酒賞月哩。」

唐敖道：「前在勞民國，九公曾說：『勞民永壽，智佳短年。』既是短年，為何都是老翁呢？」多九公道：「唐兄只見他們鬚髮皆白，那知那些老翁才只三四十歲，他們鬚鬢總是未出土先就白了。」唐敖道：「這卻為何？」多九公道：「此處最好天文、卜筮、勾股算法，諸樣技藝，百般技巧，無一不精。並且彼此爭強賭勝，用盡心機，苦思惡想，愈出愈奇，必要出人頭地，所以鄰國俱以『智佳』呼之。他們只顧終日構思，久而久之，心血耗盡，不到三十歲，鬚已如霜，到了四十歲，就如我們古稀之外。因此從無長壽之人。——話雖如此，若同伯慮比較，此處又算高壽了。」林之洋道：「他們見俺生的少壯，把俺稱作小哥，那知俺還是他老兄哩。」

唐敖道：「我們雖少猜幾個燈謎，恰好天色尚早，還可盡興暢遊。」三人又到各處觀看花燈，訪問籌算。好在此地是金吾不禁①。花燈徹夜不絕，足足遊了一夜。及至回船，飲了幾杯，天已發曉。

① 滕王閣序——故事傳說：唐王勃青年的時候，路過南昌，參與都督閻伯嶼在滕王閣的宴會，宴會中大家分寫紀念文章，王勃寫了一篇滕王閣序，被認為是寫得最好的。這裏引用的「關山難越，誰悲失路之人」，就是這篇文章裏的句子。

① 金吾不禁——金吾，一種儀仗性質的武器；執掌這種武器的官名叫「執金吾」，是皇帝的警衛官。京城裏是不許夜行的，如若夜行，就要受到執金吾的干涉，惟有元宵節的前後共三天，夜裏遊玩可以不受禁止，因此叫做「金吾不禁」。

林之洋道：「如今月還未賞，倒要賞日了。」水手收拾開船。枝蘭音因病已好，即寫一封家信，煩九公轉託便船寄去；在船無事，惟有讀書消遣，或同婉如作些詩賦，請唐敖指點。

行了幾日，到了女兒國。船隻泊岸。多九公來約唐敖上去遊玩。唐敖因聞得太宗命唐三藏西天取經，路過女兒國，幾乎被國王留住，不得出來，所以不敢登岸。多九公笑道：「唐兄慮的固是。但這女兒國非那女兒國可比。若是唐三藏所過女兒國，不獨唐兄不應上去，就是林兄明知貨物得利，也不敢冒昧上去。此地女兒國卻另有不同。歷來本有男子，也是男女配合，與我們一樣。其所異於人的，男子反穿衣裙，作為婦人，以治內事；女子反穿靴帽，作為男人，以治外事。男女雖亦配偶，內外之分，卻與別處不同。」唐敖道：「男為婦人，以治內事，面上可用脂粉？兩足可須纏裹？」林之洋道：「聞得他們最喜纏足，無論大家小戶，若講脂粉，更是不能缺的。幸虧俺生天朝，若生這里，也教俺裹腳，那才坑死人哩！」因從懷中取出一張貨單道：「妹夫，你看：上面貨物就是這里賣的。」唐敖接過，只見上面所開脂粉、梳篦等類，盡是婦女所用之物。看罷，將單遞還道：「當日我們嶺南起身，查點貨物，小弟見這物件帶的過多，甚覺不解，今日才知卻是為此。單內既將貨物開明，為何不將價錢寫上？」林之洋道：「海外賣貨，怎肯預先開價，須看他貨的好歹，臨時見景生情，卻是俺們飄洋討巧處。」唐敖道：「此處雖有女兒國之名，並非純是婦人，為何要買這些物件？」多九公道：「此地向來風俗，自國王以至庶民，諸事儉樸；就只有個毛病，最喜打扮婦人。無論貧富，一經講到婦人穿戴，莫不興致勃勃，那怕手頭拮据，也要設法購求。林兄素知此處風氣，特帶這些貨物來賣。這個貨單拿到大戶人家，不過三兩日就可批完，臨期兌銀發

貨。雖不能如長人國、小人國大獲其利，看來也不止兩三倍利息。」唐敖道：「小弟當日見古人書上有『女治外事，男治內事』一說，以為必無其事；那知今日得親到其地。這樣異鄉，定要上去領略領略風景。舅兄今日滿面紅光，必有非常喜事，大約貨物定是十分得彩，我們又要暢飲喜酒了。」林之洋道：「今日有兩隻喜鵲，只管朝俺亂噪，又有一對喜蛛，巧巧落俺腳上，只怕又像燕窩那樣財氣，也不可知。」拿了貨單，滿面笑容去了。

唐敖同多九公登岸進城，細看那些人，無老無少，並無鬍鬚；雖是男裝，卻是女音；兼之身段瘦小，嬝嬝婷婷。唐敖道：「九公，你看：他們原是好好婦人，卻要裝作男人，可謂矯揉造作了。」多九公笑道：「唐兄：你是這等說，只怕他們看見我們，也說我們放著好好婦人不做，卻矯揉造作，充作男人哩。」唐敖點頭道：「九公此話不錯。俗話說的：『習慣成自然。』我們看他雖覺異樣，無如他們自古如此，他們看見我們，自然也以我們為非。此地男子如此，不知婦人又是怎樣？」多九公暗向旁邊指道：「唐兄：你看那個中年老媼，拿著針線做鞋，豈非婦人麼？」唐敖看時，那邊有個小戶人家，門內坐著一個中年婦人：一頭青絲黑髮，油搽的雪亮，真可滑倒蒼蠅；頭上梳一盤龍鬏兒[三]鬏旁許多珠翠，真是耀花人眼睛；耳墜八寶金環；身穿玫瑰紫的長衫，下穿蔥綠裙兒，裙下露著小小金蓮，穿一雙大紅繡鞋，剛剛只得三寸，伸著一雙玉手，十指尖尖，在那裡繡花，一雙盈盈秀目，兩道高高蛾眉，面上許多脂粉，再望嘴上一看，原來一部鬍鬚，是個絡腮鬍子！看罷，忍不住撲嗤笑了一聲。那婦人停了針線，望著唐敖喊道：「你這婦人，敢是笑我麼？」這個聲音，老聲老氣，倒像破鑼一般，把唐敖嚇的拉著多九公朝前飛跑。那婦人還在那里大聲說道：「你面上有鬍，明明是個婦人；

聯經出版事業公司校印

〔三〕盤龍鬏兒——把頭髮編成辮子，盤著堆在頭上，是古時婦女的裝束。

你卻穿衣戴帽，混充男人！你也不管男女混雜！你去照照鏡子，──你把本來面目都忘了！你這蹄子，也不怕羞！你今日幸虧遇見老娘；你若遇見別人，把你當作男人偷看婦女，只怕打個半死哩！你這蹄子，也不怕羞！」唐敖聽了，見離婦人已遠，因向九公道：「原來此處語音卻還易懂。聽他所言，果然竟把我們當作婦人。他才罵我『蹄子』：大約自有男子以來，未有如此奇罵，這可算得『千古第一罵』。」多九公道：「此話怎講？」唐敖道：「舅兄本來生的面如傅粉；前在厭火國，又將髭鬚燒去，更顯少壯；他們要把他當作婦人，豈不遂心麼？」多九公道：「此地國人向待鄰邦最是和睦，何況我們又從天朝來的，更要格外尊敬。唐兄只管放心。」

唐敖道：「你看路旁挂著一道榜文，圍著許多人在那里高聲朗誦，我們何不前去看看？」走進聽時，原來是為河道壅塞之事。唐敖意欲擠進觀看。多九公道：「此處河道與我們何干，想去看他怎麼？莫非要替他挑河，想酬勞麼？」唐敖道：「九公休得取笑。小弟素於河道絲毫不諳。適因此榜，偶然想起桂海④地方每每寫字都寫本處俗字，即如『荃』字就是我們所讀『穩』字，『歪』字就是『終』字，諸如此類，取義也還有些意思，所以小弟要去看看，不知此處文字怎樣。看在眼內，雖算不得學問，廣廣見識，也是好的。」分開眾人進去，看畢，出來道：「上面文理倒也通順，書法也好；就只有個『袞』字，不知怎講。」多九公道：「老夫記得桂海等處都以此字讀作『矮』字，想來必是高矮之義。」唐敖道：「他那榜上講的果是『隄岸高聳』之話，大約必是『矮』字無疑。今日又識一字，卻是女兒國長的學問，也不虛此一行了。」

又朝前走，街上也有婦人在內，舉止光景，同別處一樣：裙下都露小小金蓮，行動時腰肢顫顫巍

聯經出版事業公司校印

巍；一時走到人烟叢雜處，也是躲躲閃閃，那種嬌羞樣子，令人看著也覺生憐。也有懷抱小兒的，也有領著小兒同行的。內中許多中年婦人，也有鬍鬚多的，還有沒鬚的。及至細看，那中年無鬚的，因為要充少婦，惟恐有鬚顯老，所以拔的一毛不存。唐敖道：「九公，你看：這些拔鬚婦人，面上鬚孔猶存，倒也好看。但這人中下巴，被他拔的一乾二淨，可謂寸草不留，未免失了本來面目，都拔的光光，莫若就叫『人韓』罷。」多九公道：「『韓』是『皮去毛者也』。這『人韓』二字，倒也確切。」唐敖道：「他這人中下巴，必須另起一個新奇名字才好。」多九公道：「老夫才見幾個有鬚婦人，那部鬍鬚都似銀針一般，他卻用藥染黑，面上微微還有墨痕，這人中下巴，被他塗的失了本來面目。唐兄何不也起一個新奇名字呢？」唐敖道：「小弟記得衞夫人⑤講究書法，曾有『墨豬⑥』之說。他們既是用墨塗的，莫若就叫『墨豬』罷。」多九公笑道：「唐兄這個名字不獨別致，並且狠得『墨』字『豬』字之神。」二人說笑，又到各處遊了多時。

回到船上，林之洋尚未回來；用過晚飯，等到二鼓，仍無消息。呂氏甚覺著慌。唐敖同多九公提著燈籠，上岸找尋。走到城邊，城門已閉，只得回船。次日又去尋訪，仍無踪影。至第三日，又帶幾個水手，分頭尋找，也是枉然。一連找了數日，竟似石沈大海。呂氏同婉如只哭的死去活來。唐、多二人仍是日日找尋，各處探信。

④　桂海——指南方廣東等地，也稱做「南海」。

⑤　衞夫人——衞鑠，晉人，歷史上著名的女書法家。

⑥　墨豬——指字寫的肥腫無力，多肉少骨。

誰知那日林之洋帶著貨單，走進城去，到了幾個行店，恰好此地正在缺貨。及至批貨，因價錢過少，又將貨單拿到大戶人家。那大戶批了貨物，因指引道：「我們這里有個國舅府，他家人眾，須用貨物必多，你到那里賣去，必定得利。」隨卽問明路徑，來到國舅府，果然高大門第，景象非凡。

未知如何，下回分解。

話說林之洋來到國舅府，把貨單求管門的呈進。裏面傳出說道：「連年國主採選嬪妃，正須此貨，今將貨單替你轉呈，即隨來差同去，以便聽候批貨。」不多時，走出一個內使，拿了貨單，一同穿過幾層金門，走了許多玉路；處處有人把守，好不威嚴。來到內殿門首，內使立住道：「大嫂在此等候。我把貨單呈進，看是如何，再來回你。」走了進去。不多時出來道：「大嫂單內貨物並未開價，這卻怎好？」林之洋道：「各物價錢，俺都記得，如要那幾樣，等候批完，俺再一總開價。」內使聽了進去，又走出道：「請問大嫂：胭脂每擔若干銀？香粉每擔若干銀？頭油每擔若干銀？頭繩每擔若干銀？」林之洋把價說了。內使走去，又出來道：「請問大嫂：翠花每盒若干銀？絨花每盒若干銀？頭繩每擔若干銀？香珠每盒若干銀？梳篦每盒若干銀？」林之洋又把價說了。內使走去，又走出道：「大嫂單內各物，我們國主大約多寡不等，都要買些。就只價錢問來問去，恐有訛錯，必須面講，才好交易。國主因大嫂是天朝婦人，天朝是我們上邦，所以命你進內。大嫂須要小心！」林之洋道：「這個不消分付。」跟著內使走進內殿。見了國王，深深打了一躬，站在一旁。看那國王，雖有三旬以外，生的面白屑紅，極其美貌。旁邊圍著許多宮娥。國王十指尖尖，拿著貨單，又把各樣價錢，輕啟朱唇問了一遍。一面問話，一面只管細細上下打量。林之洋忖道：「這個國王爲甚只管將俺細看，莫非不曾見過天朝人麼？」不多時，宮娥來請用膳。國王分付內使將貨單存下，先去回覆國舅；又命宮娥款待天朝婦人酒飯。轉身回宮。

遲了片時，有幾個宮娥把林之洋帶至一座樓上，擺了許多肴饌。剛把酒飯吃完，只聽下面鬧鬧吵吵，有許多宮娥跑上樓來，都口呼「娘娘」，磕頭叩喜。隨後又有許多宮娥捧着鳳冠霞帔，玉帶蟒衫並裙褲簪環首飾之類，不由分說，七手八腳，把林之洋內外衣服脫得乾乾淨淨。——這些宮娥都是力大無窮，就如鷹拿燕雀一般，那裏由他作主。——剛把衣履脫淨，早有宮娥預備香湯，替他洗浴。換了襖褲，穿了衫裙，把那一雙「大金蓮」暫且穿了綾襪，頭上梳了鬏兒，搽了許多頭油，戴上鳳釵；搽了一臉香粉，又把嘴脣染的通紅，手上戴了戒指，腕上戴了金鐲。把牀帳安了，請林之洋上坐，等選了吉時，就要進宮。

那林之洋倒像做夢一般，又像酒醉光景，只是發獃。細問宮娥，才知國王將他封爲王妃，此日，就要進宮。

正在著慌，又有幾個中年宮娥走來，都是身高體壯，滿臉鬍鬚。內中一個白鬚宮娥，手拿針線，走到牀前跪下道：「稟娘娘：奉命穿耳。」早有四個宮娥上來，緊緊扶住。那白鬚宮娥上前，先把右耳用指將那穿針之處碾了幾碾，登時一針穿過。林之洋大叫一聲：「疼殺俺了！」望後一仰，幸虧宮娥扶住。又把左耳用手碾了幾碾，也是一針直過。林之洋只疼的喊叫連聲。兩耳穿過，用些鉛粉塗上，揉了幾揉，戴了一副八寶金環。白鬚宮娥把事辦畢退去。

接著有個黑鬚宮人，手拿一疋白綾，也向牀前跪下道：「稟娘娘：奉命纏足。」又上來兩個宮娥，都跪在地下，扶住「金蓮」，把綾襪脫去。那黑鬚宮娥取了一個矮凳，坐在下面，將白綾從中撕開，先把林之洋右足放在自己膝蓋上，用些白礬洒在腳縫內，將五個腳指緊緊靠在一處，又將腳面用力曲作彎弓一樣，即用白綾纏裹；才纏了兩層，就有宮娥拿著針線上來密密縫口……一面狠纏，一面密縫。林之洋身旁既有四個宮娥緊緊靠定，又被兩個宮娥把腳扶住，絲毫不能轉動。及至纏完，只覺腳上如炭火燒的一般，陣陣疼痛。不覺一陣心

酸，放聲大哭道：「坑死俺了！」兩足纏過，眾宮娥草草做了一雙軟底大紅鞋替他穿上。林之洋哭了

多時，左思右想，無計可施，只得央及眾人道：「奉求諸位老兄替俺在國王面前方便一聲：俺本有婦

之夫，怎作王妃？俺的兩隻大腳，就如遊學秀才，多年未曾歲考，業已放蕩慣了，何能把他拘束？只

求早早放俺出去，就是俺的妻子也要感激的。」眾宮娥道：「剛才國主業已分付，將足纏好，就請娘

娘進宮。此時誰敢亂言！」

不多時，宮娥掌燈送上晚餐，真是肉山酒海，足足擺了一桌。林之洋那裡吃得下，都給眾人吃

了。一時忽要小解，因向宮娥道：「此時俺要撒尿，煩老兄領俺下樓走走。」宮娥答應，早把淨桶掇

來。林之洋看了，無可奈何。意欲扎掙起來，無如兩足纏的緊緊，那里走得動。只得扶著宮娥下牀，

坐上淨桶，小解後，把手淨了。宮娥掇了一盆熱水道：「請娘娘用水。」林之洋道：「俺才洗手，為

甚又要用水？」宮娥道：「不是淨手，是下面用水。」林之洋道：「怎叫下面用水？俺倒不知。」宮

娥道：「娘娘才從何處小解，此時就從何處用水。既怕動手，待奴婢替洗罷。」登時上來兩個胖大宮

娥，一個替他解褪中衣，一個用大紅綾帕蘸水，在他下身揩磨。林之洋喊道：「這個頑的不好！諸位

莫亂動手！俺是男人，弄的俺下面發癢。不好，不好！越揩越癢！」那個宮娥聽了，自言自語道：「

你說越揩越癢，俺還越癢越揩哩！」把水用過，坐在牀上，只覺兩足痛不可當，支撐不住，只得倒在

牀上和衣而臥。

那中年宮娥上前稟道：「娘娘既覺身倦，就請盥漱安寢罷。」眾宮娥也有執著燭臺的，也有執著

漱盂的，也有捧著面盆的，也有捧著梳妝的，也有托著油盒的，也有托著粉盒的，也有提著手巾的，

也有提著綾帕的：亂亂紛紛，圍在牀前。只得依著眾人略略應酬。淨面後，有個宮娥又來搽粉，林之

洋執意不肯。　白鬚宮娥道：「這臨睡搽粉規矩最有好處，因粉能白潤皮膚，內多冰麝，王妃面上雖

白，還欠香氣，所以這粉也是不可少的。久久搽上，不但面如白玉，還從白色中透出一股肉香，眞是

越白越香，越香越白；令人越聞越愛，越愛越聞，最是討人歡喜的。久後才知其中好處哩。」宮娥說

之至再，那里肯聽。眾人道：「娘娘既如此任性，我們明日只好據實啟奏，請保母過來，再作道理。」

登時四面安歇。

到了夜間，林之洋被兩足不時疼醒，卽將白綾左撕右解，費盡無窮之力，才扯了下來，把十個腳

指個個舒開。這一暢快，非同小可，就如秀才免了歲考一般，好不鬆動。心中一爽，竟而沉沉睡去。

次日起來，盥漱已罷。那黑鬚宮娥正要上前纏足，只見兩足已脫精光，連忙啟奏。國王敎保母過來重

責二十，並命在彼嚴行約束。保母領命，帶了四個手下，捧著竹板，來到樓上，跪下道：「王妃不遵

約束，奉令打肉。」林之洋看了，原來是個長鬚婦人，手捧一塊竹板，約有三寸寬，八尺長。不覺吃

了一嚇道：「怎麼叫作『打肉』？」只見保母手下四個微鬚婦人，一個個膀闊腰粗，走上前來，不由

分說，輕輕拖翻，褪下中衣。保母手舉竹板，一起一落，竟向屁股、大腿，一路打起。林之洋喊叫連

聲，痛不可忍。剛打五板，業已肉綻皮開，血濺茵褥。保母將手停住，向纏足宮娥道：「王妃下體甚

嫩，才打到二十，恐他貴體受傷，一時難愈，有誤吉期。拜煩姐姐先

去替我轉奏，看國王鈞諭如何，再作道理。」纏足宮人答應去了。保母手執竹板，自言自語道：「同

是一樣皮膚，他這下體爲何生的這樣又白又嫩？好不令人可愛！據我看來：這副聲臀，眞可算得『貌

比潘安，顏如宋玉○』了！」因又說道：「『貌比潘安，顏如宋玉』，是說人的容貌之美，怎麼我將

下身比他？未免不倫。」

只見纏足宮人走來道：「奉國王鈞諭：問王妃此後可遵約束？」——如痛改前非，即免責放起。」

林之洋怕打，只得說道：「都改過了。」眾人於是歇手。宮娥拿了綾帕，把下體血跡擦了。國王命人賜了一包棒瘡藥，又送了一盞定痛人參湯。隨即敷藥，吃了人參湯，倒在牀上歇息片時，果然立時止痛。纏足宮娥把足從新纏好，敎他下牀來往走動。宮娥攙著走了幾步。棒瘡雖好，兩足甚痛，只想坐下歇息；無奈纏足宮娥惟恐誤了限期，毫不放鬆，剛要坐下，就要啟奏；只得勉強支持，走來走去，眞如掙命一般。到了夜間，不時疼醒，每每整夜不能合眼。無論日夜，俱有宮娥輪流坐守，從無片刻離人，竟是絲毫不能放鬆。林之洋到了這個地位，只覺得湖海豪情，變作柔腸寸斷了。

未知如何，下回分解。

○潘安、宋玉——潘安，晉人，宋玉，戰國楚人：歷史傳說中兩個美貌的男子。

第三十四回　觀麗人女主定吉期　訪良友老翁得凶信

話說林之洋兩隻「金蓮」，被眾宮人今日也纏，明日也纏，並用藥水薰洗，未及半月，已將腳面彎曲折作兩段，十指俱已腐爛，日日鮮血淋漓。一日，正在疼痛，那些宮娥又攛他行走。不覺氣惱夾攻，暗暗忖道：「俺林之洋捺了火氣，百般忍耐，原想妹夫、九公，前來救俺，今他二人音信不通，俺與其零碎受苦，不如一死，到也乾淨！」手扶宮人，又走了幾步，只覺疼的寸步難移。奔到牀前，坐在上面，任憑眾人解勸，口口聲聲只教保母去奏國王，情願立刻處死，若要纏足，至死不能。一面說著，摔脫花鞋，將白綾用手亂扯。眾宮娥齊來阻攔，亂亂紛紛，攪成一團。保母見光景不好，即去啟奏。登時奉命來至樓上道：「國主有令，即向眾宮娥道：「你們快些動手！越教俺早死，俺越感激！只求越快越好！」於是隨著眾人擺佈。誰知剛把兩足用繩纏緊，已是痛上加痛，及至將足弔起，身子懸空，只覺眼中金星亂冒，滿頭昏暈，登時疼的冷汗直流，兩腿酸麻。只得咬牙忍痛，閉口合眼，只等早早氣斷身亡，就可免了零碎吃苦。挨了片時，不但不死，並且越弔越覺明白。兩足就如刀割針刺一般，十分痛苦。咬定牙關，左忍右忍，那裡忍得住！不因不由殺豬一般喊叫起來，只求國王饒命。保母隨即啟奏，放了下來。從此只得耐心忍痛，隨著眾人，到了纏足時，只圖早見功效，好討國王歡喜，更是不顧死活，用力狠纏。——屢次要尋自盡，無奈眾人日夜隄防，真是求生不能，求死不得。

不知不覺，那足上腐爛的血肉都已變成膿水，業已流盡，只剩幾根枯骨，兩足甚覺瘦小；頭上烏雲，用各種頭油，業已搽的光鑑，身上每日用香湯薰洗，也都打磨乾淨；那兩道濃眉，也修的彎彎如新月一般，再加上朱脣點上血脂，映著一張粉面，滿頭朱翠，卻也窈窕。國王不時命人來看。這日保母啓奏：「足已纏好。」國王親自上樓看了一遍，見他面似桃花，腰如弱柳，眼含秋水，眉似遠山。越看越喜，不覺忖道：「如此佳人，當日把他誤作男裝，若非孤家看出，豈非埋沒人才。」因從身邊取出一挂眞珠手串，替他親自戴上。眾宮人擁著萬福叩謝。國王拉起，携手並肩坐下，又將金蓮細細觀玩，頭上身上，各處聞了一遍，撫摸半晌，不知怎樣才好。林之洋見國王過來看他，已是滿面羞慚，後來同國王並肩坐下，只見國王剛把兩足細細觀玩，又將兩手細細賞鑒，聞了頭上，又聞身上；聞了身上，又聞臉上；弄的滿面通紅，坐立不安，羞愧要死。

國王回宮，越想越喜。當時選定吉期，明日進宮。並命理刑衙門釋放罪囚。林之洋一心只想唐、多二人前來相救，那知盼來盼去，眼看著明日就要進宮，仍是毫無影響。一時想起妻子，心如刀割，那眼淚也不知流過多少。並且兩隻「金蓮」，已被纏的骨軟筋酥，倒像酒醉一般，毫無氣力，每逢行動，總要宮娥擾扶。想起當年光景，再看看目前形狀，眞似兩世人。萬種淒涼，肝腸寸斷。這日晚上，足足哭了一夜。到了次日吉期，眾宮娥都絕早起來替他開臉①，梳裹，搽胭抹粉，更比往日加倍殷勤。那雙「金蓮」雖覺微長，但纏的彎彎，下面襯了高底，穿著一雙大紅鳳頭鞋，卻也不大不小。身上穿了蟒衫，頭上戴了鳳冠，渾身玉佩叮璫，滿面香氣撲人，雖非國色天香，卻是嬝嬝婷婷。用過

①　開臉──古時禮俗：女人在出嫁的時候，把臉上毫毛用線絞或用刀剃揮，並描眉毛、畫鬢角，叫做「開臉」。開臉的女人就列於婦人，不再是閨女了。

早膳，各王妃俱來賀喜，來來往往，絡繹不絕。到了下午，眾宮娥忙忙亂亂，替他穿戴齊整，伺候進宮。不多時，有幾個宮人手執珠燈，走來跪下道：「吉時已到。請娘娘先升正殿，伺候國主散朝，以便行禮進宮。就請升輿。」林之洋聽了，倒像頭頂上打了一個霹靂，只覺耳中嚶的一聲，早把魂靈嚇的飛出去了。眾宮娥不由分說，一齊擁扶下樓，上了鳳輿，無數宮人簇擁，來到正殿，國王業已散朝，裏面燈燭輝煌。眾宮人擁扶林之洋，顫顫巍巍，如鮮花一枝，走到國王面前，只得彎著腰兒，拉著袖兒，深深萬福叩拜。各王妃也上前叩賀，正要進宮，忽聽外面鬧鬧吵吵，喊聲不絕，國王嚇的驚疑不止。

——原來這個喊聲卻是唐敖用的機關。

唐敖自從那日同多九公尋訪林之洋下落，訪來訪去，絕無消息。這日兩人分頭去訪。唐敖尋了半日，回船用飯，因呂氏母女啼哭，正在解勸。只見多九公滿頭是汗，跑進船上道：「今日費盡氣力，才把林兄下落打聽出來。」呂氏慌忙問道：「俺丈夫現在何處？究竟存亡若何？」多九公道：「老夫問來時，恰好遇見國舅府中內使，才知林兄因國王看貨歡喜，留在宮內，封爲貴妃。因他腳大，奉令把足纏好，方擇吉日成親。今腳已裏好，國王擇定明日進宮。」話未說完，呂氏早已哭的暈倒。婉如一面哭著，把呂氏喚醒，呂氏向唐、多二人叩頭，哭哭啼啼，只求：「姑爺、九公，救俺丈夫之命。」唐敖命蘭音、婉如把呂氏攙起。

多九公道：「老夫剛才懇那內使求國舅替我們轉奏，情願將船上貨物盡數孝敬，贖林兄出來。雖承內使轉求，無奈國舅因吉期已定，萬難挽回，不肯轉奏。老夫無計可施，只得回來。唐兄可有甚麼

妙計？」唐敖嚇的思忖多時道：「此時吉期已到，恐難挽回。爲今之計，惟有且寫幾張哀憐呈詞，到各衙門遞去，設遇忠正大臣，敢向國王直言諫諍，救得舅兄出來，也未可知。除此實無別法。」呂氏道：「姑爺這個主意想的不差！他們偌大之國，官兒無數，豈無忠臣？這個呈詞遞去，必能救得丈夫出來。就請姑爺多寫幾張，早早遞去！」唐敖當時作了哀憐稿兒，託多九公酌定。二人分著寫了幾張，惟恐就擱，連飯也不敢吃，隨即進城，但遇衙門，就把呈詞遞進。誰知裏面看過，仍舊發出道：「這不干我們衙門之事，你到別處遞去。」一連幾十處，總是如此。唐敖聽著，心如劍刺，東方漸亮，急的瞪目癡坐，無計可施。

呂氏問知詳細，只哭的死去活來。娘兒兩個，足足哭了一夜。二人餓著跑到日暮，只得回船。

多九公走來道：「我們與其在船悶坐，何不上去探聽？設或改了吉期，就好另想別法了。」唐敖道：「吉期就在今日，何能更改，即使改了，又有何法？」多九公道：「倘能另改吉期，我們船上貨物銀錢，也還不少，即到鄰邦，把船上儘其所有都餽送那國王，懇其代爲轉求；設或他看鄰邦分上，情不可卻，放林兄出來，也未可知。」呂氏在內聽了，早又帶淚出來道：「此計甚好，就求速速上去打聽！」唐敖只得答應，同多九公進城。只聽四處紛紛傳說：今日國主收王妃進宮，釋放罪囚，各官都叩賀去了。二人聽了，更覺心冷如冰。多九公歎道：「你聽這話，還探聽甚麼！只好回去勸勸他們。如今木已成舟，也是林兄命定如此了。」唐敖道：「這兩日我在船上想起舅兄之事，至親相關，我們只好在此守候，暫且躲避躲避；此刻回去，他們聽見一無指望，更要惱上加惱，教人聽著，何能安身。」多九公只得點頭，又向前行。不知不覺，天已正午。多九公道：「此時腹中甚餓，路旁有個茶坊，我們何不進去吃些點心，充充飢也好。」說罷，進去檢副座兒坐了，倒了兩碗

茶，要了兩樣點心。只見有個起課的走來。唐敖一時無聊，因在課桶內抽了一籤，遞了過去。

未知如何，下回分解。

話說唐敖把籤遞給起課的看了，隨即起了一課道：「此課『紅鸞』發現，該有婚姻之喜。可惜遇了『空亡⊜』，未免虛而不實，將來仍是各樓一枝，不能鸞鳳和鳴。不知尊嫂所問何事？」唐敖道：「我問這段婚姻，可能不成？此人現在難中，可逃得出麼？」起課的道：「剛才我已說過：婚姻虛而不實，斷難成就。此人災難已滿，指日即有救星，就只要脫火坑，還須就擱十日。」唐敖付了課資，起課的去了。多九公道：「林兄災難既滿，為何還須十日方離火坑？」唐敖道：「此話離奇奇，令人不解。」吃過點心，付了茶資，信步走出。

遠遠有許多人簇擁著走來，二人迎上觀看，原來是些人夫擔著幾十擔禮物過去。多九公道：「後面那個押禮的，就是國舅內使，不知到何處送禮去？」唐敖道：「上面俱用錦袱蓋著，自然是送國王的了。」多九公忙去打聽，回來滿面愁容道：「唐兄：你道國舅這禮送給那個的？原來卻是送給林兄的。」唐敖道：「此話怎講？」多九公道：「那送禮人說：國舅因今日王妃進宮，送這禮物，預備王妃賞賜宮人。豈非送給林兄麼？」唐敖聽了，只得抓耳搔腮。再望望，太陽業已西墜，各處官員，都乘轎馬叩賀回來，那些罪囚，一個個也都喜笑而歸。不多時，國舅送禮人夫，也都挑著空擔回去。唐敖道：「剛才那起課的說：指日就有二人見天色已晚，無可奈何，只得垂頭喪氣，回歸舊路。

聯經出版事業公司校印

⊖　紅鸞──星相名詞：吉星的一種。卜占時，遇着這個星的將有婚姻之類的喜事。是一種迷信的說法。

⊜　空亡──星相名詞：不吉利的時刻的一種。卜占時，遇着這個時刻的事情一定失敗，不能成功。也是一種迷信的說法。

救星。若過了今日，也還救得出麼？」多九公搖頭道：「今日如果進宮，生米做成熟飯，豈有挽回之理。」唐敖道：「我剛才也是這樣想。若據起課所言，似乎今日又有救星，究竟不知怎樣挽回？再四思想，測度不出。大約那起課的不過信口胡談，偏遇我們只想挽回，也不管事已八九，還要胡思亂想，可謂『癡人說夢』了。但舅兄如此好人，將來竟作異鄉之鬼，這樣結局，能不令人傷感！」多九公聽了，也是歎息不止。

信步行來，又到張挂榜文處。唐敖道：「我們初到此地，舅兄上去賣貨，小弟同九公上來，曾見此榜。那知在此就擱多日，遭此飛災。這些時，不知舅兄怎樣受罪，如何盼望！」一面說著，不覺滴下淚來。猛然心內一急，低頭想了一想，走上前去，把榜揭了下來。多九公摸不著發慌是何主見，當著眾人，攔又攔不得，問又問不得，惟有望著發愣。那些看守人役，上前問道：「你是何處婦人，擅揭此榜？那榜上的話，你可看明？」此時眾百姓聞得有人揭榜，登時四方轟動，老老少少，無數百姓，都圍著觀看。唐敖看見人眾，因恐連年水患，人民被害，如鄰邦君王治得河道，財寶祿位，悉聽擇取：說的甚覺誠懇。因朗聲發話道：「我姓唐，乃天朝人氏，從外洋至此。治河一道，我雖能治河，但財寶祿位，我們天朝無人不曉。今路過貴邦，因見國王這榜，備言連年水患，人民被害，如鄰邦臣民有能治得河道，情願納貢臣服；若鄰邦臣民有能治得河道，小民得免水患，特來治河，與你們除患。……」話未說完，早有許多百姓，挨挨擠擠，都跪在地下，口聲聲只求天朝貴人大發慈心，早賜救拔。唐敖道：「你們諸位請起。我們天朝那樣不有？這些我都不要。只要你們依我一事，我就卽日興工。」眾百姓都起來道：「不知貴人所說何事？」唐敖道：「小可有個妻舅，前因賣貨進宮，現被國王立為王妃，聞得吉期定於今日。你們如要治河，大家卽到朝前哭訴，放了此人，我卽興工。如國王不以民命為重，不肯放他，縱

聯經出版事業公司校印

讓財寶如山，我亦不願，只好回鄉去了。」說話間，那圍著看的人，密密層層，就如人山人海一般。一聞此言，只聽得發了一聲喊，不約而同，齊向朝門而去。那些人役，也都去回本官。

多九公得空到唐敖耳邊問道：「唐兄果然曉得治河麼？」唐敖道：「小弟並未做過外工朋友(三)，那知治河！」多九公道：「你既不諳，為何把榜揭了？設或要治河不妥，虛費他的餙項，豈不連我們也弄出未完(四)麼？」唐敖道：「小弟此番揭榜雖覺孟浪，但因要救舅兄，不得已做了一個『火燒眉毛，且顧眼前』之計，實是無可奈何。此時眾百姓前去，大約國王難違眾情，必是暫緩吉期。明日小弟看過河道，只好設法酌量。倘舅兄五行有救，自然機緣湊巧，河道成功；如光景不佳，不能結局，即煩九公將船上貨物餽送鄰邦，求其拯救；只此便是良策。」多九公聽著，只得充作僕人，跟在後面。早有管事人預備酒飯，登時有看榜人役，備了轎馬，把唐敖送到迎賓館。二人正在飢餓，且飽餐一頓。飯後，多九公上船送信，暫安呂氏之心。回到賓館，仍另有下席一桌。同唐敖靜候佳音。

那些百姓聽了唐敖之言，一時聚了數萬人，齊至朝門，七言八嘴，喊聲震耳。國王正受嬪妃朝賀，忽聞此聲，驚疑不止。只見宮人進來奏道：「國舅有要事面奏。」國王即命眾人暫避，把國舅傳進。國舅行禮畢，就把「天朝婦人揭榜，能修河道，因主上把他親戚立為王妃，意欲懇求釋放，才能興工。眾百姓現在聚了數萬人，齊集朝門，籲求主上俯念數十萬生靈為重，釋放此人，以便即日與

(三) 外工朋友──外工，指河工；朋友，這裏是對技術人員的一種稱呼。

(四) 未完──不得了的意思。

工，救拔生民，以免塗炭』等話，奏了一遍。國舅道：「我國向例：凡庶民人家，從無再醮之婦，何以孤家身爲人君，反令王妃違此定例呢？」國舅道：「剛才臣已剴切曉諭：『向來國中庶民，既婚後尚且不准改節；何況君上乃一國之主，豈有放回王妃之理？』說之至再。奈眾百姓因吉期雖是今日，但王妃尙未進宮，與業已進宮不同，所以才敢籲懇施恩。」國王聽了，無言可答。忖了多時道：「既如此，卿就出去回覆眾民，說寡人業已進宮，今日不能啟奏。到了明日，木已成舟，眾百姓也不能求我釋放，我也有詞可託了。」國王再三懇求，無奈國王執意不肯，只得退出，回覆眾人。眾百姓聽了，惟恐到了明日，就難挽回，登時鼓譟，亂亂轟轟，喊成一片。國王見外面如此，心中著實害怕，明知自己理虧，意欲釋放，又難割捨。想了多時，忽聽外面人聲漸漸鬧進宮來，不覺發恨道：「索性給他『一不做二不休』罷！」因命值殿尉官，率領軍兵十萬，立時征勦。尉官奉命，立刻點兵，只聽四面槍砲聲震的山搖地動。眾百姓那裏肯退，都說：與其日後喪在魚鱉之口，不如今日被國主殺了，倒也乾淨。哭哭啼啼，更覺喊聲震天。國王見百姓勢已急，惟恐人多激變，分付眾兵無許動手傷人，隨又再三勸眾百姓道：「爾等只管散去。老夫自然替你們轉奏，務將揭榜人留下修治河道。明日府中候信，老夫自有道理。」眾百姓聽了，這才慢慢散去。尉官把兵收了。

國王見眾百姓已散，隨卽進宮，命林之洋並肩坐了。映著燈光，復又慢閃俊目，細細觀看，只見林之洋體態輕盈，嬌羞滿面，愁鎖蛾眉，十分美貌。看罷，心中大喜。忙把自鳴鐘望了一望，因嬌聲說道：「你同我已訂『百年之好』，你如此喜事，你爲何面帶愁容？你今得了如此遭際，你也不枉托生女身一場。你今做了我國第一等婦人，你心中還有甚麼不足處？你日後倘能生得兒女，你享福日子

正長。你與其矯揉造作，裝作男人；你倒不如還了女裝，同我享受榮華。我們且飲兩杯。」——分付

擺宴。又命宮人賜了許多珠寶金銀之類。不多時，酒席齊備。眾宮娥斟了一杯喜酒，教他奉敬國王。

林之洋此時心如死灰，一時想起妻女，就如萬箭攢心；兼之一連數日，茶飯不吃，精神恍惚，四肢無

力，把杯接在手中，只覺戰戰兢兢，渾身發抖，那個酒杯倒得像千斤之重，那裏遞得過去。正在勉強，

只覺四肢發酸，把手一鬆，璫瑯瑯酒杯落在桌上。宮娥拾過，又斟一杯，林之洋接著，心中更覺發

慌，登時又把酒灑了。眾宮娥只得替他代敬國王。國王命人也與林之洋斟了一杯，放在唇邊，只得勉

強飲了；隨後又是一杯，以爲成雙之意。林之洋素日酒量雖大，無如近來腹中空虛，把酒飲過，只覺

天旋地轉，幸而還未醉倒。國王又飲數杯，命人把表取過看了一看，分付撤去筵席。雲時桃腮帶笑，覺

醉眼朦朧，嘻嘻笑道：「天不早了，我同你睡罷。」眾宮人上前把林之洋外面衣裙寬了，又把首飾除

去。國王也寬了外面衣服，伸出一雙玉手，十指尖尖，把林之洋手腕携住，上了牙牀，放下鮫綃帳，

竟自睡了。

——這里國王業已成親。

唐敖還在迎賓館，癡心妄想，另改吉期。等來等去，吃了晚飯，還無信息。正在盼望，恰好有幾

個老年百姓從朝中回來，把尉官點兵征勦各話說了。唐敖這才知其詳細，只嚇的驚慌失色。多九公

道：「剛才唐兄說國王必是暫緩吉期，那知全出意料之外，並且大動干戈，用兵征勦。看這光景，國

王只知好色，不以民命爲重。過了今日，我們只好且充外工朋友，替他修理河道，弄點修金。若想林

兄回來，只怕難了。」唐敖只急的抓耳撓腮。只見國舅那邊差了內使，押送鋪蓋過來，又撥許多人役

伺候。內使道：「我家國舅命我多多致意貴人：今日天晚，不能過來；明日上朝見過國主，就來面商修治河道。貴人在此，諸多簡慢，只好當面再來請罪。」說罷，同幾個庶民都去了。

次日，守候國舅，一直等到夜深，也不見來。多九公又去打聽，原來眾百姓已將國舅府圍的水泄不通，在那裏候信。唐敖這一夜更不曾合眼。次日清晨起來，多九公道：「唐兄，你看，不知不覺又是一天了。據老夫看來，若像這樣，只怕我們吃了喜蛋才能回去哩。」唐敖道：「此話怎講？」多九公道：「林兄同國王成親，今已兩日。再過幾日，倘恭喜懷了身孕，你是國王的妻妹婿，這樣好親戚，豈不要送喜蛋麼？」唐敖急的無計可施，惟有專候國舅之信。

誰知國舅自從那日安頓眾百姓，次日上朝，國王只推有病，總不見面。把個國舅急的走出走進，毫無主意。並聞府中被眾百姓團團圍住，專等治河回音，更覺著急，又不敢回府。又恐唐敖走脫，因派許多兵役在城門把守。又差人時刻送酒菜到迎賓館去，又挑了幾擔魚肉鷄鴨之類送到唐敖船上，無非遮人耳目，恐怕冷落之意。當日就在朝堂住了。

第二日，天將發曉，國王起來，大爲不樂，將國舅宣來問道：「那揭榜婦人可在麼？」國舅奏道：「此人現在賓館，因國主沒有示下，大約今日就要回去。」國王道：「他果能治河，我念生靈爲重，原可施恩把王妃釋放。不知他治的究竟如何。莫若守他河路治好，再放王妃回去。倘修治不善，不能完功，虛費銀兩，卽將王妃留在此處，日後照數拿銀來贖。國舅以爲何如？」國舅聽了，滿心歡喜道：「主上如此辦理，既不虛糜帑項，又安眾民之心，倘河道成功，也除通國大患，眞是一舉兩便。」國王道：「你就照此辦去。」

國舅來至迎賓館，見了唐敖，彼此敍了寒溫。——原來這位國舅姓坤，年紀不滿五旬，聲音面

貌，宛如太監。——二人茶罷。國舅道：「昨日眾百姓齊集朝門，備言貴人因念敝邦水患，特來救援。老夫適值朝中有事，不能趨陪，多有得罪，尚望海涵！至令親因在王府賣貨，忽染重恙，現在仍未獲痊，俟略將養，自然即送歸舟。至立王妃之說，係小民訛傳，斷斷不可輕信。但治河一事，不知貴人有何高見？」唐敖道：「貴邦河道受病之由，小子尚未目覩，不敢謬執臆見。若論大概情形，當年治河的，莫善於禹。吾聞禹疏九河，這個『疏』字，卻是治河主腦：疏通眾水，使之各有所歸，所謂『來有來源，去有去路』。根源既清，中無壅滯，自然不至為患了。此小子愚昧之見，將來看過河道，尚望國舅大人指教。」國舅聽了，連連點頭。

未知如何，下回分解。

第三十六回　佳人喜做東牀嬌　壯士愁爲擧桉○妻

話說國舅聞唐敖之言，不覺點頭道：「貴人所言這個『疏』字，頓開茅塞，足見高明。想來做邦水患，從此可以永絕了。老夫還要回去覆命，暫且失陪，明日再來奉陪去看河道。」分付人役預備酒宴，小心伺候。乘輿呵殿○而去。多九公道：「林兄之事，若據前日用兵征勦光景，竟是毫無挽回；今日據國舅之言，又像林兄不久就要回來。莫非林兄前日竟未成親？令人不解。」唐敖道：「大約此事全虧眾百姓之力。國王恐人眾作亂，所以暫緩吉期，也未可知。」

多九公道：「這且慢慢再去打聽。第治河一事，關係非輕，倘有疏虞，不但林兄不能還鄉，就是我們也不知如何結局。老夫頗不放心。明日看過河道，唐兄究竟是何主見？」唐敖道：「這個河道，其實看也罷，不看也罷。小弟久已立定一個主意。我想：河水氾濫爲害，大約總是河路壅塞，未有去路，未清其源，所以如此。明日看過，我先給他處處挑挖極深，再把口面開寬，來源去路，也都替他各處疏通。大約河身挑挖深寬，自然受水就多，受水既多，再有去路，似可不致氾濫了。」多九公道：「治河既如此之易，難道他們國中就未想到麼？」唐敖道：「昨日九公上船安慰他們，我喚了兩個人役，細細訪問。此地向來銅鐵甚少，兼且禁用利器，以杜謀爲不軌；國中所用，大約竹刀居多，明日小弟把器具畫惟富家間用銀刀，亦甚希罕，所有挑河器具，一概不知。好在我們船上帶有生鐵，明日小弟把器具畫出樣兒，敎他們製造。看來此事尙易成功。」多九公道：「原來此地銅鐵甚少，禁用利器。怪不得此處藥店所掛招牌，俱寫『咬片、咀片○』；我想好好藥品，自應切片，怎麼倒用牙咬？腌臢姑且不

論，豈非舍易求難麼？老夫正疑此字用的不解，今聽唐兄之言，無怪要用牙咬了。我們家鄉藥店雖用

刀切，招牌亦寫『咬咀』字樣，雖係遵著古人醫書，誰知這故典卻出在女兒國的。」

次日，國舅陪唐敖出城看河。一連兩日。看畢回來，唐敖道：「連日細看此河受病處，就是前日

所說那個『疏』字缺了。以彼處形勢而論：兩邊堤岸，高如山陵，而河身旣高且淺，形像如盤，受水

無多，以至爲患。這總是水大之時，惟恐衝決漫溢，且顧目前之急，不是築堤，就是培岸。及至水

小，並不預爲設法挑挖疏通，到了水勢略大，又復培壅。以致年復一年，河身日見其高。若以目前形

狀而論，就如以浴盆置於屋脊之上，一經漫溢，四處皆爲受水之區，平地卽成澤國。若要

安穩，必須將這浴盆埋在地中。盆低地高，旣不畏其衝決，再加處處深挑，以盤形變成釜形，受水旣

多，自然可免漫溢之患了。」國舅道：「貴人所論河道受病情形，恰中其弊，足見天朝貴人留心時

務，識見高明。至浴盆屋脊之說，尤其對症，眞是指破迷團。惟求貴人大發惻隱，早賜拯拔，使敝

邦『屋脊』之禍，——水由地中行，永慶安瀾，得免塗炭，不獨蒼生感戴，卽敝邦國主，亦當銘感不

忘。但挑挖深通，不知天朝向來用何器具？尙求指敎。」

㈠ 擧桉——按，同案，有短脚的小托盤。東漢人梁鴻、孟光，夫妻相敬，每逢吃飯時候，孟光把盛菜飯的托盤，高高地齊眉擧

起，送給梁鴻，後人就稱夫妻彼此相敬的爲「擧桉齊眉」。

㈡ 呵殿——前呼後擁的意思。呵，指前面喝道的。殿，指後面跟隨的。

㈢ 咬（ㄈㄨˋ）片，咀片——咬，咀嚼的意思。古時不用刀去切藥材，卻用牙咀嚼細咬，然後煎服。據說，經過牙咬，可以知道

藥味。「咬片、咀片」，就是咬出來的碎片的意思。

唐敖道：「做處所用器具甚多，無如貴邦銅鐵甚少，無從措辦。『工欲善其事，必先利其器』。今既一無所有，縱使大禹重生，亦當束手。幸而我們船中帶有鋼鐵，製造尚易。第河道一時挑挖深通，使歸故道，施工甚難。蓋堤岸日積月累，培壅過高，下面雖可深挑，而出土甚覺費事，倘能集得數十萬人夫，一面深挑，一面去其堤岸，使兩岸之土不致壅積，方能易於蒇事④。不知人夫一時可能齊集？」國舅道：「若講人夫，貴人只管放心。此地河道，爲患已久，居民被害已深，聞貴人修治河道，雖士商人等，亦必樂於從事；況又發給工錢飯食，那些小民，何樂不爲？但還有一事：昨日所看此河東首刷淤之處，貴人曾言彼處當年辦理不善，以致淤沙停積，水無去路，因而不時爲患。其受病之由，尚求指敎。」唐敖道：「凡河有淤沙，如欲借其水勢順溜刷淤，那個河形必須如矢之直，其淤始能順溜而下。昨看那邊河道到了刷淤之處，河路不直，多有彎曲，其淤遇彎卽停，何能順溜而下？再者：刷淤之處，其河不但要直，並且還要由寬至窄，由高至低，其淤始得走而不滯。假如西邊之淤要使之東去，其西邊口面如寬二十丈，必須由西至東，漸漸收縮，不過數丈。是寬處之淤，使由窄路而出，再能西高東低，自然勢急水溜，到了出口時，就如萬馬奔騰一般，其淤自能一去無餘。今那邊刷淤之處，不但處處彎曲，而且由窄至寬，事機先已顚倒，其意以爲越寬越暢；那知水由窄處流到寬處，業已散漫無力，何能刷淤？無怪越積越厚，水無去路了。」國舅連連點頭道：「貴人高論，勝如讀河渠書、溝洫志④。但開工吉期，定在何時？以便啟奏國主，諭令該管各官早爲預備。」唐敖道：「此時必須先造器具。明日國舅多派工匠過來。俟器具造齊，再擇吉期開工。」國舅點頭，卽命隨從速傳工匠，明早伺候；並多派人役，聽候差遣。說罷別去。唐敖將器具樣兒畫了，並託多九公照應把鐵發來。次日，許多工人傳到，唐敖把樣兒取出，一一指點，登時開爐打造。眾工人雖係男裝，究竟

是些婦女，心靈性巧，——比不得那些蠢漢，任你說破舌尖，也是茫然；這些工人，只消略為指點，

全都會意。——不過兩三日，都造齊備，擇了開工吉期。

是日，國舅同至河邊。唐敖命人逐段築起土壩。先把第一段之水車到第二段壩內，即將第一段挑

挖深通；就把第二段土壩推倒，將水放入第一段新挑深坑之內，再挑第二段；逐段都動起工來，總是

盡力深挑。後來所挖之土，一時竟難上岸，仍命工人把筐垂入坑內，用轆轤攪上，每取土一筐，要費

許多氣力。好在眾百姓年年被水患鬧怕，此番動工，舉國之人，齊來用力，一面挑河，一面起堤，不

上十日，早已完工。又把各處來源去路，也都挑挖疏通。這里唐敖指點監工：那眾百姓見他早晚

歸，日夜辛勤，人人感仰。早有幾個老者出來攢湊銀錢，仿照唐敖相貌，立了一個生祠，又豎一塊金

字匾額，上寫「澤共水長」四個大字。

此事傳入宮內，早有一位世子把這情節對林之洋說了。原來林之洋那日同國王成親，上了牙牀，

忽然想起：「當日在黑齒國，妹夫同俺頑笑，說俺被女兒國留下。今日果然應了。這事竟有預兆。那

時九公曾說：『設或女兒國將你留下，你卻怎處？』俺隨口答道：『他如留俺，俺給他一概弗得知。』

這話也是無心說出，其中定有機關。今日國王既要同俺成親，莫若俺就裝作木雕泥塑，給他一概弗得

知，同他且住幾時，看他怎樣。」因存這個主見，心心念念，只想回家。一時想起妻子，身如針刺，

淚似湧泉。又想自從到此，被國王纏足、穿耳、毒打、倒弔、種種辱沒，九死一生。這國王恁般狠

④　竣（ㄐㄩㄣ）事——事畢，也就是事情完備解決的意思。

⑤　河渠書、溝洫志——河渠書，史記篇名；溝洫志，漢書篇名：都是紀載河工水利的事情。

毒，明是寃家對頭，躲還躲不來，怎敢親近！如此一想，燈光之下，看那國王雖是少年美貌，只覺從

那美貌之中，透出一股殺氣；雖不見他殺人，那種溫柔體態，倒像比刀還覺利害。越看越怕，惟恐日

後命喪他手，更是心冷如冰，體軟如綿。一連兩夜，國王費盡心機，終成畫餅。雖覺掃興氣惱，因河

道一事，究竟牽挂，不敢把他奈何。後來同國舅議定治河一事，思來想去，留此無用，只得將他送歸

樓上，索性把纏足，抹粉一切工課也都蠲了。林之洋得了這道恩赦，雖未得歸故鄉，暫且腳下鬆動。

就只不知將來可能放歸，又不知前日眾百姓為何誼嚷，細問宮娥，都是支吾。

這日正在思鄉垂淚，有個年輕世子走來下拜道：「兒臣聞得天朝有位唐貴人來此治河，俟河道治

完，父王即送阿母回去。兒臣特地送信，望阿母放心。」林之洋把世子攙起細問。因

垂淚道：「蒙小國王念俺被難，前來送信。俺林之洋倘骨肉團圓，惟有焚香報你大德。俺妹夫河道治

完，還求俺一信。更望在老國王跟前，替俺美言，早放俺回去，便是俺救命恩人了。」世子上前替

林之洋揩淚道：「阿母不須悲傷。兒臣再去探聽，如有佳音，即來送信。」說罷去了。林之洋自從國

王送回樓上，眾宮娥知他日後仍回天朝，並非本國王妃，那個肯來照管；往往少飯無茶，十分解怠。

幸虧世子日日前來照應，茶飯始得充足。這日世子匆匆走來道：「告稟阿母：唐貴人已將工程辦完。今日父王出去看

河，十分歡喜，因唐貴人乃天朝貴客，特命合朝大臣，許多鼓樂，護送歸舟，並送謝儀萬兩。聞得明

日即送阿母回船。兒臣探聽真實，特來送信。」林之洋歡喜道：「俺自老國王送回樓上，蒙小國王百

般照應，明日回去，不知甚時相見，俺林之洋只好將來再報大情。」

世子見左右無人，忽然跪下垂淚道：「兒臣今有大難，要求阿母垂救！如念兒臣素日一點孝心，

大發惻隱，兒臣就有命了。」林之洋忙攙起道：「小國王有甚大難？快告俺知。」世子道：「兒臣自從

八歲蒙父王立儲㈥，至今六載。不幸前歲嫡母去世，西宮阿母專寵，意欲其子繼立，屢次陷害兒臣，

幸而命不該絕。近日父王聽信讒言，痛恨兒臣，亦有要殺兒臣之意。此時若不遠走，久後必遭毒手。

況父王指日卽往軒轅祝壽，內外臣僕，莫非西宮霸翼，兒臣年紀旣幼，素日只知閉戶讀書，又無心

腹，安能處處防備？一經疏虞，性命難保。阿母如肯垂憐，明日回船，若到天朝，須換女裝。小

自當銜環結草㈦，以報大恩。」林之洋道：「俺們家鄉風俗與女兒國不同，將兒臣携帶同去，倘脫虎穴，

國王作男子慣了，怎能改得？就是梳頭、裹腳，也不容易。」世子道：「兒臣情願更改。只要逃得性

命，就是跟著阿母，粗衣淡飯，我也情願。」林之洋道：「俺帶小國王同去，宮娥看見，這便怎處？

莫若等俺回船，小國王暗地逃去，豈不是好？」世子聽了，連連搖頭。

未知如何，下回分解。

㈥　儲——這裏指太子，意思是準備後繼的國王。後文的儲子、儲貳、儲君，都是這個意思。

㈦　結草——死後報恩的意思。古代神話：春秋時，晉將魏顆打敗秦軍，捉獲秦國的力士杜回。當作戰時，魏顆打不贏杜回，因為有一個老人用草把杜回絆倒，這才得勝。夜裏，魏顆夢見那個老人來說，他的女兒嫁給魏父為妾，魏父病時，囑咐死後將妾改嫁，病重時又囑咐將妾殉葬，後來魏還是將她嫁了，救了他女兒的命，因此他前來報恩。典出左傳。

第三十七回　新貴妃反本為男　舊儲子還原作女

話說世子搖頭道：「兒臣無事不能出宮，即使出去，亦有護衛，何能一人上船。好在近日眾宮娥不來伺候，明日阿母上轎，兒臣暗藏轎內，即可出去。務望阿母攜帶！」林之洋道：「只要小國王辦的嚴密，俺自遵命。」到了次日，國王命人備轎送林之洋回船，並命眾宮娥替林之洋改換男裝，伺候上轎。世子在旁看見人眾，惟有垂淚，十分著急，忙到轎前附耳道：「此時耳目眾多，不能同去。兒臣之命，全仗阿母相救。若出十日之外，恐不能見阿母之面。兒臣住在牡丹樓，切須在意！」送了幾步，哽咽而去。

林之洋回到船上。原來國王昨日備了鼓樂，已將唐敖、多九公護送回來。此時林之洋見了唐、多二人，惟有再三拜謝；呂氏、婉如、蘭音，也都相見，真是悲喜交集。林之洋道：「妹夫到海外原為遊玩，那知是俺救命恩人。俺在那里受罪，因得夢兆，必有仙人相救，俺才忍耐。今仙人還不賞光，卻虧妹夫救俺出來。」多九公道：「這是林兄吉人天相，所以湊巧得唐兄同來。當日路過黑齒，唐兄曾有『以德報德』之話，今日果然應了。可見林兄這場災難，久有預兆，我們何能曉得。」唐敖道：「舅兄為何步履甚慢？難道國王果真要你纏足麼？」林之洋見問，不覺又是好笑，又是愧恨道：「他把俺硬算婦人做他的老婆也罷了，偏偏還要穿耳、纏足。俺這兩腳好像才出閣的新婦，又像新進館的先生，這些時好不拘束。偏那宮人要早見功，又用猴骨熬湯，替俺薰洗。今雖放的照舊，奈拿猴骨洗的倒像多吃兩杯，只覺害酒軟弱，至今還是無力。當日上去賣貨，曾有一個蟢蛛落在腳上，

那知卻是這件喜事！」婉如道：「爹爹耳上還有一副金環，俺替你取下來。」林之洋道：「那穿耳宮

娥也不顧死活，揪著耳朵就是一針，今日想起，俺還覺痛。這總怪厭火國囚徒把俺鬍鬚燒去，嘴上光

光的，國王只當俺年輕，才有這番災難。聞得國王昨日送妹夫回船，還有謝儀一萬兩，可送來麼？」

唐敖道：「久已送來。舅兄何以得知？」

林之洋將世子屢次送信，諸事照應，並後來求救各話，備細說了。唐敖道：「世子既有患難，我

們自應設法救他；況待舅兄如此多情，尤當『以德報德』。且世子若非情急，豈肯把現成國王棄了，

反去改換女裝、投奔他邦之理？我們必須把他救出，方可起身。九公以爲如何？」多九公道：「『以

德報德』，自應如此。但如何設法，必須商酌萬全，才好舉行。林兄在宮多日，谿徑最熟，可有妙

計？」唐敖道：「這位世子可像歧舌世子？——如會騎射，就易設法了。」林之洋道：「世子雖是男

裝，他是女人，未必曉得騎射。妹夫如眞心救他，俺倒有計，除了妹夫，別人都不能。」唐敖道：「

此等仗義之事，用著小弟，無不效勞。不知是何妙計？」林之洋道：「據俺主意：到了夜晚，妹夫將

俺駝上，一同擴進王宮，將他救出，豈不是好？」唐敖道：「王宮甚大，世子住處，舅兄知道麼？」

林之洋道：「世子送俺時，他說住在牡丹樓。他們那里牡丹甚高，到了開時，都是登樓看牡丹。

——俺們到彼，只檢牡丹多處找他，自然見面了。」唐敖道：「今晚且同舅兄擴進王宮，看是如何，

再作計較。」多九公道：「林兄因感世子之情，唐兄只知惟義是趨，都是忿不顧身，竟將王宮內院視

爲兒戲。請教二位：彼處既是宮院，外面豈無兵役把守？裏面豈無人夫巡邏？二位進去，設被捉獲，

不知又有甚麼良策？據老夫愚見：還須慢慢商量。如此大事，豈可造次！」唐敖道：「小弟同舅兄至

彼，自然加意小心，相機而行，豈敢造次。九公只管放心。」

到了下午，用過晚飯，唐敖身上換了一件短衣，林之洋也把衣服換了。因向日所穿舊鞋甚覺寬大，即命水手上去另買一雙合腳的。結束停當，天已昏黑。呂氏恐丈夫上去又惹是非，再三苦勸，林之洋那里肯聽，即同唐敖別了多九公，躧進城來。走了多時，到王宮牆下。四顧無人，唐敖駝起林之洋，將身一縱，攛上牆頭，四處眺望。只聽裏面梆鈴之聲，絡繹不絕。隨即越過幾層高牆，梆鈴之聲，漸覺稀少。唐敖輕輕道：「迎面這些樹木，想是牡丹樓，俺們下去看看。」唐敖隨即攛入院內，林之洋輕輕跳下，方才腳踹實地，不防樹林跳出兩隻大犬，狂吠不止，將二人衣服咬住。那些更夫聞得犬吠，一齊提著燈籠，如飛而至。

眾人趕到林之洋跟前，提燈照道：「原來是個女盜。」內中有個宮人道：「你們不可胡說！這是國王新立王妃，不知為何這樣打扮？貪夜──至此？──必有緣故。國王正在夜宴，且去奏聞，請令定奪。」隨即啟奏，立刻帶到豔陽亭。國王一見，登時把憐香惜玉之心，又從冷處熱轉過來道：「孤家已命人送你回去，此時你又自來，是何意見？」林之洋見問，無言可答，惟有發痰。國王笑道：「我知你意了。你捨不得此處富貴，又來希冀孤家寵幸。你既有此美意，我又何必固卻。只要你從此將足纏小，自然施恩收入宮內。你須自己要好，莫像從前任性，將來自有好處。」分付宮人即送樓上，改換女裝，仍派從前宮娥，照舊伺候，俟足纏好，隨即奏聞，以便擇吉入宮。眾宮娥答應，將林之洋擁到樓上，香湯沐浴，換了衣履，仍舊梳頭、纏足。林之洋忖道：「今日雖又被難，喜得妹夫未被捉獲。他今擄在牆上，必探俺的住處，前來相救。俺且用話把宮人驚嚇驚嚇，省得兩足又要吃苦。」因說道：「俺今日情願進宮，恨不能兩足纏小，好同國王成親，不勞諸位混來動手。你們待俺有情義，俺

日後進宮也有情義；你們待俺有利害，少不得俺有報仇日子！俺要得起時來，莫講你們幾個臭宮娥，就是各宮王妃，俺要他命，他也脫不過的。」眾宮娥聽了，因想起當日啟奏打肉各事，一齊叩頭，只求王妃高抬貴手，莫記前仇。林之洋道：「俺只論已後，不講從前。你們莫怕，只管起來。你們敎俺莫記前仇，只要依俺三件事。」眾宮娥立起道：「任憑多少，奴婢無有不遵。不知那三件？」

——只管分付。」林之洋道：「第一件：纏足、搽粉各事，俺自動手，不准你們費心。可依得？」眾人道：「依得。」林之洋道：「第二件，世子如來同俺說話，不勞你們立在跟前，不要同俺一房。這件可依得？」眾人聽了，都默默無言。林之洋道：「想是怕俺一人在內，夜間逃走？也罷，俺在裏間居住，你們都在外間。裏間樓窗，每到夜晚，你們上鎖，將鑰匙領出。這樣嚴緊，難道還不放心？俺要逃走，今日也不來了。」眾宮娥聽了，都一齊應道：「這件也依得。」於是忙忙亂亂，各去張羅

妝帳。林之洋假意用力把腳裹了，眾宮娥把樓窗鎖好，領了鑰匙，各去睡了，不多時，酣聲如雷。

將及三鼓，林之洋睡在妝上，忽聽樓窗有人彈指聲，忙到窗前，輕輕問道：「外面是妹夫麼？」唐敖道：「我自從摔脫惡犬，躱在高牆，後來見眾人把你送到樓上，我也就跟來。此時眾人已睡，你作速開門，隨我回去。」林之洋道：「樓窗上鎖，不能開放，若驚醒他們，加意防備，更難脫身。據俺主意：妹夫且去，明日俺同小國王商量計策。你只看樓上掛有紅燈，即來相救。速速去罷！」唐敖答應。只聽嘎的一聲去了。

——眞（ㄓㄣˋ）夜——深夜。

次日世子聞知，前來探望。林之洋告知詳細。世子不覺感激涕泣零道：「恰好明日乃兒臣誕辰，阿母可分付宮娥備宴與兒臣慶壽，將宴送至兒臣那邊，自有道理。」林之洋點頭，卽命宮人預備送去。

天將掌燈，世子命宮人邀樓上眾宮娥前去吃酒。眾人聞世子賞宴，個個歡喜，都要爭去；林之洋隨命眾人去了。世子見宮娥全到，忙到樓上，開了樓窗，挂起紅燈。忽從房上擡進一人。世子知是唐敖，連忙倒身下拜。唐敖忙攙起道：「這位莫非就是世子麼？」林之洋連連點頭。唐敖道：「事不宜遲，我們走罷。」於是把林之洋駞在背上，懷中抱了世子，將身一縱，跳在牆上；一連越過幾層高牆，才擴到宮外。放下世子，林之洋也從肩上跳下。幸有微月上升，尚不甚黑，三人一齊趲行，越過城池，來至船上，見了多九公，隨卽開船。世子換了女裝，拜林之洋爲父，呂氏爲母；見了婉如、蘭音，十分相契。多九公問起名姓，才知世子姓陰，名若花。唐敖聽見「花」字，猛然想起當日夢中之事。

未知如何，下回分解。

第三十八回　步玉橋茂林觀鳳舞　穿金戶寶殿聽鸞歌

話說唐敖聞世子名叫若花，不覺忙道：「夢神所說十二名花，我到海外，處處留神，至今一無所見。惟所遇女子，莫不以花木爲名。即如：嬋兒又名蕙兒，紅紅又名紅薇，亭亭又名紫萱；其餘如廉錦楓、駱紅蕖、魏紫櫻、尹紅萸、枝蘭音、徐麗蓉、薛蘅香、姚芷馨之類，並無一人缺了花木。我正忖度莫決。今日忽然現出『若花』二字，莫非從此漸入佳境？——倒要留意了。」

次日，林之洋同唐、多二人偶然說起：「那日同國王成親，虧俺給他一概弗得知，任他花容月貌，俺只認作害命鋼刀，若不捺了火性，那得有命回來。」唐敖道：「據這光景，舅兄竟是柳下惠不亂○了。」林之洋道：「俺本以酒爲命。自從在他樓上，恐酒誤事，酒到跟前，如見毒藥一般，隨你甚等美酒，俺也不吃。」林之洋道：「俺本以酒爲命，俺要借著裝醉，吃了兩杯，除此並無一滴入口。若比古人，不知又叫甚麼？」多九公道：「當日禹疏儀狄，絕旨酒○，今林兄把酒視如毒藥，如此說來，膂駕又學大禹行爲了。」林之洋道：「他們國中以金錢爲貴。俺進宮第二日，國王命宮人賜俺珠寶，並

○　柳下惠坐懷不亂——展禽，春秋時魯人，住在柳下，死後諡「惠」，後人就叫他柳下惠，他是古代稱頌的最有道德、最有信用的人。「坐懷不亂」這句話出荀子。據荀子說：雖然有夜晚找不到住處的女子來坐在柳下惠的懷裏，別人也會相信他清白，決没有淫亂行爲。

○　禹疏儀狄，絕旨酒——旨，指食物味道的美好。故事傳說：夏禹的臣子儀狄，造了一種美酒，禹吃了這種酒，就說：後代一定會有人因爲吃酒而亡國的。於是他疏遠儀狄，戒絕旨酒。典出戰國策。

命收掌金錢宮人每月送俺金錢一擔，隨俺用度。他看那錢就如糞土一般，並不被他打動。若比古人，不知又叫甚麼？」唐敖道：「當日王衍一生從不言錢。他的妻子故意將錢放在房中，攔住走路，意欲逼他說出一個錢字。誰知王衍看見，因堵住走路，教他妻子把『阿堵物』拿開，畢竟總不言錢。無非嫌他銅臭，所以絕口不談。那知今人一經講起銀錢，心花都開，不但不嫌他臭，莫不以他為命，——並且歷來以命結交他的，也就不少。你只看那錢字身傍兩個『戈』字，若妄想親近，自然要動干戈，鬧出人命來。今舅兄把他視如糞土，又是王衍一流人物了。」林之洋道：「俺在樓上被他穿耳、毒打、倒弔，這些魔難，不過一時，都能耐得。最教俺難熬的，好好兩隻大腳，纏的骨斷筋折，只剩枯骨包著薄皮，日夜行走，十指連心，疼的要死。這般凌辱，俺能忍受逃得回來，只怕古人中要找這樣忍耐的也就少了。」多九公道：「當日蘇武出使匈奴，吃盡千辛萬苦，數年之久，方能逃回，也算受盡苦楚了。」林之洋道：「俺講的並非這個，要請問受人百般凌辱，能戤忍耐的，不知古人中可有一個？」唐敖道：「若講能戤忍耐的，莫若本朝去世不久的婁師德了，他告訴兄弟，教他唾面自乾。人唾他面，他能聽其自乾，可見凡事都可忍耐。以此而論：舅兄又是婁師德一派人物了。」多九公道：「林兄把這些都能看破，只怕還要成仙哩。」唐敖笑道：「九公說的雖是，就只神仙從未見有纏足的。當日有個赤腳大仙，將來只好把舅兄叫作『纏足大仙』了。」

三人說說笑笑，行了幾時。這日，唐敖立在柁樓，遠遠望去，只見對面霞光萬道，從中隱隱現出一座城池，多九公把羅盤看一看道：「唐兄：前面已到軒轅國。此是西海第一大邦，我們要暢遊幾日了。」當時到了軒轅，將船泊岸。林之洋腳已養好，自去賣貨。唐、多二人上岸，遠遠望那城郭，就

如峻嶺一般，巍巍蕩蕩，景象非凡。唐敖道：「城郭離此還有若干路程？」多九公道：「前面有座玉橋。過了玉橋，穿過梧林，不過三四里，就可到了。」不多時，步過玉橋，迎面無數梧桐，一望無際；桐林之內，俱是鳳凰來往飛騰。唐敖道：「怪不得古人言：『軒轅之邱，鸞鳥自歌，鳳鳥自舞。』果然不錯。」只見那邊有對鳳凰，來來往往，一上一下，盤旋飛舞，就如錦繡一般，越看越愛，不覺讚好道：「前在麟鳳山雖見鳳凰，卻未看他飛舞；那知此處卻有如此大觀！」多九公道：「唐兄既要領略此國風景，何不且到城中？此地鳳凰如別處雞鴨一般，到處皆是，若看鳳舞，終日還看不完哩。」唐敖聽罷，即出梧林。走了多時，田野中已有人烟，都是人面蛇身：一條蛇尾，盤交頭上；衣冠言談，與天朝無異，舉止面貌，亦甚秀雅。走進城來，街市雖有十數丈之寬，那些作買賣，來來往往，仍是推擠不動。市中所賣鳳卵，如別處雞蛋一樣，擺列無數。

忽聽吆吆喝喝，街上人都向兩旁閃開。只見一人手執一柄黃傘，——寫「君子國」三個大字，——傘下罩著一位國王：生得方面大耳，品貌端嚴，身穿紅袍，頭戴金冠，腰中佩劍。許多隨從，騎著一匹文虎過去。隨後又有一傘，——寫著「女兒國」，——傘下罩著一位國王：生得眉清目秀，面白唇紅，頭戴雉尾冠，身穿五彩袍；騎著一匹犀牛。也是許多跟隨，簇擁過去。多九公道：「此時君子、女兒兩位國王忽然到此，不知何故？莫非都屬軒轅所轄，前來朝賀麼？」唐敖道：「他們各霸一方，向來並無統屬。此番到此，大約素日契好，前來拜望，亦未可知。」唐敖搖頭道：「小弟記得：我們自從今正來到海外，所過之國，第一先到君子，其次大人，淑士……以至女兒，共計三十國。走了九月之久，才到此地。若君子國王來此，往返豈不要走半年之久？如此遙遠，特來拜望，未必。」多九公道：「我們因要賣貨，不問道路遙遠，只檢商販通處繞去，所行之地，並非直路，所以

就擱。他們直來直往，何須多日。當日我們在君子國同吳氏弟兄閒談，他家僕人，曾有『國王要到軒轅』之說；前在女兒國，若花姪女在宮，亦向林兄言過，國王要來軒轅。可見二位國王俱走在我們之後，卻到在我們之先。」

不多時，回來道：「此番我們來的湊巧。此地國王，乃黃帝之後，向來爲人聖德。凡有鄰邦，無論遠近，莫不和好。而且有求必應，最肯排難解紛，每週兩國爭鬥，他即代爲解和，海外因此省了許多刀兵，活了若干民命。今年恰值一千歲整壽，臣民俱獻梨園⊜祝嘏，遠近各國齊來慶賀。明日就是壽誕之期。今日各國都在千秋殿預祝，大排筵宴，殿外共有數十處梨園演戲。無論軍民，只管進去瞻仰，竟是『與民同樂，共躋壽域』之意。我們何不同去看看？」多九公道：

「請教九公：此地國王何以竟有千秋之壽。」多九公道：「老夫記得古人言：『軒轅之人，不壽者八百歲。』大約千歲還不算高壽哩。」唐敖道：「以此看來：軒轅之人，雖非大羅⊝神仙，也可算得地仙了。當日軒轅黃帝騎龍上天，小臣不捨，有持龍鬚而墮的，有抱其弓而號的。那些小臣，既有隨去之意，何必這等號呼？若凡心未過，縱能跟去，又有何益？倘主意拿定，心如死灰，何處不可去，又何必持其龍鬚以爲依附？——未免可笑！」多九公道：「難道今日唐兄之心已如死灰麼？」唐敖道：

「豈但今日！」多九公笑道：「唐兄又要發獃了！」

說笑間，迎面有座冲霄牌樓，霞光四射，金碧輝煌，上有四個金字，寫的是「禮維義範」。穿過牌樓，又是一座金門。走過金門，才望見千秋殿。那殿約有十餘丈高，極其寬大，四面都是亭臺樓閣，將千秋殿環抱居中。各處音樂不斷，接接連連，都是梨園演戲。唐敖一心要看國王，無心看戲，直向千秋殿走來。殿外立著一對青鸞，身高六尺，尾長一丈，其形如鳳，渾身青翠，鳴的悠揚宛轉，

就如五音齊奏一般。唐敖道：「怪不得古人以鸞鳴叫作『鸞歌』，真比歌兒唱的還妙。九公！你看那

個身形略小的，想是雌鸞了？為何雄鳴他鳴，雄不鳴他也不鳴呢？」多九公道：「那個小的雖是雌

鸞，其實名『和』。禮云：『在輿則聞鸞和之音。』上古之時，鸞輿順動，此鳥輒集車上，雄鳴於

前，雌應於後，所以雄鳴雌也鳴了。」

原來殿上也是演戲。那看的人雖如人山人海，好在國王久已出示，毋許驅逐閒人，悉聽庶民瞻

仰。二人擠在人叢中，也步入殿內。只見主位坐著軒轅國王：頭戴金冠，身穿黃袍，後面一條蛇尾，

高高盤在金冠上。殿上許多國王，都是奇形怪狀。唐敖略略看了一遍，內中除君子、大人、智佳、女

兒各國約略曉得，其餘俱是素昧平生。因暗暗問道：「請教九公：小弟聞軒轅之人有『尾交首上』之

說，想來就是主席國王了。其餘這些國王，除了我們到過的，內中許多奇形怪狀，小弟看來看去，只

覺眼花撩亂，辨不明白。那邊有位國王，頭上披著長髮，兩腿伸在殿上約有兩丈長，其國何名？」多

九公經經答道：「這是長股國，又名有喬國。我們天朝以雙木續足，叫作『高蹻』，就是做他作的。

長股之旁有位國王，一個大頭，三個身軀的，名叫三身國。三身對面有個身有雙翼，人面鳥嘴的，名

叫驩兜國。驩兜上首有位面三目，一隻長臂的，名叫奇肱國。奇肱下首坐著一位三

腳脛相交的，名叫交脛國。交脛旁邊有位面中三首的，名叫周饒國。——就是能做飛車的周饒。迎面有位

首一身的，名叫三首國。」唐敖道：「那邊一位三身一首，這邊一位三首一身，兩位設或對看，只怕

彼此都有羨慕之意哩。」

(三) 梨園——李隆基（唐玄宗）訓練伶人的地方。後來泛指演戲的場所和戲班，因而也泛稱伶人做「梨園子弟」。

(四) 大羅——大羅天的省詞。道家迷信的說法：最高天上神仙所住的地方，叫做「大羅天」。

林之洋聽見此處演戲，也來殿上，恰好三人遇在一處。唐敖道：「這些國王，舅兄都熟識麼？」林之洋看了，也有認得的，也有認不得的，——諸如三苗、丈夫之類，都向多九公暗暗請教一番。唐敖道：「內中有個『舅夫國』，九公可曾看見？」多九公道：「海外各國，老夫雖未全到，但這國名無有不知，從未見有『舅夫』之說。唐兄從何見來？」唐敖道：「林兄是小弟妻舅，女兒國王又是小弟妻舅之夫，以此而論，那女兒國王豈非小弟『舅夫』麼？」多九公笑道：「若論親眷，唐兄還是女兒國王的妻妹婿哩。據老夫愚見：林兄須要躲避躲避；惟恐令夫夫你在外丟醜，把腳放大，一時氣惱，倘命保母參湯，老兄又要吃一杯了。」林之洋道：「你們二位也躲避躲避才好，俺聞黑齒國王背後狠怪你們哩。」唐敖道：「我們同他毫無干涉，為何要怪？」林之洋道：「他說自從你們到他國中談了一回文，把他國中文風弄壞，至今染了你們習氣，還是黑氣衝天哩。舅兄可曉得？」唐敖道：「如今淑士國王四處訪拿獵戶，智佳國王四處訪拿和尚，聞得也因談文弄的禍根。舅兄可曉得？」林之洋道：「俺不曉得。」多九公道：「據老夫看來：只怕『鳥槍打』同那『到處化緣』舊案發作了。」林之洋道：「兩位國王如把俺捉去，俺在他跟前多稱幾個『晚生』，自然把俺放了。」多九公道：「你看殿上厭火國王那張大嘴忽又冒出火光，林兄小心髭鬚要緊！此時才留幾根兒，莫被燒去，教人看著眼饞，又要生出穿耳、裹腳那些花樣了。」

未知如何，下回分解。

第三十九回　軒轅國諸王祝壽　蓬萊島二老遊山

話說林之洋同唐、多二人嘲笑，招架不住，漸覺詞鈍，因眾國王在殿上閒談，就勢說道：「九公且莫鬭趣。你看那邊智佳國王同軒轅國王說話，他把軒轅國王稱作『太老太公』，這是甚麼稱呼？」

多九公道：「智佳之人向來壽相最短，大約不過四五十歲就算一世。今軒轅國王業已千歲，若論世誼，同他二十代祖宗就算相交。所以智佳國王無可相稱，只好稱作『太老太公』。好在今日眾國王所說之話都學軒轅口音，十分易懂，省得唐兄問來問去，老夫又作通使了。」

只聽那邊長臂國王向長股國王道：「小弟同王兄湊起來，卻是好好一個漁翁。」長股國王道：「把你駞在肩上，雖可取魚；但你一時撒起尿來，小弟卻朝何處躲呢？」翼民國王道：「聶耳王兄耳最長大，王兄儘可躲在其內。」結胸國王道：「據小弟愚見，莫若躲在兩面王兄浩然巾內，倒還穩妥。」毛民國王道：「浩然巾內久已藏著一張壞臉。他的兩面業已難防，豈可再添一面。若果如此，我們只好望影而逃了。」兩面國王道：「那邊現在有位三首王兄，他就是三面，為何王兄又不望影而逃呢？」大人國王道：「莫講三首王兄只得三面，就是再添幾面，又有何妨。他的喜怒愛惡，全擺臉上，令人一望而知，並且形像總是一樣，從無參差；不比兩面王兄對著人是一張臉，背著人又是一張臉，變幻無常，捉摸不定，

不知藏著是何吉凶，令人不由不怕，只得望影而逃了。」淑士國王道：「小弟偶然想起天朝有部書，是夏朝人作的，晉朝人註的⊖，可惜把書名忘了。上面註解曾言『長股人常駝長臂人入海取魚』，誰知長臂王兄今日巧巧也說此話，倒像故意弄這故典，以致諸位王兄從中生出許多妙論。」

元股國王道：「此書小弟從未看過，不知載著甚麼？」黑齒國王道：「小弟當日曾見此書，上面奇奇怪怪，無所不有，大約諸位王兄同小弟家譜都在上面。」白民國王道：「若果如此，小弟現在正修家譜，將來倒要購求一部考考宗派。」歧舌國王道：「若提家譜，小弟每要修理，竟無從下筆。當初不知何人硬將我國派作歧舌，又有人喚作反舌。那『歧舌』二字，業已可厭，至於『反舌』，尤其荒唐。況天朝向來有鳥名叫反舌，他是不按時令只管亂叫，或者王兄是他支派，也未可知。」無腎國王道：「小弟聞那反舌一交五月，他卽無聲；此時已交十月，王兄還照常開談，其非反舌，可想而知。」

小人國王道：「王兄日後如修家譜，這條倒可採取的。」歧舌國王道：「小弟因這反舌二字不過說他比得不倫，怎麼王兄竟將小弟同禽鳥論起支派？這更胡鬧了！」君子國王道：「天朝書上雖有反舌鳥，但世間俗稱卻是百舌。卽如當日蜀王望帝名子規，今杜鵑亦名子規。命名相同的甚多，亦有何礙？」巫咸國王道：「話雖如此，但這名字究竟不雅。小弟意欲奉求諸位替我改換一字。」長人國王道：「敝處國號向以『長人』為名。據小弟愚見：王兄國號莫若也以『長』字為名，就叫『長舌』。我們聯起宗來，豈不是好？」歧舌國王道：「小弟卽使換個『長』字，何能與兄就算同宗？王兄此話，未免過於矯強。難道如今世上聯宗都是這樣麼？」智佳國王道：「近來世上聯宗有兩等：有應聯而不聯的；有不應聯而聯的。卽如，兩人論起支派，當初本是一家，此時敘起，原當聯宗；無如現在一貧一富，

或一貴一賤，那富貴人恐其玷辱，躲之尚恐不及，豈肯與之聯宗？只好把那『根本』二字暫置度外。又有一等，論起支派，本非一家，無須聯宗。因一時同在富貴場中，彼此門第相等，要圖親熱，所以聯起宗來；誰知他不認本家，只顧外面混去聯宗，把根本弄的糊里糊塗，久而久之，連他自己也辨不出是誰家子孫了。」長人國王道：「這是世俗常情，近來每多如此。弟雖不才，現在忝爲一國之王，想來也無玷辱王兄之處。將來我們如果聯宗，我算你家支派也可，你算我家子孫也可，這有何妨！」歧舌國王搖頭道：「王兄這句話，把我算了你家子孫也可，未免言重了！別的事情可以矯強算得，怎麼把我算起人家子孫？況貴邦人莫不身長，故有『長』字之名；敝處人舌又不長，爲何喚作『長舌』？」毘騫國王道：「王兄素精音律，他日小弟敬詣貴邦，王兄如將韻學賜教，小弟定贈美號，以爲『投桃之報』〇。王兄意下如何？」歧舌國王道：「此事雖可，但恐傳了韻學，庶民聞知，只怕賤內還有離異之患哩。」

伯慮國王道：「諸位王兄都講修理家譜，歧舌王兄又要更正國名，都是極美之事。小弟雖有此志，但終年抱病，兼之俗務紛紜，精神疲憊，近來竟如廢人一般。小弟因想人生在世，無論賢愚，莫不秉著氣血而生，爲何敝處人向多短壽？即如小弟現在年未三旬，業已老邁。女兒王兄比我年長，卻如此少壯，想來必有服食養生妙術，何不指教一二？」女兒國王道：「王兄本有養命金丹，今不反本求源，倒去求那服食養生之術，即使有益，何能抵得萬分之一，豈非捨實求虛麼？」厭火國王道：「王兄如將諸務略爲看破，憂慮稍爲減些，把心放寬，不必只管熬夜，該睡則睡，該起則起，也就是養

〇　天朝有部書，是夏朝人作的，晉朝人註的——指山海經。傳說山海經是夏代禹、益所作，晉代郭璞註解。

〇　投桃之報——別人送我東西，我也回送別人東西作爲報答的意思。語出詩經：「投我以桃，報之以李。」

生之術了。」勞民國王搖著身子道：「倒是敝處人每日跑來跑去，勞勞碌碌，不知憂愁爲何物。到了夜間，把頭才放枕上，卻已沉沉睡去。無論何時，總是這樣。無災無病，倒會敷衍百歲光景。」軒轅國王道：「據這言談，可見勞心勞力，竟是大相懸殊。」犬封國王道：「伯慮王兄尊軀既弱，何不弄些飲食調養？即如小弟一生無所好，就只最喜講究享點口福。今日吃了這幾樣，明日又吃那幾樣，總是想著法兒，變著樣兒，給他一味狠吃。並且把他就算一件工課，每日苦思惡想，自然生出許多可口東西。況心機與其用在別的事上，何不用在自己身上，樂得嘴頭快活，豈不有趣？」伯慮國王道：「此說雖善，無如小弟絲毫不諳，這卻怎好？」犬封國王道：「這有何難！王兄如高興，將來小弟即到貴邦奉陪王兄住幾時，就近指撥貴庖，不過一年半載，再無不妙。但必須小弟在彼日日親嘗口味，方能日見其妙。」豕喙國王道：「小弟素於烹調雖不甚精，也還略知一二。伯慮王兄如邀時時指點，或者可以稍參末議，亦未可知。」

犬封王兄，小弟也可奉陪，方能日見其妙。

正在談論，誰知女兒國王忽見林之洋雜在眾人中，如鶴立雞羣一般，更覺白俊可愛，呆呆望著，只管發痴。眾國王見他出神，也都朝外細看：那深目國王手舉一隻大眼，對著林之洋更是目不轉睛；聶耳國王只將兩耳亂搖；無腸國王惟有望著垂涎；跂踵國王只管踮著腳尖兒仔細定睛。林之洋被眾人看的站立不住，只得携了唐、多二人，走出殿外。多九公道：「看這光景，不獨女兒國王難割舊愛，就是眾國王也有許多眷戀之意哩。」說的林之洋滿面通紅，唐敖惟有發笑。

一連遊了幾日，林之洋貨物十去八九。這日，天朝來了一隻貨船，尹元寄有書信。唐敖拆看，才知駱紅蕖姻事業已說定，十分歡悅。登時開船。

行了幾時，又過幾個小國，如三苗、丈夫之類，唐敖仍同多九公各處遊玩，林之洋貨物將及賣完。

這日，大家談起海外各國，唐敖偶然想起前在智佳猜謎，林之洋曾以「永錫難老」打個「不死國」，因問多九公，才知就在鄰近。並聞：國中有座員邱山，山上有顆不死樹，食之可以長生；國中又有赤泉，其水甚紅，飲之亦可不老。所以唐敖要去走走。無如此國僻處萬山中，須過許多海島，才至其地，乃人跡罕到之處。多九公意欲不去。林之洋聞彼處有個赤泉，心裏也想飲些泉水，希冀長生；兼之唐敖因古人有「赤泉駐年，神木養命，稟此遐齡，悠悠無竟」之話，那怕難走，執意要去。因此打起羅盤，竟朝不死國進發。喜得正是小陽春當令，還不甚冷。

這日，三人正在船後閒談，多九公忽然囑付眾水手道：「那邊有塊烏雲漸漸上來，少刻即有風暴，必須將篷落下一半，繩索結束牢固；惟恐不能收口，只好順著風頭飄了。」唐敖聽罷，朝外一望，只見日朗風清，毫無起風形象。惟見有塊烏雲，微微上升，其長不及一丈。看罷，不覺笑道：「若說這樣晴朗好天卻有風暴，小弟就不信了。難道這塊小小烏雲就藏許多風暴？那有此事！」林之洋道：「那明明是塊風雲，妹夫那裏曉得。」言還未了，四面呼呼亂響，頃刻狂風大作，波浪滔天。那船順風吹去，就是烏騅快馬也趕他不上。這個風暴，再也不息。越刮越大，眞是翻江攪海，十分利害。唐敖躲在艙中，佩服多九公眼力不錯。沿途雖有收口處，無奈風勢甚狂，那裏由你作主，這才不能收口，並且船篷被風鼓住，隨你用力，也難落下。一連刮了三日，這才略略小些，費盡氣力，方纔泊到一個山腳下。唐敖來到後梢，看眾人收拾篷索。林之洋道：「俺自幼年就在大洋來來往往，眼中見的風暴也多，從未見過無早無晚，一連三日，總不肯歇。如今弄的昏頭昏腦，也不知來到甚麼地方。這風若朝俺們來的舊路刮去，再走兩日，只怕就可到家了。」

唐敖道：「如此大風，卻也少見。此時順風飄來，又有若干路程？此處是何地名？」多九公道：「老夫記得此處叫作普度灣。岸上有條峻嶺，十分高大，自來從未上去。至於程途，若以此風約計，每日可行三五千里，今三日之久，已有一萬餘里。」林之洋道：「春間俺同妹夫說『水路日期難以預定』，就是這個緣故。」唐敖因風頭略小，立在柁樓，四處觀望。只見船旁這座大嶺，較之東口、麟鳳等山甚覺高闊，遠遠看著，清光滿目，黛色參天。望了多時，早已垂涎，要去遊玩。林之洋因受了風寒，不能同去。；即同多九公上岸。喜得那風被山遮住，並不甚大，隨即上了山坡。又走多時，迎面有一石碑，上鐫「小蓬萊」三個大字。唐敖笑道：「果然九公所說不錯。」繞過峭壁，穿過崇林，再四處一看：水秀山清，無窮美景，越朝前進，山景越佳，宛如登了仙界一般。

處乃海外極南之地，我們若非風暴，何能至此！老夫幼年雖由此地路過，山中卻未到過，惟聞人說，此地有個海島，名叫小蓬萊。不知可是？我們且到前面，如有人烟，就好訪問。」

未知如何，下回分解。

第四十回　入仙山撒手棄凡塵　走瀚海牽腸歸故土

話說二人遊玩多時，唐敖道：「我們前在東口遊玩，小弟以爲天下之山，無出其右；那知此山處處都是仙境。卽如這些仙鶴麋鹿之類，任人撫摩，並不驚走，若非有些仙氣，安能如此？到處松實柏子，喫之滿口清香，都是仙人所服之物。如此美地，豈無眞仙？原來這個風暴，卻爲小弟而設。」多九公道：「此山景致雖佳，我們只顧前進，少刻天晚，山路崎嶇，如何行走？今且回去。明日如風大不能開船，仍好上來。林兄現在有病，我們更該早回才是。」唐敖正遊的高興，雖然轉身，仍是戀戀不捨，四處觀望。多九公道：「唐兄：要像這樣，走到何時，才能上船？設或黃昏，如何下得山去？」唐敖道：「不瞞九公說，小弟自從登了此山，不但利名之心都盡，只覺萬事皆空。此時所以遲遲不行者，竟有懶入紅塵之意了。」多九公笑道：「老夫素日常聽人說：讀書人每每讀到後來入了魔境，要變成『書獃子』。今遊來遊去，竟要變成『遊獃子』。唐兄快些走罷，不要闘趣了。」唐敖聽罷，仍是各處觀望。忽見迎面走過一個白猿，手中拿著一枝靈芝，身長不滿二尺，兩隻紅眼，一身硃砂斑，極其好看。多九公道：「唐兄：你看白猿手中那枝靈芝，必是仙草。我們何不把他捉住，將靈芝分吃，豈不是好？」唐敖點頭。都向白猿趕來，登時趕到跟前，剛要用手去捉，那白猿連擰帶跳，卻又跑遠。一連數次，總未捉住。好在白猿所去之路，就是下山舊路。正在追趕，路旁有個石洞，白猿跑了進去，毫不費力，用力捉住，將靈芝奪過給多九公吃了。多九公十分歡喜，把白猿接過，抱在懷中，急急下山。唐敖趕至跟前，恰好此洞甚淺，

到了船上，林之洋因身上不爽，業已睡了。婉如聽見捉住白猿，向多九公討來，用繩縛住，與蘭音、若花一同玩耍。唐敖吃了晚飯，將衣囊收拾安置。次日轉過順風，眾人收拾開船，唐敖卻早上山去了。等候到晚，呂氏不見唐敖回來，甚不放心！林之洋病在牀上，聽見此事，也甚著急。次日，託多九公同眾水手分路去找。多九公因吃了靈芝，只覺腹瀉，不能前去。眾水手尋訪一日，毫無消息。林之洋病體略好，也支撐上去。一連找了幾日，那有蹤影。這日多九公肚腹已好，因向林之洋道：「我看唐兄此番來至海外，名雖遊玩，其實並不為此，大約久有修行了道之意。前者林兄有病，老夫同他上山遊了多時，他竟懶於下山。到了次日，並不約我，卻一人獨往。後來因我再三催逼，明知不能脫身，就借趕捉白猿同老夫回來。以此看來，此人必是成仙而去。今已數日，豈有回來之理？我勸林兄不必找了。你就再找兩月，也是枉然。」林之洋聽了，雖覺有理；但至親相關，何能歇心？仍是日日尋找。眾水手也不知催過幾十遍，要想回去，無奈林之洋夫妻務要等唐敖回來，才肯開船。

這日眾水手因等的心焦，大家約齊，來至船中，向林之洋道：「這座大嶺既無人烟，又多猛獸，我們每夜提著器械，輪流巡更，還不放心，何況唐相公一人獨往？今已去了多日，即不遭猛獸之害，就是餓也餓死了，何能等到今日？我們再不開船，徒然躭擱。趁著順風不走，一經遇了逆風，缺了水米，只顧等他一人，大家性命只怕都要送在此處了。」眾人說的也是。但俺們同唐相公乃骨肉至親，如今不得下落，怎好就走？倘唐
呂氏在內說道：「你們眾人說的也是。

相公回來不見船隻，豈不送他性命？你們既要回去，俺們也不多躭時日，就以今日爲始，再等半月，如無消息，任憑開船就是了。」眾人無可奈何，只得靜靜等候，每日怨聲不絕。林之洋只作不知，仍是日日上山。不知不覺，到了半月之期，眾水手收拾開船。林之洋心猶不死，務要約了多九公再到山上看看，方肯開船。多九公只得同了上山，各處跑了多時，出了幾身大汗，走的腿腳無力，這才回歸舊路。行了數里，路過小蓬萊石碑跟前，只見上面有詩一首，寫的龍蛇飛舞，墨跡淋漓，原來是首七言絕句。

逐浪隨波幾度秋，此身幸未付東流。今朝才到源頭處，豈肯操舟復出遊！

詩後寫著：「某年月日，因返小蓬萊舊館，謝絕世人，特題二十八字。唐敖偶識。」多九公道：「林兄可看見了？老夫久已說過，唐兄必是成仙而去，林兄總不相信。他的詩句且不必講，你看他『謝絕世人』四字，其餘可想而知。我們走罷，還去癡心尋找甚麼！」回到船上，將詩句寫出，給呂氏諸人看了。林之洋無可奈何，只得含著一把眼淚，聽憑眾人開船。蘭音望著小蓬萊惟有慟哭；婉如、若花也淚落不止。登時揚帆往嶺南而來。一路無話。

走有半年之久，於次歲六月到了嶺南。多九公各自交代回去。林之洋同妻女帶著蘭音、若花回家，見了江氏，彼此見禮。眾水手將行李發來。再細細查點唐敖包裹，所有衣履被褥都在行囊之內。惟筆硯不知去向。林之洋夫婦覩物傷情，好不悲感。江氏問知詳細，也甚歎息，因說道：「姑娘那邊這兩年不時著人問信，並囑咐如有回來之期，千萬送個信去，以免懸望。」林之洋不覺頓足道：「這事敎俺怎對妹子！他埋怨還是小事，倘悲慟成病，又送一條性命，這便怎處？」呂氏道：「此時莫若暫

且隱瞞。俺們見了姑娘，就說姑爺已上長安，等赴試後，方能回來。如此支吾，且保眼下清靜。俟過幾時，再作商量。」林之洋道：「你身上有孕，不便前去。明日俺去見妹子，只好權且扯謊。但妹夫包裹須要藏好，惟恐妹子回來看見，不大穩便。」

呂氏道：「剛才蘭音甥女要去見他寄母，明日就便把他帶去。」林之洋道：「論理自應把他送去；倘他口角不穩，露出話來，那便怎好？——也罷，俺同九公商量，且把蘭音、若花暫寄九公家內，同他甥女且去作伴，俺們慢慢再議長久之計。」當時同多九公議定，把蘭音、若花送了過去。二人摸不著頭腦，又不敢違拗，只得暫且住下。喜得多九公把兩個甥女也接來作伴，一名田鳳翾，一名秦小春，幼年都跟多九公讀書，生得品貌俊秀，詩書滿腹，而且都是一手好針黹，蘭音、若花就便跟著學習。好在四人年紀相倣，每逢閒暇，談談文墨，倒也消遣。林之洋諄託多九公一切照應。回到家中，囑付丈母女兒千萬不可露風。

次日，僱了小船，帶了水手，把女兒國所送銀子發到船上，向唐家而來。

那唐敖妻子林氏自從得了唐敖降為秀才之信，日日盼望。後來得了家書，才知丈夫雖回嶺南，因鬱悶多病，羞歸故鄉，已同哥嫂上了海船，飄洋去了。林氏聽了此信，恐丈夫受不慣海面辛苦，不時焦心，常與女兒埋怨哥嫂不了；就是唐敖夫婦，也是時常埋怨。不知不覺，過了一年。這日，唐小山因想念父親，悶坐無聊，偶然題了一首思親詩，是七言律詩一首：

夢醒黃粱擊唾壺，不歸故里覓仙都。九皋有路招雲鶴，三匝無枝泣夜烏。
松菊荒涼秋月淡，蓬萊縹緲客星孤。此身雖恨非男子，縮地能尋計可圖。

小山寫完，只見唐敖笑嘻嘻走來，把詩看了，不覺點頭道：「滿腔思親之意，句句流露紙上。不意姪女詩學近來如此大進！末句意思雖佳，但茫茫大海，從何尋訪？大約不久也就同你母舅回來了。」小山侍立一旁道：「今日叔父為何滿面笑容？莫非得了父親回來之信麼？」唐敖道：「剛才我在學中見了一道恩詔，乃盛世曠典，自古罕有。欣逢其時，所以不覺喜歡。」小山道：「是何恩詔？莫非太后把天下秀才賞了官職，叔父從此可以作官麼？」唐敖笑道：「若把天下秀才都去作官，那教書營生倒沒人作了。你道此詔為何而發？原來太后因女後為帝，自古少有；今登極以來，十有餘年，屢逢大有〇，天下太平；明年恰值七旬萬壽。因此特降恩旨十二條。至於百官紀錄〇，士子廣額〇，另有恩旨十餘條，不在此詔之內。──此十二條專指婦女而言，兼之學中眾友都要爭看，未曾抄來。」小山道：「叔父可曾把詔抄來？」唐敖道：「我因這詔有十二條之多，真是自古未有曠典。喜得逐條我都記得。你且坐了，聽我慢慢細講。」

第一條　太后因孝為人之根本，凡婦女素有孝行，或在家孝敬父母，或出嫁孝敬公姑，如賢聲著於閭閻，令地方官查奏，賜與旌表牌匾。

第二條　太后因「孝悌」二字皆屬人之根本，但世人只知婦女以孝為主，而不言悌；並且自古以來，亦無旌獎。殊不知「悌」之一字，婦人最關緊要，其家合，往

〇一　大有──指年歲的豐收。

〇二　百官紀錄──獎勵官吏方法的一種，猶如說紀功。紀錄四次，可以加一級。原是清代的制度。

〇三　廣額──放寬考試錄取的名額。科舉時代，遇到國家或皇帝家中有什麼喜慶之類的事情，常將考試錄取名額放寬，多取若干名，表示「恩惠」。

往關係於此，乃萬不可缺的。苟能姒娣[四]和睦，妯娌同心，互相敬愛，彼此

箴規，即是克盡悌道，查明亦賜旌獎。

第三條　太后因「貞節」二字自古所重，凡婦女素秉冰霜，或苦志守節，或被汙不屈，

節烈可嘉者，俱賜旌表。

第四條　太后因壽為五福[五]之首，凡婦人年屆古稀，家世清白者，賜與壽杖牌匾。

第五條　太后因大內宮娥，拋離父母，長處深宮，最為淒涼，今命查明，凡入宮五年

者，概行釋放，聽其父母自行擇配；嗣後採選釋放，均以五年為期。其內外臣

民人等，凡侍婢年二十以外尚未婚配者，令其父母領回，為之婚配；如無父母

親族，即令其主代為擇配。

第六條　太后因貧寒老嫗，肩不能擔，手不能提；既無六親之靠，又乏薪水之資；每逢

飢寒，坐以待斃，情實堪傷。今命天下郡縣設造養媼院。凡婦人四旬以外，衣

食無出；或殘病衰頹，貧無所歸者：准其報名入院，官為養贍，以終其身。

第七條　太后因貧家幼女，或因衣食缺乏，貧不能育；或因疾病纏綿，醫藥無出：非棄

之道旁，即送入尼菴，或賣為女優。種種苦況，甚為可憐。今命郡縣設造「育

女堂」。凡幼女自襁褓以至十數歲者，無論疾病殘廢，如貧不能育，准其送

堂，派令乳母看養；有願領回撫養者，亦聽其便。其堂內所育各女，俟年至二

旬，每名酌給妝資，官為婚配。

第八條　太后因婦人一生衣食莫不倚於其夫，其有夫死而孀居者，既無丈夫衣食可恃，

形隻影單，飢寒誰恤。今令查勘，凡嫠婦苦志守節，家道貧寒者，無論有無子

女，按月酌給薪水之資，以養其身。

第九條

太后因古禮「女子二十而嫁」。貧寒之家，往往二旬以外，尚未議婚；甚至父
母因無力妝奩，貪圖微利，或售為侍妾，或賣為優娼，最為可憫。今令查勘，
如女年二十，其家實係貧寒，無力妝奩，不能婚配者，酌給妝奩之資，即行婚
配。

第十條

太后因婦人所患各症，如經癸帶下各疾，其症尚緩；至胎前產後以及難產各症，
不獨刻不容緩，並且兩命攸關。故孫真人著千金方⑥，特以婦人為首，蓋即易
基乾坤，詩首關雎⑦之義，其事宣容忽略。無如貧寒之家，一經患此，既無延
醫之力，又乏買藥之資，稍為躭延，遂至不救。婦人由此而死者，不知凡幾。
巫應廣沛殊恩，命天下郡縣延訪名醫，各按地界遠近，設立女科，並發御前所

㈣　姒（ㄙ）嬬（ㄋㄨ）——古時哥哥的妻子稱兄弟的妻子為娣婦，兄弟的妻子稱哥哥的妻子為姒婦，姒婦，也就是妯娌。

㈤　五福——一、壽；二、富；三、健康；四、好德；五、善終。古人認為這五種現象都是有福的，因之，總稱為「五福」。出尚書。

㈥　孫真人著千金方——唐孫思邈著千金方，內容談的是診病、針灸和養生之道。真人，道家對他們認為修練成仙的仙人的稱呼。由於孫思邈被道家說成是仙人，所以一般叫他孫真人。千金方，千金要方的省詞。

㈦　易基乾坤，詩首關雎——易經用乾、坤兩卦做基礎，推演成六十四卦；詩經第一首詩起句是「關關雎鳩」。這裏引用的意思，是說這兩部書首首都是平等的提出男女關係，把女人放在重要的位置上。

進經驗各方，配合藥料，按症施捨。

第十一條

太后因內則⊕有「不涉不撅」之訓，蓋言婦人不因涉水則不褰裳，是婦女之體，最宜掩密，其屍骸尤不可暴露，倘貧寒之家，婦女歿後，無力置備棺木，令地方官查明，實係赤貧，給與棺木殯葬；如有暴露道途者，亦卽裝殮掩埋。

第十二條

太后因節孝婦女生前雖得旌表，但歿後遂使泯滅無聞，未免可惜。特沛殊恩，以光泉壤，命各郡縣設立「節孝祠」。凡婦女事關節孝，無論生前有無旌表，歿後地方官查明，准其入祠，春秋二季，官爲祭祀。

你道這十二條恩詔可是曠古未有之事麼？誰知此詔甫經頒發，太后因見蘇蕙織錦廻文璇璣圖，甚爲喜愛，時刻翻閱，竟於八百言中，得詩二百餘首，歡喜非常，卽親自作了一篇序文。恰好就從這個璇璣圖上生出一段新聞，卻是你們閨中千載難逢際遇。你道奇也不奇？」說罷，把序文取了出來。

未知如何，下回分解。

寫着：

話說唐敖把序文取出道：「此序就是太后所做。你看太后原來如此愛才！」小山接過，只見上面寫着：

前秦符堅時，泰州刺史扶風竇滔妻蘇氏，陳留令武功蘇道質第三女也。名蕙，字若蘭。智識精明，儀容秀麗；謙默自守，不求顯揚。年十六，歸於竇氏，滔甚愛之。然蘇氏性近於急，頗傷嫉妒。

滔字連波，右將軍于眞之孫，朗之第二子也。風神秀偉，該通經史，允文允武，時論尚之。符堅委以心膂之任，備歷顯職，皆有政閒。遷泰州刺史，以忤旨謫成敦煌。曾堅克晉襄陽，處有危逼，藉滔才略，詔拜安南將軍，留鎭襄陽。

初，滔有寵姬趙陽臺，歌舞之妙，無出其右。滔置之別所。蘇氏知之，求而獲焉，苦加箠辱，滔深以爲憾。陽臺又專伺蘇氏之短，讒毁交至，滔益忿恨。蘇氏時年二十一。及滔將鎭襄陽，邀蘇氏同往，蘇氏忿之，不與偕行。滔遂攜陽臺之任，絕蘇音問。蘇氏悔恨自傷，因織錦爲廻文：五采相宣，瑩心耀目。縱橫八寸，題詩二百餘首，計八百餘言，縱橫反覆，皆爲文章。——其文點畫無闕。——才情之妙，超古邁今。名璇璣圖。然讀者不能悉通。蘇氏笑曰：「徘徊宛轉，自爲語言，非我佳人，莫之能解。」遂發蒼頭齎至襄陽，而其車從盛禮迎蘇氏歸於漢圖。滔覽之，感其妙絕，因送陽臺之關中，

南，恩好愈重。

蘇氏所著文詞五千餘言，屬隋季之亂，文字散落，而獨錦字廻文益傳於世。朕聽政之暇，留心墳典⊖。散帙之次，偶見斯圖。因述若蘭之多才，復美連波之悔過，遂製此記，聊以示將來也。大周天册金輪皇帝⊜製。」

小山看了道：「請問叔父：太后見了璇璣圖，因愛蘇蕙才情之妙，古今罕有，才做此序。但何以生出一段新聞呢？」唐敏道：「此序頒發未久，外面有個才女，名喚史幽探，卻將璇璣圖用五彩顏色標出，分而為六，合而為一，內中得詩不計其數，實得蘇氏當日製圖本心。此詩方才轟傳，恰好又有一個才女，名喚哀萃芳，從史氏六圖之外，復又分出一圖，又得詩數百餘首。傳入宮內，上官昭儀呈了太后，因此發了一道御旨，卻是自古未有一個曠典。我將此圖都匆匆抄來。」說罷，取出。小山接過，只見上面寫着：

⊖　墳典──三墳、五典的省詞。三墳、五典都是失傳的古書，後來就用「墳典」二字作為一般古書的代詞。

⊜　大周天册金輪皇帝──天册是武則天的年號。佛家的說法：金輪王生時，有金輪寶自然出現，各國都望風降順，是帝王中最有勢力的。所以武則天以此自稱。

蘇氏蕙若蘭織錦廻文璇璣圖

私淑女弟子史幽探謹繹

琴清流楚激絃商秦曲發聲悲摧藏音和詠思惟空堂心憂增慕懷慘傷仁
芳廊東步階西遊王姿淑窈窕伯邵南周風興自后妃荒經離所懷歎嗟智
蘭休桃林陰翳桑懷歸思廣河女衞鄭楚樊厲節中闈淫遐曠路傷中情懷
漪翔飛燕巢雙鳩士逝逶路退志詠歌長歎不能奮飛妄清幃房君無家德
茂流泉水激揚眷頎其人碩興齊商雙發歌我哀衣想華飾容朗鏡明聖
熙長君思悲好仇舊盈歲榮翠榮曜流華觀冶容為誰感英曜珠光粉葩聖
陽愁歎發容摧傷鄉身苦惟艱生患多思感徵情遐將如何欽蒼穹誓終篤志貞
春方殊離仁君子我加兼愁苦艱是丁麗狀觀飾容充顏曜繡衣形容姬媛人
牆面殊意感故遺親飄施愆少章時桑詩風興仁顏貞寒歲識物知趨班禍讒
面伯改漠物日我蕖漫漫思何漫榮曜華狀觀飾容容是舊恩賢喪班女因妒
殊在者之品潤乎愁苦艱是丁麗狀觀飾顏曜繡衣裳形容姬媛人讒嬖特凶
意誠感步育浸集悴生何冤少時桑詩風興仁顏貞寒歲識物知趨伐氏好辭姿害
感故暄飄施愆施怨恩情昭微戀仁顏貞寒歲識物知趨班禍讒飛辭姿配英皇
故遺親飄飄生思忿精微昭恨業孟鳴思傷懷日往感年衰念是舊怨經在昭我
新舊聞離天罪辜神恨昭微孟宜鳴思傷懷日往感永悲思憂遠勞情誰殊異我
霜嚴遠微地何因德隔遐微元傾宜思傷懷日感往永悲思憂遠憂懷慕義如我
冰故離隔德怨因隔德幽元傾宜思辭賦辭理興義是舊怨獨愁思懷慕義如是
齊君殊喬貴其備曠邁思傷懷日感往永悲思憂遠勞情誰異浮沈華英翳澄陽
潔子我木平抱志遠永悲思憂遠勞情誰異浮沈華英沙流蕩若沈逝惟時殊移
志惟同誰均難苦慕慕戀愁懷如我異浮沈華沙流蕩若沈逝惟時殊必盛衰無日不陂
清新衾陰勻尋異鳳如我異沙流蕩若沈逝惟時殊必盛衰無頤盈無違心意志殊
純貞志一專所當麟沙流蕩若沈逝惟時殊必盛衰無頤盈違心意志惟忠體一違
望誰思感通身輕遺龍昭微戀不盈盈違心意志惟忠體下遺儀容仰俯榮華麗
誰雲浮寄身輕燦殊遺輝昭戀不盈盈違心意志惟忠節上通神祇誰為榮華麗飾
思想懷所春傷應翔雁歸皇辭成者作體下遺儀容仰俯榮華誰為榮差非者所
親剛柔殊乖分聖賢幽明處己憫微身長路悲曠感生民梁山殊塞隔河津

四圍四角紅書讀法

自仁字起順讀，每首七言四句；逐字逐句逆讀，俱成廻文：

仁智懷德聖虞唐，貞妙顯華重榮章，臣賢惟聖配英皇，倫匹離飄浮江湘。

仁智至慘傷，貞志至虞唐，欽所至穹蒼，欽所至榮章、貞妙至山梁、臣賢至路長、

臣賢至流光、倫匹至幽房、倫匹至榆桑。倫匹由臣賢、由貞妙、至虞唐。

湘江由皇英、由章榮、至智仁。

以下三段讀俱同前：津河至柔剛、親所至蘭芳、琴清至慘傷。

餘倣此。

中間井欄式紅書讀法

自欽字起順讀，每首七言四句：

欽岑幽巖峻嵯峩，深淵重涯經網羅，林陽潛曜翳英華，沉浮異逝頹流沙。

深淵至幽退、林陽至兼加、沉浮至患多、麟鳳至如何、神精至嵯峩、身苦至網羅、

殷憂至英華。

自沉字起，逐句逆讀，廻文。餘倣此：

沉浮異逝頹流沙，林陽潛曜翳英華，深淵重涯經網羅，欽岑幽巖峻嵯峩。

自沙字起，逐字逆讀，廻文：

沙流頹逝異浮沉，華英翳曜潛陽林，羅網經涯重淵深，峩嵯峻巖幽岑欽。

自初行退一字成句：

間一句、間二句順讀，或兩邊分讀，上下分讀，俱可。

岑幽巖峻嵯峩深，淵重涯經網羅林，陽潛曜翳英華沉，浮異逝頹流沙麟。

淵重至退神，陽潛至加身，浮異至多殷、鳳離至何欽、精少至峩深、苦惟至羅林、憂纏至華沉。

黑書讀法

自嗟字起，反覆讀，三言十二句。

嗟歎懷，所離經；退曠路，傷中情；家無君，房幃清；華飾容，朗鏡明；葩粉光，珠曜英；多思感，誰為榮？

左右分讀：

榮為至歎嗟、經離至思多、多思至離經。

懷歎嗟，所離經；路曠退，傷中情；君無家，房幃清；容飾華，朗鏡明；光粉葩、珠曜英；感思多，誰為榮？

誰為至歎嗟、所離至思多、感思至離經。

半段回環讀，三言六句。

嗟歎懷，傷中情；家無君，朗鏡明；葩紛光，誰為榮？

榮為至歎嗟、經離至思多、多思至離經。

半段順讀；

懷歎嗟，傷中情；君無家，朗鏡明；光紛葩，誰為榮？

誰為至歎嗟、所離至思多、感思至離經。

以下三段，讀俱同前：　遊西至摧傷、　凶頑至爲基、　神明至雁歸。

左右間一句，羅文分讀：

嗟歎懷，路曠退；家無君，容飾華；葩紛光，感思多。

榮爲至離經、　經離至爲榮、　多思至歎嗟。

從中間一句，羅文分讀：

懷歎嗟，路曠退；君無家，容飾華；光紛葩，感思多。

所離至爲榮、　誰爲至離經、　感思至歎嗟。

中間借一字，四言六句：

懷所離經，傷路曠退；君房幃清，朗容飾華；光珠曜英，誰感思多？

誰感至離經、　所懷至爲榮、　感誰至歎嗟。

兩分各借一字互用：

懷所離經，路傷中情；君房幃清，容朗鏡明；光珠曜英，感誰爲榮？

懷所離經，傷路曠退；君房幃清，朗容飾華；光珠曜英，誰感思多？

中間借二字，五言六句：

歎懷所離經，中傷路曠退；無君房幃清，鏡朗容飾華；紛光珠曜英，爲誰感思多？

爲誰至離經、　離所至爲榮、　思感至歎嗟。

兩分各借二字，互用分讀：

歎懷所離經，曠路傷中情；無君房幃清，飾容朗鏡明；紛光珠曜英、思感誰爲榮？

為誰至歎嗟、離所至思多、思感至離經。

以下三段，讀俱同前：陛西至摧傷、漫頑至為基、通明至雁歸。

藍書讀法

自中行各借一字，互用分讀，四言十二句：

邵南周風，興自后妃；衛鄭楚樊，屬節中闈；詠歌長歎，不能奮飛；齊商雙發，歌我裒衣，曜流華觀，冶容為誰？情徵宮羽，同聲相追。

情徵至后妃，周南至情悲，宮徵至淑姿。

取兩邊四字成句，四言六句：

興自后妃，窈窕淑姿；屬節中闈，河廣思歸；不能奮飛，歌我裒衣；冶容為誰？同聲相追。

同聲至后妃，窈窕至情悲，感我至淑姿。

兩邊分讀，四言十二句：

同聲至淑姿，窈窕至相追，感我至后妃。

兩邊各連一句，或兩邊遙間一句，俱可讀。

以下三段，讀俱同前：惟時至成辭，侫奸至防萌、何幸至惟新。

兩邊分讀，左右遞退，六言六句：

周風興自后妃，衛女河廣思歸；長歎不能奮飛，齊興碩人其頌；華觀冶容為誰？情

傷感我情悲。

宮羽至淑姿、　邵伯至相追、　情傷至后妃。

以下三段，讀俱同前：　年殊至成辭、　讒人至防萌、　怨殃至惟新。

互用分讀：

周鳳興自后妃，楚樊屬節中閨；長歎不能奮飛，雙發歌我衰衣，華觀冶容爲誰？宮羽同聲相追。

宮羽至后妃、　邵伯至情傷、　情傷至淑姿。

虛中行左右分讀，六言十二句：

周鳳興自后妃，邵伯窈窕淑姿；楚樊屬節中閨，衛女河廣思歸；長歎不能奮飛，詠志遐路逶迤；雙發歌我衰衣，齊興碩人其頎；華觀冶容爲誰？曜榮翠絮葳蕤；宮羽同聲相追，情傷我情悲。

情傷至后妃、　邵伯至相追　　宮羽至淑姿。

左右連一句亦可讀：

以下三段，讀俱同前：　年殊至成辭、　讒人至防萌、　怨殃至惟新。

紫書讀法

自歲寒反覆讀，五言四句：

寒歲識凋松，貞物知終始，顏喪改華容，仁賢別行士。

士行至歲寒、　松凋至賢仁、　仁賢至凋松。

寒歲識凋松，松凋至賢仁，仁賢至凋松。

自寒字蛇行讀：

寒歲識凋松，始終知物貞；顏喪改華容、士行別賢仁。

仁賢至歲寒、　松凋至行士、　士行至凋松。

從外讀入：

寒歲識凋松，仁賢別行士；顏喪改華容，貞物知終始。

仁賢至華容、　松凋至物貞、　士行至喪顏。

從內讀出：

貞物知終始，顏喪改華容；仁賢別行士，寒歲識凋松。

顏喪至行士、　始終至歲寒、　容華至仁賢。

以下一段，讀俱同前：詩風至微元。

自龍字起順讀，五言四句：

龍虎繁文藻，旂彤華曜榮；容飾觀壯麗，衣繡曜顏充。

從外讀入：

藻文繁虎龍，充顏曜繡衣；麗壯觀飾容，榮曜華彤旂。

從內讀出：

充顏曜繡衣，藻文繁虎龍。

榮曜華彤旂，麗壯觀飾容；充顏曜繡衣，藻文繁虎龍。

麗壯至繡衣。

以下一段，讀俱同前：衰年至異世。

廻環讀：

龍虎繁文藻，榮曜華彫旂；容飾觀壯麗，充顏曜繡衣。

衣繡至虎龍。

順讀：

藻文繁虎龍，榮曜華彫旂；麗壯觀飾容，充顏曜繡衣。

充顏至虎龍。

以下一段，讀俱同前：衰年至奇傾。

黃書讀法

自詩情起，五言四句：

詩情明顯怨，怨義與理辭；辭麗作比端，端無終始詩。

詩始至情詩，辭麗至理辭、辭理至麗辭、端比至無端、怨顯至義怨、端無至比端、

怨義至顯怨。

自思感起，四言四句：

思感自寧，孜孜傷情；時在君側，夢想勞形。

形勞至感思。

順讀：

寧自感念，孜孜傷情；惻君在時，夢想勞形。

夢想至感思。

以下三段，讀俱同前：　怨舊至何如、　嬰是至何寃、　懷傷至者誰。

從外讀入：　寧自感思，夢想勞形；側君在時，孜孜傷情。

夢想至在時。

從内讀出：　孜孜傷情，側君在時；夢想勞形，寧自感思。

側君至勞形。

從下一句間逆讀：　孜孜傷情，寧自感思；夢想勞形，側君在時。

側君至傷情。

以下三段，讀俱同前：　念是至獨居、　懷憂至漫漫、　悼思至感悲。

自詩情起，四言四句：　詩情明顯，怨義興理；辭麗作比，端無終始。

詩情至情詩、　辭麗至興理、　理興至麗辭、　情明至始詩、　麗作至理辭、　無終至比端、

始終至情詩、　義興至顯怨、　顯明至義怨、　比作至無端。

餘如始終無端，顯明情詩，廻環讀，仍得四言四句八首。

蘇氏蕙若蘭織錦回文璇璣圖

私淑女弟子哀萃芳謹繹

傷

慘嗟

懷中君

慕容曜

增　多蒼

憂　穹誓終篤志

仁智懷德聖虞唐貞妙顯華重榮章臣賢惟聖配英皇倫匹離飄浮江湘津

心空惟思詠和音藏摧悲聲發曲秦商絃激楚流清

荒淫妄想感所欽岑幽巖峻嵯峨深淵重涯經網羅林

琴芳蘭凋茂熙陽春牆面殊意感故新霜冰齊潔志清純望誰思想懷所親

清廊桃燕水好傷方殊離仁君榮身苦惟艱生患多股憂

纏情將如君夢詩璇璣明別改知識微至嬖女因奸

繁華觀曜終始璇璣圖怨念為懷如陽逝推生民

何是冤端平恨昭感興作蘇氏詩辭懷感戚知鳳麟神龍昭德懷聖皇

兼愁悴少精神退幽曠遠離鳳

西昭景簿榆桑

謙遠貞自基

滋遠

光流電逝生民梁山殊隔塞河津

貞志一專所當神輕糝散哀春親剛柔有女為賤人房幽處己憫微身長路悲曠感生民

興感遠殊浮沉華英翳曜潛渭陽

自初行退一字，每首七言四句，俱逐句退成廻文：

智懷德虞唐貞，妙顯華重榮章臣，賢惟聖配英皇倫，匹離飄浮江湘津。

智懷至西林、至羅林、至璣心、至岑欽、至奸臣、至識深、至如林、至浮沉、至知麟、至恨神、至懷身、至繁殷、至始心、至苦身、至南音、至和音、至傷仁、至憂心、至唐貞。

以下十五段，讀俱同前，所懷至芳琴、河隔至剛親、清流至傷仁、妙顯至梁民、生感至望純、清志至商秦、曲發至唐貞、賢惟至長身、微憫至霜新、故感至藏音、和詠至章臣、匹離至房人、賤爲至牆春、陽熙至堂心、憂增至皇倫。

自上橫行退一字成句，逐句逐字逆讀，俱成廻文：

傷慘懷慕增憂心，堂空惟思詠和音，藏攉悲聲發曲秦，商絃激楚流清琴。

傷慘至鄉身、至苦身、至始心、至何欽、至南音、至繁殷、至懷身、至恨神、至知麟、至浮沉、至如林、至識深、至璣心、至羅林、至奸臣、至章臣、至智仁、至唐貞、至憂心。

以下十五段讀俱同前：芳蘭至所親、剛柔至河津、湘江至智仁、堂空至陽春、皇英至憂心、藏攉至故新、霜冰至微身、長路至賢臣、章榮牆面至賤人、房幽至匹倫、望誰至生民、梁山至妙貞、唐虞至曲秦。

至和音、商絃至清純、望誰至生民、

自兩間行退一字成句，以下遞退一句成章，又縱橫返復讀：

荒淫至生民、王懷至皇人、志篤至方春、桑榆至貞純、方殊至志貞、貞志至桑倫、

岑幽至長身、加兼至剛親、何如至故新、陽潛至所親、羅網至和音、鳳離至清琴、

苦惟至章臣、沙流至湘津、淵重至房人、退幽至望純、多患至清純、

峨嵯至曲秦、精少至陽春、憂縕至皇倫、華英至梁民、光流至剛親、

當所至芳琴、榮君至所親、鄉舊至故新、所感至清琴、蒼穹至湘津、

自中行退一字成句，以下遞退一句成章：

南鄭至遺身、奸因至舊新、遺哀至南音、舊聞至奸臣、繁華至房人、

浮殊至曲秦、恨昭至皇倫、詩興至所親、蘇作至所親、始終至清琴、

時益至望純、辜罪至賤人、徽流至陽春、微至至梁民。

自角斜退一字成句，以下遞退一句成章：

嗟中君容曜多欽、思傷君詩璇心、氏辭懷感戚知麟、神輕縈散哀春覲。

嗟中至貞純、至浮沉、至退神、至遺身、至陽林、至沙麟、至舊新、至鳳麟、至加身、

至基津、至桑倫、至生民、至淵深、至華沉、至廊琴、至方春、至王秦、至精神、至多

殷、至奸臣、至羅林、至苦身、至南音、至基津、至圖心、至妙貞、至皇倫、至恨神、

至知麟、至懷身、至繁殷、至如林、至思欽、至平心、至識深、至曲秦、至堂心、至憂

心、至皇倫、至微深、至微殷、至唐貞、至多欽。以下十五段同前：廊桃至基津、至憂

春哀至嗟仁、基自至廊琴、思傷至望純、知戚至憂心、如懷至陽春、氏辭

至霜新、圖怨至長身、璇詩至和音、平端至故新、神輕至牆春、滋謙至房人、多曜至曲

秦、傷好至清純。

自中心詩興起，各頂字倒換互旋，八面分讀：

聯經出版事業公司校印

詩興感遠殊浮沉，時盛意麗衰遺身，始終曜觀華繁殷，徵流商歌鄭南音。

始終至遺身、　機明至舊新、　蘇作至奸臣。

四正左旋讀：
詩興至舊聞、　蘇作至南音、　始終至識深、　機明至浮沉。

四正右旋讀：
詩興至奸臣、　機明至南音、　始終至舊新、　蘇作至遺身。

四隅左旋讀：
璇詩至廊琴、　平端至春觀、　氏辭至基津、　圖怨至嗟仁。

四隅右旋讀：
璇詩至基津、　圖怨至春觀、　氏辭至廊琴、　平端至嗟仁。

雙句左旋讀：
詩興至春觀、　氏辭至舊聞、　蘇作至廊琴、　平端至南音。

雙句右旋讀：
璇明至基津、　圖怨至遺身。
詩興至基津、　圖怨至奸臣、　機明至嗟仁、　璇詩至南音。
蘇作至春觀、　氏辭至遺身。
詩興至春觀、　氏辭至遺身、　機明至嗟仁、　璇詩至南音。　始終至廊琴、　平端至舊新、

各行退一字，於八面各取一句，右旋顛倒迴文：
南鄭歌商流徵殷、廊桃燕水好傷身、舊聞離天罪幸神、春哀散縈輕神麟。

廊桃至時沉、舊聞至滋林、春哀至微深、遺哀至多欽、基自至微殷、奸因至傷身、

嗟中至辜神。

八面右旋讀：

南鄭至滋林、嗟中至時沉、奸因至神麟、基自至辜神、遺哀至傷身、春哀至微殷、

舊聞至多欽、廊桃至微深。

南鄭歌商流微殷、舊聞離天罪辜神、遺哀麗意盛時沉、奸因女嬰至微深。

各行退一字，四正面各取一句，左旋讀：

四正右旋讀：

南鄭至辜神、奸因至微殷、遺哀至微深、舊聞至時沉。

四隅左旋讀：

嗟中至滋林、廊桃至多欽、春哀至傷身、基自至神麟。

四隅右旋讀：

嗟中至傷身、基自至多欽、春哀至滋林、廊桃至神麟。

小山看罷，不覺歎道：「蘇氏以閨中弱質，意欲感悟其夫，一旦以精意聚於八百言中，上陳天道，下悉人情，中稽物理，旁引廣譬，與寄超遠，此等奇巧，眞爲千古絕唱。今得太后製序，已可流傳不朽；又得史氏、哀氏兩個才女，尋其脈絡，疏其神髓，繹出詩句，竟可盈千纍萬，使蘇氏當日製圖一片巧思，昭然在目，殆無餘恨。這兩個才女如此細心，不獨爲蘇氏功臣，其才情之高，慧心之

巧，亦可想見。姪女生逢其時，得覩如此奇文，可謂三生有幸。不知太后有何曠典？」唐敏道：「太后自見此圖，十分喜愛。因思如今天下之大，人物之廣，其深閨繡閣能文之女，固不能如蘇蕙超今邁古之妙，但多才多藝如史幽探、哀萃芳之類，自復不少。設俱湮沒無聞，豈不可惜？因存這個愛才念頭，日與廷臣酌議，欲令天下才女俱赴廷試，以文之高下，定以等第，賜與才女匾額，准其父母冠帶榮身。不獨鼓勵人才，爲天下有才之女增許多光耀，亦是千秋佳話。因諭部臣議定條款，即於前次所頒覃恩㊁十二條之外，續添考才女恩詔一條。聞得明年改元『聖歷』，大約來春正月頒行天下。考期雖尚未定，此信甚確。姪女須趕緊用功，早作準備。據你學問，要竪才女匾額，只算探囊取物。去年你曾問我女科，誰知此話今日果眞應了。」小山不覺喜道：「天下竟有如此奇事！怪不得叔叔說是我們閨中千載難逢際遇，眞是曠古少有。話雖如此，姪女何能有這福分，就竪才女匾額呢？況學業未精，如何敢萌妄想？此後惟有勉力習學，尚求叔叔不時教誨，或者可以前去觀光。如考期尚有時日，還有幾希之望；倘明年就要考試，姪女只好把這妄想歇了。」唐敏詫異道：「姪女此話怎講？」

未知如何，下回分解。

聯經出版事業公司校印

㊁ 覃恩——深恩。封建時代專指皇帝給予的恩典。

第四十二回　開女試太后頒恩詔　篤親情佳人盼好音

　　話說唐敏問小山道：「何以明年考試，就把想頭歇了，這卻為何？」小山道：「考期如遲，還可趕緊用功；若就要考試，姪女學問空疎，年紀過小，何能去呢？」唐敏道：「學問卻是要緊；至於年紀，據我看來，倒是越小越好。——將來恩詔發下，只怕年紀過大，還不准考哩。你只管用功。即或明年就要考試，你的筆下業已清通，也不妨的。」小山連連點頭。每日在家讀書。

　　到了次年，唐敏不時出去探信。這日，在學中得了恩詔，連忙抄來，遞給小山道：「考才女之事，業已頒發恩詔，還有規例十二條，你細細一看就知道了。」小山接過，只見上面寫著：

　　奉天承運[一]皇帝制[二]曰：朕惟天地英華，原不擇人而畀；帝王輔翼，何妨破格而求。我國家儲才為重，歷聖相符。朕受命維新，求賢若渴。闗門籲俊，桃李已屬春官[五]；內則遴才，科第尚遺閨秀。郎君既膺鶚薦[六]，女史未遂鵬飛。奚見選舉之公，難語人才之盛。昔帝典[七]將墜，伏生之女傳經[八]，漢書未成，世叔之妻續史。講藝則紗櫥、綾帳[九]，博雅稱名；吟詩則柳絮、椒花[十]，清新獨步。羣推翹秀，古今歷重名媛；慎選賢能，閨閣宜彰曠典。況今日：靈秀不鍾於男子，貞吉久屬於坤元；陰教咸仰敷文，才藻益徵競美。是用博諮羣議，創立新科，於聖歷三年，命禮部諸臣特開女試。所有科條，開列於後：

　　（一）考試先由州縣考取，造冊送郡；郡考中式，始與部試；部試中式，始與殿試。其

應試各女童，先於聖歷二年，在本籍呈遞年貌、履歷、及家世清白切結。以是年八月縣考，郡考以十月為期，均在內衙出題考試。仍令女親屬一二人伴其出入。其承值各書役，悉令迴避。

(一)縣考取中，賜「文學秀女」匾額，准其郡考；郡考取中，賜「文學淑女」匾額，准其部試，部試取中，賜「文學才女」匾額，准其殿試。殿試名列一等，賞「女學士」之職；二等，賞「女博士」之職；三等，賞「女儒士」之職，俱赴「紅文宴」，准其半支俸祿。其有情願內廷供奉⊝者，俟試俸一年，量材擢用。其三等以下，各賜大緞一

⊝ 奉天承運──接受天的意旨，繼承祖先，給天做代表的意思。封建時代，統治主為了欺騙人民，就在自己皇帝的頭銜上加上「奉天承運」四個字，表示是天命有歸。原是明代開始的。前文第五回「奉天運承了大統」，也同此解釋。

㈠ 制──皇帝的命令。

㈢ 主璋──主和璋都是美玉，比喻人品的高貴。

㈣ 蘋藻──古時婦女採水裏的蘋藻祭祀祖先，後人就把「蘋藻」兩字做婦女的代名詞。因為禮部主持考試，錄取士人，所以說「桃李已屬春官」。

㈤ 桃李已屬春官──桃李，指賢才之士；春官，指禮部。原出東漢孔融薦禰衡的奏表：「鷙鳥累百，不如一鶚。」

㈥ 鷙篇──推薦人才的意思。

㈦ 帝典──指尚書裏的堯典。

㈧ 伏生之女傳經──前漢伏生老了，話說得不清楚，就教女兒義城傳授尚書給鼂錯。

㈨ 講藝則紗幬、綾帳──古時有學問的婦女，和男人談學問或向男學生講學，總在屋內設置紗帳之類的東西，表示內外的隔絕。如晉謝道蘊和韋逞母宋氏，都是這樣。

㈩ 吟詩則柳絮、椒花──謝道蘊曾以「柳絮因風起」比喻雪的形狀，成為名句。晉劉臻妻陳氏曾在元旦作椒花頌送給皇帝。唐代曾任用很多擅長文學或其他專門技藝的人做這個官。

⊝ 內廷供奉──在宮裏面伺候皇帝的官名。

足；如年歲合例，准於下科再行殿試。

（一）殿試一等者：其父母翁姑及本夫如有官職在五品以上，各加品服一級；在五品以下，俱加四品服色；如無官職，賜五品服色榮身。二等者：賜六品服色。三等者：賜七品服色。餘照一等之例，各爲區別。女悉如之。

（一）郡考、部試取中後見試官儀注，俱師生禮。其文冊榜案，俱照當時所賜字樣，如縣考則填「文學秀女」，郡考則填「文學淑女」。

（一）試題：自郡、縣以至殿試，俱照士子之例，試以詩賦，以歸體制。均於寅時進場，酉時出場，毋許給燭；違者試官聽處。至試卷：除殿試，餘俱彌封謄錄㈢，以杜私弊。

（一）籍貫：無須拘定。設有寄居他鄉，准其聲明，一體赴試；或在寄籍縣考，而歸原籍郡考，亦聽其便。

（一）郡縣各考，或因患病未及赴試，准病痊時於該衙門呈明補考；如踰殿試之期，不准。

（一）值部試，如因路遠乏人伴送，或因患病未能赴試者，如果文學出眾，准原考各官據實保奏，另降諭旨。

（一）凡郡考取中，女及夫家，均免徭役。其赴部試者，俱按程途遠近，賜以路費。

（一）命名：不必另起文墨及嘉祥字樣，雖乳名亦無不可；或有以風花雪月，以夢兆、以見聞命名者，俱仍其舊，庶不失閨閣本來面目。

（一）年十六歲以外，不准入考。其年在十六歲以內，業經出室〔三〕者，亦不准與試。他

（一）如體貌殘廢，及出身微賤者，俱不准入考。

（一）詔下之日，亟擬科試以拔眞才。第路有遠近，勢難驟集；兼之向無女科，遽令入試，學業恐未精純。故於聖歷三年三月部試，即於四月舉行殿試大典，以示博選眞才至意。

於戲！詩誇織錦，眞爲奪錦〔四〕之人；格比簪花〔五〕，許赴探花之宴〔六〕。從此珊瑚在網〔七〕，玉尺量才〔八〕，女相如〔九〕豈遺苑外？丕煥新猷，聿昭盛事。布告中外，咸使聞知。

〔三〕彌封謄錄——彌封，把試卷上的名子封起來，謄錄，把所有的試卷都派人重行謄錄一遍；是避免考官認識姓名和筆跡的一種防止舞弊的方法。後文第六十三回「謄錄房」，就是專門辦理謄錄工作的地方。

〔三〕出室——出嫁。

〔四〕奪錦——奪取錦標的意思。

〔五〕簪花——字寫得很秀麗，像頭上插着花的美女一樣的好看，是昔袁昂批評家衛恆的話。

〔六〕探花之宴——唐代制度。新進士要在杏園聚會，叫做「探花宴」，在宴會中，推選兩位年青漂亮的進士到各有名花園去遊覽，並採取花枝。

〔七〕珊瑚在網——珊瑚，比喻有才學的人。「珊瑚在網」，意思是賢才都一齊被收羅了。

〔八〕玉尺量才——指考試。原出李白詩句：「仙人持玉尺，量君多少才。」

〔九〕女相如——相如，指前漢文學家司馬相如。楊廣（隋煬帝）曾稱讚他的妃子吳絳仙為「女相如」。後來一般用「女相如」指有才學的婦女。

小山看罷，不覺喜道：「我怕考期過早，果然天從人願！今年姪女十四歲，若到聖歷三年，恰恰十六歲，有這兩年功夫，儘可慢慢習學。」唐敏道：「我才見這條例，也甚歡喜。不但為期尚緩，可以讀書；並且一詩一賦，還不甚難。我家才女匾額，穩穩拿在手中了！」

小山自此雖同小峯日日讀書，奈父親總無音信，不免牽挂；林氏也因懸念丈夫，時刻令人回家問信。這日，正在盼望，恰好唐敏領林之洋進來。林氏見了，只當丈夫業已回家，不勝之喜。慌忙見禮讓坐，小山、小峯也來拜見。林氏道：「哥哥只顧將你妹夫帶上海船，這兩年，合家大小，何曾放心！……」小山不等說完，即接著說道：「今舅舅既已回家，怎麼父親又不來？」林之洋道：「昨日俺們船隻抵岸，正發行李，你父親因革了探花，恐街鄰恥笑，無顏回家，要到京裏靜心用功，等下科再中探花才肯回來。俺同你舅母再三勸阻，無奈執意不聽。今把海外賺的銀子，託俺送來，他向京裏去了。」林氏同小山聽罷，不覺目瞪口呆。唐敏道：「哥哥向日雖功名心勝，近來性情為何一變至此？豈有相離咫尺，竟過門不入？況功名遲早，何能拿得定，設或下科不中，難道總不回家麼？」林之洋道：「這話令兄也說過，若榜上無名，大家莫想他回來。他這般立志，俺也勸不改的。」林氏道：「這怪哥哥不該帶到海外。今遊來遊去，索性連家也不顧了！」林之洋道：「當日俺原不肯帶去，任憑百般阻攔，他立意要去，教俺怎能攔得住！」

小山道：「當日我父親到海外，是舅舅帶去的；今我父親到西京⊜，又是舅舅放去的……舅舅就推不得乾淨了。為今之計，別無良策，惟有求舅舅把我送到西京。即或父親不肯回家，甥女見見父親之面，也好放心。」林之洋被小山幾句話吃了一嚇道：「你恁小年紀，怎吃外面勞苦？當年你父親出遊

在外，一去兩三年，總是好好回來。俺聞人說，他這名字，就因好遊取的，你只細想這個『敖』字，可肯好好在家？今在西京讀書，下科考過，自然還家，甥女為甚這樣性急？嶺南到彼幾千路程，這樣千山萬水，問你令叔，你們女子如去得，俺就同令叔送你前去。」唐敏聽見林之洋教他同去，連忙說道：「據我主意……好在將來姪女也要上京赴試，莫若明年赴過郡考，早早進京，借赴試之便，就近省親，豈非一舉兩便？況你父親向來在外閒散慣的，在家多住幾時，就要生災害病，倒是在外無拘無束，身子倒覺強壯。他向來生性如此，也勉強不來。當日父母在堂，雖說好遊，還不敢遠離；及至父母去世，不是一去一年，就是一去兩載。這些光景，你母親也都深知。姪女只管放心，他雖做客在外，只怕比在家還好哩。」小山聽了，滴了幾點眼淚，只得勉強點頭道：「叔父分咐也是。」

林之洋將女兒國一萬銀子交代明白，並將廉家女子所送明珠也都交代。唐敏款待飯畢，又坐了半響。因妹子、甥女口口聲聲只是埋怨，一時想起妹夫，真是坐立不安，隨卽推故有事，匆匆回家。把燕窩貨賣，置了幾頃莊田。過了幾時，生了一子，著人給妹子送信。

林氏聽了，甚覺歡慰，喜得林家有後。到了三朝，帶了小山、小峯來家與哥嫂賀喜。誰知呂氏產後，忽感風寒；兼之懷孕年半之久，秉氣又弱，血分不足，病勢甚重。幸虧縣官正在遵奉御旨，各處延請名醫，設立藥局，呂氏趁此醫治，吃了兩服藥，這才好些。林氏見嫂子有病，就在娘家住下。這日，小山同婉如在江氏房中閒話，只見海外帶來那個白猿，忽從牀下把唐敖枕頭取了出來。

未知如何，下回分解。

西京──唐時以長安為西京。

第四十三回　因遊戲仙猿露意　念劬勞⊖孝女傷懷

話說小山這日正同江氏閒談，只見海外帶來那個白猿，忽從江氏袖下取出一個枕頭在那裏頑耍。

小山見了，向江氏笑道：「婆婆：原來這個白猿卻會淘氣，才把婉如妹妹字帖拿著翻看，此時又將舅舅客枕取出亂擲。怪不得古人說是『意馬心猿』，果然竟無一刻安寧。但如此好枕，為何放在袖下？」因向白猿手中取過，看了一看，卻像自己家中之物，隨即掀起牀幃，朝下一看，只見地板上放著一個包裹。正要動手去拉，江氏忙攔住道：「那是我的舊被，上面腌腌臢臢，姑娘不可拿他！」小山見江氏舉止驚慌，更覺疑惑，硬把包裹拉出，細細一看，卻是父親之物，只嚇的魂不附體，知道其中凶多吉少，不覺放聲慟哭。小峯糊里糊塗，見了丈夫包裹，也跟著啼哭。

小山忍著眼淚，走到呂氏房中把林之洋請來，指著包裹，一面哭泣，一面追問父親下落。林之洋暗暗頓足道：「他的包裹，起初原放在櫥內，他們恐妹子回家看見，特藏在丈母牀下。今被看破，這便怎處？」思忖多時，明知難以隱瞞，只得說道：「妹夫又不生災，又不害病，如今住在山中修行養性，為甚這樣慟哭！你們略把哭聲止止，也好聽俺講這根由。」林氏聽了，強把悲聲忍住。林之洋就把「遇見風暴，吹到小蓬萊，妹夫上去遊玩，竟一去不歸。俺們日日尋找，足足候了一月，等的米也完了，水也乾了，一船性命難保，只得回來」前前後後，說了一遍。小山同林氏聽了，更慟哭不止。

江氏再三解勸，何能止悲。小山泣道：「舅舅同我父親骨肉至親，當日尋找，既未見面，一經回家，

就該將這情節告訴我們，也好前去尋訪，怎麼一味隱瞞？若非今日看見包裹，我們還在夢中。難道舅舅就聽父親永在海外麼？此時甥女心如刀割！舅舅若不將我父親好好還出，我這性命也只好送給舅舅了！」說罷，哭泣不已。林之洋再三相勸，無奈小山口口聲聲只敎舅舅還他父親。呂氏因身體虛弱，還未下牀，扎掙起來，同林之洋再三相勸，俺們再到海外替你尋去；如今坐在家中，敎俺怎樣還你？」呂氏道：「甥女要你父親，也等你舅母病好，將來俺們少不得要去販貨，自然替你尋來。」林之洋把唐敖所題詩句向婉如討來，細細讀了一遍，遞給小山道：「這是你父親在小蓬萊留的詩句，你看舅舅可曾騙你？他後兩句，說是：『今朝才到源頭處，豈肯操舟復出遊！』」小山接過看了，卽送還林氏面前。林之洋道：「他明明看破紅塵，貪圖仙景，任俺尋找，總不出來。」

看這話頭，

小山道：「母親且免傷悲。據這詩句，且喜父親現在小蓬萊。此時只好權且忍耐，俟舅母過了滿月，女兒跟隨舅舅同到海外去找父親便了。」林氏道：「你自幼未曾上過海船，並且從未遠出，如何去得！看來只好你同兄弟在家跟著叔叔讀書，我同他們前去，就是在外三年五載，也不誤你們讀書。將來倘能中個才女，不但你自己榮耀，就是做父母的也覺增光。你若跟著舅舅去到海外，這水面程途，最難刻期，設或誤了考試，豈不可惜！」小山道：「如今父親遠隔數萬里之外，存亡未卜，女兒心裏只知尋親一事，那里還講考試！若敎母親一人前去，女兒何能放心？還是母親同兄弟在家，女兒去的爲是。若不如此，就讓母親尋親，也恐父親未必肯來。」林氏道：「這話怎講？」小山道：「母親倘竟尋見父親，父親因看破紅塵，執意不肯回來，母親又將如何？若女兒尋見父親，如不肯

○劬（ㄑㄩˊ）──勞苦的意思。詩經有「哀哀父母，生我劬勞」這兩句，一般就以「劬勞」專指父母養育子女勞苦。

來，女兒可以哭訴，可以跪求，還可謊說母親焦愁患病。女兒一因母病，二因父親遠隔外洋，所以不憚數萬里特來尋親。父親聽了這番說話，又見女兒悲慟跪求，或者憐我一點孝心，一時肯回，也未可知。況母親非女兒可比：女兒此去，雖說拋頭露面，不大穩便，究竟年紀還輕，就是這邊尋尋，那邊訪訪，行動也還容易，至於母親，非我們幼女可比，何能拋頭露面，各處尋訪？」林氏聽了，半晌無言。林之洋道：「甥女雖然年幼，也覺不好出頭露面。據俺主意：你們都不用去，還是俺去替你尋訪，倒還省事。」小山道：「此話雖是，但舅舅設或尋不回來，甥女豈能甘心？少不得仍要勞動舅舅同我前去，莫若此番同我同去，只要到了小蓬萊尋著父親，無論來與不來，甥女也就無怨了。」

林之洋見拗不過，只得說道：「甥女這等懸念，立意要去，俺們也難相阻。只好等你舅母滿月，俺置些貨物同去便了。」於是大家議定八月初一日起身。林氏要替女兒置辦行裝，隨即帶著女兒別了哥嫂，把丈夫包裹也帶了回來。唐敏問知詳細，手足關心，好不傷感。小山回來，每日令乳母把些桌椅高高下下羅列庭中，不時跳在上面盤旋行走。這日林氏看見，問道：「我兒：你這兩日莫非入了魔境？為何只管跳上跳下，四處亂跑，這是何意？」小山道：「女兒聞得外面山路難行，今在家中，若不預先操練操練，將來到了小蓬萊如何上山呢？」林氏道：「原來如此，卻也想的到。」不知不覺到了七月三十日。小山帶著乳母拜別母親、叔、嬸。林氏千丁寧，萬囑付，無非「尋著父親，早早回來」的話，洒淚而別。

唐敏把小山送到林家，並將路費一千兩交代明白。別了林之洋，仍去處館。後來本郡太守因太后開了女科，慕唐敏才名，聘請課讀女兒去了。

林之洋置了貨物。因多九公老誠可靠，仍要懇他同去照應。無奈多九公因在歧舌得了一千銀子，頗可度日；兼之前在小蓬萊吃了靈芝，大瀉之後，精神甚覺疲憊：如今在家，專以傳方捨藥濟世消遣，那肯再到海外。禁不起林之洋再再懇求，情不可卻，只得勉強應了。

多九公道：「此時唐小姐既到海外，林兄何不就將蘭音小姐送與當時商量蘭音、若花作何安置。況此人乃唐兄義女，自應送去為是。至若花小姐，乃尊駕義女，仍帶船上與姪女同居，日令妹做伴？替他擇一婚配，完其終身，也算以德報德了。」林之洋連連點頭。當時將蘭音、若花接到家後回來，替他擇一婚配，完其終身，也算以德報德了。」林之洋一告知詳細，小山這才明白。大家一經聚中；田鳳翾、秦小春也都過來，與小山諸人見禮。小山問起若花為何遠出之故，若花把談，倒像都有夙緣，莫不親熱。彼此序了年齒，都是姐妹相稱。小山道：「姐姐以龍鳳之質，儲貳之尊，忽遭此立儲被害各話說了，那眼淚不因不由就落將下來。小山道：「姐姐以龍鳳之質，儲貳之尊，忽遭此患，固為時勢所迫，亦是命中小有駁雜，何足為害？妹子細觀姐姐舉止，真是大度汪洋，器宇不凡，將來必有非常奇遇，斷不可因目前小有不足，致生煩惱，有傷貴體。久後姐姐才知妹子眼力不錯哩。」

若花道：「承阿妹過獎，無非寬慰愚姐之意，敢不自己排解，仰副尊命！」林之洋又把要送蘭音與妹子做伴之意說了。小山大喜道：「甥女正愁母親在家寂寞，今得蘭音妹妹過去，不但諸事可代甥女之勞，並可免了母親許多牽挂。」於是諄託蘭音在家照應。「日後尋親回來，再為拜謝。」蘭音道：「姐姐說那那里話來！妹子當日若非寄父帶來醫治，久已性命不保。如此大德，豈敢相忘！今姐姐海外尋親，妹子分應在家侍奉寄母，何須相託。此去千萬保重！妹子在家靜候好音。」

小山道：「妹子向聞鳳翾，小春二位姐姐都是博學，可惜才得相逢，就要奉別，不能暢聆大教，真是恨事！」二人連道：「不敢！……」田鳳翾道：「姐姐此去，明年六月可能回來？」小山道：「

道路甚遠，即使來往風順，明秋亦難趕回，將來只好奉擾二位姐姐高中喜酒了。」秦小春道：「我們雖有觀光之意，奈路途遙遠，無人伴送。前已同母舅商議，原想到了彼時，如姐姐高興赴試，我姐妹可以附驥⊖一往。不意姐姐忽有海外之行，我家母舅又被林叔叔邀往船上照應，看來我們這個妄想也只好中止了。」

林之洋道：「去年俺同妹夫正月起身，今年六月才回，足足走了五百四十天。今同甥女前去，就算沿途順風，各國不去耽擱，單繞那座門戶山，也須繞他幾個月，明年六月怎能趕回？前日俺得考才女這信，也想教俺婉如隨著甥女同去考考，倘碰個才女，也替俺祖上增光。那知甥女務必要教俺同到海外，看來俺這封君⊜也做不成，紗帽也戴不成。據俺想來：如今有這考試曠典，也是千載難逢的，甥女何不略停一年，把才女考過再去尋親？倘中才女，替你父母掙頂紗帽，掙副冠帶，豈不是好？」

小山道：「甥女如果赴試，這個才女也未必輪到身上。即使有望，一經中後，掙得紗帽回來，卻教那個戴呢？若把父親丟在腦後，只顧考試，就中了才女，也免不了『不孝』二字。既是不孝，所謂衣冠禽獸，要那才女又有何用？」說著，不覺滴下淚來。若花暗暗點頭。蘭音道：「姐姐此話，實是正論，所謂正論，自應尋親爲是。但大家明日就要起身，乳母此地又生，卻教那個把我送去？」林之洋道：「此時俺又有事，只好託俺丈母送甥女回去。好在往返不過四五十里，他於夜間趕回，也不誤事。」當時催了一隻熟船，託江氏帶了乳母把蘭音送交林氏，即於半夜趕回。到了次日，田鳳翾、秦小春拜辭回去。

林之洋仍託丈母在家照應，同妻、女、小山、若花由小船來到海邊，上了大船。登時揚帆。走了三月之久，才繞出門戶山。林之洋惟恐小山思親成病，沿途凡遇名山，必令小山朝外看看，誰知小山

看了，倒添愁煩，每每墮淚。林之洋甚覺不解。這日，同多九公閒談道：「當日俺妹夫來到海外，凡遇名山大川，一經他眼，處處都是美景，總是讚不絕口。今俺甥女來到海外，俺要借這山景替他開心，那知他見這些景致，倒添煩悶。這是甚意？難道海外景致與當日不同麼？」多九公道：「海外景致，雖然照舊，各人所處境界不同：當日唐兄一意遊玩，毫無挂牽，只覺逍遙自在，但凡耳之所聞，目之所見，皆屬樂境，甚至遊玩之時，還恐不能盡興，往往戀戀不捨，如今唐小姐一意尋親，心中無限牽挂，只覺愁緒填胸，憂思滿腹，所以耳聞目見，不是觸動在外離思，就是感動父親流落天涯之苦，縱有許多景致，到他眼中，也變作無限苦境，昔人云：『無雲之月，有目者所快覩也，而盜賊所忌；花鳥之玩，以娛人也，而感時惜別者因之墮淚驚心。』故或見境以生情，或緣情而起境，莫不由於心造，絲毫不能勉強。」林之洋點頭道：「原來有這講究，等俺慢慢再去勸他。」

這日，小山在船悶坐。林之洋道：「前在嶺南，俺見甥女帶有書來；今若煩悶，為甚不去看書？婉如、若花都閒在那裏，就是講講學問，也是好的。俺們此去，倘能常遇順風，將來回家，趕上赴考，也難定的。俺們行路，必須把這路程不放心上。若像甥女今日也問，明日也問，日日盼望，只怕一年路程比十年還長哩！」小山道：「舅舅議論雖是：無如書到面前，就覺瞌睡。好在連日靜坐，倒覺清爽。舅舅只管放心：甥女雖然不時盼望，曉得路途遙遠，卻不敢著急，只要尋得父親回來，那怕多走三年兩載，亦有何妨。至於考試，得中才女，固替父母增光，但未見父親之面，何能計及於此？

附驥——原意是指依靠別人而成功、成名的的意思，這裏作追隨解釋。古人說：「蒼蠅雖然飛不遠，但附在良馬的尾上，也可以跑到千里以外。」語出史記。

封君——對因子孫做官而受到皇帝封官贈爵的人的尊稱。

況明年六月卽要報名入考，就讓往返順風，也趕不上了。」林之洋無計可施，惟有時常解勸而已。

未知如何，下回分解。

第四十四回　小孝女嶺上訪紅蕖　老道姑舟中獻瑞草

話說林之洋惟恐小山憂悶成疾，不時解勸，每逢閒暇，就便談些海外風景，或講些各國人物以及所出土產之類，意欲借此替他消遣。談來談去，恰好小山向在家中，如海外各書，都曾看過，因事涉虛渺，將信將疑，不意今聽舅舅所言，竟有大半都是古人書中所有的，於是疑團頓釋。沿途就借這些閒話，倒也解悶。無如林之洋雖在海外走過幾次，諸事並不留心，究竟見聞不廣，被小山盤根問底，今日也談，明日也談，腹中所有若干故典，久已告竣。幸喜多九公本係呂氏至親，兼之年已八旬，向來呂氏、小山，也都時常見面，到了無事時，林之洋無話可談，就把多老翁邀來閒話。多九公本是久慣江湖，見多識廣，每逢談到海外風景，竟是滔滔不絕。一路上不獨小山解去許多愁煩，就是婉如、若花也長許多見識。——雖不寂寞，奈小山受不慣海面風浪，兼之水土不服，竟自大病，臥牀不起。足足病了一月，這才好些。眠食雖然照舊，身體甚弱。不知不覺，已交新春。

這日到了東口山，將船泊岸。林之洋說起當日駱紅蕖打虎一事：「妹夫因他至孝，甚爲喜愛，曾託業師尹大人作媒替外甥求婚。後來到了軒轅，接著尹大人書信，才曉這段婚姻業已定了。」小山道：「前者甥女看見父親行囊內有書一封，內中提著兄弟姻事，甥女正要請問舅舅，後來匆匆忙忙也就忘了，適聞舅舅說起，才知有這緣故。今既到此，甥女自應上去探望，問他何日才回家鄉，日後住在何處，彼此也好通個音信。況他既能打虎，若肯陪伴甥女同去尋親，那更好了。」林之洋道：「

甥女這話甚是。但你身子甚弱，上面山路又不好走，這便怎處？」小山道：「將來到了小蓬萊，甥女還要尋訪父親，若怕難走，豈有不去之理？好在甥女前在家中，已將腿腳練的靈便，如今正好借這山路操練操練，省得到了小蓬萊又要費事。此時身子雖弱，借此走走，倒可消遣消遣。」林之洋點頭。

隨即帶了器械。婉如、若花也要同去。林之洋託多九公在船照應，帶了幾個水手，一同登岸。小山姊妹三人一同携手慢慢上了山坡，略爲歇息，又朝前進。走了多時，歇息數次，才到了蓮花菴。走進裏面，並無一人。正在詫異，只見菴旁走過兩個農人，林之洋上前訪問駱太公下落。那兩個農人道：「我們就是駱小姐殺的一乾二淨，我們才能在此安業。今年正月，駱小姐忽把太公靈柩搬去，聞山大蟲，虧得駱小姐殺的一乾二淨，我們才能在此安業。今年正月，駱小姐忽把太公靈柩搬去，聞得要回天朝，不知何時才來。這位小姐在此除了大害，至今人人感仰。但願他配個好女壻，也不枉眾人感戴一場。」小山聽了，悶悶不樂，只得同眾人仍歸舊路。

自從前年太公去世，駱小姐搬到水仙村居住，就把這些田地賞給我們種了。此

慢慢來到岸邊，離船不遠，只見多九公站在岸上同一年老道姑在那里講話。一齊進前，看那道姑身穿一件破衣，手中拿著一枝芝草，滿面青氣，好不怕人。林之洋道：「這個花子既來化緣，九公就該敎水手隨便拿些錢米與他，同他談甚麼！」多九公道：「這個道姑瘋瘋顛顛，並非化緣。手中拿著靈芝，口裏唱著歌兒，要求我們渡到前面，他將靈芝就算船錢。及至老夫問他渡到甚麼地方，他說要到『回頭岸』去。老夫在海外多年，從未聽見有個甚麼『回頭岸』。這樣顛顛倒倒，豈非是個瘋子麼？」只聽那道姑口中又唱起歌兒。他唱的是：

我是蓬萊百草仙，與卿相聚不知年，因憐謫貶來滄海，願獻靈芝續舊緣。

小山聽了，忽覺心中動了一動，連忙上前合掌道：「仙姑既要渡過彼岸，我就渡你過去。不知那枝靈

芝可肯見賜？」道姑道：「女菩薩如發慈心，渡我過去，這枝靈芝，豈敢不獻？況女菩薩面帶病容，非此不能平復。」小山道：「既如此，就請登舟，我們也好趕路。」道姑聽了，即同三人上船。多、林二人望著，不好攔攔，只得收拾揚帆。

多九公道：「他這靈芝，並非仙品，唐小姐須要留神，不可為妖人所騙。老夫前在小蓬萊吃了一枝，破腹多日，幾乎喪命，近來身體疲憊，還是這個病根。」道姑道：「這是老翁與這靈芝無緣，其實靈芝何害於人。即如桑椹，人能久服，可以延年益壽，斑鳩食之，則昏迷不醒。又如人服薄荷則清熱，貓食之則醉。靈芝原是仙品，如遇有緣，自能立登仙界，若誤給貓狗吃了，安知不生他病？此是物類相感，各有不同，豈能一概而論！」多九公聽了，曉得道姑語帶譏刺，只氣的火星亂冒。

小山把道姑讓進艙內，同婉如、若花一齊歸坐。剛要問話，那道姑把靈芝遞給小山道：「且請女菩薩把這仙芝用過，滌蕩滌蕩凡心，倘悟出前因出來，我們更好談了。」小山接過，一面道謝，一面把靈芝吃了，登時只覺神清氣爽。再把道姑一看，只見滿面仙風道骨，極其和藹，臉色並無一毫青氣。因向婉如耳邊議論道：「這位仙姑臉上本有一股青氣，妹子看著正在害怕，此時忽然不見，另變做慈善模樣，你可見麼？」婉如暗暗答道：「他的臉上那股青氣，姐姐怎麼說？這也奇了！」二人正在附耳議論，只見道姑道：「請問女菩薩，《毛詩》云：『誰知烏之雌雄？』此言人非其類，所以不能辨其雌雄。不知這些鳥兒，他們可能自辨？小山道：「他是一類，如何不辨？自然一望而知。」道姑道：「既如此，何以人就不各有一類呢？易云：『仁者見之謂之仁，智者見之謂之智。』女菩薩若明此義，其餘就可想見了。」小山不覺忖道：「怎麼同我婉如妹妹暗中之話，他竟有些知覺？好生奇怪！」因問道：「請教仙姑大號？」道姑道：「我是百花友人。」小山暗暗詫異道：「他這『百

花」二字，我一經入耳，倒像把我當頭一棒，只覺心中生出無限牽挂。莫非『百花』二字與我有甚宿

緣？他說他是『百花友人』，若以『友人』二字而論，他非『百花』，可想而知。俗語說的：『眞

人不露相。』我且用話來探他一探。」因問道：「仙姑此時從何處至此？」道姑道：「我從不忍山煩

惱洞輪回道上而來。」小山暗暗點頭道：「因其不能容忍，所以要生煩惱，既生煩惱，自然要墮輪回

了。此話不知說的還是『百花』，還是『友人』？含含糊糊，令人不解。他這言談，句句含著禪機，

倒也有些意味。」因又問道：「仙姑此時從何往？」道姑道：「我要到苦海邊回頭岸去。」小山忖道：

「據這禪語，明是『苦海無邊』『回頭是岸』了。」連忙問道：「那『回頭岸』上，可有名山？可有

仙洞？」道姑道：「彼處有座仙島，名喚返本島，島內有個仙洞，名喚還原洞。」小山不等說完，即

又問道：「仙姑所訪何人？」道姑道：「我所訪的，並非別人，是那總司羣芳的化身。」小山聽了，

心中若悟若迷，如醉如醒，不知怎樣才好。呆了半晌，不覺下拜道：「弟子愚昧，今在苦海，求仙姑

大發慈悲，倘能超度，脫離紅塵，情願拜爲弟子。」

這里小山只顧求那道姑。那知多九公因被道姑譏刺，著實氣惱，因同林之洋在前艙竊聽。今見

小山如此光景，因向林之洋道：「令甥女不知利害，受了道姑蠱惑，忽要求他超度，若不急急把他趕

去，只怕唐小姐還有性命之憂哩！……」林之洋不等說完，一脚跨進艙去，指著道姑道：「你這怪

物，敢在俺的船上妖言惑眾！還不快走！且吃俺一拳！」小山忙攔住道：「舅舅……他是眞仙，不可動

手！」道姑冷笑道：「『纏足大仙』何必動怒！——我今到此，原因當日紅孩大仙有言，意欲稍效微

勞，解脫災患，庶不負同山之誼；誰知無緣，竟不能同往。幸而前途有人，諒無大害。」因向小山

道：「此時暫且失陪，我們後會有期，大約回頭岸上即可相見。」說罷，下船去了。小山埋怨舅舅，

不該把這道姑得罪。」林之洋道：「俺不看甥女情面，早已給他一頓好打；如今還算待他好的。」小山道：「剛才仙姑忽把舅舅稱作『纏足大仙』，彼時我見舅舅聽他相稱，臉上忽然通紅，不知何故？」林之洋道：「你看他瘋瘋顛顛，隨嘴亂說，俺那有工夫同他搬駁，只好隨他說去。」小山見林之洋支吾，不便細問。走了幾時，不獨百病消除，只覺精神大長。

這日船泊水仙村。小山因東口山農人所言駱紅蕖之事不甚明白，即託舅舅上去訪問。原來廉錦楓已於正月同駱紅蕖回家鄉去了。林之洋得了此信，隨即回來。離船不遠，忽見海中擁出許多水怪，跳在船上，一個個青面獠牙，跑進船去。適值眾水手都在岸上。林之洋喊叫：「快些上船放槍！」眾人手忙腳亂，才上三板，還未渡到大船，那些水怪忽從艙內把小山拖出，一齊擁入海內。

未知如何，下回分解。

第四十五回　君子國海中逢水怪　丈夫邦嶺下遇山精

話說那羣水怪把小山拖下海去，林之洋這一嚇非同小可，連忙上船，只見婉如、若花、乳母，都放聲慟哭。呂氏向林之洋哭道：「俺們正在閒話，不意來了許多妖怪，忽把甥女拖去，你可看見？」林之洋頓足道：「俺在岸上怎麼不見！如今已將甥女拖下海去，這便怎處？」登時多九公得了此信，即從船後走來道：「幸喜天氣和暖，爲今之計，且教水手下去看是何怪，再作道理。」二人來至船頭，就教當日探聽廉錦楓那個水手下去。水手聽了，因剛才看見那些水怪，心中害怕，不敢獨往，又拉了一個會水的一同下去。不多時，上來回報道：「此處並非大洋，裏面並無動靜。那些水怪，不知都藏何處，無處尋找。」說罷，都到後梢換衣去了。

林之洋不覺慟哭道：「我的甥女！你死的好苦！你教俺怎麼回去見你母親！俺也只好跟你去了！」將身一縱，擴入海中。多九公措手不及，嚇的只管喊叫救人。那兩個水手正在後面換衣，聽見外面喊叫，慌忙穿了小衣，跳下海去。遲了牛晌，才把林之洋救了上來；業已腹脹如鼓，口中無氣。呂氏同婉如、若花哭成一片。多九公即命水手取了一口大鍋，將林之洋輕輕放在鍋上，控了片時，口中冒出許多海水，腹脹已消，蘇醒過來，——婉如同若花上前攙扶進艙，換了衣服。——口口聲聲，只哭「甥女死的好苦」。多九公走來道：「林兄才吃許多海水，脾胃未免受傷，休要悲慟。老夫適才想起一事，唐小姐似乎該有救星。」林之洋道：「俺在海裏，不過喝了兩口水，就人事不知，俺的甥女下海多時，怎麼還能有救？」多九公道：「前在東口所遇那個道姑，雖是瘋瘋顛顛，但他曾言解脫甚麼災

難，又言：『幸而前途有人，尙無大害。』據他這話，豈非尙有可救麼？況『纏足大仙』四字，乃唐兄在船同你鬥趣之話，除了唐兄，只有你知、我知。這個道姑才見林兄，就呼纏足大仙，此人若無來歷，何能道此四字？」林之洋連連點頭道：「九公說的是。俺就出去求神仙相救。」說罷，拿了拐杖，勉強舉步，來到外面，分付水手排了香案，隨即登岸，淨手拈香，跪在地下，暗暗禱告，只求神仙救命。跪了多時，天已日暮。多九公道：「林兄身上欠安，今日已晚，只好回船養息養息，明日再求罷。」林之洋道：「這樣大月色，俺正好跪求，九公只管請便。俺林之洋既發這個願心，若無人救，只得跪死方休，今生今世，叫俺起來也不能了。」不覺放聲大哭。多九公在旁惟有連聲歎氣。

不知不覺，皓月當空，船上已交三鼓。忽見遠遠來了兩個道人，手執拂塵⊖，飄然而至。生的甚覺醜陋，月光之下看的明白：一個黃面獠牙，一個黑面獠牙，頭上都戴束髮金箍，身後跟著四個童兒。林之洋一見，連連叩頭，口口聲聲只求：「神仙救俺甥女之命！」兩個道人道：「居士⊜請起。我們今既到此，自然要助一臂之力，何須相求。」因喚：「屠龍童兒！剖龜童兒！速到苦海，即將孽龍、惡蚌擒來。立等問話！」二童答應，擴下海去。林之洋立起道：「俺的甥女現在海內，還求神仙慈悲相救。」兩個道人道：「這個自然。」因向身旁兩個童兒，暗暗分付幾句，二童答應，也都擴入海去。不多時，回報道：「已將百花化身護送歸舟。」兩個道人將手一擺，二童仍立兩旁。

只見剖龜童兒手中牽著一個大蚌從海中上來，走到黑面道人跟前，交了法旨。

隨後屠龍童兒也來岸上，向黃面道人道：「孽龍出言不遜，不肯上來。弟子本要將其屠戮，因未

⊖　拂塵──驅散蚊蠅的用具，是用馬尾或麈尾做成的撣子。

⊜　居士──和尚、道士對在家學佛、修道的人的稱呼。

奉法旨，不敢擅專，特來請示。」黃面道人道：「這孽畜如此無禮，且等我去會他一會。」將身一縱，擁入海中，兩腳立在水面，如履平地一般。手執拂塵，朝下一指，登時海水兩分，讓出一路，竟向海中而去。遲了片晌，帶著一條青龍來至岸上，道：「你這孽畜，既已罪犯天條，謫入苦海，自應靜修，以贖前愆，今又做此違法之事，是何道理？」孽龍伏在地下道：「小龍自從被謫到此，從未妄為。昨因海岸忽然飄出一種異香，芬芳四射，徹於海底。偶然問及大蚌，小龍素昧平生，原無他意。大蚌忽造謠言，說唐大仙之女，乃百花化身，如與婚配，即可壽與天齊。小龍一時被惑，故將此女攝去。不意此女吃了海水，昏迷不醒。小龍即至海島，擬覓仙草以救其命。現有仙草為證，路遇百草仙姑，求他賜了回生草，急急趕回。那知才把仙草覓來，就被洞主擒獲。」

黑面道人道：「你這惡蚌，既修行多年，自應廣種福田，以求善果，為何設此毒計，暗害於人？從實說來！」大蚌道：「前年唐大仙從此經過，曾救廉家孝女。那孝女因感救命之恩，竟將我子殺害，取珠獻於唐大仙，以報其德。彼時我子雖喪廉孝女之手，究因唐大仙而起。昨日適逢其女從此經過，異香徹入苦海，小蚌要報殺子之仇，才獻此計。只求洞主詳察。」黑面道人道：「當日你子性好饕餮，凡水族之類，莫不充其口腹。傷生既多，惡貫乃滿。故借孝女之刀，以除水族之患。此理所必然，亦天命造定。豈可移恨於唐大仙，又遷害其女？如此昏憒奸險，豈可仍留人世，遺害蒼生？剖龜

童兒！立時與我剖開者！」

黃面道人道：「大仙且請息怒。這兩個孽畜，如此行為，自應立時屠剖。但上蒼有好生之德，兼且孽龍業已覓了仙草，百花服過，不獨起死回生，並可超凡入聖。他既有這功勞，自應法外施仁，免

其一死。第孽龍好色貪花,惡蚌移禍害人,都非良善之輩。據小仙之意:即將二畜禁錮㈢無腸國東

廁,日受糞氣熏蒸,食其穢物,以為貪花害人者戒。大仙以為何如?」黑面道人點頭道:「大仙所見

極是。二畜罪惡甚重,必須禁錮在無腸國富室的東廁,始足蔽辜㈣。」黃面道人道:「加等辦理,固

覺過刻,亦是二畜罪由自取。」因將回生草取了遞給林之洋道:「居士即將此草給令甥女服了,自能

起死回生。」林之洋接過下拜道:「請神仙留下名姓,俺日後也好感念。」黃面道人指著

黑面道人道:「他是百介山人,貧道乃百鱗山人。今因閒遊,路過此地,不意解此煩惱,莫非前緣,

何謝之有!」正要舉步,那孽龍、大蚌都一齊跪求道:「蒙恩主禁於無腸東廁,小畜業已難受;若再

遷於富室東廁,我們如何禁得起?——不獨三次四次之糞臭不可當,而且那股銅臭尤不可耐。惟求法

外施仁,沒齒難忘㈤!」林之洋上前打躬道:「俺向大仙講個人情:他們不願東廁,把他罰在西席,

可好?」孽龍、大蚌:「西席雖然有些酸臭,畢竟比那銅臭好挨。我們願在西席。」兩個道人道:「

且隨我來,自有道理。」一齊去了。眾水手在旁看著,吐了幾口海水,人人吐舌,個個稱奇。

多、林二人回船,將仙草給小山灌入,登時復舊如初,精神更覺清爽。大家都替

他道喜。小山道:「只要尋得父親回來,就是受些魔難,我也情願。」林之洋把水仙村之話說了。隨

即開船,向小蓬萊進發。

㈢ 禁錮——原意是指禁止做官或做政治活動,這裏作監禁解釋。

㈣ 蔽辜——抵罪。

㈤ 沒齒難忘——沒齒,終身的意思。「沒齒難忘」和後文「沒世不忘」,同是永遠忘記不了的意思。

又走多時，如軒轅、三苗等國都已過去。這日，多、林二人在船後閒談。多九公道：「林兄，你看：去歲起風，豈不就在此地？今年有意要到小蓬萊，偏又不遇風暴。若像去年，何等爽快！老夫素於此處甚生，恰好前面有個小國，只好到彼間問。」隨卽收口，上去打聽。原來此間是丈夫國交界。

及至細問小蓬萊路徑，眾國人聽了，莫不害怕，都說：「離此千餘里，地名田木島，有一亥木山，近來忽生許多妖怪出來傷人，來往船隻，每每被害。」二人慌忙回來，告訴眾人，都不願去；小山那裏肯依。多、林二人說之至再，小山寧死也要前去。

這日正行之際，迎面有座大嶺，細看路徑，須由山角繞過，方能出口。走了多時，離嶺不遠，只見上面密密層層許多果樹，如桃、李、橘、棗之類，四時果品，無般不有。那股果香，陣陣向面上撲來，令人好不垂涎。柁工被這果香鑽入鼻孔，一心想嗆，不因不由把船靠了山角。方才泊岸，船上眾人早已一擁齊上，遇見鮮果，不論好歹，摘來就吃，口中莫不叫好。多、林二人也飽餐一頓。林之洋摘了許多桃、李、橘、棗之類，送上船來。呂氏正在垂涎，卽同小山姐妹大家分吃。小山道：「舅舅為何將船泊在此處？前日打聽路徑，都說前面有妖怪，怎麼今日就忘了？」林之洋道：「俺自聞了這股果香，心裏迷迷惑惑，只顧想吃，那里還顧甚麼妖怪，俺去催他們開船。」於是來至外面道：「俺們走罷！莫要遇著妖怪出來。」眾水手道：「今日吃了這樣鮮果，渾身綿軟，就如酒醉一般，好不快活！那個還有力氣開船！」說著，個個睡在樹下。

多、林二人站在船頭，只覺天旋地轉，站立不住。正在發慌，山中忽然走出許多婦女，來到船上，把呂氏、小山、婉如、若花、乳母，攙扶上岸；又有兩個，把多、林二人也攙了下船；還有幾十個，把眾水手也都攙起，走上山來，眾人心裏雖覺明白，就只口不能言，渾身發軟。小

山此時雖然照舊，因見眾人這宗光景，明知寡不敵眾，只好且裝酒醉，跟著同來，看他怎辦，再作道理。不多時，來至石洞跟前。進了石洞，又走兩層庭院，進了廳堂。正面坐著一個女妖，頭戴鳳冠，身穿蟒衫，極其美貌；面上有條指痕，從那指痕之中，更增許多嫵媚。旁邊坐著一個男妖，年紀不到二旬，生得齒白脣紅，面如傅粉，雖是男妖，卻是女裝。多九公看了，身上覺麻軟，心裏卻還明白，暗暗忖道：「這個男妖，怎是婦女打扮？此時林兄見這模樣，回想當日女兒國風味，只怕又要吃驚了。」只見下首還有兩個男妖，一個面如黑棗，一個臉似黃橘，赤髮蓬頭，極其凶惡。

忽聽女妖笑道：「他們只知吃果，那知其中藏有酒母〇。果然毫不費事，就都跟來。此皆賢妹並二位愛卿贊畫之力，將來自然慢慢一同受享。」少年男妖答道：「這些倮兒釀為美酒，其名就叫『倮兒酒』。有三十餘口之多，不知賢妹可能別出心裁，另有炮製？」

據妹子愚見：莫若竟將這些倮兒釀為美酒，其名就叫『倮兒酒』。有三十餘口之多，不知賢妹可能別出心裁，另有炮製？」少年男妖道：「這些倮兒剛才已吃酒母口。」

「如此極妙！」黑面男妖道：「以倮為酒，固是美品，但清濁不分，亦恐酒味不佳。」黃面男妖道：「今日倮兒雖好，皮肉未免帶有酒味，若照向日烹調，恐不合口。莫若竟將這些倮兒釀為美酒，其名就叫『倮兒酒』。

之味必清，男倮之味必濁，將來釀時，必須預分兩處，庶清濁不致紊亂。」據臣看來：女倮兒如此之多，其中酒量大的諒亦不少，莫若先將好酒給他盡量而飲，教他吃的爛醉，日後釀出酒來，豈不更覺有力？」

女妖道：「兩位愛卿所見極是。」因指林之洋向少年男妖笑道：「這個倮兒與賢妹模樣相仿，莫若把他留下，給賢妹做伴如何？」少年男妖笑道：「這倮兒生的雖好，就只嘴上新留幾根鬚兒，令人

〇　酒母──釀酒的和頭，就是酒麴。

口　倮兒──倮，同裸。倮兒，指人。古人把沒有羽毛鱗介的動物，總稱做「倮蟲」，人也是倮蟲之一。

可厭。他如拔的光光如人軺一般，我才笑納哩。」因向黃面、黑面二妖道：「二位可要留他做伴？」

二妖道：「彌君嫌他新留幾根鬚兒，所以不喜。那知我二人因他鬚兒過少，也不嫌意。他如滿部鬍鬚，抑或絡腮，我倒喜的。」少年男妖道：「這卻爲何？」二妖道：「這叫作『人棄我取』。」少年男妖笑道：「若據二公之言，難道世間鬍子都是棄物麼？你要曉得『十個鬍子九個臊』。」他要發起臊風，比那沒鬚的還更有趣哩。」說著，一齊大笑。

女妖分付手下，將眾傑兒帶至後面，多將好酒令其暢飲，以便蒸熟釀酒。眾妖答應，把眾人帶到後面，七手八腳，各去取酒。小山著卽跪下，望空垂淚，暗暗禱告道：「我唐小山因來海外尋親，忽遇妖魔，性命只在頃刻。務望過往神靈，早賜拯拔！倘脫火坑，情願身入空門，一世焚頂⑧。」——

忽見有個道姑走來道：「女善薩休要害怕，小道特來相救。」

未知如何，下回分解。

⑧焚頂——焚香頂禮的省詞。頂禮，把頭頂接觸被尊敬者的腳，是佛家最敬的禮節。

第四十六回　施慈悲仙子降妖　發慷慨儲君結伴

話說道姑向小山道：「女菩薩不消焦心，小道特來相救。」隨即雜在眾人之中。眾小妖把酒取到，道姑道：「他們不會飲酒。我的量大，拿來我吃。」眾小妖道：「剛才進來，未曾留神，原來卻是六個女保。」把酒送至道姑面前。道姑飲完，又教快去取酒。這些小妖來往取酒，就如穿梭一般。一面取酒，一面只說：「好量！」道姑一面飲著，一面只教取酒。登時把洞內若干美酒，飲的一滴無存，還是催著取酒，眾小妖無酒可取，只得稟知女妖。女妖那里肯信，即同三個男妖來至後面。道姑一見，把口一張，那酒就如湧泉一般，一道白光，滔滔不斷，直向四妖噴去。登時洞裏洞外，望風撲鼻。這股酒香，非比尋常，乃百種鮮果釀成，芬芳透腦，若教好飲的聞了，真可神迷心醉，端端正正托著桃、李、橘、棗四樣果品，直向四怪頂門打將下去。四怪剛要逃走，不防雲中四樣果品落下，只打的滿地亂滾，霎時變出本相。遠遠看去，個個小如彈丸，不知何物。道姑上前，拾在手內。眾小妖都變本相，無非山精水怪，四散奔逃。

此時大家都已蘇醒，俱向道姑叩謝。小山道：「請問仙姑尊姓大名？這四個是何妖怪？」道姑道：「我是百果山人。因與女菩薩有緣，特來相救。」手中取出四個物件道：「女菩薩請看：這就是四怪原形。」小山同眾人進前觀看，原來卻是一個李核，一個桃核，一個棗核，一個橘核。多九公

道：「世間此物甚多，何以竟能爲怪？莫非都是異種麼？」道姑道：「此核雖非異種，但具生於周朝，至今千有餘年。李核名叫『橋李』，當初西施因其味美，素最喜食；桃核雖非仙品，當年彌子瑕曾以其半分之衞君；橘核，昔子晏子至楚，楚王曾有黃橘之賜；棗核名喚『羊棗』，當日曾晢最喜。這四核雖是微末廢物，因昔年或在美人口中受了口脂之香，或在賢人口內染了翰墨之味，或在姣童口邊感了龍陽㊀之情，或在良臣口裏得了忠義之氣，久而久之，精氣凝結，兼之受了日精月華，所以成形爲患。今遇貧道……也是他氣數當絕。」多九公忖道：「怪不得男相女裝，原來卻是『分桃主人』。」因問道：「請敎仙姑……剛才那美婦人同那美男子，自然就是西施、彌子瑕形狀了。但那兩怪，一個面如黑棗，一個臉似黃橘，難道當年曾晢同晏子就是這個模樣麼？」道姑道：「西施、彌子瑕俱以美色蟲惑其君，非正人可比，故精靈都能竊肖其形，至曾晢、晏子，身爲賢士，名傳不朽，其人雖死猶生，這些精靈，安能竊肖其形？所謂邪不能侵正。故棗怪面似黑棗，橘怪面似黃橘。任他變幻，何能脫卻本來面目！」小山道：「請問仙姑……此去小蓬萊，還有若干路程？」道姑道：「遠在天邊，近在眼前，女菩薩自去問心，休來問我。」收了四核，出洞去了。

多、林二人把人數查明，一齊上船前進。一路談起仙姑相救之事。多九公道：「這是唐小姐至孝所感，故屢遇異人相救。若據前日大蚌所言，唐兄已成神仙無疑了。」林之洋道：「俺妹夫如成了神仙，俺甥女遇了災難，自然該有仙人來救。俗語說的『官官相護』，難道不准『仙仙相護』？俺最疑惑的……他們所說『百花』二字，不知隱著甚麼機關？莫非俺甥女是百花託生麼？」小山笑道：「若謂百花，自然是百樣花了。豈有百花俱託生一人？──斷無此理。卽使竟是百花託生，甥女也不情願。」

舅舅莫把這件好事替我攬在身上。」林之洋道：「若是百花託生，莫不紅紅綠綠，甥女爲甚倒不情

願？」小山道：「舅舅要知：這些百花無非草木之類，有何根基？此時甥女如係天上列宿託生，將來

倘要修仙，有此根基或者可冀得一善果；若是草木託生，既無根基，何能再萌妄想？卽是苦修，亦覺

費事。當日有人言，狐狸修仙最苦，因其素無根基，必須修到人身，方能修仙，須費兩層工夫。卽如

甥女，若是百花託生，如要修仙，必須修的有了根基，方能再講修仙，豈不過於費事？」林之洋道：

「若這樣，俺倒盼你根基淺些，倒覺安靜，省得胡思亂想，又生別的事來。」

若花道：「剛才那個少年男妖，爲何搽胭抹粉，裝作女人模樣？」多九公道：「姪女，你不知

麼？他這模樣，是從你們女兒國學的；並且還會纏的上好小足，穿的絕妙耳眼哩。」林之洋忍不住要

笑。小山不解，再三追問。婉如把當日女兒國穿耳纏足之事說了。小山這才明白，道：「怪不得前在

東口那個道姑把舅舅稱作『纏足大仙』，舅舅滿面緋紅，原來是這緣故。」

忽聽眾水手喊道：「剛走的好好的，前面又要繞路了！」多、林二人忙至船頭，只見迎面又有一

座大嶺攔住去路。多九公道：「前年到此，被風暴刮的神魂顛倒，並未理會有甚山島。今年走到這條

路上，純是大嶺。要像這樣亂繞，只怕再走一年還不到哩。」林之洋道：「俺們上去探探路徑。」將

船停泊，二人上了山坡。走了多時，迎面有一塊石碑，上面寫的也是「小蓬萊」三個大字。多、林

二人看了。這才曉得此山就是小蓬萊。多九公道：「怪不得那道姑說：『遠在天邊，近在眼前。』誰

⊖ 龍陽──人名，故事傳說中戰國時魏王所寵幸的臣子。魏王有了他，就不要別人再給介紹美女。古時因用「龍陽」兩字做男色的代詞。

知今已到了。」隨即走回，告知小山。

小山歡喜非常，惟有暗暗念佛。因天色已晚，不能上山。次日，起個絕早，呂氏同婉如、若花也都起來。水手已備早飯，大家飽餐一頓。婉如、若花也要陪著同去。林之洋手拿器械，帶了水手，一同登岸，上了山坡。上面有條山路，彎彎曲曲，雖覺難走，幸喜接連樹木，可以攀藤附木而行。林之洋攙著小山，小山手挽婉如，婉如手拉若花，慢慢步上山來。到了平川之地，歇息片晌，又朝前行。

轉過「小蓬萊」石碑，只見唐敖當日所題詩句，仍是墨跡淋漓。小山一見，淚落不止，又向四處細細眺望，暗暗點頭道：「看了此山景致，凡念皆空，宛如登了仙界。如此洞天福地，無怪父親不肯回來。此處不獨清秀幽僻，而且前面層品錯落，遠峯重疊，一望無際，不知有幾許路程。此時只好略觀大概，少刻回船，再同舅舅商議。」

不知不覺天已下午。林之洋恐天晚難行，即同小山姐妹下山。及至到船，業已日暮。吃了晚飯，呂氏問問山上光景。小山道：「今日細看此山，道路甚遠，非三五天可以走遍。甥女父親既要修行，自然該在深山之內。若照今日這樣尋訪，除非父親出來，方能一見；若不自己露面，就再找一年，也是無用。今甥女立定主意：明日舅舅在此看守船隻，甥女一人深入山內，就擱數日，細細搜尋，或者機緣湊巧，也未可知。」林之洋道：「甥女獨去，俺怎放心？自然俺要同去。」小山道：「話雖如此，奈船上都是水手，並無著己之親；多老翁雖有親誼，究竟過於年老；此處又非內地可比。若舅舅同去，雖可做伴，船上無主，倒覺爽利。好在此山既少人煙，又無野獸，純是一派仙景，舅舅只管放心。甥女此去，多則一月，少則半月。如能尋著固妙；即或尋不著，略將裏面大概看看，亦即回來先送一信，使舅舅放

心，然後再去細訪。必須如此，兩下方無牽掛。甥女主意已定，務望舅舅曲從。」若花道：「阿父如不放心，女兒向在東宮，也曾習過騎射，隨常兵器，也曾練過。莫若女兒帶了器械，與阿妹同去，也好照應。」婉如道：「若是這樣，俺也同去。」小山道：「妹妹與乳母一樣，行路甚慢，如何去得？至若花姐姐近日雖然纏足，他自幼男裝走慣，尚不費力，倘能同去，倒可做伴。」呂氏道：「甥女上去，上面既無房屋，又無茶飯，夜間何處棲身？日間所吃何物呢？」小山聽了，不覺怔了一怔。沈思半晌道：「甥女今日細觀此山，層岩峭壁，怪石攢峯，錯錯落落，接連不斷，雖無屋宇，就是那些松陰茂林之下，也可棲止。設遇現成石洞，那更好了。至所食之物，甥女細想。古人草根樹皮，尚可充饑，何況此山果木甚多，柏子松實，處處皆有，豈有腹饑之患！」呂氏道：「那些東西，豈能當飯？當日俺們製有救荒豆末，自從初次飄洋用過一次，喜得後來從未絕糧。今甥女上山，倒可用著了。」林之洋道：「虧你提起，俺倒忘了。」從箱中取出一包豆麵並一包麻子，遞給小山道：「你明日未曾上山，先將豆麵盡量吃飽，就可七日不饑。至第八日再吃一頓，就可四十九日不饑。如覺口乾，可將麻子拌些水吃，就不渴了。這是俺們海船救命仙丹，須好好收了。」

小山接過道：「此豆怎樣炮製，就有如此功效？如果靈驗，若到荒年濟世，豈不好麼？」林之洋道：「這個原是備荒用的。你道這方俺怎得知？——是你父親傳給俺的。據說當初晉惠帝永寧二年，黃門侍郎劉景先因年歲荒旱，曾具表奏道：『臣過太白山隱士傳授「濟饑辟穀仙方」。臣家大小七十餘口，以此為糧，不食別物。若不如斯，臣一家甘受刑戮。』其方：用黑大豆五斗，淘淨，蒸三遍，去皮，用火麻子三斗，浸一宿，亦蒸三遍，令口開，取仁，去皮，同大豆各搗為末，和搗做團如拳

聯經出版事業公司校印

大。入甑內，從戌時蒸至子時止，寅時出甑，午時晒乾，爲末。乾服之，以飽爲度，不得再吃別物。第一頓七日不飢，第二頓四十九日不飢；第三頓三百日不飢；第四頓二千四百日不飢，永不飢。不問老少，但依法服食，不但辟穀，且令人強壯，容貌紅白，永不憔悴。口渴，研蔴子湯飲之，更潤臟腑。若要重吃他物，用葵子三合爲末，煎湯冷服，解下藥如金色，任吃他物，並無所損。

前知隨州郡守，教民用之有驗，序其原委，勒石㊀於漢陽興國寺。還有一方：用黑豆五斗，掏淨，蒸三遍，晒乾，去皮爲末；火蔴子三升，浸去皮，晒研爲末；糯米三升，做粥，入前末和搗爲團，如拳大。入甑內，蒸一宿，取晒爲末，用小紅棗五斗，煮去皮核，入前末和搗如拳大。服之以飽爲度，最能辟穀。如渴，飲蔴子水，能潤臟腑。或飲脂蔴㊁水亦可，但不得食一切物。當日你父親傳俺此方，俺配一料帶在船上。那知頭一次飄洋，就遭風暴，遍遇連陰大雨，就擱多日，缺了柴米，幸虧這物才救一船性命。這是你父親積的陰德，他又何能到此訪甚麼仙、煉甚麼性呢?」小山聽了，觸動思親之心，更覺傷感。當時議定若花同去。次日姐妹二人，絕早起來。

道：「誰知這樣一個好人，偏偏教他功名蹭蹬㊃！若早早做了官，俺同你舅母至今還是感念。」呂氏未知如何，下回分解。

㊀　勒石──在石上刻字。
㊁　脂蔴──就是胡蔴。由於可以榨油，所以也叫做脂蔴。現在寫作芝蔴。
㊃　蹭蹬──倒楣、行事不順、多挫折的意思。

第四十七回　水月村樵夫寄信　鏡花嶺孝女尋親

話說小山同若花清晨起來，梳洗已畢，將衣履結束，腰間都繫了絲縧，挂一口防身寶劍；外面穿一件大紅猩猩氈箭衣，頭上戴一頂大紅猩猩氈帽兜；外帶一件棉衣，用包袱包了；又帶一個椰瓢，同豆麪都放包袱內。——二人打扮不差上下，惟若花身穿杏黃箭衣——將豆麪飽餐一頓，收拾完畢，各把包袱背在肩上，一齊告別，呂氏見這樣子，不由心酸落淚道：「甥女一路小心！若花女兒務須好好照應！雖說此山並無虎豹，到了夜晚，究竟尋個掩密藏身之處，才覺放心。俺女如此孝心，上天自必垂憐，一切事情，自然逢凶化吉。但願去尋得父親，早早回來！」婉如也垂淚道：「姐姐千萬保重，莫教人兩眼望穿！俺不遠送了。」小山答應，同若花上岸。林之洋仍舊攙扶送到平陽之處，又叮寧幾句，洒淚而別。林之洋見他們去遠，這才止淚回船。

姐妹兩個，背著包袱，朝前走了數里。小山因山路彎曲，恐將來回轉認不清楚，每逢行到轉彎處，就在山石樹木用寶劍畫一圓圈，或畫「唐小山」三個字，以便回來好照舊路而行。一面走著，歇息數次，越過幾個峯頭，幸喜山路平坦。走了一日，看看日暮，二人商議找一宿處，看來看去，並無可以棲身之地，只得又向前進。正在探望，只見路旁許多松樹，都大有數圍。內有一株古松，枝葉雖青，因年代久了，其本已枯，外面雖有一層薄皮，裏面卻是空的。二人見了，不勝之喜，即將包袱取下，一齊將身探入。內中松葉堆積甚厚，坐下倒也綿軟。姐妹兩個，因一路走乏，身子困倦，把包袱

放在樹內，坐在上面；睡了一覺，早已天明，連忙探出身來，背上包袱，離了松林。走了半日，小山道：「昨日吃了豆麵，腹中果然不飢；此時喉中微覺發乾。姐姐可覺口渴？妹子意欲吃些泉水才好。」若花道：「如此甚妙。」各用椰瓢就在山泉取了一瓢涼水，拌些麻子，胡亂飲了幾口；又取一瓢涼水，略把手面洗洗。仍望前走。到了日暮，恰喜那邊峭壁下有一天然石洞，儘可存身，就在石洞住了。次日，又朝前進，一路上看不見的怪竹奇樹，觀不了的異草仙花。沿途景致雖多，無如小山之意並不在此，若花也不過略略領略。

一連走了幾日，各處尋踪覓跡，再朝前面望去，那些山岡仍是一望無際。小山道：「姐姐：你看這個光景，大約非數十日不能走到。妹子前在舅舅面前，曾說無論尋著尋不著，總在一月半月回去送信。今再前進，設或遙遠，一時驟難轉回，豈不失信麼？」若花道：「今既到此，據我愚見：只好且朝前進。我們就是就遲幾日，阿父也斷無埋怨之理，何必回去送信。」小山道：「妹子之意，並非專為送信，意欲借此將姐姐送回，妹子才好獨往。」若花道：「愚姐正要同你前去，為何忽發此言？」小山道：「連日細看此山，道路甚遠，一經前進，歸期竟難預定。因此要將姐姐送回，以便一人前進。倘不能尋見父親，就同父親在彼修煉，也是人生難得之事。倘或就使回來過遲，舅舅不能守候，妹子得能尋見父親，就同父親在彼修煉，也是人生難得之事。倘或不能尋見父親，縱讓舅舅終年守候，妹子何顏歸家去見母親？以此看來：惟有尋到此山盡頭，非見父親之面，不能回家。若姐姐同去，妹子何能只管前進呢？」若花道：「愚姐若怕路遠，也不來了。此時前進若不能守候，我就在此同你靜修，也未嘗不可。阿妹倒不必慮及於我。況我本是虎口餘生，諸事久已看破，即如我今設或就耽擱過遲，阿父不能守候，進若無消息，不獨阿妹不應回轉，就是愚姐姐也無半途而廢之理。到此，還是圖名呢？還是為利呢？無非念阿妹一團孝心，惟恐孤身無人照應，才肯挺身而來。若要誤

認我不過一時高興上來走走，並未慮及後來之事，那就錯了。」小山不覺滴淚道：「姐姐如此用心，真令妹子感激涕零，此時也不敢以套言相謝，惟有永銘心版了。」說罷，又向前進。

若花道：「今日忽覺飢餓，這是何意？」小山道：「只顧走路，原來今已八日。那豆薐麵第一頓只能管得七日不飢，今日如何不餓？恰好此處遍地松實柏子，我才吃了幾個，只覺滿口清香，姐姐何不也吃幾個？如能充飢，我們就以此物爲糧，豈不更覺有趣？」若花隨即吃了許多。走了多時，也就不覺甚餓。於是日以松實柏子充飢。路上或講講古跡，談談詩賦。不知不覺又走了六七日。

這日正望前進，猛見迎面倒像一人走來。小山道：「我們走了十餘日，未見一人，怎麼今日忽然走出人來？」若花道：「莫非前面已有人家？」只見那人漸漸臨近，再細細一看，原來是個白髮樵夫。小山見是老年人，因站路旁問道：「請問老翁，此山何名？前面可有人家？」樵夫也立住道：「此山總名小蓬萊。前面這條長嶺，名叫鏡花嶺；嶺下有一荒塚，過了此塚，有個鄉村，名叫水月村。此地已是水月村交界。前面村內，雖有居民，無非幾個山人。你問他怎麼？」小山道：「我問路境，不爲別事。只因我們天朝大唐國有位姓唐的，前年曾入此山，如今可在前面鄉村之內？敢求老翁指示，永感不忘！」樵夫道：「你問的莫非嶺南唐以亭麼？」小山喜道：「我問的正是此人。老翁何以得知？」樵夫道：「我們常在一處，如何不知。前日他有一信託我帶到山下，交天朝便船寄至河源，雖今日恰好湊巧。」於是把書取出，放在斧柄上遞去。小山接過，只見信面寫著「吾女閨臣開拆」。雖是父親親筆，那信面所寫名字，卻又不同。只聽樵夫道：「你看了家書，再到前面看看泣紅亭景致，就知書中之意了。」說著，飄然而去。

小山把信拆開，同若花看了一遍，道：「父親既說等我中過才女與我相聚，何不就在此時同我回

聯經出版事業公司校印

去，豈不更便？並且命我改名『閨臣』，方可應試，不知又是何意。」若花道：「據我看來，其中大有深意：按『唐閨臣』三字而論，大約姑夫因太后久已改唐爲周，其意以爲將來阿妹赴試，雖在僞周中了才女，其實乃唐朝閨中之臣，以明並不忘本之意。信內囑阿妹若不速回，誤了考期，不替父親爭氣，就算不孝。既有如此嚴令，阿妹竟難再朝前進哩。」小山道：「話雖如此，但我們迢迢數萬里至此，豈有不見一面之理？況父親既在此山，也未有尋不見的。且到前面，再作計較。」

一齊舉步越過嶺去，只見路旁有一墳墓。小山道：「此是仙境，爲何卻有墳墓？莫非就是樵夫所說荒塚麼？」若花道：「阿妹：你看那邊峭壁上鐫著『鏡花塚』三個大字，原來此墓所葬卻是『鏡花』；不知是何形象？可惜剛才未曾問問樵夫。」略爲歇息，轉過峭壁，走未一里，正面有一白玉牌樓，上鐫「水月村」三個大字。穿過牌樓，四面觀望，並無人烟。迎面有一長溪攔住去路。雖無橋梁，喜得溪邊有株數人合抱不來的一顆大松，由這邊山坡，歪歪斜斜一直鋪到對面山坡，倒像推倒一般，天然一座松根橋梁。二人攀著松枝，渡了過去。面前一帶松林，密密層層，約有半里之遙。穿過松林，再四處一看，眞是水秀山清，無窮美景。遠遠望那山峯上面，俱是瓊臺玉洞，金殿瑤池，那派清幽景象，竟是別有洞天。正在觀看，忽見對面祥雲繚繞，紫霧繽紛，從那山清水秀之中，透出一座紅亭。

未知如何，下回分解。

第四十八回　觀碑記默喻仙機　觀圖章微明妙旨

話說唐小山同陰若花渡過小溪，因景致甚佳，正在觀玩，忽見迎面清光之中，透出一座紅亭，只覺金光萬道，瑞氣千條，燦爛輝煌，華彩奪目。隨即舉步上前，只見那參天的奇松怪柏，衝霄的野竹枯藤，都在亭子四面盤轉，幾如翠蓋一般；四壁廂異草奇花，也不知多少。亭子面前懸一金字大匾，上書「泣紅亭」三個大字。旁邊有一對聯，寫的是：

　桃花流水杳然去，明月清風到處遊。

小山道：「剛才那樵夫教我望望泣紅亭景致，那知卻在此地。內中有何美景，我們何不進去看看？」若花道：「原來阿妹認得科斗文字⊖，卻也難得。」剛要舉步，忽聽亭內響了一聲，現出萬道紅光。紅光之內，擁出一位魁星。左手執筆，右手執斗；生得花容月貌，美如天仙。駕著彩雲，四面紅光旋繞，雲時起在空中，直向斗宮去了。若花道：「我同阿妹素日最敬魁星，誰知此間竟遇女身出現。原來魁星卻有兩像。」小山道：「將來回到家鄉，如遇廟宇供有魁星，妹子發個心願，於男像之旁，另塑一尊女像，也不枉今日瞻仰一番。」二人隨即對空叩拜。走進亭內，只見當中設一碧玉座，座旁安兩條石柱，柱上也有一副對聯⋯

　紅顏莫道人間少，薄命誰言座上無？

正面也有一匾，寫的是「鏡花水月」。那碧玉座上豎一白玉碑，高不滿八尺，寬可數丈，上鐫百人名

⊖　科斗文字──科斗，就是蝌蚪。上古的篆字，頭粗尾細，很像蝌蚪，所以有這個名稱。

姓：

司曼陀羅花仙子第一名才女「蠹書蟲」史幽探

司虞美人花仙子第二名才女「萬斛愁」哀萃芳

司洛如花仙子第三名才女「五色筆」紀沉魚

司青囊花仙子第四名才女「科斗書」言錦心

司療愁花仙子第五名才女「雕蟲技」謝文錦

司靈芝花仙子第六名才女「指南車」師蘭言

司玫瑰花仙子第七名才女「綺羅叢」陳淑媛

司珍珠花仙子第八名才女「錦繡林」白麗娟

司瑞聖花仙子第九名才女「昇平頌」國瑞徵

司合歡花仙子第十名才女「普天樂」周慶覃

司百花仙子第十一名才女「夢中夢」唐閨臣

司牡丹花仙子第十二名才女「女中魁」陰若花

司木筆花仙子第十三名才女「風月主」印巧文

司洛陽花仙子第十四名才女「迴文錦」卞寶雲

司蘭花仙子第十五名才女「血淚箋」由秀英

司菊花仙子第十六名才女「玉無瑕」林書香

司瓊花仙子第十七名才女「龍鳳質」宋良箴

司蓮花仙子第十八名才女「藍田玉」章蘭英

司梅花仙子第十九名才女「百鍊霜」陽墨香

司海棠花仙子第二十名才女「花御史」酈錦春

司桂花仙子第二十一名才女「水中月」田舜英

司杏花仙子第二十二名才女「小太史」盧紫萱

司芍藥花仙子第二十三名才女「玉交枝」鄴芳春

司茉莉花仙子第二十四名才女「珊瑚珠」邵紅英

司芙蓉花仙子第二十五名才女「玉玲瓏」祝題花

司笑屬花仙子第二十六名才女「箇中人」孟紫芝

司紫薇花仙子第二十七名才女「一剪紅」秦小春

司含笑花仙子第二十八名才女「蕙蘭風」董青鈿

司杜鵑花仙子第二十九名才女「小嫦娥」褚月芳

司玉蘭花仙子第三十名才女「錦繡肝」司徒嫵兒

司蠟梅花仙子第三十一名才女「神彈子」余麗蓉

司水仙花仙子第三十二名才女「凌波仙」廉錦楓

司木蓮花仙子第三十三名才女「小楊香」洛紅蕖

司素馨花仙子第三十四名才女「賽鍾絲」林婉如

司結香花仙子第三十五名才女「碧玉環」廖熙春

司鐵樹花仙子第三十六名才女「女學士」黎紅薇

司碧桃花仙子第三十七名才女「鸚鵡舌」燕紫瓊

司繡球花仙子第三十八名才女「天孫錦」蔣春輝

司木蘭花仙子第三十九名才女「三面網」尹紅萸

司秋海棠花仙子第四十名才女「小獵戶」魏紫櫻

司刺藤花仙子第四十一名才女「女英雄」宰玉蟾

司玉簇花仙子第四十二名才女「夢中人」孟蘭芝

司木棉花仙子第四十三名才女「織機女」薛蘅香

司凌霄花仙子第四十四名才女「女中俠」顏紫綃

司迎輦花仙子第四十五名才女「離鄉草」枝蘭音

司木香花仙子第四十六名才女「採桑女」姚芷馨

司鳳仙花仙子第四十七名才女「芙蓉劍」易紫菱

司紫荊花仙子第四十八名才女「清風翼」田鳳翾

司薔薇花仙子第四十九名才女「廣寒月」掌紅珠

司秋牡丹花仙子第五十名才女「鴛鳳傳」葉瓊芳

司錦帶花仙子第五十一名才女「鴻文錦」卞彩雲

司玉慈花仙子第五十二名才女「夜光璧」呂堯蓂

司八仙花仙子第五十三名才女「清虛府」左融春

司子午花仙子第五十四名才女「意中人」孟芸芝

司青鸞花仙子第五十五名才女「睿文錦」卞綠雲

司旌節花仙子第五十六名才女「君子風」董寶鈿

司瑞香花仙子第五十七名才女「五彩虹」施豔春

司荼蘼花仙子第五十八名才女「駕鴦帶」竇耕烟

司月季花仙子第五十九名才女「朝霞錦」蔣麗輝

司夜來香花仙子第六十名才女「水晶珠」蔡蘭芳

司罌粟花仙子第六十一名才女「畫中人」孟華芝

司石竹花仙子第六十二名才女「綺文錦」卞錦雲

司藍菊花仙子第六十三名才女「連理枝」鄒婉春

司丁香花仙子第六十四名才女「玉壺冰」錢玉英

司棣棠花仙子第六十五名才女「錦帆風」董花鈿

司迎春花仙子第六十六名才女「雙鳳釵」柳瑞春

司千日紅花仙子第六十七名才女「雄文錦」卞紫雲

司翦春羅花仙子第六十八名才女「畫中人」孟玉芝

司夾竹桃花仙子第六十九名才女「羅紋錦」蔣月輝

司荷包牡丹花仙子第七十名才女「連城璧」呂祥蓂

司西番蓮花仙子第七十一名才女「比目魚」陶秀春

司金絲桃花仙子第七十二名才女「蛾眉月」掌驪珠

司蔛秋紗花仙子第七十三名才女「鴛鴦錦」蔣星輝

司十姊妹花仙子第七十四名才女「花上露」戴瓊英

司麗春花仙子第七十五名才女「如意鳳」董珠鈿

司山丹花仙子第七十六名才女「堯文錦」卞香雲

司玉簪花仙子第七十七名才女「月中人」孟瑤芝

司金雀花仙子第七十八名才女「瑤臺月」掌乘珠

司梔子花仙子第七十九名才女「麒麟錦」蔣秋輝

司眞珠蘭花仙子第八十名才女「女菩提」緇瑤釵

司佛桑花仙子第八十一名才女「龍文錦」卞素雲

司長春花仙子第八十二名才女「比翼鳥」姜麗樓

司山礬花仙子第八十三名才女「持籌女」米蘭芬

司寶相花仙子第八十四名才女「浣花石」宰銀蟾

司木槿花仙子第八十五名才女「胭脂蕚」潘麗春

司蜀葵花仙子第八十六名才女「鏡中人」孟芳芝

司雞冠花仙子第八十七名才女「同心結」鍾繡田

司蝴蝶花仙子第八十八名才女「仁風扇」譚蕙芳

司秋葵花仙子第八十九名才女「眼中人」孟瓊芝

聯經出版事業公司校印

司紫茉莉花仙子第九十名才女「鋪地錦」蔣素輝
司梨花仙子第九十一名才女「荊山璧」呂瑞蓂
司藤花仙子第九十二名才女「太平風」董翠鈿
司蘆花仙子第九十三名才女「瀟湘月」掌浦珠
司藜花仙子第九十四名才女「鶴頂紅」井堯春
司葵花仙子第九十五名才女「海底月」崔小鶯
司楊花仙子第九十六名才女「鐵笛仙」蘇亞蘭
司桃花仙子第九十七名才女「賽趙娥」張鳳雛
司蘋花仙子第九十八名才女「小毒蜂」閔蘭蓀
司菱花仙子第九十九名才女「筆生花」花再芳
司百合花仙子第一百名才女「一卷書」畢全貞

小山把人名看過，不覺忖道：「父親命我改名，那知此碑一等第十一名就是『唐閨臣』，並且若花姐姐同婉如、蘭音妹妹也在上面。我聞古人有『夢觀天榜』之說，莫非此碑就是天榜？為何又有司花字樣？以此看來，又非天榜了。」因向若花道：「姐姐！你看此碑可是天榜麼？」若花道：「我看此碑都是篆文，一字不識，誰見甚麼天榜？」小山道：「妹子真心請問，怎麼姐姐忽然鬧起趣來？」若花道：「愚姐怎麼鬧趣？」小山道：「此碑所鐫都是隨常楷書，與外面匾對一樣，豈非鬧趣麼？」若花聽了，把眼揉了一揉，又朝碑上細看道：「上面各字，與外面匾對一樣，都是篆文，怎麼姐姐說是楷書，若有一字認得，算我有心欺你。果真不識，豈有戲言！」小山不覺詫異道：「明明都是楷書，為何到了姐姐眼

裏，卻變作古文？世間竟有如此奇事？怪不得姐姐說我認得科斗文字，原來卻是這個緣故。以此看來，可見凡事只要有緣：妹子同他有緣，所以一望而知；姐姐同他無緣，因此變成古篆。」

若花道：「此碑我雖不識，幸喜阿妹都知，就請費心把這情節講說一遍，愚姐也就如同目覩了。」

小山道：「上面所載，俱是我們姊妹日後之事，約計百人之多。此時姐姐既於碑上一無所見，可見仙機不可洩漏。妹子若要揑造虛言，權且支吾，未免欺了姐姐；若說出實情，又恐洩漏天機，致生災患。好在碑上之事，將來總要出現，妹子意欲等待事後再細細陳；姐姐以爲何如？」若花道：「阿妹所見極是。但我望著此碑，只覺紅光四射，兩眼被這紅光耀的只覺發昏。字既不識，站在這裏甚覺無味，莫若且到亭外走走，阿妹在此，把這情節細細記在心裏，事後告訴我們，也是一段佳話。」小山道：「姐姐言這碑上紅光四射，又是兩樣，只覺一股清氣。今姐姐看是紅光，可見姐姐將來必是受享洪福之人，與妹子迥不相同。」若花道：「我現在離鄉背井，孑然一身，將來得能附驥，考個才女，心願足矣，那里還有甚麼洪福輪到身上！──若有洪福，也不投奔他邦了。」

說著，滴下兩點眼淚，把包袱取下放在石几上，走出去了。

小山又朝後看，人名之後，還有一段總論，寫的是：

泣紅亭主人曰：以史幽探、哀萃芳冠首者，蓋主人自言窮探野史，嘗有所見，惜湮沒無聞，而哀萃芳之不傳，因筆志之。或紀其沉魚落雁□之妍，或言其錦心繡口之麗，故以紀沉魚、言錦心爲之次焉。繼以謝文錦者，意謂後之觀者，以斯爲記事則可；若目爲錦繡之文，則吾旣未能文，而又何有於錦？�壽殀不齊，辛酸滿腹，往事紛紜，述之惟恐不逮，詎暇工於文哉！則惟謝之。而師仿蘭言，索其蹟數陳表白而傳述之，故謝文錦

後，承之以師蘭言、陳淑媛、白麗娟也。結以花再芳、畢全貞者，蓋以羣芳淪落，幾至

澌滅無聞，今賴斯而得不朽，非若花之重芳乎？所列百人，莫非瓊林琪樹，合壁駢珠，

故以全貞畢焉。

總論後有個篆字圖章，寫的是⋯⋯

茫茫大荒，事涉荒唐。唐時遇唐，流布遐荒。

小山看罷，忖道：「這『唐時遇唐，流布遐荒』八個字，細細揣奪，如今正當唐時，我又親

見此碑，豈非教我流傳海內麼？仙機雖是如此，奈此碑所列百人之多，不獨頭緒紛繁，就是人名也甚

難記，這是苦我所難了！」思忖多時，因走路辛苦，要尋坐處歇息，恰好旁邊有一石几，石几面前有

條石凳，就在凳上坐了。把包袱取下，放在几上，歇息片响。復又想道：「這個碑記，明明教我流傳

海內，偏偏筆硯又未帶來，這卻怎好？——也罷，莫若把他讀的爛熟，記在心裏，也是一樣。」於是

望著玉碑從頭讀去。讀了幾句，甚覺拗口，正在爲難，只見若花走了進來。

未知如何，下回分解。

㊀　沉魚落雁——對美貌女人形象的形容詞。原出莊子：「毛嬙、麗姬，人之所美也，魚見之深入，鳥見之高飛。」意思是：縱然是美人，魚見了沉到水底，鳥見了奮翼高飛；是因為魚鳥不知美人之美。後來一般戲曲、小說借用這個比喻，把飛鳥改成「落雁」，專指美人，和莊子的本義不同了。

第四十九回　泣紅亭書葉傳佳話　流翠浦搴裳覓舊踪

話說若花走進亭子，也在石凳坐下，道：「阿妹可曾記淸？外面絕好景致，何不出去看看？」小山道：「姐姐來的正好，妹子有件難事正要請敎。」因把圖章念了一遍，道：「姐姐：你看這個圖章，豈非敎我流傳麼？上面字跡過多，強記旣難，就是名姓也甚難記。又無筆硯，這卻怎麼？」若花道：「阿妹若要筆硯，剛才愚姐因看山景要想題詩，卻有絕好筆硯在此。」卽到外面取了幾片蕉葉進來道：「阿妹何不就以此葉權且抄去？俟到船上，再用紙筆謄淸，豈不好麼？」小山道：「蕉葉雖好，妹子從未寫過，不知可能應手。」隨到亭外，用劍削了幾枝竹籤進來，將蕉葉放在几上，手執竹籤，寫了數字，筆畫分明，毫不費事。不覺大喜。

剛要抄寫，因向若花道：「剛才未進此亭時，遠遠望著對面都是瓊臺玉洞，金殿瑤池，宛如天堂一般。如此仙境，想我父親必在其內。此時旣到了可以尋踪覓跡處，只應朝前追尋，豈可半途而廢？況這碑記並非立時就可抄完，莫若且把父親尋來，再作道理。」各人背了包袱，步出亭外，走了多時，那些臺殿漸漸相近，正在歡喜，忽聽水聲如雷。連忙趨行，越過山坡，迎面有一深潭，乃各處瀑布滙歸之所，約寬數十丈，竟把去路攔住。小山看罷，只急的暗暗叫苦。卽同若花登在高峯，細細眺望。誰知這道深潭，當中冒出這股水，竟把此山從中分爲兩處，並無一線可通。二人走來走去，無計可施。若花道：「今日那個樵夫，轉眼間無踪無影，明是仙人前來點化。我想姑夫旣託仙人寄信，那

仙人又說常聚一處，豈是等閒！信中既催阿妹速去考試，允你日後見面，想來自有道理。爲今之計，

莫若抄了碑記，早早回去。不獨可以赴試，就是姑母接了此信，見了阿妹，也好放心，也免得多倚閭

之望㊀。愚見如此，阿妹以爲何如？」小山聽了，雖覺有理，但思親之心，一時何能撇下？正在猶

疑，只見路旁石壁上有許多大字。上前觀看，原來是首七言絕句：蓬萊頂上是家鄉。

義關至性豈能忘？踏遍天涯枉斷腸！聚首還須回首憶，

詩後寫著「某年月日嶺南唐以亭卽事偶題」。小山看到末二句，猛然審神，倒像想起從前一事；及至

細細尋思，卻又似是而非。惟有呆點頭，不知怎樣才好。若花道：「阿妹不必發獃了！你看詩後所

載年月，恰恰就是今日！詩中寓意，我雖不知，若以『卽事』二字而論，豈非知你尋親到此？那『踏

遍天涯枉斷腸』之句，豈非說你尋遍天涯也是枉然？況且前日阿妹所談去年題的思親之詩，我還記得

第六句是『蓬萊縹緲客星孤』；今姑夫恰恰回你一句『蓬萊頂上是家鄉』。彼時阿妹不過因『蓬萊』

二字都是草名，對那松菊，覺的別致，那知今日竟成了詩讖。可見此事已有先兆。並且剛才從此走

過，壁上並無所見；轉眼間，就有詩句題在上面，若非仙家作爲，何能如此？此時我們只好權邊慈

命，暫回嶺南，俟過幾時，安知姑夫不來度脫你我都去成仙呢？」說罷，携了小山的手，仍向泣紅亭

走來。一路吃些松實柏子。又摘了許多蕉葉，削了幾枝竹籤。來至亭內，放下包袱，略爲歇息。

若花道：「此碑共有若干字？」小山道：「共約二千。趕緊抄寫，明日可完。」若花道：「旣如

此，阿妹只管請寫，不必分心管我。好在此地到處皆是美景，卽或躭擱十日，也遊不厭的。」於是自

㊀ 倚閭之望——閭，里弄的大門。倚閭之望，指父母的期待兒子。故事傳說：戰國時，王孫賈的母親對王孫賈說：你早出晚
歸，我倚門而望；你晚出而不回來，我倚閭而望。語出戰國策。

去遊玩。小山寫了一日，到晚同若花就在亭內宿歇。次日正要抄寫，只見碑記名姓之下，忽又出現許多事跡，自己名下寫著：「只因一局之誤，致遭七情之磨。」若花名下寫著：「雖屈花王之選，終期藩服之榮。」其餘如蘭音、婉如諸人，莫不註有事跡。看罷，不覺忖道：「我又不會下棋，這一局之誤，從何而來？」因將碑記現出事跡之話，告訴若花。若花道：「既有如此奇事，自應一總抄去為是。我還出去遊玩，好讓阿妹靜寫。」說罷，去了。小山寫了多時，出來走動走動。若花正四處觀玩，忽見小山出來，不覺忖道：「碑上仙機固不可洩漏，他所抄之字不知可是古篆？趁他在外，何不進去望望？」即到石几跟前一看，蕉葉上也是科斗文字。連忙退出。只見小山從瀑布面前走來。若花道：「原來阿妹去看瀑布，可謂『忙裏偷閒』了。」小山道：「妹子前去淨手，並非去看瀑布。愚姐忽從亭內走出，莫非偷看碑記麼？倘洩漏仙機，乃姐姐自己造孽，與妹子無涉。」若花道：「愚姐豈肯如此！因要領教尊書，進去望望，誰知阿妹竟寫許多古篆，仍是一字不識。你弄這些花樣，好不令人氣悶。」小山道：「這又奇了！妹子何嘗會寫篆字？倒要奉請再去看看。」一齊走進亭內。若花又把二目揉了一揉道：「怎麼我的眼睛今日忽然生出毛病，竟會看出差了？」小山笑道：「姐姐並非看差，只怕是眼岔了。」若花道：「莫要使巧駡人！準備孽龍從無腸東厠逃回，只怕還要託人求親哩。『乘龍○』佳壻倒還不差，就只近來身上有些臭氣，若非配個身有異香的，就是薰也薰死了。」於是看那蕉葉上面，明明白白都是古篆，並無一字可識。又把玉碑看了道：「你這抄的筆畫，同那碑上都是一樣；碑上字我既不識，又何能識此呢？」

小山不覺歎道：「妹子所寫，原是楷書，誰知到了姐姐眼中，竟變成古篆！怪不得俗語說是：『有緣千里來相會，無緣對面不相逢。』妹子可謂有緣，姐姐竟是無緣了。」若花道：「我雖無緣，今

得親至其地，亦算無緣中又有緣了。」小山道：「姐姐雖善於詞令，但你所說『有緣』二字，究竟牽強，何能及得妹子來的自然。若以現在情形而論，倒不如無緣來的自在。」小山道：「此話怎講？」若花道：「據我看來，有緣固妙，我能暢遊，阿妹惟有拿著一枝毛錐在那裏鑽刺，不免爲緣所累，所以倒不如無緣自在。」小山道：「姐姐要知：無緣的不過看看山景，那有緣的不但飽覽仙機，而且能知未來，——即如姐姐並婉如諸位妹妹一生休咎，莫不在我胸中。可見又比觀看山景勝強萬萬。」

若花道：「據你所言，我們來歷，我們結果，你都曉得了。我要請問阿妹：你的來歷，你的結果，你可曉得？」小山聽了，登時汗流浹背，不覺痰了一痰道：「姐姐：你既不自知，你又何必問我？至於我知，我不知，我又何必告訴你？況你非我，你又安知我不自知？俗語說的：『工夫各自忙。』姐姐請去閒遊，妹子又要寫了。」若花道：「你知，固好；我不知，也未嘗不妙。總而言之：大家『無常』一到，不獨我不知的化爲飛灰，依然無用，就是你知的也不過同我一樣，安能又有甚麼長生妙術！」說着，出亭去了。小山聽了，心裏只覺七上八下，不知怎樣才好。思忖多時，只得且抄碑記。寫了半晌，天色已晚，又在亭中同若花歇了一宿。

次日抄完，放在包袱內。二人收拾完畢，背了包袱，步出泣紅亭。小山朝著上面臺殿跪下，拜了兩拜，不覺一陣心酸，滴下淚來。拜罷起身，一同回歸舊路，仍是淚落不止，不時回顧。不多時，穿過松林，渡過小溪，過了水月村，越過鏡花嶺，真是歸心似箭。走了一日，到晚尋個石洞住了。一連

〔一〕乘龍——對他人女婿的讚詞。故事傳說：東漢桓焉有兩個女兒，一嫁黃尚，一嫁李膺。黃、李二人，都有聲譽，當時人說：桓焉兩女乘龍。意思比喻桓焉選得的兩個女婿都像天上的龍。典出初學記。

走了兩日。這日正朝前進，路旁有一瀑布，只聞水聲如雷，峭壁上鐫著「流翠浦」三個大字。瀑布流下之水，漫延四處，道路甚滑。二人只得携手，提著衣裙，緩緩而行。走了多時，過了流翠浦。前面彎彎曲曲，盡是羊腸小道，岔路甚多，甚難分辨。小山道：「前日來時，途中雖有幾處瀑布，並無如許之大。今日莫非走差了？我們且找來時所畫字跡，照著再走。」尋了半晌，途中雖將字跡尋著，及至細看，竟將「唐小山」三字改做「唐閨臣」。小山看了詫異道：「怎麼竟有如此奇事！」若花道：「此非仙家作為，何能如此？看來又是姑夫弄的手段了。」大家於是放心前進。恰好走到前面，凡遇歧途難辨之處，路旁山石或樹木總有「唐閨臣」三字。二人也不辨是否，只管順著字跡走去。

這日走到一條大嶺，高高下下，走了多時，早已噓噓氣喘。朝上望了一望，惟見怪石縱橫，峭壁重疊，其高無對。若花道：「當日上山，途中並無此嶺，為何此時忽又冒出這條危峯？這幾日走的兩腳疼痛，平坦大道，業已勉強，何能行此崎嶇險路？偏偏此嶺又高，這卻怎好！」小山道：「喜得上面樹木甚多，只好妹子攙著姐姐緣木而上。」二人攀藤附葛，又朝上走。走不多時，若花只覺兩足痛入肺腑，登時喘作一團，連忙靠著一棵大樹，坐在山石上，抱著兩足，淚落不止。

小山正在著急，忽聽樹葉刷刷亂響，霎時起了一陣旋風，只覺一股腥氣，轉眼間，半山中攛下一隻斑毛大蟲。二人一見，只嚇的魂不附體，戰戰兢兢，各從身上拔出寶劍，慌忙携手站起。那大蟲連攛帶跳，朝下走來。看看相離不遠，眼睛忽然放出紅光，把尾豎起，搖了兩搖，口內如山崩地裂一般，吼了一聲，將身一縱，離地數丈，竟自迎頭撲來。二人忙舉寶劍，護住頭頂。耳內只聞一降風聲，那大蟲直從頭上攛了過去。二人把頭摸了一摸，喜得頭在頸上；慌忙扭轉身軀看那大蟲。原來身後有個山羊在那裏吃草，卻被大蟲看見，撲了過去，就如鷹拿燕雀一般，抱住山羊，張開血盆大口，

羊頭吃在腹內；把口一張，兩隻羊角飛舞而出。頃刻把羊吃完，扭轉身軀，面向二人，把前足朝下一按，口中吼了一聲。

未知如何，下回分解。

第五十回　遇難成祥馬能伏虎　逢凶化吉婦可降夫

話說那虎望着小山、若花，按着前足，搖着大尾，發威作勢，又要迎面撲來。二人連說「不好！……」正在驚慌，忽聞一陣鼓聲如雷鳴一般，振的山搖地動。從那鼓聲之中，由高峯攛下一匹馬：渾身白毛，背上一角，四個虎爪，一條黑尾。口中放出鼓聲，飛奔而來。大蟲一見，早已逃攛去了。

若花道：「此獸雖然有角，無非騾馬之類，生的並不凶惡，為何虎卻怕他？阿妹可知其名麼？」小山道：「妹子聞得駿馬一角在首，其鳴如鼓，喜食虎豹。此獸角雖在背，形狀與駿馬相仿，大約必是駿馬之類。」只見此獸走到跟前，搖頭擺尾，甚覺馴熟，就在面前臥下，口食青草。小山見他如此馴良，用手在他背上撫摩，因向若花道：「妹子聞得良馬最通靈性。此時我們既不能上山，何不將他騎上？或能馱過嶺去，也未可知。況他背上有角，不致傾跌。必須把他頸項縛住，就如絲韁一般，帶在手裏，才不致亂走。不知他可聽人調度？——我且試他一試。」隨將身邊絲繮解下，向駿馬道：「我唐閨臣因尋親至此，蒙若花姐姐携伴同行，不意一時足痛不能上山，今幸得遇良馬。吾聞良馬比君子，若果能通靈性，即將我們馱過嶺去，將來回歸故土，當供良馬牌位，日日焚香，以誌大德。」一面說著，將絲繮縛在駿馬項上，包袱都挂角上，牽至一塊石旁，把若花攙扶上去，一手抱角，一手牽著絲繮，小山登在石上，就在若花身後，也騎在駿馬背上。二人騎在馬上，甚覺平穩。若花道：「阿妹將我身背抱緊，我放轡頭了。」手提絲繮抖了兩抖，駿馬放開四足，竟朝嶺上走去。那個大蟲正在趕逐野獸，駿馬一見，早已放出鼓聲，要想……

奔去。若花忙提絲繮，帶到一塊石旁，把馬勒住，都由石上慢慢下來，取了包袱，解下絲繮。駿馬連

擴帶跳，轉眼間越過山峯，追趕大蟲去了。

二人略略歇息，背了包袱，又走數里。小山恐若花足痛，早早尋個石洞歇了。次日又朝前進。若

花道：「今日喜得道路平坦，緩步而行，尚不費力。但我自從吃這松實柏子，腹中每每覺餓，連日雖

然吃些些桑椹之類，也不濟事。此地離船甚遠，必須把那豆麭再吃一頓，方好行路，不然，腿上更覺無

力了。」小山道：「妹子自從吃了松實柏子，只覺精神陡長，所以日日以他為糧。那知姐姐卻是如

此。何不早說？」卽將豆麭取出。若花飽餐一頓，登時腿腳強健。又走兩日。這日在路閒談，小山

道：「我們自從上山，走了半月，才到鏡花嶺，如今從泣紅亭回來，已走七日，看來已有一半路程

這二十餘日，舅舅、舅母，不知怎樣盼望！」若花看：「婉如阿妹缺了伴侶，只怕還更想哩。」

忽聽林內有人叫道：「好了！好了！你們回來了！」二人不覺吃了一嚇，忙按寶劍，將腳立住。

遙見林之洋氣喘噓噓跑來道：「俺在那邊樹下遠遠看著兩人，頭戴帽兜，背著包袱，俺說必是你們回

來。好極！好極！幾乎盼殺俺了！」小山道：「甥女別後，舅母身上可好？離船幾日了？阿母、阿妹，身體

隻，卻走出若干路程，吃這辛苦？」若花道：「阿父山下何日起身？

可安？」林之洋道：「你們兩個想是把路走迷了？前面已到小蓬萊石碑，頃刻就要下山，怎說這話？

俺因你們去了二十多日不見回來，心裏記掛，每日上來瞭望。今日來了多時，正在盼望，那知你們巧

巧回來。」二人聽了，如夢方醒，更歎仙家作用之奇。

卽同林之洋下山上船，放下包袱，見過呂氏、婉如；乳母替他們除了帽兜，脫去箭衣。喘息定

了，小山才把「遇見樵夫，接著父親之信，囑我回去赴試，俟中才女，方能相見」的話，告訴一遍。

林之洋把信看了，歡喜道：「妹夫說等甥女中過方能相聚。——不過再隔一年，就可相見了。」小山道：「話雖如此，安知父親不是騙我？況海外又無便船，如何就能回鄉？」林之洋聽了，惟恐小山又要上去，連忙說道：「據俺看來：這話決不騙你。他若立意不肯回家，俺們仍舊同來；如今早早回去，也免你母親在家掛念。」小山聽罷，正中下懷，暗暗歡喜，故意說道：「舅舅既允日後仍舊同來，甥女何必忙在一時？就遵舅舅之命，暫且回去，將來再作計較。」林之洋點頭道：「甥女這話才是。但你父親信內囑你改名『閨臣』，自然有個道理，今後必須改了，才不負你父親之意。」因向婉如道：「已後把他叫作閨臣姐姐，莫叫小山姐姐了。」隨即張羅開船。唐閨臣把信收過。呂氏見閨臣肯回嶺南，也甚喜道：「此番速速回去，不獨你母親放心，那考才女也是一椿大事。你若中了才女，你父母面上榮耀，不必說了，就是俺們在親友面前，也覺光彩。倘能携帶若花、婉如也能得中，那更好了。」

大家一路閒談。姐妹三個，都將詩賦日日用功。閨臣偷空，把泣紅亭碑記另用紙筆抄了。因蕉葉殘缺，即包好沈入海中。又將碑記給婉如觀看，也是一字不識。因此更覺愛護，暗暗忖道：「此碑雖落我手，上面所載事跡，都是未來之事，不能知其詳細，必須百餘年後，將這百人一生事業，同這碑記細細合參，方能一一瞭然。不知將來可能得遇有緣？倘能遇一文士，把這事跡鋪敍起來，做一部稗官野史，也是千秋佳話。」正要放入箱內，只見婉如所養那個白猿忽然走來，把碑記拿在手內，倒像觀看光景。閨臣笑道：「我看你每每甯神養性，不食烟火，雖然有些道理；但這上面事跡，你何能曉得，卻要拿着觀看？如今我要將這碑記付給有緣的，你能替我辦此大功麼？大約再修幾百年，等你得道，那就好了。」一面說笑，將碑記奪過，收入箱內。因與白猿鬥趣，偶然想起駿馬，隨即寫了良馬

聯經出版事業公司校印

牌位，供在船上，早晚焚香。

一路順風。光陰迅速，這日子到了兩面國，起了風暴，將船收口。林之洋道：「俺在海外，那怕女兒國把俺百般磨折，俺也不懼，就只怕兩面國。他那浩然巾內藏着一張壞臉，業已難防；他還老着面皮，只管訛人錢財。」閨臣道：「他們怎樣訛人？」林之洋就把當日在此遇盜，虧得徐麗蓉兄妹相救的話說了一遍。若花道：「前年既有此事，阿父倒不可大意。到了夜晚，大家都不可睡，並命眾水手多帶鳥槍來往巡更，阿父不時巡查。一切謹慎，也可放心了。」林之洋連連點頭，即到外面告知眾人。

到了日暮，前後梆鈴之聲，絡繹不絕；多、林二人不時出來巡查。

天將發曉，風暴已息，正收拾開船。忽有無數小舟蜂擁而至，把大船團團圍住，只聽槍砲聲響成一片。船上眾人被他這陣槍砲嚇的鳥槍也不敢放。登時有許多強盜跳上大船。為首一個大盜，走進中艙，在上首坐了；旁列數人，都是手執大刀，個個頭戴浩然巾，一臉殺氣。閨臣姐妹在內偷看，渾身發抖。眾傻儸把多、林二人並眾水手如鷹拿燕雀一般，帶到大盜面前。二人朝上望了一望，那上面坐的，原來就是前年被徐麗蓉彈子打傷的那個大盜。只見他指著林之洋喊道：「這不是口中稱『俺』的囚徒麼？快把他首級取來！」眾傻儸一齊動手。林之洋嚇的拚命喊道：「大王殺我，我也不怨；剛我，我也不怨：任憑把我怎樣，我都不怨：就只說我稱『俺』，我甚委屈！我生平何曾稱『俺』？眾傻儸道：「稟大王：他連我又不知『俺』是甚麼。求大王把這『俺』字說明，我也死的明白。」眾殺氣道：「這不是口中稱『俺』的麼？剛才來時，夫人分付，倘誤傷人命，回去都有不是，求大王詳察。」

大盜道：「既如此，把他放了。你們再把船上婦女帶來我看。」眾傻儸答應，將呂氏、乳母、閨臣、若花、婉如帶到面前。大盜看了道：「其中並無前年放彈惡女。他這船上共有若干貨物?」眾傻儸道：「剛才查過，並無多貨，只有百十擔白米，二十擔粉條子，二十擔青菜，還有十幾隻衣箱。」大盜笑道：「他這禮物雖覺微未，俗語說的：『千里送鵝毛，禮輕人意重。』只好備個領謝帖兒，權且收了。你們再去細看，莫把燕窩認作粉條子；若是燕窩，我又有好東西吃了。」——但他們那知我大王喜吃燕窩，就肯送來？那三個女子生的都覺出色，恰好夫人跟前正少影環，既承他們美意遠遠送來，所謂『卻恐不恭，受之有愧』，也只好備個領謝帖兒。爾等即將他們帶至山寨，送交夫人使用。一路須要小心，倘有走失，割頭示眾！」眾傻儸答應。多、林二人再三跪求，那里肯聽。不由分說，把閨臣、若花、婉如攛上小舟。所有米糧以及衣箱，也都搬的顆粒無存。一齊跳上小船。只聽一聲胡哨，雲時扯起風帆，如飛而去。呂氏嚎咷慟哭，林之洋只急的跺腳搥胸，即同多九公坐了三板，前去探信。

閨臣姐妹三人，被眾人攛上小舟，明知凶多吉少，一心只想攛下海去；無奈眾人團團圍住，步步隄防，竟無一隙之空。不多時，進了山寨。隨後大盜也到，把他三人引進內室。裏面有個婦人迎出道：「相公為何去了許久?」大盜道：「我恐昨日那個黑女不中夫人之意，今日又去尋了三個影環回來，所以就攔。」因向閨臣三人道：「你們為何不給夫人磕頭?」三人看時，只見那婦人年紀未滿三旬，生的中等人材，滿臉脂粉，渾身綾羅，打扮卻極妖媚。三人看了，只得上前道了萬福，站在一旁。大盜笑道：「這三個影環同那黑女都是不懂規矩，不會行禮，連個以頭搶地⊖也不知道。夫人看

他三個生得可好？也還中意麼？」婦人聽了，把他三人看了，不覺矮了一矮，臉上紅了一紅，因笑道：「今日山寨添人進口，爲何不設筵席？難道喜酒也不吃麼？」旁邊走過兩個老嬷道：「久已預備，就請夫人同大王前去用宴。」婦人道：「就在此處擺設最好。」老嬷答應。登時擺設齊備，夫妻兩個對面坐了。

大盜道：「昨日那個黑女同這三個女子都是不知規矩，夫人何不命他都到筵前跟着老嬷習學，將來伺候夫人，豈不好麼？」婦人點頭，分付老嬷卽去傳喚。老嬷答應，帶了一個黑女。閨臣看時，那黑女滿面淚痕，生的倒也清秀，年紀不過十五六歲。老嬷把黑女同閨臣姐妹帶至筵前，分在兩旁侍立。大盜一面看着，手裏拿着酒杯，只喜的眉開眼笑，一連飲了數杯說：「夫人何不命這四個影環流流把盞，我們痛飲一番，何如？」婦人聽了，鼻中哼了一聲，只得點頭道：「你們四個都與大王輪流敬酒。」四人雖然答應，都不肯動身。若花忖道：「這個女盜旣教我們斟酒，何不趁此將大盜灌醉，然後再求女盜放我們回去，豈不是好？」隨卽上前執壺，替他夫妻滿滿斟了下來，因向閨臣，婉如暗暗遞個眼色。二人會意，也上前輪流把盞。那個黑女見他們都去斟酒，只得也去斟了一巡。

大盜看了，樂不可支，眞是酒入歡腸，越飲越有精神。那里禁得四人手不停壺，只飲的前仰後合，身子亂幌；飲到後來，醉眼朦朧，獃獃望着四人只管發笑。婦人看着，不覺冷笑道：「我看相公這個光景，莫非喜愛他們麼？」大盜聽了，滿面歡容，不敢答言。仍是嘻嘻癡笑。婦人道：「我房中向有老嬷服侍，可以無須多婢。相公旣然喜愛，莫若把他四個都帶去作妾，豈不好麼？」閨臣姐妹聽了，暗暗只說：「不好！性命要送在此處了！」大盜把神宇了一宇道：「夫人此話果眞麼？」婦人

○ 搶（ㄑㄧㄤˇ）地——觸地。

道：「怎好騙你！我又不曾生育，你同他們成了喜事，將來多生幾個兒女，也不枉連日操勞一場。」

若花聽了，只管望着閨臣；閨臣把眼看着婉如：「姐妹三個，登時面如傅土，身似篩糠。閨臣把他二人衣服拉了一把，退了兩步，暗暗說道：「適聽女盜所言，我們萬無生理。但怎樣死法，大家必須預先議定，省得臨時驚慌。」若花道：「我們還是投井呢？還是尋找廚刀自刎呢？」閨臣道：「廚房有人，豈能自刎，莫若投井最好。」婉如道：「二位姐姐千萬携帶妹子同去，倘把俺丟下，就沒命了！」若花道：「阿妹真是視死如歸。此時性命只在頃刻，你還鬪趣！」婉如道：「俺怎鬪趣？」若花道：「你說把你丟下就沒命了，——難道把你帶到井裏倒有命了？」

只聽那婦人道：「此事不知可合你意？如果可行，我好替你選擇吉期。」大盜聽了，喜笑顏開，渾身發軟，望著婦人深深打躬道：「拙夫意欲納寵，真是眠思夢想，已非一日；惟恐夫人見怪，不敢啟齒。適聽夫人之言，竟合我心。……」話未說完，只聽碗盞一片聲響，那婦人早把筵席掀翻，弄了大盜一身酒菜；房中所有器具，撂的滿天飛舞。將身倒在地下，如殺豬一般，放聲哭道：「你這狠心強賊！我只當你果真替我尋影環，那知借此為名，卻存這個歹意！你既有心置妾，要我何用？我又曰必活在世上，討人憎嫌！」說罷爬起，拿了一把剪刀，對準自己咽喉，咬定銀牙，緊皺蛾眉，眼淚汪汪，氣喘噓噓，直向頸項狠狠刺來。大盜一見，嚇的膽戰心驚，忙把翦刀奪過，跪求道：「剛才只因多飲幾杯，痰迷心竅，酒後失言，只求夫人饒恕，從此再不妄生邪念了。」婦人仍是啼哭，口口聲聲，只說丈夫負義，務要尋死。一面哭著，又用帶子套在頸上，要尋自盡，又被大盜搶去；猛然一頭要朝壁上撞去，也被大盜攔住。大盜心忙意亂，無計可施，只得磕頭道：「我已立誓不敢再存惡念，無如夫人執意不信。如今只好教他們打個樣子，已後再犯，就照今日加倍責

罰，也是情願。」因命老嬤把四個行杖傴儸傳進內室道：「我酒後失言，忤了夫人，以致夫人動怒，只要尋死。只得煩你們照軍門規矩，將我重責二十。如夫人念我皮肉吃苦，回心轉意，就算你們大功一次。我雖懼怕夫人，你們切莫傳揚出去，設或被人聽見強盜也會懼內，那才是個笑話哩。」將身爬在地下。四個傴儸無可奈何，只得舉起竹板，一遞一換，輕輕打去。大盜假意喊叫，只求夫人饒恕。

剛打到二十，婦人忽然手指大盜道：「你存這個歹意，我本與你不共戴天；今你既肯捨著皮肉，我又何必定要尋死？但剛才所打，都是虛應故事；如果要我回心轉意，必須由我再打二十，才能消我之氣。」大盜聽了，惟有連連叩首。

未知如何，下回分解。

第五十一回　走窮途孝女絕糧　得生路仙姑獻稻

話說大盜連連叩頭道：「只求夫人消了氣惱，不記前仇，聽憑再打多少，我也情願。」婦人向僂儸道：「他既自己情願，你們代我著實重打，若再虛應故事，定要狗命！」四個僂儸忘記了，那敢怠慢，登時上來兩個，把大盜緊緊按住，那兩個舉起大板，打的皮開肉破，喊叫連聲。打到二十，僂儸把手住了。婦人道：「這個強盜無情無義，如何就可輕放？給我再打二十！」大盜慟哭道：「求夫人饒恕，愚夫吃不起了！」婦人道：「既如此，為何一心只想討妾？假如我要討個男妾，日日把你冷淡，你可歡喜？你們作男子的。在貧賤時原也講些倫常之道，一經轉到富貴場中，就生出許多炎涼樣子，把本來面目都忘了，不獨疎親慢友，種種驕傲，並將糟糠之情○，也置度外。這真是強盜行為，已該碎屍萬段！你還只想置妾，那里有個忠恕之道！我不打你別的，我只打你『只知有己，不知有人』。把你打的驕傲全無，心裏冒出一個『忠恕』來，我才甘心！今日打過，嗣後我也不來管你。總而言之：你不討妾則已，若要討妾，必須替我先討男妾，我才依哩。我這男妾，古人叫做『面首○』：『面哩，取其貌美。』首哩，取其髮美。這個故典並非是我杜撰○，自古就有了。」大盜道：「這點小事，夫人何必講究考據。況此中狠有風味，就是杜撰，亦有何妨。夫人要討男妾，要置面首，無不遵命。就只這股驕傲，乃我們綠林向來習氣，久已立誓不能改的，還求見諒。」婦人道：「驕傲固是強盜習氣，何妨把這惡習改了？」大盜道：「我們做強盜的，全要仗著驕傲欺人；若把這個習氣改了，還算甚麼強盜！這是至死不能改的。」婦人道：「我就把你打死，看你可改！」分付僂儸：「著

實再打！」一連打了八十，大盜睡在地下，昏暈數次，口中只有呼吸之氣，喘息多時，才蘇醒過來。

只見他強打精神，垂淚說道：「求夫人快備後事，愚夫今要永別了。我死後別無遺言，惟囑後世子孫，千萬莫把綠林習氣改了，那才算得孝子賢孫哩。」說罷，復又昏暈過去。

婦人見大盜命已垂危，不能再打，只得命人抬上牀去。不覺後悔道：「我只當多打幾板，自然把舊性改了，那知他至死不變。據此看來，原來世間強盜這股驕傲習氣，竟是牢不可破。早知如此，我又何必同這禽獸較量！」因分付傻儸道：「這三個女子才來未久，大約船隻還在山下，即速將他們帶去，交他父母領回，省得他日後親物又生別的邪念。急速去罷！倘有錯誤，取頭見我！」傻儸諾諾連聲，即將四人引至山下。恰好黑女垂淚道：「婢子姓黎，乳名紅紅，黑齒國人氏。父親曾任少尉之職，久已去世。昨同叔父海外販

林之洋問知詳細，口中惟有念佛。多九公看那黑女，甚覺眼熟：「請問女子尊姓？爲何到此？」

連連答應，把衣箱匆匆搬上，一齊上了三板，竟向大船而來。

去，那個黑女在此無用，也命他們一同領去。連日所劫衣箱，也都發還，省得他日後多、林二人正在探望，一見甚喜。隨後衣箱也都發來。你們回去，快快開船。若再遲延，性命難保！」多、林二人因你四個女子反吃大苦，少刻必來報仇。眾傻儸暗暗藏過一隻，大聲說道：「今日大王

（一）糟糠之情──指曾經共同度過窮苦生活的夫妻情誼。故事傳說：東漢劉秀（光武帝）要把姐姐嫁給大臣宋弘，就教宋弘和妻子離婚。宋弘說：「貧賤之交不可忘，糟糠之妻不下堂。」因而拒絕了劉秀。

（二）面首──故事傳說：南北朝宋劉義符（前廢帝）的妹妹山陰公主向劉義符說：我們雖然有男女的不同，但都是前代皇帝所生的，為什麼你有許多妻妾，我卻只有一個「駙馬」？劉義符接受她的意見，就送三十個美貌男子做她的「面首」。

（三）杜撰──指文字、語言出於想像、捏造而其實是沒有根據的。

貨，不幸在此遇盜。叔父與他爭鬥，寡不敵眾，被他害了，把婢子攬上山去。今幸放歸。但子然一身，舉目無親，尚求格外垂憐！」多九公聽了，這才曉得就是前年談文的黑女。到了大船，搬了衣箱，隨即開船。紅紅與眾人見禮。呂氏問知詳細，不免歎息勸慰一番。閨臣從艙內取出一把紙扇道：「去歲我從父親衣囊內見了此扇，因書法甚佳，帶在身邊，上面落的名款也是『紅紅』二字，不知何故？」多九公把當日談文之話說了，眾人這才明白。

閨臣道：「我們萍水相逢，莫非有緣！姐姐如此高才，妹子此番回去，要去觀光，一切正好叩教。惟恐初次見面，各存客氣，妹子意欲高攀，結為異姓姊妹，不知姐姐可肯俯就？」紅紅道：「婢子今在難中，況家世寒薄，得蒙不棄，另眼相看，已屬非分，何敢冒昧仰攀，有玷高貴！」林之洋道：「甚的攀不攀的！俺甥女的父親也做過探花，黎小姐的父親也做過少尉，算來都是千金小姐。不如依俺甥女，大家拜了姊妹，倒好相稱。」若花、婉如聽了，也要結拜。於是序了年齒：紅紅居長，若花居次，閨臣第三，婉如第四。各自行禮；並與呂氏、多、林二人也都見禮。

只聽眾水手道：「船上米糧，都被劫的顆粒無存，如今餓的頭暈眼花，那有氣力還去拿篙弄柁！」林之洋道：「前日俺在小蓬萊還同甥女閒談。自從得了此方，用過一次，後來總未用過。──那知昨日還是滿艙白米，今日倒要用他充飢。幸虧女大王將衣箱送還；若不送還，只怕還有甚麼『在陳之厄⑭』哩！」隨即取了鑰匙前去開箱。誰知別的衣箱都安然無恙，──就是紅紅兩隻衣箱也好好在艙，──就只豆蔻這隻箱子不知去向。多九公道：「此必僂儸趁著忙亂之際，只當裏面盛著值錢之物，隱藏過了。」林之洋這一嚇非同小可，忙

在各處尋找，那有蹤影。只得來到外面同眾人商議。又不敢回去買米，若要前進，又離淑士國甚遠。商議多時，眾水手情願受餓，都不敢再向兩面國去，只好前進；惟願遇着客船，就好加價購買。一連斷餐兩日，並未遇着一船。正在驚慌，偏又轉了迎面大風，真是雪上加霜。只得收口，把船停泊。眾水手個個餓的兩眼發黑，滿船惟聞歎息之聲。

閨臣同若花、紅紅、婉如餓的無可奈何，只得推窗閒望。忽見岸上走過一個道姑，手中提着一個花籃，滿面焦黃，前來化緣。眾水手道：「船上已兩日不見米的金面，我們還想上去化緣，你倒先來了。」那道姑聽了，口中唱出幾句歌兒。唱的是：

我是蓬萊百穀仙，與卿相聚不知年，因憐謫賑來滄海，願獻「清腸」續舊緣。

閨臣聽了，忽然想起去年在東口山遇見那個道姑，口裏唱的倒像也是這個歌兒，不知「清腸」又是何物，何不問他一聲。因携若花三人來至船頭道：「仙姑請了。」道姑道：「他這『觀光』二字，豈非說着我麼？」因說道：「小道要去觀光，那有工夫閒談，只求佈施足矣。」閨臣道：「請問仙姑，你們出家人為何也去觀光？」道姑道：「女菩薩：你要曉得一經觀光之後，也就算功行圓滿，一天大事都完了。」閨臣聽了，猛然想起「聚首還須回首憶」之句，心中動了一動道：「仙姑此時何往？」道姑道：「我到飛昇島極樂洞去。」閨臣忖道：「難道『回首』之後，就有此等好處麼？我再追進一句，看他怎說。」因問道：「請教仙姑：這『極姑從何至此？」道姑道：「我從聚首山回首洞而來。」閨臣忖道：「原來這樣。請問仙光』

㈣　在陳之厄──指遭遇飢餓。孔子周遊列國，第二次到陳國去的時候，絕了糧，跟隨的學生們都餓得很厲害。歷史紀載上稱為「在陳之厄」。

樂洞』雖在『飛昇島』，若以地里而論，卻在何地？」道姑道：「無非總在心地。」閭臣連連點頭道：「原來如此，承仙姑指教了。但仙姑化齋，理應奉敬，奈船上已絕糧數日，尚求海涵！」道姑道：「小道化緣，只論有緣無緣：若逢無緣，即使彼處米穀如山，我也不化；如遇有緣，設或缺了米穀，我這籃內之稻，也可隨緣樂助。若花笑道：「你這小小花籃，所盛之稻，可想而知。我們船上有三十餘人，你那籃內何能佈施許多。」道姑道：「我這花籃，據女菩薩看去雖有如此之妙，不知合船人可與仙姑有緣？」閭臣道：「我們四人可與仙姑有緣？」道姑道：「今日相逢，豈是無緣；不但有緣，而且都有宿緣；因有宿緣，所以來結良緣，不免又續舊緣；因續舊緣，以致普結眾緣，結了眾緣，然後才了塵緣。」說罷，將花籃擲上船頭道：「可惜此稻所存無多，每人只能結得半半之緣。」婉如把稻取出，命水手將花籃送交道姑。道姑接了花籃，向閭臣道：「女菩薩千萬保重！我們後會有期，暫且失陪。」說罷，去了。

婉如道：「三位姐姐請看：道姑給的這個大米，竟有一尺長，無如只得八個。」三人看了，正在詫異，適值多九公走來道：「此物從何而來？」閭臣告知詳細。多九公道：「此是『清腸稻』。當日老夫曾在海外吃過一個，足足一年不飢。現在我們船上共計三十二人，今將此稻每個分作四段，恰恰可夠一頓，大約可以數十日不飢了。」若花道：「怪不得那道姑說『只能結得半半之緣』，原來按人分派，每人只能吃得四分之一，恰恰一半之半了。」多、林二人即將清腸稻拿到後面，每個切作四

段,分在幾鍋煮了。大家吃了一頓,個個精神陡長,都念道姑救命之德。

次日開船。閨臣偶然問起紅紅當日赴試,可曾得中之話。紅紅不覺歎道:「若論愚姐學問,在本國雖不能列上等,也還不出中等;只因那些下等的都得前列,所以愚姐只好沒分了。」若花道:「這是何意?難道考官不識眞才麼?」紅紅道:「如果不識眞才,所謂『無心之過』,倒在無甚要緊;無如總是關節貪緣,非爲故舊,即因錢財,所取眞才,不及一半。因此灰心,才同叔父來到海外,意欲借此消遣,不想倒受這番魔難。賢妹前日曾有觀光之話,莫非天朝向來本有女科麼?」閨臣道:「天朝雖無女科,近來卻有一個曠典。但天朝考官向來可有貪緣之弊?」閨臣道:「我們天朝乃萬邦之首,所有考官,莫不清操廉潔。況國家不惜𥱐費,立此大典,原爲拔取眞才,爲國求賢而設,若貪緣一個,即不免屈一眞才,若果如此,後世子孫,豈能興旺?設或都能中試,豈非一段奇遇?」紅紅道:「愚姐久已心灰,何必又既已結拜,將來自然同其甘苦。倘蒙攜帶,倒可同至天朝瞻仰瞻仰聖朝人物之盛,至於考試,竟可不必了。」

做『馮婦⑤』。『敗兵之將,不敢言勇。』雖承賢妹美意,何敢生此妄想。愚姐如此抱負,何不同去一試?我們未知如何,下回分解。

鏡花緣

第五十一回

走窮途孝女絕糧　得生路仙姑獻稻

三四二

聯經出版事業公司校印

⑤　馮婦——春秋晉人,會打老虎,後來不幹了,有一天在野外看見衆人在打老虎,卻又攘臂下車去打。語出五子。「重爲馮婦」,是比喻不知止境再做前事的人。

第五十二回　談春秋胸羅錦繡　講禮制口吐珠璣

話說紅紅道：「如蒙賢妹攜帶，倒可借此瞻仰天朝人物之盛。至於考試，久已心灰，豈可再萌妄想。」若花道：「此事到了天朝，慢慢再議，看來也由不得姐姐不去。前日聞得亭亭姐姐一同赴試，不知可曾得中？」紅紅道：「他家一貧如洗，其父不過是個諸生，業已去世；既無錢財，又無勢利，因此也在孫山之外㊀。但他落第後，雄心不減，時刻癡心妄想，向日曾對我說：如果外邦開有女科，那怕千山萬水，他也要去碰碰，若不中個才女，至死不服。如今天朝雖開女科，無如遠隔重洋，何能前去？看來只好望洋而歎了。」閨臣道：「他家還有何人？近來可曾遠出？」紅紅道：「他無弟兄，只有繼氏寡母在堂，現在課讀幾個女童，以舌耕度日，並未遠出。」閨臣道：「他既有志赴試，將來路過黑齒，我們何不約他同行，豈不是件美事？」紅紅道：「賢妹約他固妙；但他恃著自己學問，目空一切，每每把人不放眼內。賢妹若去約他，他不曉得你學問深淺，惟恐玷辱，必不同往。據我愚見，必須先去談談學問，使他心中敬服，然後再講約他之話，自然一說就肯了。」閨臣道：「聞得亭亭姐姐學問淵博，妹子何敢班門弄斧㊁，同他亂談？倘被考倒，豈非自討苦喫？」若花道：「阿妹為何只姐姐人志氣，卻滅自己威風？我倒是個『初生犢兒不怕虎』：將來到彼，我就同你前去，難道我們兩個還敵不住他一個麼？」閨臣道：「姐姐有如此豪興，妹子只得勉力奉陪。但必須告知舅舅，才可約他。」林之洋道：「俺聞你父親常說『君子成人之美』。甥女既要成全他的功名，這等美事，你們做了，自有好處，何消同俺商量。那個黑女，當日九公同他談文，曾喫他大

虧，將來你同寄女到彼，俺倒著實就心哩。」若花道：「他又不曾生出三頭六臂，無非也是一個肉

人，怕他怎的！」林之洋道：「他那伶牙利齒，若談起文來，比那三頭六臂還覺利害，──九公至今

說起還是頭疼，──你說他是肉人，只怕還是一張鐵嘴哩。若遇順風，不過早晚就到。據俺主意：你

們快把典故多記幾個，省得臨期被他難住，莫像九公倒像吃了蒺藜只管出汗，那就被他看輕了。當日

他們因談反切，曾有『問道於盲』的話，俺自從在歧舌國學會音韻，一心只想同人談談，偏不遇見知

音。將來到彼，他如談起此道，務必把俺舉薦舉薦。這兩日大家吃了清腸稻，都不覺餓，索性到了黑

齒再去買米，就擱半日，趁著閒空，你們也好慢慢同他談文。」

大家一路說著閒話，不知不覺，這日清晨到了黑齒。把船收口。林之洋託多九公帶了水手前去買

米。閨臣意欲紅紅同去。紅紅道：「他的住處，林叔叔盡知，無須我去。我若同去約他，他縱勉強同

來，究竟難免被他輕視。賢妹到彼，就以送還扇子為名，同他談談。他如同來則已；設或別有推脫，

愚姐再去把這美意說了，才不被他看輕哩。」閨臣點頭，帶著扇子同了若花央林之洋領進城內。來到

大街，閨臣同若花由左邊街上走去，林之洋從右邊走去。不多時，進了小巷，來到亭亭門首，只見上

寫「女學塾」三個大字。把門敲了兩下，有個紫衣女子把門開了。林之洋一看，認得是前年談文黑

〇一　孫山之外──指應考落榜的人。故事傳說：宋孫山和一個同鄉一同應考，孫山取在最後一名，同鄉沒有考取。同鄉的父親向
　　孫山打聽自己兒子取了沒有，孫山說：「解名盡處是孫山，賢郎更在孫山外。」語出過庭錄。

〇二　班門弄斧──指在行家面前炫耀自己的本領。公輸班，春秋魯人，後人稱為魯班，歷史上著名的善於製造
　　機巧器物的人。班門弄斧，就是說在魯班的門前表演用斧頭製造器物。

女，閨臣從袖內取出扇子道：「姐姐請了：前歲敝處有位多老翁曾在尊齋帶了一把扇子回去，今託我們帶來奉還，不知可是尊處之物？」亭亭接過看了道：「此扇正是先父之物。二位姐姐若不嫌茅舍窪曲，何不請進獻茶？」閨臣同若花一齊說道：「正要登堂奉拜。」於是一同進出。彼此問了名姓。林之洋就在旁邊小房坐了。亭亭把二人讓進書館，行禮序坐。有兩個垂髫女童也上來行禮。閨臣道：「妹子素日久仰姐姐大才，去歲路過貴邦，就要登堂求教，但愧知識短淺，誠恐貽笑大方，所以不敢冒昧進謁。今得幸遇，真是名下無虛。」亭亭道：「妹子浪得虛名，何足掛齒！前歲多老翁到此，曾有一位唐大賢同來，可是姐姐一家？」閨臣道：「那是家父。」亭亭聽了，不覺立起，又向閨臣拜一拜道：「原來唐大賢就是令尊。姐姐素本家學，自然也是名重一時了。前歲雖承令尊種種指教，第恨匆匆而去，妹子尚有未及請教之處，至今猶覺耿耿。可惜當今之世，除了令尊大賢，再無他人可談了。」

閨臣道：「姐姐有何見教，何不道其大概呢？」亭亭道：「妹子因春秋一書，聞得前人議論，都說孔子每於日月、名稱、爵號之類，暗寓褒貶，不知此話可確？意欲請教令尊，不意匆促而別，竟未一談，這是妹子無福。」閨臣剛要開言，若花接著說道：「春秋褒貶之義，前人議論紛紜。據妹子細繹經旨，以管窺之見，擇其要者而論，其義似乎有三。第一，明分義；其次，正名實；第三，著幾微。其他書法不一而足，大約莫此為要了。」亭亭道：「請教姐姐，何謂明分義？」若花道：「如春秋書月而曰『王正月（三）』，所以書『王』者，明正朔之所自出，即所以序君臣之義。至於書『陳黃』、『衛縶』（四）者，所以明兄弟之情；書『晉申生』、『許止』（五）者，所以明父子之恩。他如『曹羈』、『鄭忽』（六）之書，蓋明長幼之序；『成風』、『仲子』（七）之書，蓋明嫡庶之別。諸如此類，豈非

明分義麼?」亭亭道:「請敎正名實呢?」若花道:「如傳稱隱爲『攝』,而聖人書之曰『公』⑷;

傳稱許止不嘗藥,而聖人書之曰『弑』;卓之立未踰年,而聖人正其名曰『君』⑼;夷皋之弑旣歸

(三) 王正月——春秋紀載當時歷史,為了表示承奉周的正統,在每年的開端第一個月,都寫作「王正月」。意思是說,一切都屬於周王的。

(四) 陳黃、衞縶——陳侯的弟弟黃,在國內遭到讒害,逃亡到楚國;衞國內亂,衞侯的哥哥縶被殺,所以寫作:「陳侯之弟黃出奔楚」,「盜殺衞侯之兄縶」。特別表明陳黃、衞縶,陳侯、衞侯的兄弟關係。

(五) 晉申生、許止——晉申生被迫自殺(參看第十二回註⑷)春秋認為,晉侯(獻公)應該負責,所以寫作「晉侯殺其世子申生」。許悼公患瘧疾,喝了世子止的藥死了;按照當時禮制,父母吃的藥,兒子要先嘗一嘗,止旣未嘗藥,悼公實際上又是死於止的藥,卽使止沒有害悼公之意,春秋認為,止也應該負責。「許世子止弑其君買(悼公的名字)」。兩底紀載,特別表明晉獻公,許悼公和申生,止的父子關係。

(六) 曹羈、鄭忽——曹羈、鄭忽是曹國世子,鄭國世子。寫名字,表示他不是正式的國君,所以寫作:「曹羈出奔陳」,「鄭忽出奔衞」。

(七) 成風、仲子——春秋時,諸侯的正妻稱「夫人」。成風,魯莊公的妾,魯僖公的母親;仲子,魯孝公的妾,魯惠公的母親。兩人都在接任國君時因變亂逃亡在外。春秋認為,兩人並非正式的國君,名字上冠以國名,表示他是有國君的妾,所以寫作「僖公成風」,「惠公仲子」。

(八) 傳稱隱爲「攝」,而聖人書之曰「公」——傳,左傳的省詞;隱,魯隱公的省詞;攝,代理的意思。聖人書之,指孔子在春秋裏所寫的;「公」,周代最高一級諸侯的封爵。魯隱公、魯桓公都是魯惠公的兒子;隱公是妾生的,桓公是繼室正妻生的。按照當時禮制,正妻生的兒子才有繼承權,惠公死時,桓公年幼,就暫由隱公代理國君之位,所以左傳不寫他「卽位」,只寫作「攝」。攝位的人是不能用封爵稱號的,但是,春秋認為,隱公年長,又很賢,所以仍然稱他作「公」。

(九) 卓之立未踰年,而聖人正其名曰「君」——春秋的通例,諸侯卽位不滿一年的,不寫他的封爵,不稱他為君。晉獻公死後,奚齊被立為君;奚齊被殺,卓立為君,後來卓又被里克殺了。卓立為君,不足一年,但是,春秋為了表示里克殺他「以下犯上」之罪,所以寫作:「晉里克弑其君卓。」

獄於趙穿，而聖人書之曰『盾』㊀…凡此之類，豈非正名實麼？」亨亨道：「請教著幾微呢？」若

花道：「如『公自京師，遂會諸侯伐秦㊁』，蓋明因會伐而如京師；『天王狩於河陽，壬申，公朝於

王所㊂』，蓋明因狩而後朝，『公子結媵婦，遂及齊侯、宋公盟㊂』，蓋著公子結之專，『公會齊

侯、鄭伯於中邱，翬帥師會齊人、鄭人伐宋㊄』，蓋著公子翬之擅；似此之類，豈非著幾微麼？孟子

云：『孔子作春秋而亂臣賊子懼。』是時王綱解紐，篡奪相尋，孔子不得其位以行其權，於是因魯史

而作春秋，大約總不外乎誅亂臣，討賊子，尊王賤霸之意。春秋之世，王室衰微，諸侯強盛，夫子所

以始抑諸侯以尊王室；及至諸侯衰而楚強，夫子又抑楚而扶諸侯。——所以扶諸侯者，就是尊王之

意。蓋聖人能與世推移，世變無窮，聖人之救其變亦無窮：其隨時救世之心如此。或謂春秋一書，每

於日月、名稱、爵號、暗寓褒貶，妹子固不敢定其是否。但謂稱人爲貶，而人未必皆貶，微者亦稱

人；稱爵爲褒，而爵未必純褒，譏者亦稱爵。失地之君稱名，而衛侯奔楚則不稱名㊅；未踰年之君稱

子，而鄭伯伐許則不稱子㊅。諸如此類，不能枚舉。要知春秋乃聖人因魯史修成的，若以日月爲褒

貶，假如某事當書月，那魯史但書其時，某事當書日，魯史但書其月。聖人安能奔走列國訪其日與

月呢？若謂以名號爲褒貶，假令某人在所褒，那舊史但著其名；某人在所貶，舊史但著其號。聖人又

安能奔走四方訪其名與號呢？春秋有達例㊆，有特筆：即如舊史所載之日月則從其日月，名稱則從其

名稱，以及盟則書盟，會則書會之類，皆本舊史，無所加損，此爲達例。其或史之所無聖人筆之以示

義，史之所有聖人削之以示戒者，此即特筆。如『元年春正月』，此史之舊文；加『王』者，是聖人

之特筆。晉侯召王，事見先儒之傳，而聖人書之曰『狩於河陽』，所以存天下之防，甯殖出其君，名

在諸侯之策，而聖人書之曰『衛侯出奔』㊇，所以示人君之戒；不但曰仲子，而曰『惠公仲子』；不

夷皋之弒既歸獄於趙穿，而聖人書之曰「盾」——夷皋，晉靈公的名字。夷皋暴虐無道，趙盾在屢諫不聽之後，就躲到郊外居住，後來趙穿殺了夷皋。春秋認為，趙盾身為大臣，應該負責。儘管受刑事處分的是趙穿，而在紀載上卻寫作：「晉趙盾弒其君夷皋」。

(二)「公自京師，送會諸侯伐秦」——公，指魯成公。春秋的通例，諸侯到京師，總寫他「朝王」的；但是，魯成公到京師，目的只在會同諸侯伐秦，所以春秋就不寫他朝王，只寫作：「公自京師，送會諸侯伐秦」。

(三)「天王狩於河陽，壬申，公朝於王所」——天王，指周襄王。狩，冬天打獵，這裏是紀事的干支，指十月十日；公，指晉文公。王所，周王所在的地方。那時，晉國勢力強大，晉文公把周襄王送到河陽來，和谷諸侯見面。春秋認為：河陽是晉國的地方，臣子不應該把王召去的；但是，晉文公見周王，是好意尊重，因而就寫成周王自己出外去打獵，在他打獵的時侯，晉文公和諸侯們朝見了他。

(四)「公會齊侯、鄭伯於中邱，翬帥師會齊人、鄭人伐宋」——公，指魯隱公，翬，魯公子名。公子翬掌握兵權，不向隱公請示，就和齊、鄭進兵伐宋，春秋認為他擅專，因而在他名子上不寫「公子」二字。

(五)「公子結媵(ㄕㄥˋ)婦，遂及齊侯、宋公盟」——媵，陪嫁的。春秋時，諸侯在某一國娶夫人，另外兩國要送姪女或妹妹去為媵。陳君娶陳女為夫人，魯國派公子結送媵到衛國郢地，並未奉命，卻和齊侯、宋公締結盟約。春秋寫作：「公子結媵陳人之婦於郢，遂及齊侯、宋公盟」指明公子結的本身任務，和他越權行為。

(六)「鄭伯伐許則不稱子」——鄭伯，指鄭悼公。春秋的通例，諸侯的嫡子稱世子；諸侯死了，嫡子雖已卽位，只稱子某某，諸侯已下葬，嫡子死隔了一年，繼位的嫡子才被加上封爵，鄭悼公是襄公的兒子，襄公三月間死，悼公十一月……達例——普通一般的例子。按通例只應稱子，春秋卻稱他的封爵為「鄭伯」，意思是寫出他的封爵繞足以表示他的罪惡。

(七)「衛侯出奔楚」——諸侯因被侵略失地逃亡在外的，稱他的名字，意思認為他本身有罪。

(八)「衛侯出奔」——出，驅逐的意思；策，連串的竹片，古時沒有紙，有事就記在策上；衛侯，指衛獻公。獻公是被甯殖驅逐出國，當時曾經得到各國的同意。春秋認為，這樣被驅逐的國君，自己應該負責，所以不提他為誰人所驅逐，只寫作「衛侯出奔齊」。

但曰成風，而曰『僖公成風』[1]；不曰陳黃，而曰『陳侯之弟黃』；不曰衛縶，而曰『衛侯之兄縶』；

陽虎陪臣，書之曰『盜』[2]；吳楚僭號，書之曰『子』[3]；他如紏不書『齊』，而曰小白書『齊』[4]；

突不書『鄭』，而忽書『鄭』[5]；立晉而書『衛人』[6]；立王子朝而書『尹氏』[7]……：凡此之類，皆聖

人特筆。故云：『其事則齊桓、晉文，其文則史，其義則某竊取之矣。』學者觀春秋，必知孰為達

例，孰為特筆，自能得其大義。總之，春秋一書，聖人光明正大，不過直書其事，善的惡的，莫不瞭

然自見。至於救世之心，卻是此書大旨。妹子妄論，不知是否？尚求指示。」

亭亭道：「姐姐所論，深得春秋之旨，妹子惟有拜服。還有一事，意欲請示，不知二位姐姐可肯

賜教？」閨臣道：「姐姐請道其詳。」亭亭道：「吾聞古禮自遭秦火，今所存的惟周禮、儀禮、禮

記，世人呼作『三禮』。若以古禮而論，莫古於此。但漢、晉至今，歷朝以來，莫不各撰禮制。還是

各創新禮？還是都本舊典？至三禮諸家註疏，其中究以何人為善？何不賜教一二呢？」若花聽罷，暗

暗吐舌道：「怎麼這個黑女忽然弄出這樣大題目！三禮各家，業已足夠一談；他又加上歷朝禮制，真

是茫茫大海，令人從何講起。只怕今日要出醜了。」正在思忖，只見閨臣答道：「妹子聞得宋書[8]傳

隆[9]傳云：『禮者：三千之本[10]，人倫之至道。故用之家國，君臣以之尊親；用之婚冠，少長以之仁

愛，夫妻以之義順；朋友以之三益[11]。用之鄉人，賓主之敬讓。其樂之五聲[12]，易之八象[13]，詩之風

雅[14]，書之典誥[15]，春秋之勸懲，孝經[16]之尊親，莫不由此而後立。』唐、虞之時，祭天之屬為天禮，

祭地之屬為地禮，祭宗廟之屬為人禮。故舜命伯夷[17]典三禮，所以彌綸天地，經緯陰陽，綱紀萬物

雕琢六情[18]，莫不以此節之。」但魏書有云：『三皇不同禮。』又云：『時易則禮變。』故殷因於夏

有所損益。商辛無道，雅章淹滅。周公救亂，宏制斯文，以吉禮敬鬼神，以凶禮哀邦國，以賓禮親賓

第五十二回　談春秋胸羅錦繡　講禮制口吐珠璣

陪臣，書之曰「盜」。對魯國內亂而言，他是陪臣，陽虎是魯大夫季氏的家臣，陽虎入宮，拿走了寶物，春秋認為，他是陪臣，根本也是非法的，所以不提陪臣，只寫作「盜竊寶玉大弓」。

吳楚僭號，書之曰「子」。春秋認為，只有「天下宗主」的周天子才能稱王，各國國君是諸侯，不能稱王的。吳、楚的國君自稱為王，春秋卻只稱他們「子」，意思是臣子的臣子，陪臣地位很低。

齊襄公被弒殺後，他的孿生兩個兒子，一名小白（桓公），一名糾，互相爭位。春秋認為，小白先回到齊國，奪得政權，就應該有繼承權。所以在提到小白的時候寫作「齊小白」，提到糾的時候只早早寫作「糾」。

鄭莊公死，世子忽繼位，突沒有繼承權。所以在提到忽的時候寫作「鄭忽出奔衛」，提到突的時候只早早寫作「突」。忽並沒有被襄公立為世子；小白是哥哥，春秋認為，就應該有繼承權。突由嫡子忽繼承；突和猛爭位，突死後，春秋驅逐了他。把政權奪在手中。春秋因此寫作「鄭忽出奔衛」，突沒有繼承權；但是，突能得到羣眾的擁護，卻是好的，所以……

衛國內亂，羣眾從國外把晉迎回國去做國君。「衛人立晉」，原來沒有繼承權的稱之為「立」。晉不是嫡子，衛國的羣眾，羣眾從國外迎回晉去做國君。「衛人立晉」，世子忽繼承正位的稱作「立」。

王子朝是周景王的妾生的長子；尹氏，周的權臣。景王死，朝爭位。景王死後，朝驅逐了匀，尹氏立王子朝，就應由猛弟弟朝繼承。表示朝本來沒有繼承權，只是有權勢的尹氏立了他。

宋書：南北朝梁史的書。南北朝宋代的歷史的書。傳隆：南北朝宋人，周禮、儀禮、禮記的研究者。禮者，封建社會中君臣、父子、夫婦、上下、親疏、尊卑、貴賤等之間的法規。歷史記載：周公制禮，大禮有三千。古人認為「禮儀三百，威儀三千」，是封建社會的禮儀。

三益者三友：友直，友諒，友多聞。」語出論語。

古時樂分宮、商、角、徵（ㄓ）、羽五聲。

易之八象，易經中用八種符號（八卦）代表八種自然界的現象：三，代表天，稱為乾；三，代表水，稱為坎；三，代表山，稱為艮；三，代表火，稱為離；三，代表地，稱為坤；三，代表雷，稱為震；三，代表風，稱為巽；三，代表澤，稱為兌。

詩經中有國風、大雅、小雅等部分，省稱風雅。書經中有堯典、舜典、大誥、康誥等部分，省稱典誥。孝經──書名。孔子和他的學生曾參談話問答的紀錄，談話的內容都是有關封建禮教中的孝道。

六伯夷──人名。這裏指的，是舜時一個禮官的名字。

六情──六種心理上動作，是喜、怒、哀、樂、愛、惡的總稱。

聯經出版事業公司校印

客，以軍禮誅不虔，以嘉禮合姻好：謂之『五禮』。及周昭王南征㊅之後，禮失樂微，上行下效，故敗檢失身之人，必先廢其禮：如昭公譏孟子之姓㊆，莊公結割臂之盟㊇，是婚姻之禮廢了，那淫僻之亂莫不從此而生，齊侯悅婦以慢客㊈，曹伯觀脅以褻賓㊉，是賓客之禮廢了，那傲慢之情莫不從此而至，文公逆祀於五廟㊃，昭公不慼於母喪㊄，是喪祭之禮廢了，那骨肉之恩莫不從此而薄，天子下堂，河陽召君，是朝聘之禮廢了，那侵陵之漸莫不從此而起。孔子欲除時弊，故定禮正樂，以挽風化。及至戰國，繼周、孔之學，講究禮法的惟孟子一人。嗣後秦始皇幷吞六國，收其儀禮，盡歸咸陽，惟採其尊君抑臣之儀，參以己意，以為時用，餘禮盡廢。漢高祖初平秦亂，未遑朝制，羣臣飲酒爭功，或拔劍擊柱，高祖患之，叔孫通於是撰朝儀，胡廣因之輯舊禮。漢末天下大亂，舊章殄滅。迨至三國，魏有王粲、衞覬共創朝儀，吳有丁孚拾遺漢事，蜀有孟光草建眾典。晉初，荀顗以魏代前事撰為晉禮。宋何承天、傅亮同撰朝儀。齊何佟之、王儉共定新禮。至梁武帝乃命羣儒裁成大典，以復周公五禮之舊。陳武帝即位，禮制雖本梁，仍命江德藻、沈洙等隨時斟酌棄取，以便時宜。迨至前隋，高祖命辛彥之、牛宏等採梁舊儀，以為五禮。自西漢之初以至於今，歷代損益不同，莫不參之舊典，並非古禮不存，不過取其應時之變。所以宋書禮志有云：『任己而不師古，秦氏以之致亡；師古而不適用，王莽所以身滅。』至註禮各家，漢有南郡太守馬融、安南太守劉熙、大司農鄭元、左中郎將蔡邕、侍中阮諶；魏有秘書監孫炎、衞將軍王肅、太尉蔣濟、侍中鄭小同；蜀有丞相蔣琬、吳有齊王傅射慈；晉有太尉庾亮、太保衞瓘、侍中劉逵、司空賀循、給事中袁準、益壽令吳商、散騎常侍干寶、盧陵太守孔倫、征南將軍杜預、散騎常侍葛洪、太常博士環濟、諮議參軍曹耽、散騎常侍虞喜、司空中郎盧諶、安北將軍范汪、司空長史陳邵、開府儀同三司蔡謨；宋有光祿大夫傅隆、太尉參軍任

預、中散大夫徐爰、撫軍司馬費沉、中散大夫徐廣、大中大夫裴松之、員外常侍庾蔚之、豫章郡丞雷肅之、諮議參軍蔡超宗、御史中丞何承天；齊有太尉王儉、光祿大夫王逸、步兵校尉劉瓛、給事中樓幼瑜、散騎郎司馬瓛、御史中丞荀萬秋、東平太守田僧紹、徵士沈麟士；梁有護軍將軍周捨、五經博士賀瑒、散騎侍郎皇侃、通直郎裴子野、尚書左丞何佟之；陳有國子祭酒謝嶠、尚書左丞沈洙、散騎常侍沈文阿、戎昭將軍沈不害、散騎侍郎王元規；北魏有內典校書劉獻之；北齊有國子博士李鉉；北

〈三六〉周昭王南征──周昭王進攻江漢流域的南蠻，全軍覆沒，君臣淹死在漢水，從此周天子聲威大損。

〈三七〉昭公諱孟子之姓──昭公，指魯昭公。孟子，指昭公的正妻吳女孟子。魯吳兩國都是周王之後，同姓。春秋認為，同姓是不應該婚配的，因此，在孟子死時，只寫作「孟子卒」，沒有寫她的姓，是含有隱諱的意思。

〈三八〉莊公結割臂之盟──莊公，指魯莊公。歷史紀載：莊公向黨氏之女孟任求愛，孟任拒不接受，莊公就以娶她做正妻為條件，和她割臂為盟。──出左傳。

〈三九〉齊侯悅婦以慢客──齊侯，指齊項公。悅婦，求得婦人的喜歡的意思。魯使眼睛有毛病，衛使腿跛，曹使背駝。項公故意派四個有同樣毛病的人給他們趕車，項公的母親在台上看見，大笑不已。四使認為是莫大的侮辱，回國後就聯合起兵進攻齊國。──出穀梁傳。

〈四十〉曹伯觀脅以褻賓──曹伯，指曹共公。歷史紀載：晉公子重耳逃亡在外，經過曹國，共公聽說重耳的駢骨是連合為一的，就乘他洗澡的時候，逼近去看。重耳認為是莫大的侮辱。──出左傳。

〈四一〉文公逆祀於五廟──文公，指魯文公。逆祀，祭祖先不按照禮制的順序；五廟，諸侯祀祖的祠堂。歷史紀載：文公繼僖公之位，僖公雖然是閔公的庶兄，但是，他做過閔公的臣子，在祠堂裏，他的位置就應該在閔公的下面。文公因為僖公是自己的父親，卻把僖公神位放在閔公之上。──出左傳。

〈四二〉昭公不慼於母喪──昭公，指魯昭公。不慼於母喪，母親死時不悲痛的意思。歷史紀載：昭公的母親死了，昭公一點不悲痛，而且還出去打獵。──出左傳。

周有露門博士熊安生；隋有散騎常侍房暉遠、禮部尚書辛彥之。他們所註之書，或所見不同，各有採取，或師資相傳，共枝別幹，內中也有注意典制，不講義理的；也有注意義理，不講典制的。據妹子看來：典制本從義理而生，義理也從典制而見，原是互相表裏。他們各執一說，未免所見皆偏。近來盛行之書，只得三家：其一，大司農鄭康成；其二，露門博士熊安生；其三，散騎侍郎皇侃。但熊氏每每違背本經，多引外義，猶往南而北行，馬雖疾而越去越遠，皇氏雖章句詳正，惟稍涉冗繁，又既遵鄭氏，而又時乖鄭義，此是水落不歸本，狐死不首邱④，這是二家之弊。惟鄭註包舉宏富，考證精詳，數百年來，議禮者鑽研不盡，自古註禮善本，大約莫此為最。妹子冒昧妄談，尚求指教。」亭亭聽了，不覺連連點頭道：「如此議論，才見讀書人自有卓見，真是家學淵源，妹子甘拜下風。」親自倒了兩杯茶，奉了上來。

二人茶罷，閨臣暗暗忖道：「他的學問，若以隨常經書難他，恐不中用。好在他遠居外邦，我們天朝歷朝史鑑，或者未必留神；即使略略曉得，其中年歲亦甚紛雜，何不就將史鑑考他一考？」未知如何，下回分解。

④ 狐死不首邱──古人傳說，狐狸即使死在外面，也一定把頭對着牠所住的洞穴，所以有「狐死正首丘」這句成語。這裏把「正」字改做「不」字，是說忘了根本的意思。邱字在這裏同丘字。

第五十三回　論前朝數語分南北　書舊史揮毫貫古今

話說唐閨臣知亭亭學問非凡，若談經書，未免徒費脣舌；因他遠居外邦，或於天朝史鑑未必留神，意欲以此同他談談，看他怎樣。因說道：「請教姐姐：貴邦歷朝史鑑，自然也與敝處相仿。可惜尊處簡策流傳不廣，我們竟難一見。姐姐博覽廣讀，敝鄉歷朝史書，該都看過；即如盤古至今，年歲多少，前人議論不一，想高明自有卓見了？」亭亭道：「妹子記得天朝開闢之初，自盤古氏以及天皇、地皇、人皇至伏羲氏，其中年歲，前人雖有二百餘萬年之說，但無可考。春秋元命包㊀言：『自開闢至春秋獲麟之歲，凡二百二十六萬七千年』；而張揖廣雅㊁以三皇、疏仡㊂之類，分爲十紀，共二百七十六萬歲，與元命包所載參差至五十萬年之多。妹子歷稽各書，竟難定其是否。至年歲可考，惟伏羲以後，按孔安國尚書序，以伏羲、神農、軒轅爲三皇；班固漢志，以少昊、顓頊、帝嚳、帝堯、帝舜爲五帝。三皇共計一千八百八十年，五帝共計三百八十四年。其後夏、商至今，皆歷歷可考

㊀　春秋元命包──書名，內容全是迷信的話，牽強傅會談符瑞、預言。後文的佐助期、保乾圖也是這一類的書。這一類的書叫做「緯書」。

㊁　張揖廣雅──張揖，三國魏人；廣雅，書名，張揖所作，按照爾雅的節目而又補充許多材料進去的一部類似辭書的書，又名博雅。

㊂　三皇、疏仡──廣雅認爲，從三皇的人皇到周代魯哀公十四年，一共經過了二百七十六萬年。又將這二百七十六萬年分做「十紀」，每紀有個名稱，第十紀名爲「疏仡」。

了。」若花道：「近日史書，都以天干、地支紀年，此例始於何時？至今共有若干年了？」亭亭道：「

史書以干支紀年，始於帝堯。自帝堯甲辰即位，至今武太后甲申即位，共三千四十一年；若以伏羲至

今而論，共五千一百五十三年了。」

閨臣忖道：「我們天朝南北朝，往往人都忽略，大約他也未必透徹，何不將此考他一考？」因說

道：「請教姐姐：敝處向有六朝、五代、南北朝，不知貴處作何區別？」亭亭道：「妹子記得：當日

吳孫權及東晉、宋、齊、梁、陳俱在金陵建都，人皆呼為六朝；宋、齊、梁、陳、隋為時無幾，人或

稱為五代。至南北朝之分，始於劉宋，終於隋初。宋、齊、梁、陳在金陵建都，所以有南朝之稱；元

魏、高齊、宇文周在中原建都，所以有北朝之稱。那時天下半歸南朝，半歸北朝，彼此各據一方，不

相統屬。以南朝始末而論：宋得晉朝天下，共傳五主，被齊所篡；齊傳七主，被梁所篡；梁傳四主，

被陳所篡，陳傳五主，被隋所篡。南朝共計一百六十八年。以北朝始末而論：魏在東晉時，雖已稱

王，幅員尚狹，及至晉末宋初，魏才奄有中原，謂之大魏，傳了一百四十九年，到了第十三代皇帝

因臣子高歡起兵作亂，魏君棄了本國，逃至關西大都督宇文泰處，就在關西大都督宇文泰處，人都叫作西魏；傳

了三帝，計二十二年，被宇文泰之子宇文覺篡位，改為周朝。那高歡逐了魏君，又立魏國宗室為帝，傳

人都叫作東魏，在位十七年，被高歡之子高洋篡位，改為北齊。那時北朝分而為二，一為北齊，一為

周朝：北齊傳了五主，計二十八年，被周所滅；周傳五主，前後共二十六年，被臣子大司馬楊堅篡

位，改國號為隋。隨即滅了陳國，天下才得一統。此是南北朝大概情形。妹子道聽塗說，不知是否？

尚求指示。」

若花道：「剛才阿姐言夏、商至今歷歷可考，其年號、名姓也還記得大概麼？」閨臣忖道：「怎

麼若花姐姐忽然問他這個，未免苦人所難了。」只聽亭亭道：「妹子雖略略記得，但一時口說，恐有訛錯，意欲寫出呈教，二位姐姐以爲何如？」若花點頭道：「如此更妙。」亭亭正在磨墨濡毫，忽見紅紅、婉如從外面走來。大家見禮讓坐。亭亭問了婉如姓氏，又向紅紅道：「姐姐才到海外，爲何忽又回來？」紅紅見問，觸動叔叔被害之苦，不覺淚流滿面，就把途中遇盜，後來同閨臣相聚的話，哽哽咽咽，告訴一遍。亭亭聽了，甚爲嗟歎。眾人把紅紅解勸一番，這才止淚。亭亭鋪下箋紙，手不停毫，草草寫去。四人談了多時，亭亭寫完，大家略略看了一遍，莫不讚其記性之好。若花姐姐故意弄這難題目，那知姐姐不假思索，竟把前朝年號以及事跡，一揮而就。若非一部全史瞭然於中，何能如此。妹子惟有拜倒轅門了。」亭亭道：「妹子不過伏著小聰明，記得幾個年號，算得甚麼！姐姐何必如此過獎！」

紅紅道：「姐姐！你可曉得他們三位來意麼？」亭亭道：「這事無頭無腦，妹子何能得知。」紅紅就把途中結拜，今日來約赴試的話說了。亭亭這才明白，因忖一忖道：「雖承諸位姐姐美意；妹子上有寡母，年已六旬，何能拋撇遠去？我向日雖有此志，原想鄰邦開有女科，或者再爲馮婦之舉；今天朝遠隔天涯，若去赴試，豈不違了聖人『遠遊』之戒(四)麼？」閨臣道：「姐姐並無弟兄，何不請伯母同去，豈不更覺放心？」亭亭歎道：「妹子也曾想到同去，庶可放心；奈天朝舉目無親，兼且寒家素本淡泊，當日祖父出仕，雖置薄田數畝，此時要賣，不足千金，何能敷衍長途盤費及天朝衣食之用？而且一經賣了，日後回來，又將何以爲生？只好把這妄想歇了。」閨臣道：「只要伯母肯去，其

(四) 聖人「遠遊」之戒——論語中記孔子說：「父母在，不遠遊，遊必有方。」

原來緇氏自幼飽讀詩書，當日也曾赴過女試，學問雖佳，無奈輪他不上。緇氏每每提

個，加意課讀，一心指望女兒中個才女，好替父母爭氣，誰知仍舊無用。丈夫因此而亡。後來生了亭亭

起，還是一腔悶氣。今聽此言，不覺技癢，如何不喜！當時來到外面，眾人與緇氏行禮。緇氏向閨臣

拜謝道：「小女深蒙厚愛，日後倘得寸進，莫非小姐成全。但老身年雖望六，志切觀光，誠恐限於年

歲，格於成例，不獲叨逢其盛；尚望小姐俯念苦衷，設法斡旋，倘與盛典，老身得遂一生未了之願，

自當生生世世，永感不忘。」閨臣道：「伯母有此高興，姪女敢不仰體。將來報名時，

瞞，奈伯母鬚多白髮，面有皺紋，何能遮掩？」緇氏道：「他們男子，往往嘴上有鬚，年歲雖可隱

考；何況我又無鬚，豈不省了拔鬚許多痕跡？若愁白髮，我有上好烏鬚藥；至面上皺紋，多擦兩盒引

見胰⑤，再用幾匣玉容粉，也能遮掩：這都是起考的舊套。並且那些老童生，每每拄了拐杖還去小

考，我又不用拐杖，豈不更覺藏拙？若非貪圖赴試，老身又何必前去？倘無門路可

在姐姐別無牽挂，即可一同起身，攜了亭亭進內，把這情節告知緇氏。

真誠，令人情不可卻，竟難捨之而去。今姐姐承他美意，據妹子愚見：且去稟知師母，如果可行，好

麼？現在我雖係孑然一身，若論本族，尚有可投之人，此時近在咫尺；無如閨臣妹妹一片熱腸，純是

定了行止，再去登舟奉謝。」紅紅道：「姐姐：你說你與閨臣妹妹萍水相逢，難道妹子又非萍水相逢

如此辦理，庶可兩無牽挂。」亭亭道：「萍水相逢，就蒙姐姐如此慷慨，何以克當！容當稟請母命，

在妹子身上，姐姐只管放心！此地田產也不消變賣，就託親戚照應，將來倘歸故鄉，省得又須置買，

甚充足，尚有良田數頃，兼且閒房盡可居住。況姐姐只得二人，所用無幾，到了敝處，一切用度，俱

餘都好商量。至長途路費，此時同去，乃妹子母舅之船，無須破費一文。若慮到彼衣食，寒家雖然不

想，就是小女此行也只好中止了。」閭臣聽了，為難半晌道：「將來伯母如赴縣考，或赴郡考，還可

弄些手腳敷衍進去；至於部試、殿試，法令森嚴，姪女何敢冒昧應承！」緇氏道：「老身聞得郡考中

式，可得『文學淑女』匾額。倘能如此，老身心願已足，那裡還去部試。」閭臣只得含糊答應：「俟

到彼時，自當替伯母謀幹此事。」

緇氏聽了，這才應允同到嶺南。亭亭命兩個女童各自收拾回去，將房屋田產及一切什物都託親戚

照應。天已日暮，林之洋把行李雇人挑了，一齊上船。呂氏出來，彼此拜見。船上眾人自從吃了清腸

稻，腹中並不覺餓，閭臣姊妹只顧談文，更把此事忘了；亭亭卻足足餓了一日。幸虧多九公把米買

來，當時收拾晚飯，給他母女吃了。閒話間，姊妹五個，復又結拜：序起年齒，仍是紅紅居長，亭亭

居次，其餘照舊。從此紅紅、亭亭同緇氏一艙居住，閭臣仍同若花、婉如作伴。一路順風前進，轉眼

已交季夏。

這日，林之洋同閭臣眾姊妹閒談，偶然談到考期。若花道：「請問阿父：此去嶺南，再走幾日就

可到了？」林之洋笑道：「『再走幾日』？這句說的倒也容易！寄女真是好大口氣！」紅紅道：「若

據叔叔之言，難道還須兩三月才能到麼？」林之洋道：「兩三月也還不夠。」婉如聽了，不覺鼻中哼

了一聲道：「若是兩三月不夠，自然還須一年半載了？」林之洋道：「一年也過多，半載倒是不能少

的。俺們從小蓬萊回來，才走兩月，你們倒想到了？俺細細核算，若遇順風，朝前走去，原不過兩三

⑤ 引見賦——一種肥皂的名稱。清代制度，較低級外官和初分發的人員，上任前要由關係各部派員引著去見皇帝，報告姓名、年歲、籍貫，叫做「引見」。「引見賦」是鴉油製造，專供引見人員所用的，據說用了這種肥皂，可以顯得容顏煥發。

月程途；奈前面有座門戶山橫在海中，隨你會走，也須百日方能繞過，連走帶繞，總得半年。這是順風方能這樣，若遇頂風那就多了。俺們來來往往，總是這樣。難道去年出來繞那門戶山，你們就忘了？」閨臣道：「彼時甥女思親之心甚切，並未留神，今日提起，卻隱隱記得。既如此，必須明春方到，我們考試豈不誤了？」亭亭道：「姪女剛才細看條例，今年八月縣考，十月郡考，明年三月就要部試。你們春天趕到，怕他怎麼！」林之洋道：「俺聞恩詔准你們補考，明年四月殿試，你們春天趕到，必須明春方到。若補縣考、郡考，必須趕在部試之前；若過部試，何能有濟？據叔叔所說，豈非全無指望麼？」林之洋道：「原來考試有這些花樣，俺怎得知。如今只好無日無夜朝前趕去，倘改考期，那就好了！」閨臣聽了，悶悶不樂，每日在船惟有唉聲歎氣。

呂氏恐甥女焦愁成病，埋怨丈夫不該說出實情。這日，夫妻兩個前來再三安慰。呂氏道：「此去雖然遙遠，安知不遇極大順風，一日可行數日路程。甥女莫要焦心，你如此孝心，上天自然保護；豈有尋親之人，菩薩反不教你考試！」閨臣道：「甥女去歲起身時，原將考試置之度外，若圖考試，豈肯遠出？但前日費盡脣舌，才把紅紅、亭亭兩位姐姐勸來，他們千山萬水，不辭勞頓，原爲的考試；那知忽然遇此掃興之事。甥女一經想起，就覺發悶。」林之洋道：「海面路程，那有定準，若遇大順風，一日三千也走，五千也走。俺聽你父親說過：數年前有個才子，名叫王勃，因去省親，由水路揚帆，道出鍾陵，忽然得了一陣神風，一日一夜也不知走出若干路程，趕到彼處，適值重陽，都督大宴滕王閣，王勃做了一篇滕王閣序，登時海外轟傳，誰人不知。安知俺們就不遇著神風？如果才女榜上有你姐妹之分，莫講這點路程，就再加兩倍也是不怕。」林之洋夫妻明知不能趕上考期，惟恐閨臣發愁，只好假意安慰。

這日順風甚大，只聽眾水手道：「今日這風，只朝上刮，不朝下刮，卻也少見。」林之洋走出問道：「為甚這樣？」眾水手道：「你看這船被風吹的就如駕雲一般，比鳥雖快馬還急。雖然恁快，你再看水面卻無波浪，豈非只朝上刮、不朝下刮麼？這樣神風，可惜前面這座門戶山攔住去路，任他只朝上刮，至快也須明春方到嶺南哩。」

又走幾時，來到山腳下。林之洋悶坐無聊，走到柁樓。正在發悶，忽聽多九公大笑道：「林兄來的恰好，老夫正要奉請，有話談談。請教：迎面是何山名？」林之洋道：「俺當日初次飄洋，曾聞九公說，這大嶺叫門戶山，怎麼今日倒來問俺？」多九公道：「老夫並非故意要問，只因目下有件奇事。當年老夫初到海外，曾問老年人：『此山既名「門戶」，為何並無門戶可通，令人轉彎磨角，繞至數月之久，方才得過？』那老年人道：『當日大禹開山，曾將此山開出一條水路，舟楫可通，後來就將此山叫作門戶山。誰知年深日久，山中這條道路，忽生淤沙，從中塞住，以致船隻不通，雖有「門戶」之名，竟無可通之路。此事相沿已久，不知何時淤斷。除非此山把淤衝開，也幾位小姐都要趕到嶺南赴試，不覺尋思道：『如今道路尚遠，何能趕得上。像當年舟楫可通，從此抄近穿過嶺去，不但他們都可考試，就是我鳳翾、小春兩個甥女也可附驥同去。』正在胡思亂想，忽聞濤聲如雷，因向對面一看，那淤斷處竟自有路可通！」林之洋也不等說完，喜的連忙立起，看那山當中，果然波濤滾滾，竟不像當日淤斷光景。正在觀看，船已進了山口。

未知如何，下回分解。

第五十四回　通智慧白猿竊書　顯奇能紅女傳信

話說林之洋見船隻攏進山口，樂不可支，卽至艙中把這話告知眾人，莫不歡喜。次日出了山口。

林之洋望著閨臣笑道：「前日俺說王勃齎了神風，成就他做了一篇滕王閣序；那知如今甥女要去趕考，山神卻替你開路。原來風神、山神都喜湊趣，將來甥女中了才女，俺要滿滿敬他一杯了。」眾姊妹聽了，個個發笑。閨臣道：「此去道路尚遠，能否趕上，也還未定。卽或趕上，還恐甥女學問淺薄，未能入選。無論得中不得中，倘父親竟不returns家，將來還要舅舅帶著甥女再走一遍哩。」林之洋道：「俺在小蓬萊既已允你，倘你父親竟不回來，做舅舅的怎好騙你？自然再走一遍。」呂氏道：「據俺看來，你父親業已成仙，就是不肯回來，你又何必千山萬水去尋他。難道作神仙長年不老還不好麼？」閨臣道：「長年不老，如何不好！但父親把我母親兄弟拋撇在家，甥女心裏既覺不安；兼之父親孤身在外，無人侍奉，甥女卻在家中養尊處優，一經想起，更是坐立不寧：因此務要尋著才了甥女心願哩。」

一路行來，不知不覺到了七月下旬，船抵嶺南。大家收拾行李，多九公別去，林之洋同眾人回家。恰好林氏因女兒一年無信，甚不放心，帶了小峯、蘭音回到娘家；這日正同江氏盼望，忽聞女兒同哥嫂回來，大家見面，真是悲喜交集。閨臣上前行禮，不免滴了幾行眼淚，將父親之信遞給林氏，又把怎樣尋找各話說了。林氏不見丈夫回來，雖然傷心，喜得見了丈夫親筆家書，書中又有不久見面

之話，也就略略放心。

當時閨臣引著母親見了緇氏，並領紅紅、亭亭前來拜見，把來意告知。林氏道：「難得二位姪女不棄，都肯與你攜伴同來，若非有緣，何能如此。但既結拜，嗣後一同赴試，總要始終和睦，莫因一言半語，就把素日情分冷淡，有始無終，那就不是了。」眾人連連答應。閨臣見了蘭音，再三拜謝。林氏道：「我自從女兒起身，一時想起，不免牽挂，時常多病；幸虧寄女替我煎湯熬藥，日夜服侍，就如你在跟前一樣，漸漸把牽挂之心減了幾分，身體也就漸漸好些。如今縣裏雖未定有考期，我們必須早些回去同你叔叔商議，及早報名，省得補考費事。」閨臣道：「母親此言甚是。」

林之洋道：「甥女如報名，可將若花、婉如攜帶攜帶，倘中個才女回來，俺也快活。怎樣報名，怎樣赴試，這些花樣，俺都不諳，只好都託甥女了。」林之洋道：「改他作甚！若把女兒國本籍寫明，俺更歡喜。」林氏道：「若花姐姐名姓、籍貫，可要更改？」林之洋道：「若花寄女本是好好的候補藩王，因被那些惡婦奸臣謀害，他才棄了本國；俺要替他出氣，因此要把他的本籍寫明。」林氏道：「寫明本籍，何以就能替他出氣？」林之洋道：「寫明本籍，將來倘在天朝倒轟轟烈烈，名登金榜，管敎那些畜類羞也羞死了。」林氏道：「如此固妙。但恐一人，郡縣不准；莫若紅紅、亭亭兩位姐姐同蘭音妹妹也用本籍，共有四人之多，諒郡縣也不至批駁了。」「如果批駁，再去更換也不爲遲。」林之洋道：「俺們天朝開科，外邦都來赴試，還不好麼？太后聽了，還更喜哩。」當時多九公將甥女田鳳翾、秦小春年貌開來，也託閨臣投遞。

林氏帶了兒女，別了哥嫂，同紅紅、緇氏母女坐了小船回家。唐小峯因見婉如所養白猿好頑，向婉如討來，帶回家來。史氏見姪女海外回來，問知詳細，不勝之喜；並與緇氏諸人相見。

閨臣道：「叔叔今日莫非學中會文○麼？」史氏道：「你叔叔自從姪女起身後，本郡印太守有個女兒，名喚印巧文，意欲報名赴試，因學問淺薄，要請一位西賓。印太守向在學中打聽你叔叔品學都好，請去課讀。後來本處節度寶坡寶大人也將小姐寶耕烟拜從；本縣祝忠得知，也將女兒祝題花跟著一同受業；並且本處還有幾個鄉宦女兒也來拜從看文。雖說女學生不消先生督率，一經郡考中式，即可就近赴部試，大約均非本處人了；此時各處正當縣考，未免種種不便，因此議定索性等多初補考，為何還不回籍赴試？」史氏道：「他們既在這邊走走，明日那邊看看，竟無片刻之閒。今晨絕早出去，要下午方能回來。」閨臣道：「他們都因離鄉過遠，若因縣考趕回本籍，將來又須回來，並且他們因你叔叔今年五十大慶，都要過了九月祝壽後方肯回籍。」閨臣道：「若果如此，我們倒可一聚了。」不多時，唐敏回來，見了姪女，看了家書，這才略覺放心。閨臣引著叔叔見了眾人，告知來意。唐敏道：「我正愁姪女上京無人作伴，今得這些姊妹，我也放心。」

恰好這日良氏夫人帶著廉亮、廉錦楓、駱紅蕖也從海外來到唐家。林氏問起根由，良氏把前年唐敖拯救女兒，後來尹元替小峯作伐各話細細說了。林氏聽了，無意中忽然得了一個如花似玉、文武全才的媳婦，歡喜非常。良氏把駱紅蕖交代。因本族現有嫡派，意欲回到族中居住；無如唐閨臣與廉錦楓一見如故，彼此戀戀不捨，不肯分離。恰喜林氏早已買了鄰舍一所房子，就同這邊住宅開門通連一處，當時留下良氏母女，同緇氏母女都在新房居住。

紅紅跟著緇氏，閨臣同紅蕖、蘭音住在樓上，小

峯陪著廉亮在書房同居。分派已畢，大排筵宴，眾姊妹陪緇氏、良氏坐了。閨臣道：「前在水仙村，聞伯母已於春天起身，爲何此時才到？」良氏道：「一路頂風，業已難走，偏偏當中遇見一座甚麼山，再也繞不過來。」廉錦楓道：「那山橫在海中，名喚門戶山，其實並無門戶。我們因繞此山，足足躭擱半年，沿途風又不順，若非近日得了順風，只怕還得兩月才能到哩。」林氏道：「表嫂既與尹家聯姻，爲何女壻並不同來？」良氏道：「尹家籍貫本是劍南，因紅蕖媳婦要去赴試，都回劍南去了。」

當時唐敏開了眾人年貌，駱紅蕖改爲洛姓，連唐閨臣、枝蘭音、林婉如、陰若花、黎紅薇、盧紫萱、廉錦楓、田鳳翾、秦小春，共計十人；因緇氏執意也要赴考，只好揑了一個假名：都在縣裏遞了履歷。

到晚，閨臣同蘭音、紅蕖都到良氏、緇氏並母親房中道了安置。回到樓上，推窗乘涼，說起閨話。閨臣把泣紅亭碑記取出給蘭音、紅蕖看了，也是一字不識。二人問知詳細，不覺吐舌稱異。忽見白猿走來，也將碑記拿著觀看。蘭音笑道：「莫非白猿也識字麼？」閨臣道：「這卻不知。當日我在海外抄寫，因白猿不時在旁觀看，彼時我曾對他說過，將來如將碑記付一文人做爲稗官野史，流傳海內，算他一件大功。不知他可領略此意。」洛紅蕖道：「怪不得他也拿著觀看，原來如此。」因向白猿笑道：「你能建此大功麼？」白猿聽了，口中哼了一聲，把頭點了兩點，手捧碑記，將身一縱，擡出窗外去了。三人望著樓窗發獃。

○曾文——觀摩而又含有競賽、考試意義的文章寫作集會。

只聽嘎的一聲，忽從窗外擕進一個紅女：上穿紅紬短衫，下穿紅紬單褲，頭上束著紅紬漁婆巾，

底下露著一雙三寸紅繡鞋，腰間繫著一條大紅絲縧，胸前斜插一口紅鞘寶劍；生的滿面緋紅，十分美

貌，年紀不過十四五歲。三人一見，嚇的驚疑不止。閨臣道：「請問那個紅女姓甚名誰？爲何貪夜到

此？」紅女道：「咱姓顏。不知誰是小山姐姐？」閨臣道：「妹子姓唐，本名小山，今遵父命，名改

閨臣。姐姐何以知我賤名？」女子聽了，倒身下拜。閨臣連忙還禮。女子問了蘭音、紅蕖名姓，一同

見禮歸坐道：「咱妹子名紫綃，原籍關內。祖父在日，曾任本郡刺史，後因病故，父親一貧如洗，無

力回籍，就在本處耕度日。不意前歲父母相繼去世；奈祖母年高，不能同往。此間舉目無親，又無

攜伴之人。咱妹子也居百香衢，與府上相隔不過數家，素知姐姐才名，今聞尋親回府，不揣冒昧，特

來面求：倘蒙攜帶同往，俾能觀光，如有寸進，永感不忘。」閨臣聽了，忖道：「原來碑記所載劍

俠，就是此人。」因說道：「妹子向聞父親時常稱頌本郡太守顏青天之德，那知忠良之後，卻在咫

尺。今得幸遇，甚慰下懷！姐姐既有觀光美舉，妹子得能附驥同行，諸事正要叨教，俟定行期，自當

稟知叔父，到府奉請。但府上既離舍間數家之遠，爲何就能越垣至此？」顏紫綃道：「咱妹子幼年跟

著父親學會劍俠之術，莫講相隔數家，就是相隔數里，也能頃刻而至。」

閨臣道：「剛才姐姐來時，途中可有所見？」顏紫綃道：「咱別無所見，惟見有一仙猿捧著一部仙

籙而去。」閨臣道：「姐姐何以知是仙籙？」顏紫綃道：「咱妹子瞥見那部書上，紅光四射，霞彩衝

霄，約略必是仙籙，因此不敢把他攔住。」閨臣道：「此書正是我妹子之物，不意被這白猿竊去。姐

姐可能替取回麼？」顏紫綃道：「此書若被盜賊所竊，咱可效勞取回，這個白猿，上有靈光護頂，下

有彩雲護足，乃千年得道靈物，一轉眼間，卽行萬里，咱妹子從何追趕？況白猿旣已得道，豈肯妄自竊取，此去必定有因：或者此書不應姐姐所得，此時應當物歸原處，所以他才竊去。但此書此猿，不知從何而來？」閨臣就把碑記及白猿來歷，並去歲麤他取枕頑要才能親至小蓬萊各話略說了一遍。

顏紫綃道：「卽如取枕露意，成全姐姐萬里尋親，得覩玉碑文物之盛，此猿作爲，原非尋常可比。他已通靈性，若要竊取，必不肯冒然而去，向在姐姐跟前，可曾微露其意？」閨臣道：「此猿雖未露意，妹子當日曾在他面前說過一句戲言。」就把前在船上同白猿所說之話備細告知。顏紫綃道：「彼時姐姐所說，原出無心，那知此猿卻甚有意。據咱看來：只怕竟要遵命建此奇功。此時攜去，所投者無非儒生墨客，如非其人，他又豈肯妄投。姐姐只管放心，此去包管物得其主。」閨臣道：「倘能如此，仍有何言。此書究歸何處，尙望姐姐留意。」顏紫綃道：「好在此書紅光上徹霄漢，若要探其落在何人之手，咱妹子自當存神。」

洛紅蕖道：「妹子聞得劍俠一經行動，宛如風雲，來往甚速。姐姐可曾學得此技？」顏紫綃道：「剛才閨臣姐姐意欲寄信邀請林家婉如妹妹來此一同赴試，離此三十餘里，姐姐可能一往？」顏紫綃道：「其父莫非就是閨臣姐姐母舅麼？前者咱因閨臣姐姐日久不歸，曾到他家探聽消息，今旣有信，望付咱代勞一走。」閨臣隨卽寫了一信。顏紫綃接過，說聲「失陪」，將身一縱，擴出樓窗。

「姐姐如有見委之處，若在數百里之內，咱可効勞。」紅蕖道：「姐姐如有見委之處，若在數百里之內，咱可効勞。」紅蕖道：

未知如何，下回分解。

第五十五回　田氏女細談妙劑　洛家娃默禱靈籤

話說顏紫綃接了書信，將身一縱，霎時不見。枝蘭音歎道：「世間竟有如此奇事！真是天朝人物，無所不有。將來上京赴試，路上有了此人，可以『高枕無憂』了！」洛紅蕖道：「碑上可載此人？」閨臣道：「妹子隱隱記得碑記有句『幼諳劍俠之術，長通元妙之機』。不知可是此女。可惜碑記已失。早知如此，把各人事跡預記在心，或抄一個副本，豈不是好。此時只覺渺渺茫茫，記不清了。」蘭音道：「姐姐不過是句頑話，那知白猿果真將碑記攜去。將來倘能物得其主，也不枉姐姐辛苦一場。」紅蕖道：「我們看他不過是個獼猴，那知卻是得道仙猿。那顏家姐姐黑暗中倉卒一遇，就能識得白猿，辨得碑記，可見他的眼力也就不凡。這句『長通元妙之機』，只怕就是他哩。」三人又說些閒話。忽見顏紫綃從樓窗擴進道：「姐姐之信，業已交明。今日已晚，容日再來請教，咱妹子去了。」將身一縱，仍從樓窗飛去。姊妹三個，惟有稱奇叫絕。

次日絕早起來，一心盼望婉如諸人，等之許久，杳無踪跡。蘭音道：「原來這個紅女信未寄去，卻來騙人！」不多時，天剛交午，只見林婉如、陰若花、田鳳翾、秦小春姊妹四個，竟自攜手而來。拜了林氏、史氏；見了閨臣、蘭音、紅紅、亭亭，並與洛紅蕖、廉錦楓見禮，各道渴慕之意；閨臣又引他們見了良氏、緇氏。同到內書房，姊妹十個，一同相聚，好不暢快。

洛紅蕖提起昨晚託人寄信之話，若花聽了，笑個不了。蘭音道：「姐姐為何發笑？」若花道：「

向來我與婉如阿妹一房同住。昨晚天交二鼓，閉了房門，收拾睡覺；婉如阿妹剛把鞋子脫了一隻，忽然房門大開，擁進一個人來。婉如阿妹一見，嚇的連鞋也穿不及，赤著一腳，就朝牀下鑽去。幸虧我還不怕，問明來意，把信存下。那顏家阿姐去遠，他才鑽了出來。」眾人聽了，一齊大笑。婉如道：

「閨臣姐姐也太不曉事，那有三更半夜，卻敎人寄信！虧得妹子膽量還大，若是膽小的，只怕還要嚇殺哩！」田鳳翾道：「姐姐雖未嚇殺，那赤腳亂鑽光景，也就嚇的可觀了。」廉錦楓道：「昨晚顏家姐姐擁進樓房，只覺一道紅光，我也吃了一嚇。及至細看，那知他衣履穿戴，無一不紅，並且面上也是緋紅，映著燈光，倒也好看。」秦小春道：「這樣紅人，當日命名爲何不起紅字，卻起紫字？今

紅紅姐姐面紫，反以紅字爲名。據我愚見：這二位姐姐須將名子更換，方相稱哩。」

田鳳翾道：「命名何必與貌相似。若果如此，難道亭亭姐姐面上必須有亭，若花姐姐面上必須出花麼？」若花道：「正是，我才細看紅紅、亭亭兩位阿姐上那股黑氣，近來服了此地水土，竟漸漸退了。適聽鳳翾阿姐『出花』二字，我倒添了一件心事。」閨臣道：「姐姐此話怎講？」若花道：「愚姐向聞此處有個怪症，名叫『出花』，又名『出痘』。外國人一經到了天朝，每每都患此症。今紅紅亭亭兩位阿姐，因感此地水土，既將面色更改，久而久之，我們海外五人，豈能逃過出痘之患。所以憂慮。」紅紅、亭亭聽了，也發愁道：「姐姐所慮極是。這卻怎好？只怕此命要送在此處了！」廉錦楓道：「送命倒也乾淨。只怕出花之後，臉上留下許多花樣，那才坑死人哩。」蘭音道：「怪不得婉如姐姐面上光光，竟同不毛之花樣，豈但坑死人，只怕日後配女壻還費事哩！」婉如笑道：「留下地，原來卻爲易於配壻而設。──難道赤腳亂鑽，把腳放大了，倒容易配女壻麼？」閨臣道：「你們

只顧鬥嘴頑笑，那知此事非同兒戲，若不早作準備，設或出痘，誤了考期，那卻怎好？向來九公見多

識廣，祕方最多，此事必須請敎九公，或者他有妙藥，也未可知。就請小春姐姐寫一信去。」

田鳳翾道：「何必寫信。不瞞諸位姐姐說：我家向來就有稀痘奇方。即如妹子，自用此方，至今

並未出痘，就是明驗。」若花道：「此方可曾刊

刻流傳？」田鳳翾道：「此方何曾不刻？奈近來人心不古，都尙奢華，所傳方子如係值錢貴重之藥，亦

世人看了，無論效與不效，莫不視如神明，倘所傳方子並非值錢貴重之藥，即使有效，他人看了，亦

多忽略，置之不用。我家這方雖屢試屢驗，無如並非貴品，所費不過數文，所以流傳不廣。此方得自

異人，我家用了數代。凡小兒無論男女，三歲以內，用川練子九個；五歲以內，用十一個；十歲以

內，用十五個。須擇曆書『除日○』，煎湯與小兒洗浴；洗過，略以湯內濕布揩之，聽其自乾。每年

洗十次，或於五月、六月、七月，撿十個除日煎洗更好；因彼時天暖，可免受涼之患。久久洗之，永

不出痘；卽出痘，亦不過數粒，隨出隨愈。如不相信，洗時可留一指不洗，出痘時其指必多。你們五

位姐姐如用此方，或將川練子加倍，大約三十個也就夠了。」眾人聽了，個個歡喜。蘭音道：「一年

只洗十次，是指小兒而言，我們年紀旣大，恐十次藥力不到。據我拙見：一年共有三十六個除日，莫

若遇除就洗，諒無洗多之患。況妹子生成是個藥樹，幼年因患腹脹，何嘗一日離藥；今又接上煎洗，

這才叫作『裏敷外表』哩。」

秦小春道：「妹子聞得世間小兒出花，皆痘疹娘娘掌管：男有痘兒哥哥，女有痘兒姐姐，全要仗

他照應，方保平安。今你五位姐姐只知用藥煎洗，若不叩祝痘疹娘娘，設或痘兒姐姐不來照應，將來

弄出一臉花樣，不獨婉如姐姐那句擇壻的話要緊，並且滿臉高高下下，平時搽粉也覺許多不便；倘花

樣過深，還恐脂粉搽不到底，那才是個累哩。」紅紅道：「閨臣妹妹府上可供這位娘娘？」閨臣道：

「此是廟宇所供之神，家中那得有此。」若花道：「婦女上廟燒香，未免有違閨訓，這卻怎好？」閨

臣道：「上廟燒香，固非婦女所宜；且喜痘疹娘娘每每在尼菴。去歲妹子海外尋親，亦曾許過觀音

大士心願，至今未了。莫若稟知母親，明月我同五位姐姐央了嬸嬸一同前去，豈不一舉兩便。」紅蕖

道：「妹子意欲求籤問問哥哥下落，明日如果要去，妹子也要奉陪。」閨臣當時稟過母親，與嬸嬸說

明。

好在緊鄰白衣菴就有痘疹娘娘。

到了次日，史氏帶著唐閨臣、洛紅蕖、陰若花、枝蘭音、廉錦楓、黎紅紅、盧亭亭來到間壁尼

菴。有個帶髮的老尼，名叫末空，將眾人引至大殿，淨手拈香，拜了觀音。紅蕖求了一籤，問問哥哥

下落，恰喜得了一枝「上上」吉籤，這才略略放心。末空又引至痘疹娘娘殿內，一同參拜，焚化紙

帛。閨臣道：「請問師傅，寶利可供魁星？」末空道：「間壁喜神祠供有魁星。彼處也是尼僧。諸位

小姐如要拈香，不過一牆之隔，小尼奉陪過去。」閨臣道：「彼處魁星可曾塑有女像？」末空道：「

這卻從未見過。小姐如發慈心，另塑一尊，卻也容易。」諸位女菩薩適才拜佛，未免勞碌，且到裏面獻

茶，歇息歇息，再到各處隨喜(一)。」史氏道：「師傅見敎甚是。」

大家來至禪堂，一齊歸坐。道婆獻茶。末空一請問姓氏。及至問到洛紅蕖跟前，把眼揉了一

(一)　隨喜——在廟裏遊玩參謁。

(一)　除日——原是按照天文看行星運行的週期而排列出來的一種日子的名稱。迷信的說法，把週期出現的日子分為吉、凶兩種：

屬於吉日的是「黃道」，屬於凶日的是「黑道」。除日，是黃道吉日中的一個日子。

揉，又望了一望，登時垂淚道：「小姐莫非賓王主人之後麼？我家徒弟要訪駱老爺下落，一連數載，杳無音信，那知天緣湊巧，今日竟得小姐到此！」洛紅蕖見老尼之話不倫不類，惟恐被人識破行藏，忙遮飾道：「師傅休要認錯！我雖姓洛，乃水旁之『洛』，那知駱老爺下落。」末空道：「請問唐小姐：此地唐探花是你何人？」閨臣道：「是我家父。」末空道：「卻又來！當日唐老爺未中探花之時，曾在長安與敬業大人、賓王大人結拜弟兄，我的丈夫曾經目覩。今二位小姐恰同至小菴，非賓王主人之後而何？小姐何必隱瞞，我豈爲禍之人！況小徒就是駱公子之妻，今雖冒昧動問，豈是無因。」紅蕖見話有因，慌忙問道：「令徒姓甚名誰？如今在麼？」末空道：「此人之父，乃太宗第九子，人都呼爲九王爺，因滅寇有功，曾封忠勇王爵。素與駱老爺相交最厚，故將郡主③許與駱公子爲妻。此女現在小菴，名喚李良箴，因恐太后訪察，就從外祖之姓，改爲姓宋。」紅蕖道：「師傅此話錯了。我同駱府雖非本家，向有親誼，他家之事，也還略知一二。駱公子雖係九王府中郡馬④，郡主久已亡過，後來雖有欲續前姻之話，至今十餘年，何嘗又與王府聯姻？此話令人不解。」末空道：「原來小姐不知此中詳細，待我慢慢講來。」未知如何，下回分解。

③　郡主──對親王的女兒的稱呼。

④　郡馬──郡主的丈夫。

第五十六回　詣芳鄰姑嫂巧遇　遊瀚海主僕重逢

話說尼空道：「原來小姐不知此中詳細，待小尼講這根由：我本祁氏；丈夫名喬琴，無志功名，向在駱府課讀公子。駱老爺因與王府聯姻，同我丈夫說知，將我薦與九王爺課讀大郡主。未及一載，大郡主去世。我要回來，娘娘再三挽留，只得仍舊住下。彼時九王爺因娘娘又懷身孕，曾與駱老爺指腹爲婚，倘生郡主，情願與駱公子再續前姻。不意方才定婚，駱老爺帶了公子，即同徐老爺舉兵遇難；我丈夫跟在軍前，存亡未卜。到了次歲，娘娘才生二郡主。老身因這郡主是駱公子之妻，加意照管，用心課讀，以冀將來丈夫同公子回來，仍好團聚。那知九王爺因皇上貶在房州，久不復位，心中不忿，同河北都督姚禹起了一枝雄兵前去接駕，不意時乖運舛，登時也就遇害。我同太監瞿權帶著二郡主並小王爺宋素，暗地奔逃。不料逃至中途，被大兵衝散，太監同小王爺不知去向，老身吃盡辛苦，才能保得郡主逃至此菴。虧得菴主相待甚好，問明來歷，就留我們在此帶髮修行。菴主去世，我就權當住持㊀，在此業已七載。至今仍舊帶髮，即是明證。郡主今年一十五歲，每日惟以詩書佛經消遣，從不出戶，因此人都不知。」

洛紅蕖忖道：「指腹爲婚，向日母親也曾言過；至喬琴夫婦兩處課讀，原有其事；今聽老尼之言，絲毫不錯，可見我嫂嫂果真在此菴內。」因說道：「師傅既是祁氏師母，我又何敢再爲隱瞞。剛

才實因不識師母，故爾支吾，尚求見諒！我嫂嫂現在何處？卽求引去一見。」末空道：「待老身領他出來。」於是進內把宋良箴領出。眾人看時，只見生得龍眉鳳目，舉止不凡。大家連忙見禮讓坐。末空把這情節向宋良箴說了。洛紅蕖見了嫂子，因想起哥哥，不覺垂淚道：「原來嫂嫂卻在此處！若非今日進香，何由得知。不意府上也因接駕合家離散，真可謂『六親同運』，能不令人傷感！」宋良箴聽了，淚落如雨，欲言不言，只得含羞帶淚答道：「聞得太公、婆婆都逃海外，近來身上可安？姐姐何由至此？」紅蕖不覺哽咽道：「祖父同母親都已去世。妹子虧得唐伯伯之力，方能復返故鄉。……」

正要告訴逃到海外各話，史氏接著道：「此間說話不便，郡主旣是至親，自應請到家內再為細談。」宋良箴道：「姪女出家多年，乃方外○之人，豈可擅離此菴，尚求伯母原諒。」閨臣道：「話雖如此，好在彼此相離甚近，此時過去談談，就是晚上回來，也不費事。」宋良箴仍要推辭，眾姊妹不由分說，一齊簇擁出了菴門，別了末空，來到唐府，同林氏、緇氏諸人見過。姑嫂彼此訴說歷年苦況，嗟歎不已。到晚，林氏再三挽留，良箴身不由己，只得勉強住下。閨臣也替他在縣裏遞了履歷。從此眾姊妹都聚一處，即託末空在魁星祠內塑了一尊女像，以了海外心願。

如眾姊妹早把行李命人搬來，若花就同紅紅諸人煎湯洗浴；就是良氏、緇氏也都跟著煎洗。閨臣因想起紅亭之事，

這日縣考，緇氏也隨他們姊妹十一個同去赴試。喜得太后詔內有命女親隨一二人伴其出入之話，因此，凡有女眷伴考，都不稽查。點名時，暗用影環頂替，緇氏混在其內，胡亂考了一回。到了發案，閨臣取了第一；若花、紅紅、亭亭也都高標；惟緇氏取在末名，心中好不懊惱；顏紫綃文字不

佳，幸虧眾姊妹替他潤色，才能取中。各人都豎了匾額。

到了郡考，眾人以爲緇氏必不肯去，誰知他還是興致勃勃道：「以天朝之大，豈無看文巨眼？此番再去，安知不遇知音？」又進去考了一場。及至放榜，竟中第一名郡元，若花第二，閨臣第三，紅紅第四，亭亭第五；其餘亦皆前列；顏紫綃虧眾人相幫，也得高中。大家忙亂去拜老師，緇氏只得裝作染病。各家都豎起「文學淑女」匾額，好不榮耀。

緇氏這才心滿意足，因向閨臣眾人道：「此次郡考，我本不願再去，惟恐又取倒數第一，豈不把老臉丟盡？奈連得夢兆，說我不去應考，日後女榜上缺了一人；必須我去，方能湊足一百之數。所以勉強進去，那知倒徼倖取了第一。將來我還不知可能去應部試，其實要這第一何用！閨臣道：「伯母若非限於年歲，倘去殿試，怕不奪個頭名才女回來！明年把這第一留給亭亭姐姐，也是一樣。」林氏道：「聞得郡考取中不足二十人，今我家倒有十二人之多，可見本郡文風都聚我家了。若論喜酒，須分十二天方能吃完。明日又吃喜酒，又是壽酒，更覺熱鬧。今日先從老元吃起了。」良氏道：「『老元』二字怎講？」史氏道：「緇氏嫂嫂本是老才女，今又中了郡元，豈非『老元』麼。」大家說說笑笑，暢飲喜酒。

次日乃唐敏五十大慶，家中演戲。本府、本縣以及節度都與唐敏有賓東之誼，齊來拜壽；隨後各家小姐印巧文、寶耕烟、祝題花也來叩祝；還有本地鄉宦女兒蘇亞蘭、鍾繡田、花再芳，因素日拜從

（一）方外──世外的意思。

唐敏受業，乘之郡考得中，都來拜謝，並來祝壽，顏紫綃也隨眾人同來。閨臣一一讓至客座看戲，眾姊妹都來相陪，彼此問了名姓，眞是你憐我愛，十分投機。緇氏恐被眾人看破，另在一席坐了。用過早麴，閨臣將眾人引至自己書房，只見詩書滿架，筆硯精良，個個稱贊不已。

印巧文道：「前者捧讀諸位姐姐佳作，眞令人口齒生香。家父閱卷時，因想起詔內有『靈秀不鍾於男子』之句，可見太后此言，並非無因。就只郡元這本卷子，令人可疑：若論倜儻清雅，以閨臣姐姐第一；論富麗堂皇，以若花姐姐第一；至郡元文字，雖不及二位姐姐英發，但結實老練，通場無出其右，似非出之幼女之手。彼時家父再三斟酌，所以把他取在第一。若不另眼相看，何以鼓勵人才。在縣考，家父也喜他文字；因筆力過老，恐非幼女，就染重病，至今未得一見，究竟不知年歲幾何。諸位姐姐可曾會過？」眾人都回不知。婉如道：「這位郡元，只怕亭亭姐姐向來同他熟識？」亭亭忙說道：「妹妹休得取笑。你們都是此地人還不認識，何況我是異鄉人哩。」秦小春道：「原來姐姐也是素昧平生，這就是了。」

印巧文道：「家父前日評論紅紅、亭亭二位姐姐文字，都可首列；無如郡元之後，恰恰碰見閨臣、若花二位姐姐卷子，因此稍覺奉屈。」紅紅道：「妹子僻處海隅，素少見聞，今得前列，已屬非分，何敢當此『奉屈』二字。」亭亭道：「昨印伯伯與家父評論諸位姐姐文字，言天下人才固多，若以明年部試首卷而論，除閨臣、若花二位姐姐之外，再無第三人。我又不能不甘拜下風了。」祝題花道：「妹子固才疏學淺，然亦不肯多讓；今老師以閨臣、若花二位姐姐之外，再無第三人。如品論訛錯，以後再不敢自居看文老眼。可見二位姐姐學問，非獨本郡眾人所不能及，即天下閨才，亦當『退避三舍③』哩。」

寶耕烟道：「昨聞家父言，現在看文巨眼，應推印伯伯當代第一。諸位姐姐既被獎許，將來名振京師，已可概見；今日得能幸遇，誠非偶然。」若花道：「妹子海外庸愚，正愧知識短淺，適蒙過獎，豈可做得更增汗顏。至閨臣阿妹，才名素著，自應高擢。」廉錦楓道：「部試首卷，老師既如此評論，來年殿元，自然也不出閨臣，若花二位姐姐之外了。」印巧文道：「殿試甲乙，家父卻未評論。」蘭音道：「據妹子看來：老師所以不言者，大約因恩詔條例言殿試毌許『謄錄』，又不『彌封』，恐太后別有偏愛，因此不敢預定高下。」祝題花點頭道：「姐姐所論不差。」

花再芳道：「殿試若不彌封，那殿元我倒有點想頭。」鍾繡田道：「何以見得？」花再芳道：「聞得當年我們還未出世時，太后曾命百花齊放，大宴羣臣，吟詩做賦，甚為歡喜。明年閱卷，看見我『花再芳』三字，倒像又要百花齊放光景，一時心喜，把我點作殿元，也不可知哩。」秦小春冷笑道：「這是姐姐過謙。若論文字，姐姐就可點得殿元，何在尊名。」花再芳道：「外面鑼鼓聲喧，這樣好戲，我們卻在此清談，豈不辜負主人美意？如諸位姐姐不去，妹子要失陪了。」閨臣忙道：「姐姐既喜看戲，妹子奉陪同去。」洛紅蕖道：「此處客多，姐姐是主人，只好在此陪客，妹子替你代勞，陪再芳姐姐去。」再芳道：「姐姐是客，怎好勞駕。」宋良箴道：「他雖是客，他是唐府人，也算半主，這有何妨！」紅蕖聽了，把良箴瞅了一眼，滿面緋紅，同再芳去了。寶耕烟道：「紅蕖姐姐莫非

（二）　退避三舍——退讓不敢相爭的意思。歷史紀載：春秋時，晉文公逃難經過楚國，得到楚國的接待和幫助，後來晉國和楚國打仗，晉文公就命令自己的軍隊後退九十里，再行作戰。古時行軍，三十里叫做「舍」，九十里就是「三舍」。語出春秋。

就是世嫂麼？」閨臣道：「正是。」

蘇亞蘭道：「巧文、題花二位世姐同耕烟姐姐學問鴻博，妹子常聽老師言及；今得幸遇，真是名下無虛。現在各處紛紛應考，爲何還在此躭擱？」寶耕烟道：「昨同印、祝兩位姐姐商議，今日過了老師壽誕，早晚就要回籍。他們二位都是家學淵源，此去定然連捷；妹子學問淺薄，才女之名，自知無分，大約明春京師之行，只好奉讓諸位姐姐了。」閨臣道：「姐姐說那里話來！若姐姐不到京師，只怕那個殿元還無人哩！」

顏紫綃道：「咱妹子有句話說：今日難得大家幸遇，氣味又都相投，咱們何不結個異姓姊妹？日後到京，彼此也有照應。諸位姐姐以爲何如？」眾人都道：「如此甚好。」田鳳翾道：「再芳姐姐一心想中殿元，看他光景，未必把我們看在眼裏，況他現在看戲，可以不去驚動。莫若把紅蕖姐姐悄悄找來，我們十七人一同結拜罷。」婉如道：「姐姐所言極是。」隨命彩環把洛紅蕖請來，告知此意，紅蕖甚喜。當時鋪了紅氈，眾姊妹一齊團拜。少時，林氏進來，邀去看戲。到晚宴畢各散。寶耕烟、印巧文、祝題花各回本籍赴考，顏紫綃也拜從唐敏看文，眾姊妹都在唐府用功。

殘多過去，到了正月，閨臣同眾人要去赴試，先在府縣起了文書。惟恐緇氏要去，也把文書起了，後來虧得良氏、史氏再三勸阻，緇氏這才應允不去。唐敏恐蒼頭乳母沿途難以照管，同林氏商議，送了老尼末空並多九公許多銀兩，託他們同去照應。多九公正要照應甥女田鳳翾、秦小春赴試，聽見此話，正中下懷。末空也因徒弟宋良箴上京，甚不放心，今見林氏送銀託他，如何不喜，即換了舊日衣服過來等候起身。當時選擇吉期，因這年閏二月，就選了二月中旬日子。是日，林氏安排酒宴送行。閨臣拜別母親、叔、嬸，命小峯好好在家侍奉，即同顏紫綃、林婉如、洛紅蕖、廉錦楓、田鳳

、秦小春、宋良箴、黎紅紅、盧亭亭、枝蘭音、陰若花共十二人，各帶僕婦，齊往西京進發。——

眾姊妹本擬去年臘月就要動身，因洛紅蕖久已寫信通知薛蘅香，意欲等他海外回來；又因婉如說徐麗蓉、司徒嫵兒當日曾有要來嶺南之話：惟恐他們赴試，以便携伴同行。那知等之許久，杳無音信，眾人只得起身。

原來徐承志自從別了唐敖，帶了徐麗蓉、司徒嫵兒，改爲余姓，竟奔淮南。一路甚感唐敖救出淑士之德，，司徒嫵兒也感贖身救拔之恩。余麗蓉道：「哥哥嫂嫂此番幸遇唐伯伯，我們方能骨肉團圓。此去淮南，不知機緣若何。那文伯伯，哥哥向日可曾見過？其家還有何人？文伯母是何姓氏？」余承志道：「文伯伯我雖見過一面，那時年紀尚小；至文伯母是何姓氏，我更不知。只好且到淮南再去打聽。」

這日行至中途，船上幾個柁工忽都患病。兄妹正在驚慌，恰喜迎面遇見一隻熟船，當時請了一位柁工過來。那隻船上還有一位老翁：要搭船同到淮南；余承志因船主人再再相託，情不可卻，只得應承。及至過船細談，原來卻是麗蓉乳母之夫，名叫宣信。當年被大兵衝散，逃到淮南節度文老爺府內，在彼十餘年，；文老爺早知徐公子逃在海外，因久無音信，特命奶公到海外尋訪。這奶公因見承志面目宛如敬業主人，所以借搭船之名，過來探聽。那知不但主僕相遇，並且夫婦重逢。

未知如何，下回分解。

第五十七回　讀血書傷情思舊友　聞凶信仗義訪良朋

話說余承志正因不知文府消息，無從訪問；今見奶公，歡喜非常。當時乳母領宣信與麗蓉、司徒斌兒見禮。余承志問起文府親丁幾口。宣信道：「文老爺祖籍江南，寄居河北，並無弟兄。眼前五位公子，都是章氏夫人所生；還有二位小姐，是姨娘所生。姨娘久已去世。大公子名文芸，二公子名文蓍，三公子名文其，四公子名文蕊，五公子名文苾。現在年紀都在二十上下，——個個勇猛非凡；——大、四兩位公子尤其足智多謀，——人都呼爲『文氏五鳳』。文老爺年紀雖不足五旬，時常多病，頗有老景，兼之屢次奉旨征勦倭寇，鞍馬勞頓，更覺衰殘。近來淮南臨海一帶海寇得以安靜，全虧五位公子輔佐之力。文老爺久要退歸林下，因主上貶在房州，尚未復位，所以不忍告歸，大約主上一經還朝，也就引退了。」麗蓉道：「二位小姐現年幾何？」宣信道：「都在十五六歲。大小姐名書香，許與林侍郎公子林烈爲妻，二小姐名墨香，許與陽御史公子陽衍爲妻。現在府中，都未出室。」承志道：「五位公子可曾配婚？」宣信道：「雖都聘定，尚未婚娶。大公子自幼聘山南節度章老爺小姐章蘭英爲妻，二公子聘潮州郡守邵老爺小姐邵紅英爲妻。三公子聘工部尚書戴老爺小姐戴瓊英爲妻，四公子聘許州參軍由老爺小姐由秀英爲妻，五公子聘柳州司馬錢老爺小姐錢玉英爲妻。這位章氏夫人，就是河東節度章更老爺胞姐，爲人慈祥，一生好善，相待兩位小姐如同親生；凡有窮人，莫不周濟；諸如捨藥、施棺、修橋、補路之類，眞是遇善必行。淮南一帶，人人感仰，都以『活菩薩』稱之。」承志道：「這五位公子，爲何都不成親？」宣信道：「文老爺本早要替眾公子婚娶，因太后頗有考才

女恩詔，這些小姐都要赴試，所以就擱。文府兩位小姐至今尚未出閣，也是這個緣故。」承志道：「

原來國中近日又有考才女一事。這惡婦並不迎主還朝，還鬧這些新鮮題目，也忒高興了！」宣信道：

「小主母同小姐向來可曾讀書？若都能文，將來到了文府，只怕兩位文小姐都要攜著赴考哩。」承志

道：「我同這惡婦乃不共戴天之仇，豈可令妻妹在他跟前應試！」宣信道：「公子此話雖是，但恐那

時章氏夫人高興，特命同去，何能推脫？」

承志道：「那河東節度章老爺既是這邊章氏夫人胞弟，他家幾位公子，幾位小姐，想來你也知道

了？」宣信道：「章府同文府郎舅至親，時常來往，他家若大若小，老奴那個不知。」承志道：「當

日老爺在軍前同我別時，曾給我兩封血書，一送淮南文老爺，一送河東章老爺。將來到過文府，如路

上無人盤查，還到河東見見章老爺，所以問問他家光景。你既曉得，何不談談？日後到彼，省得臨時

茫然。」宣信道：「他家人口甚多，今日若非問起，將來公子到彼，何能知其頭緒。這位章老爺，祖

籍江南，弟兄四位，共生四位小姐，十位公子。如今章老爺三位兄弟俱已去世。那十位公子年紀也在

二旬上下，個個英勇；——四、五兩位公子學問更高，——人都呼為『章氏十虎』。大公子名章莊，

自幼聘開封司馬井老爺小姐井堯春為妻；二公子名章芝，聘會稽郡守左老爺小姐左融春為妻；三公子

名章衡，聘劍南都督廖老爺小姐廖熙春為妻；四公子名章蓉，聘武林參軍鄭老爺小姐鄭芳春為妻；五

公子名章蕸，聘戶部尚書鄺老爺小姐鄺錦春為妻；六公子名章莒，聘吏部郎中鄒老爺小姐鄒婉春為

妻；七公子名章荅，聘常州司馬施老爺小姐施艷春為妻；八公子名章芹，聘兵部員外柳老爺小姐柳瑞

春為妻；九公子名章芬，聘太醫院潘老爺小姐潘麗春為妻；十公子名章艾，聘洛陽司馬陶老爺小姐陶

秀春為妻。都等應過女試，才能完姻。」麗蓉道：「那四位小姐年紀也都相仿麼？」宣信道：「四位

小姐年紀都與文府小姐差不多。大小姐名蘭芳，許與御史蔡老爺公子蔡崇為妻；二小姐名蕙芳，許與翰林譚老爺公子譚太為妻；三小姐名瓊芳，許與學士葉老爺公子葉洋為妻；四小姐名月芳，許與中書褚老爺公子褚潮為妻。也因要應女試，都未出閣。章、文二位老爺因爵位甚尊，將來諸位小姐出去應考，若用本姓，恐太后疑有情託等弊，因此將諸位小姐應試履歷，都用夫家之姓，如今在家，就以夫家之姓相稱。若不說明，將來公子到彼，聽他稱呼，還覺詫異哩。」承志道：「章府十媳，文府五媳，名字為何都像姐妹一般？」宣信道：「這是章氏夫人寫信照會各家都以『英』、『春』二字相排，以便日後看『題名錄』，彼此都可一望而知。」

主僕一路閒話。因沿途逆風，走了多時。這日到了淮南，另僱小船，來到節度衙門。奶公進去通報。承志見了文隱，投了血書。文隱看了，不覺觀物傷情，一時觸動自己心事，更自悽愴不已，道：「令尊雖大事未成，且喜賢姪幸逃海外，未遭毒手，可見上天不絕忠良之後。今日得見賢姪，真可破涕為笑。」因又撚鬚歎道：「賢姪，你看我年未五旬，鬚髮已白，老病衰殘，竟似風中之燭。自與令尊別後，十餘年來，如處荊棘，心事可想而知。境界如此，安得不老！古人云：『君辱臣死。』今雖不至於辱，然亦去辱無幾，五中能毋藐恨！賢姪要知我之所以苟延殘喘不肯引退者，一因主上尚未復位，二因內亂至今未平。若要引退，不獨生前不能分君之憂，有失臣節；即他日死後，亦何顏見先皇於地下？然既不能退，只好進了。無如彼黨日漸猖獗，一經妄動，不啻飛蛾投火，以卵就石。況令尊之後，又有九王諸人前車之鑒，不惟徒勞無功，更與主上大事有礙。時勢如此，真是退既不可，進又不能。蹉跎日久，良策毫無，『不忠』二字，我文某萬死何辭！而且年來多病，日見衰頹，每念主

上，不覺五內如焚。看來我也不久人世，勢難迎主還朝，亦惟勉我後人，善承此志，以了生平未了之願，仍有何言！」說罷，嗟歎不已。將承志安慰一番，並命僕人把二位小姐接入內衙。司徒嫗兒同余麗蓉都到上房，一一拜見；並與書香、墨香二位小姐見禮，彼此敍談，十分契合。

余承志拜過章氏夫人，來到外廂，與五位公子一同相聚，閒話間，惟恨相見之晚。大公子文芸道：「當日令尊伯伯爲國捐軀，雖大事未成，然忠心耿耿，自能名垂不朽。大丈夫做事原當如此；至於成敗，只好聽之天命，莫可如何。」五公子文菘道：「若依我的主見，早已殺上西京！如今把主上不是禁在均州，就是監在房州，遷來遷去，成何道理！這總怪四哥看了天象，要候甚麼『度數〇』，又是甚麼『課上孤虛〇』，以致就擱至今，真是養癰成患，將來他的羽翼越多，越難動手哩。」二公子文蕲、三公子文其也一齊說道：「武氏如把主上好好安頓，我們還忍耐幾時，等等消息；倘有絲毫風吹草動，管他甚麼天文課象，我們只好且同五弟並承志哥哥殺上長安，他才知文家利害！」四公子文菘道：「兩位哥哥同五弟何必性急！現在紫微垣〇業已透出微光，那心月狐光芒日見消散，看來武氏氣數甚覺有限，大約再遲三五年，自必一舉成功。此時若輕舉妄動，所謂逆天行事，不獨自己有損，且與主上亦更有害。當日九王爺之舉，豈非前車之鑒麼？」文菘道：「兄弟記得前年四哥曾言武氏惡貫指日即滿，爲何此時又說還須三五年？這是何意？」文菘道：「當日我說武

〇一　度數——星相家按照天文看行星運行彼此相遇以及和恒星相遇的方向，用來說人事的吉凶。日月和火水土金木五星為度主，用二十八宿的運行去相配，例如：角、斗、奎、井度木、亢、牛、婁、鬼度金之類。全是迷信的說法。

〇二　孤虛——星相家迷信的說法：天干叫做日，地支叫做辰；日辰不全，就有了孤虛。起了孤虛的課，希望的事是難以成功的。

〇三　紫微垣——星座名。星相家迷信的說法：紫微垣下應皇帝的住所，看紫微的明暗，就可以曉得皇家的興衰。

氏惡貫即滿者，因心月狐光芒已退；誰知近來忽又吐出一道奇光，紫微垣被他這光欺住，不能十分透露，因此才說還須三五年方能舉事。這道奇光，我聞那些臆斷之徒都道以為回光反照，那知卻是感召天和所致。」

余承志道：「有何驚天動地善政卻能如此？」文菘道：「我因這事揣奪許久，竟不知從何而至；後來見他有道恩詔，才知此光大約因這恩詔所感而來。」承志道：「何以見得？」文菘道：「他因七十萬壽，所以發了一道恩詔，內中除向例鐲免、減等㊃、廣額、加級等項，另有覃恩十二條，專為婦女而設，諸如旌表孝悌、掩埋枯骨、釋放宮娥、恩養嫠婦、設立藥局、起造貞祠，以及養媼院、育女堂之類，皆前古未有之曠典。此詔一出，天下各官自然遵照辦理，登時活了若干民命，救了無數苦人，生者沐恩，死者銜感，世間許多抑鬱悲泣之聲，忽然變了一股和靄之氣，如此景象，安有不上召天和。奇光之現，大約因此。無奈他殺戮過重，造孽多端，雖有些須光芒，不過三五年即可消盡。此時正在鋒頭，萬萬不可輕動！五弟如不信，不出數日，自然有個效驗。」

承志道：「請教是何效驗？」文菘道：「小弟連日夜觀天象，隴右地方，似有刀兵之象；但氣象衰敗，必主失利。據我揣奪：此必隴右史伯伯誤聽謠言，以為心月狐回光反照，意欲獨力勤王，建此奇功；那知輕舉妄動，卻有殺身之禍！」正在談論，果見各處紛紛文報，都說隴右節度使史逸謀叛。太后特點精兵三十萬，命大將武九思征勦。眾人聽了，這才佩服文菘眼力不差。承志道：「史伯伯若果失利，可惜駱家兄弟少年英豪，投在彼處，不知如何。」文芸道：「莫非賓王伯伯之子？兄長何以知其在彼？」承志道：「當日先父同駱家叔叔起兵時，小弟與駱家兄弟都在軍前；後因兵馬大傷，事機不能挽回，先父命弟投奔淮南，駱家兄弟投奔隴右。此時若史伯伯失利，

豈非他亦在內。」文芴道：「我們離得過遠，不能救他，這卻怎處！」文芸道：「卽使相近，又何能救？此時惟有暗暗訪他下落，再作計較。」文萁道：「賓王伯伯向同父親結義至交，今駱家哥哥既然有難，我們自應前去救他，豈可袖手！」文薜道：「爲今之計，我與三弟且同承志哥哥偷上隴右，探探下落，如何？」文芸道：「你們且去稟知父親，再定行止。」文萁道：「此事只好瞞著父親，如何敢去稟知！」文芸道：「若不稟知，如此大事，我又焉敢隱瞞。」

文萊道：「昨日兄弟偶爾起了一課，父親驛馬星⑤動，大約不日就有遠差。兩位哥哥莫若等父親出外，再議良策，豈不是好？」文薜道：「如此敢好，但恐四弟騙我。」文萁道：「四弟之課，向來從無舛錯，我們且耐幾日再看，如何？」文芴道：「若果如此，你們設或去時，切莫把我丟下。」文萊道：「五弟驛馬雖動，但恐不是隴右之行。」過了兩日，文隱接了一道御旨，命帶兵將前去征勦，仍著長子文芸署理。文隱接了此旨，那敢怠慢，星速束裝，帶了文萊、文萁並一千眾將，卽日起身往劍南去了。文薜、文萁約了余承志，帶了幾名家將，在章氏夫人跟前扯了謊要到五臺進香，其實要往隴右探駱承志下落。只得託了余承志諸事照應，並於暗中命人跟去探聽。三人上路，望隴右進發。一路飢餐渴飲，早起遲眠，說不盡途中辛苦。

未知如何，下回分解。

④ 蠲免、減等——蠲免，免除賦稅或勞役；減等，對已判決的犯人減輕罪刑。

⑤ 驛馬星——星相家迷信的說法：十二辰所隨的善神惡煞叫做叢辰，為吉凶宜忌的徵兆。驛馬也是叢辰之一，起課遇到驛馬星，將要遠行、赴任、移居。

第五十八回　史將軍隴右失機　宰少女途中得勝

話說三人走了幾日，行至中途，只聽過往人傳說，史逸業已被難。隨即趲行。這日來到小瀛洲山下，天色已晚，三人止步，意欲覓店歇宿。眾家將道：「這座大山，周圍數百里，向無人烟。裏面強盜最多，豺狼虎豹，無所不有，每每出來傷人。因此山下並無人家，必須再走一二十里才有歇處。」文蒕道：「此處既有強盜，倒要會他一會，且替客商除除害也是好事。」文蒕道：「如此甚好。我們且去望望，這些強盜，從未見過，究竟是何模樣？」承志聽了，不覺發急道：「二位賢弟：你看天色業已黃昏，不但山路崎嶇，難以上去；即使上去遇見強盜，你又何能見他模樣？莫若日後隴右回來，再去看罷。此時駱家兄弟存亡未卜，二位既仗義而來，自應趲路，豈可在此就擱？素日我在山南海北，見的強盜最多，你要問他面目以及名色，我都深知，且隨我慢慢細講。」於是携了二人，一齊舉步。

文蒕道：「請教兄長：世間強盜是何面目？共有幾等名色？」承志道：「若論面目，他們面上莫不塗抹黑烟，把本來面目久已失了，你卻從何看起？惟有冷眼看他，或者略得其神。」文蒕道：「請教怎樣看法？」承志道：「你只看他一經有錢有勢，他就百般驕傲，及至無錢無勢，他就各種謟媚。滿面雖然含笑，心中卻懷不良，滿嘴雖係甜言，胸中卻藏歹意。諸如此類，雖未得其皮毛，也就略見一斑了。其中最明辨的，就只那雙賊眼：因他見錢眼紅，所以易辨。」文蒕道：「請教名色呢？」承志道：「若論名色，有殺人放火的強盜，有圖財害命的強盜。」文

其道：「只得這幾種麼？」承志聽了，隨口答道：「豈止這幾種！有不敬天地的強盜，有不尊君上的強盜，有藐視神明的強盜，有毀謗聖賢的強盜，有忘了祖先的強盜，有不孝父母的強盜，有欺兄滅嫂的強盜，有逆長犯上的強盜，有誣罔正人的強盜，有欺壓良善的強盜，有凌辱孤寡的強盜，有挾制貧窮的強盜，有損人利己的強盜，有口是心非的強盜，有謠言惑眾的強盜，有惡口呪人的強盜，有負義忘恩的強盜，有嫌貧愛富的強盜，有不安本分的強盜，有無事生非的強盜，有作踐廟宇的強盜，有穢溺字紙的強盜，有輕棄五穀的強盜，有暗箭傷人的強盜，有誘人子弟的強盜，有借刀殺人的強盜，有造言害人的強盜，有設計坑人的強盜，有茶毒生靈的強盜，有謀人財產的強盜，有離人骨肉的強盜，有間人弟兄的強盜，有破人婚姻的強盜，有淫人妻女的強盜，有唆人不和的強盜，有奪人事業的強盜，有壞人名節的強盜，有陷人不義的強盜，有引人嫖賭的強盜，有唆人興訟的強盜，有說人閨閫的強盜，有說人是非的強盜，……諸如此類，一時何能說得許多。」上前覓店安歇。

二十三里。且喜前面已有人家，我們趁早投宿，以便明早趕路。」

不一日，趕到隴右。細細打聽，原來史逸被武九思大兵掩殺，及至退到大關，城池已陷，只得遠逃。現在武九思在此鎮守。三人即到各處探聽駱承志下落，毫無影響。這日又在街上偵探，遇一老者，問起駱公子消息。那老者輕輕說道：「你們問的莫非賓王之子駱大郎麼？」文蒕見他不敢高聲，即到跟前附耳道：「我們問的正是此人，求老翁指教。」老者聽，也在文蒕耳邊輕輕說了幾句。文蒕聽罷，不覺喊道：「既如此，你又何必輕輕細語？真真混鬧！」那老者見他喊叫，慌忙跑開。文蒕埋怨道：「二哥只管慢慢盤問，爲何大驚小怪把他嚇走？剛才他說駱家哥哥現在何處？」文蒕道：「你道他說甚麼？」他道：「你問駱公子麼？」我說：『正是。』他道：『你們問他怎麼？』我說：『我要

問他下落。』他道：『原來你要問他下落。我實對你說罷：我只曉得他是欽命要犯，至於下落，我卻不知。』」余承志道：「這個老兄說來說去，原來也同我們一樣。」文菡道：「誰知我低聲下氣，恭恭敬敬，卻去吃他一個冷悶。」文其搔首道：「杳無消息，這卻怎處？此番辛苦，豈不用在空地！」

三人一連又找數日，也是枉然。只得商議，且回淮南。走了幾日，出了隴右邊界。這日又到小瀛洲山下。文菡、文其正想上山望望，忽見有員小將帶著一夥強人圍著一個女子在那裏戰鬥，戰了多時，那小將看看抵擋不住。余承志道：「遠遠望去，那個少年宛似駱家兄弟。可惜不能問話，這卻怎好？」文菡道：「我們何不助他一臂之力？」余承志道：「既是駱家兄弟，承志哥哥且去同他答話，我們與這女子迎敵。」即同文菡身邊各取利刃，迎了上去，大聲喊道：「女子休得逞強！我二人來了！」登時鬥在一處。余承志叫道：「那位可是駱家兄弟麼？」駱承志聽了，撇了女將，把余承志上下打量，雖多年未見，究竟面貌相似，因大聲問道：「尊駕莫非余家哥哥？因何到此？」余承志慌忙上前，把面投血書，「今同文菡、文其來此探聽賢弟消息」話，略說了幾句。因問道：「賢弟到此幾年？為何與這女子爭鬥？」駱承志道：「此話提起甚長。我們把這女子殺了，慢慢再講。」各舉利刃，一齊上前。

那女子雖然武藝高強，那裏敵得四員小將，看看刀法散亂，力怯難支。忽聽遠遠有員小將喊道：「駱家哥哥並諸位壯士休要動手，莫把我的小姨子傷害！我史逃來了！」駱承志連忙跳出圈子叫道：「史家兄弟：此話怎講？」史逃道：「兄長且請三位壯士暫停貴手，小弟慢慢講這緣故。」眾人聽的明白，只得住手退後。女子叫道：「原來是史逃表兄！為何卻在此處？」駱承志道：「既是親眷，此

非說話之地，且請上山，慢慢再講。」大家一齊上山。走了多時，進了山寨，女子往後寨去了。

駱承志指著史述向余承志道：「此即史伯伯之子，名叫史述。當日兄弟自軍前分手，逃到隴右，見了史伯伯，呈了血書，蒙史伯伯收留，改爲洛姓，命跟敎師習學諸般武藝，至今十有餘年。史伯伯久欲起兵保主上復位，因常觀天象，武后氣數正旺，唐家國運未轉，就擱多年。這幾年，武后氣運日見消敗，紫微垣已吐光芒，昨因武后回光反照，氣運已衰，正好一舉成功；不料起兵未久，竟致全軍覆没。史伯伯不知逃奔何處。小弟同史家兄弟蒙史伯伯派在後隊接應，因大事已去，得帶了本隊一千人馬逃至此山投』，見他如此，因此暫在此山權且避難。不想今日得遇三位仁兄，真是三生有幸。不知史家兄弟與這女子是何親眷？」

史述道：「剛才兄長與這女子戰鬪，小弟即將他的車輛人口搶擄上山，意欲拷問爲何來探行藏；誰知卻是小弟舅母，又是小弟岳母。」洛承志道：「此話怎講？」史述道：「小弟母舅姓宰名宗，當年曾任隴右都督，久已去世，寄居西蜀。舅母申氏，膝下兩個表妹：一名宰銀蟾，一名宰玉蟾。那銀蟾卽家君⊝自幼代弟所聘者。剛才那員女將，就是玉蟾，因考才女一事，同了母親，姐姐並兩個姨表姐妹，——一名閔蘭蓀，一名畢全貞，——回籍赴試，從此路過。我玉蟾表妹素日最孝，他恐山上藏有虎豹驚嚇老母，前來探路，那知我們只當他有意來探行藏，與他爭鬪。若非問明，幾乎誤事。這三位兄長尊姓大名？從何到此？」洛承志將三人名姓來意說了，史述這才明白，深讚三人義氣。洛承志

再三拜謝，隨命下人大排筵宴。宰氏姊妹卽同母親別了史逃，帶著蘭蓀、全貞應試去了。忽有小卒來

報：武九思家眷不日從此經過。史逃同洛承志聽了，當時計議要去報仇。

未知如何，下回分解。

聯經出版事業公司校印

第五十九回　洛公子山中避難　史英豪嶺下招兵

話說史述聞武九思家眷不日從此經過，即同洛承志商量，意欲把九思家口殺害，以報陷城之仇。

余承志道：「史家哥哥固志在報仇；但他的家眷，豈無兵將護送？縱使殺害，他又豈肯干休？一經領兵到此，豈非泰山壓卵？史伯伯兵馬數萬，尚且不能取勝，何況今日人馬不滿兩千？據小弟愚見：且把報仇之事暫緩，莫若招集舊日部曲，以為日後勤王之計，最為上策。此處難得山田又多，又能容得人馬，剛才小弟細細眺望，盡可藏身。況史伯伯在此多年，官聲甚好，各兵受恩深重，看來也還易於招集。倘兵馬充足，別處一有勤王之信，此處也即起兵相助。二位在此既不替天行道，又不打劫平民，自耕自種，與人無爭，眼前既可保全，將來亦不失勤王功業。二位以為何如？」史述同洛承志聽了，個個點頭稱善。就命各兵在山前山後播種五穀，積草屯糧，並暗暗招集人馬。

三人住了幾日，屢要告歸，因史、洛二人再三挽留，又住幾時，才同回淮南。見了文芸，把上項話說了。文芸正在三番兩次差人打聽，今見他們回來，這才放心。余承志見了妻子、妹妹，也把此事告知。麗蓉道：「此處兩位姐姐不日要赴縣考，意欲約我二人同去，妹子因哥哥前在船上有不可去之話，所以再三推辭。誰知伯母竟將我們履歷業已開報，並囑我們陪伴同去；妹子只得含糊答應，俟哥哥回來再去覆命。哥哥你道如何？」余承志道：「伯母既如此高興，自應同去為是。況此間之事，也須就擱兩年方有頭緒，你們值此出去消遣消遣，也省我許多挂牽。」

麗蓉同司徒婋兒聽了甚喜，即去見了林書香、陽墨香，告知此意。二人得有伴侶，歡喜非常。因將乳母之女崔小鶯喚出與二人叩拜行禮。麗蓉連忙攙起還禮道：「我們時常見面，今日為何忽又行此大禮？」婋兒也還禮道：「莫非要求我們做媒麼？」書香道：「姐姐休得取笑。此女雖是乳母所生，自幼與妹子耳鬢廝磨，朝夕相聚，就如自己姊妹一般；並且我同墨香妹妹在家讀書，也是他伴讀，時刻不離，真是情同骨肉。更喜他心靈性巧，書到跟前，一讀便會，所有書法學問，竟在我們姊妹之上。今逢考試大典，乃自古未有奇遇，妹子意欲帶他同去考考。他因二位姐姐曉得他的出身，求我們轉懇：將來應試，全仗包涵，替他遮掩遮掩。」婋兒道：「這個何消囑付！妹子向在淑士也曾充過宮娥，這有何妨。」麗蓉道：「既如此，我們竟要叨長，將來不稱崔姑娘，莫若竟呼姐姐，把老師二字放在心裏，叫作『心到神知』罷。」墨香笑道：「『姐姐老師』向無此稱，竟要呼作小鶯妹妹了。」崔小鶯道：「得蒙二位小姐如此提携，自當永感不忘，此後惟以師禮事之，並且竟要大膽，如在人前，只好以『姐姐老師』呼之了。」

過了幾時，章府大小姐蔡蘭芳、二小姐譚蕙芳，三小姐葉瓊芳、四小姐褚月芳，都從河東節度衙門起身，來約文府二位小姐同回祖籍赴試，於是書香、墨香約會麗蓉、婋兒，帶了崔小鶯，一共九人同到江南。喜得郡縣兩考都得中式。回到淮南，略為躭擱，即向西京進發。恰好行了幾日，適值唐閨臣、林婉如、洛紅蕖、廉錦楓、田鳳翾、秦小春、宋良箴、顏紫綃、黎紅紅、盧亭亭、枝蘭音、陰若花也上長安，二十一位才女竟於中途巧遇。婉如同麗蓉、婋兒彼此道了久闊，並謝麗蓉神彈相救之力。婋兒見了閨臣，再三道謝當日寄父救拔之恩；此時聞在小蓬萊修行，頗為喜慰。洛紅蕖得了哥哥在小瀛洲避難下落，這才放心，把此事告知宋良箴。大家說說笑笑，一路頗不寂寞。

這日天晚下店，只見許多兵丁圍著一個木籠，裝著一員小將，滿面病容，繩索綑綁；後面有一武官押著，出了店門，簇擁而去。只聽眾兵紛紛言講：「這個小將，乃九王爺之子，本名李素，如今改作宋素，在逃多年，今日才被擒獲。」這話登時傳到宋良箴耳內，嚇的驚慌失色，淚落不止。只得背著眾人，再三懇求閨臣、紅蕖想個解救之法。二人躊躇多時，毫無計策，因將多九公找來，暗暗商議。九公搖頭道：「他是欽命要犯，有何解救！難道我們把他劫奪回來？安有此理！」正在議論，適值顏紫綃走來，問知此事，忖了一忖道：「九公且去打聽：他們今夜要投何處？咱看良箴姐姐分上，倒可犯了重罪，還是爲著當年九王爺之事？如果本人並未犯罪，仍爲當年之事，不覺轉悲爲喜，再三道謝；即託九公前去打聽。閨臣恐人多嘴雜，說話不便，即同良箴、紅蕖、紫綃另在一房居住，暗託若花、蘭音陪伴眾人。

不多時，多九公打聽回來道：「這員武官姓熊，不知何名，人都叫他『熊大郎』，乃本地督捕。今擒了宋素，因是欽命要犯，惟恐路上有失，連夜要解都督衙門，業已向東去了。」紫綃道：「九公可曾打聽宋公子何以被他擒獲？」多九公道：「聞得前面過去五十里有兩個村莊：一名宋家村，一名燕家村。兩村相離甚近。宋家村內有一富戶，名叫宋斯，外號叫作『好善』。當日宋素逃到他家，宋斯因他少年英俊，就認爲義子，收留在家，並將甥女燕紫瓊許他爲妻，尚未婚配。誰知宋素右眼是個重瞳。太后因他日久在逃，忽然想起重瞳是個憑據，特發密旨命天下大臣細心訪拿。宋素向日常在教場習武，人都叫他『三眼彪』；現在身患重病，因此毫不費事，就被擒獲。」良箴聽了，這才明白。紫綃知宋素並未另犯重罪，才允定了晚上必去解救。當時多九公仍去外面照料。

到晚，四個姊妹同眾人飯罷歸房，良箴另外備了幾樣酒餚與顏紫綃壯威，敬了幾杯，天已黃昏。

良箴道：「紫綃姐姐好去了。惟恐他們去遠，何能趕上？」紫綃笑道：「姐姐，不妨。他若去遠，咱

有甲馬㊀，若拴上四個，做起『神行法』，任他去遠，咱也趕得上。」良箴道：「這甲馬不知別人拴

上也能行麼？」紫綃道：「如何不能！只要把呪語一念，他就走了。」良箴道：「若果如此，將來姐

姐何不替我拴上兩個，我也跟著頑頑呢？」紫綃道：「這個雖可；但路上必須把葷戒了，才能飛跑。

若嘴饞，暗地吃了葷，直要奔一世才能住哩！」紅蕖笑道：「嫂嫂何必聽他瘋話！他又何必要用甲

馬！前在嶺南，閨臣姐姐託他寄信，不過半個時辰，往返已是四五十里，就拴百十甲馬，也無那般迅

速！」

閨臣道：「只顧閒談，姐姐你聽，外面已起更了。」紫綃忙起身道：「此時可行了。」於是換了衣

履，繫了魚婆巾，胸前插了寶劍，仍是一色通紅。三人正看他結束，只聽說聲「去了」，

將身一縱，不知去向。良箴一見，口中只呼「奇怪」，連忙趕到門外仰頭一望，只見月色橫空，何嘗

有個人影。因轉身進來道：「紫綃姐姐有此本領，大約我哥哥性命可以無憂了。」閨臣道：「他若無

驚人手段，何敢冒昧挺身前去，此事大可放心。古來女劍俠如聶隱娘㊁、紅線㊂之類，所行所為，莫

不千奇百怪，何在救脫一人。他們只要所行在理，若教他枉法亂為，只怕不能。你只看他務要打聽宋

公子有無犯罪，才肯解救，卽此已可概見。當日姐姐執意不肯應試，若非眾人一力攛掇，姐姐那肯同

來？誰知今日倒與公子得了一條生路。雖『吉人天相』，亦是上天不絕忠良之後。」紅蕖道：「嫂嫂

剛才趕到外面，可見紫綃姐姐向那方飛去？」良箴道：「我出去一望，惟見一天星月，那有人形。如

此奇技，真是平生罕見！但賢妹剛才為何又以嫂嫂相稱？前日所說『機事不密則害成』那句話，莫非

忘了？只顧如此，設或有人盤根問底，一時答對訛錯，露出馬腳，豈不有誤大事！」紅蕖道：「這是

妹子偶爾順口稱錯，此後自當時刻留心。」

三人談之許久，漸漸已轉四更。正在盼望，只聽嗖的一聲，顏紫綃忽從外面飛進。隨後又有一個

女子也飛了進來，身穿紫紬短襖，下穿紫紬棉褲，頭上束著紫紬漁婆巾，腳下露著三寸紫繡鞋，腰繫

一條紫色絲縧，胸前斜插一口紫綃寶劍；生得面似桃花，與顏紫綃打扮一模一樣。三人一見，不解何

意，嚇的連忙立起。良箴心中有事，慌忙問道：「紫綃姐姐可曾將我哥哥解救？此時現在何處？這位

姐姐卻是何人？爲何與你同來？」顏紫綃道：「姐姐你道這人是誰？」

未知如何，下回分解。

○一　甲馬──一種畫有神佛像的紙。

○二　聶隱娘──故事傳奇中唐代的俠女。　據說小時候有老尼傳她劍術，能刺虎豹；後來常常為人打抱不平，在熱鬧街市裏殺人而

　　　　不被人發覺。

○三　紅線──故事傳奇中唐代的俠女。　據說原是潞州節度使薛嵩的婢女，曾經盜走魏博節度使田承嗣的金盒，使得田承嗣不敢侵

　　　　犯潞州。

鏡花緣　第五十九回　洛公子山中避難　史英豪嶺下招兵　三九三　聯經出版事業公司校印

第六十回　熊大郎途中失要犯　燕小姐堂上宴嘉賓

話說顏紫綃向宋良箴道：「這位姐姐，你道是誰？原來卻是令親。——姐姐莫慌，咱們忙了多時，身子乏倦，且請坐了再講。」大家序了坐。紫綃又接著說道：「剛才咱從此間出去，到了中途，忽然遇見這位姐姐。問起名姓，原來姓燕，名紫瓊，河東人氏，自幼跟著哥哥學得劍術，今因丈夫有難，特奉母命前去相救。他也問咱名姓，咱將來意說了。誰知他丈夫正是宋公子。因此同到前途：咱妹子迎頭把熊大郎攔住，與他戰鬪；紫瓊姐姐趁空即將公子劫去。咱鬪了幾合，撇了熊大郎，趕上紫瓊姐姐，把公子送到燕家村交與太公、夫人。只因聞得彼處官兵現在搜捕餘黨，家家不寧，所以咱同紫瓊姐姐趕來，特與諸位姐姐商議長久之計。」三人聽了，這才明白。紫瓊問了眾人名姓，重復行禮，各道巧遇。

紅蕖道：「公子向在宋府居住，今藏燕府，豈不甚妥，為何欲議長久之計？」紫綃道：「現在宋、燕兩村紛紛訪拿餘黨，那熊大郎今日失了公子，豈肯干休，勢必仍到原處搜捕。一經訪知公子是燕府之婿，豈有不去嚴查，縱進內室，有誰敢攔？設有不妥，所關非輕，所以不能不預為籌畫。為今之計，除遠遁之外，別無良策。不知良箴姐姐可有安頓令兄之處？」燕紫瓊道：「良箴姐姐歷來藏身既無人知，可見所居定是僻鄉，何不請公子且到尊府暫避幾時，豈不放心？」良箴聽了，不覺滴下淚來道：「嫂嫂那知妹子苦處！自從先父遇難，妹子逃避他鄉，雖得脫離虎口，已是九死一生。後來逃入尼菴，所處之地，不瞞嫂嫂說：方圓不及一丈，起走坐臥以及飲食一切俱在其內。

終年惟覷星月之光，不見太陽之面。蓋因菴近鬧市，日間每多遊人，故將其門牢牢反鎖；惟俟夜靜無人，始敢潛出庭院；及至白晝，又復鎖在其內。八年之久，幾忘太陽是何形象。去年若非閨臣姐姐提携，無非終於斗室，囚死而已。今雖略有生機，但自顧不暇，何能另有安頓哥哥之處。」閨臣道：「紫瓊姐姐府上既難存身，莫若且到嶺南，權在我家暫避幾時，又有我家兄弟可以照應；俟風頭過去，再回燕家村，亦是救急之法。」紅蕖道：「此說斷斷不可！昨日九公探得太后曾有特命天下大臣訪拿之話；既命天下訪拿，嶺南豈有不搜捕之理？況今日被劫，明日廣捕⊖又行天下，勢必更加嚴緊，姐姐府上豈能藏身。設有敗露，不獨公子枉送性命，並恐種種牽連。若據愚見：莫若妹子修書一封，即去投奔小瀛洲與我哥哥相處，豈不是好？」

紫綃道：「姐姐所見極是。他們郎舅至親，同在一處，彼此亦有照應。事不宜遲，就請修書，以便紫瓊姐姐趁早伴送郎君上山。」紫瓊不覺含羞道：「諸位姐姐計議雖善，但宋公子患病已深，現在人事不知；況離小瀛洲尚有數百里，妹子一人何能辦此大事？必須仍煩紫綃姐姐幫同照應，庶免疏虞。」紫綃道：「此去小瀛洲尚有數百里，咱們往返雖如風雲，此時天已發曉，安能頃刻卻回。姐姐既要咱同去，閨臣姐姐這里只管收拾起身，明日咱在前途客店相會便了。」閨臣道：「與其如此，莫若我們在此就擱一日，等姐姐回來一同起身，也不為遲。」當時紅蕖把信寫了，交付燕紫瓊；紫瓊即携了紫綃，別了三人，騰空而去。

少時天明，閨臣假推有病，不能動身，在店住了一日，到晚仍同紅蕖、良箴守候。天交三鼓，紫

〇　廣捕──通緝。

綹方才回來。良箴道：「連日姐姐爲我哥哥之事，屢次勞動，實覺不安。可送到小瀛洲麼？」紫綹道：「今早同紫瓊姐姐到了他家，見了葉氏夫人，把上項話說了。夫人與太公再再商酌，雖放心不下，因事在危急，無可奈何，只得勉強應允。等到夜晚，咱同紫瓊姐姐將公子送到小瀛洲山寨之內，把書放下，隨即回來。」閨臣道：「那燕家姐姐呢？」紫綹道：「紫瓊姐姐也要上京應試，得知諸位姐姐赴試之信，心中甚喜，意欲携伴同行。他家就在前面燕家村，咱們此去，必由村前路過，因此紫瓊姐姐先趕回家預備酒飯，以便接待諸位，囑妹子回來代達其意。姐姐意下如何？」閨臣道：「妹子巴不能多幾個姐妹，路上才有照應。今紫瓊姐姐既有此意，明日路過燕家村，自然前去約他。」

次日收拾起身。走了五十里，到了燕家村；早有燕家僕婢前來迎接。衆姊妹進了燕府，見了紫瓊，彼此見禮，並拜見葉氏夫人。原來紫瓊父親名燕義，曾任總兵之職，如今年近七旬，致仕回在家。跟前一兒一女：兒名燕勇，自幼習武，赴試未歸。燕義家資巨富。雖致仕妻子葉氏。原來紫瓊父親名燕義，兒名燕勇，自幼習武，赴試未歸。燕義家資巨富。雖致仕在家，因主上久不復位，時刻在念，所以家中養著許多教師，廣交天下好漢，等待天下起了義兵，好助一臂之力，共力勤王。昨聞女兒要同閨臣結伴赴試，知道閨臣是探花唐敖之女，又有駱賓王之女同行，都是忠良之後，心中甚喜，卽命家人備筵款待。

登時各村都知燕小姐就要起身，因而燕義甥女姜麗樓，表姪女張鳳雛，姜麗樓都過來與衆人相見。燕紫瓊與唐閨臣商議，閨臣甚爲樂從。當時張鳳雛、姜麗樓都過來面求要同去赴試。紫瓊卽通知各家。燕義卽通知各家。命影ⓒ環擺了五桌酒席，唐閨臣、林婉如、洛紅蕖、廉錦楓、田鳳翾、秦小春、宋良箴、黎紅紅、盧亭亭、枝蘭音、陰若花、顏紫綃、余麗蓉、司徒嫵兒、林書香、陽墨香、崔小鶯、蔡蘭芳、譚蕙芳、葉

瓊芳、褚月芳、張鳳雛、姜麗樓、燕紫瓊，共二十四位小姐，各按年齒歸坐，飲酒暢談。原來紫瓊談風甚好，席上頗不寂寞。婉如道：「我們與紫瓊姐姐今日雖是初會，聽他言談，莫不情投意合，眞令人恨相見之晚；就是別位姐姐，一經會面，也都是一見如故，倒像素日見過一般。莫非前世我們都曾會過麼？」小春道：「如何不曾會過！妹子聞得凡人死後投胎，都與歸到轉輪王⊜殿上發放，大約我們前世曾在那里一會罷。」說的眾人不覺好笑。

飯罷，掌燈。正在閒談，忽見一個女子飛進堂中，身穿桃紅紬短襖，下穿桃紅棉褲，頭上束著桃紅漁婆巾，腳下穿著三寸桃紅鞋，腰繫一條桃紅絲縧；手執寶劍，生得十分豔麗。眾姊妹一見，嚇的驚疑不止。只聽那女子厲聲問道：「昨日那個劫去宋素？姓甚名誰？請來一見！」紫綃聞言，即從身旁掣出寶劍，挺身上前道：「是咱顏紫綃！」紫瓊也執劍上前道：「是俺燕紫瓊！你是何人？問他怎麼？」女子把二人上下看一看，道：「俺只當三頭六臂，原來不過如此！但你二人既以寶劍隨身，自然都是深通劍術之人。俺聞劍客行爲莫不至公無私，倘心存偏袒，未有不遭惡報，至除暴安良，尤爲切要。今宋素乃欽命要犯，特奉密旨擒拿，你們竟敢抗拒官兵，中途行劫！俺表兄熊訓偶爾疏忽，致將要犯被竊，特託俺前來。快將宋素早早獻出，免得大禍臨身！俺姓易，名紫菱！父親在日，曾任大唐都招討之職，祖父當年亦曾執掌兵權，我家世受國恩，所以特來擒此叛逆！」

紫瓊含笑道：「尊駕此話固非強詞奪理。但你可知宋素是何等樣人？俺們救他，豈是無因？」易紫菱道：「他何嘗姓宋！乃叛逆九王之子，俺如何不知！」紫瓊笑道：「尊駕既知，更好說了。俺且

⊖　致仕——官吏退休。

⊜　轉輪王——迷信說法中管理鬼魂投胎的冥王官號。

請教：你說你家世受國恩，這個『國恩』自然是大唐之恩了？」易紫菱道：「如何不是！」紫瓊道：「府上既受大唐之恩，要知九王爺不獨是大唐堂堂嫡派，並是大唐為國忠良：他因大唐天子被廢，每念皇恩，欲圖報效，所以特起義兵，迎主還朝，那知寡不敵眾，為國捐軀，上天不絕忠良之後，故留一脈。不意尊府乃世受唐恩之人，不思所以圖報，反欲荼毒唐家子孫，希冀獻媚求榮。不獨恩將仇報，遺臭萬年，且劍俠之義何在？公道之心何存？今趁諸位姐姐在此，尊駕不妨把這緣故說明。如宋素果有大罪，俺們自當獻出，決不食言。」易紫菱聽了，立在堂中，如同木偶，半晌無言。

紅蕖見這光景，連忙攜了閨臣上前萬福道：「姐姐有話，何不請坐慢慢再談。」易紫菱一面把劍入鞘，一面還禮道：「姐姐請坐。」於是大家一齊歸坐，紫綃、紫瓊也將寶劍入鞘歸位。易紫菱問了眾人名姓，閨臣把上京赴試，路過此處話說了。紅蕖望著燕紫瓊道：「我看紫菱姐姐舉止大雅，器度非凡，真不愧名將之後，令人惟恨相見之晚。但他府上既世受國恩，斷無恩將仇報之理，這是上天不絕良善之後，所以幸遇這位姐姐；若是遇了那些負義忘恩之人，俺妹子豈敢另有他意。就此告別，他日再於京中相會。」正要拜辭，燕紫瓊那里肯放，紫菱不等話完，即接著說道：「宋素究是唐家子孫，自然惟知忠君之事，替主分憂，何暇計及別的。好在俺非有職食祿之人，此來係為表兄所託；諸位姐姐既仗義相救，務要攀留少飲數杯，略盡主誼。」閨臣、紅蕖眾姊妹也再再相留，紫菱情不可卻，只得應允。燕義躲在後堂，探知這些情節，久已命人預備筵席。登時重整杯盤，眾姊妹又復敘坐。閨臣、紅蕖、紫綃、紫瓊與易紫菱同坐一席。酒過數巡，紅蕖道：「適才姐姐有『他日京中相會』之話，莫非也有京師之行麼？」紫菱道：「不瞞姐姐說：妹子幼

聯經出版事業公司校印

年亦曾略知詩書，前應郡試，雖得徼倖，但恨尚無伴侶，所以未及登程，大約遲早亦擬就道。」閨臣道：「姐姐既無伴侶，如府上無事，何不與妹子同行，豈不甚便？」紫菱道：「妹子適才亦有此意，因初次見面，不敢唐突；既承厚愛，足慰下懷，自當附驥同行。諸位姐姐倘能在此少爲躭擱，妹子回去略爲收拾，不過兩日卽可趲回。」燕紫瓊道：「家母正要攀留眾位在此盤桓數日，姐姐只管回去慢慢收拾，我們自當在此靜候。」閨臣道：「雖承伯母盛意，但人口太多，過於攪擾，實覺不安。姐姐千萬早些趕來，以便作速起身。」紫菱道：「姐姐回去，作何回覆你家表兄，也須預爲籌畫，省得臨期又有糾纏。」紫絹道：「俺只說無從尋找，他又何能再爲糾纏。」席散後，別了眾人，將身一躍，登時去了。坐中如林書香、蔡蘭芳、司徒嫵兒之類，從未見過飛來飛去之人，今見紫菱這般舉動，莫不出神叫奇，都道：「不意世間竟有如此奇人！」

若花因又談起去年紫綃寄信，婉如赤腳亂鑽光景，引的眾人不覺好笑。小春道：「我看婉如姐姐日後定要成仙。」蘭音道：「何以見得？」小春道：「世上既有『纏足大仙』，自然該有『赤足小仙』，這是衣鉢相傳④，亦非偶然。所以妹子知他必要成仙。」眾人聽了，雖覺好笑，卻不知「纏足大仙」是誰。婉如道：「『纏足大仙』四字，只有閨臣、若花兩位姐姐心內明白，除此之外，再無第三人。何以傳到小春姐姐耳內？令人不解。」田鳳翾道：「你們海外各事，我家九公舅舅到了無事與我們閒談，那樣不說，並囑我們日後如到海外，遇見仙果，切莫嘴饞，惟恐捉去要釀『傻兒酒』，那才苦哩。」婉如聽了，回想當日吃果身軟以及男妖搽胭抹粉光景，倒也好笑。廉錦楓見他們說的藏頭

④　衣鉢相傳——佛家以衣鉢爲師父傳給徒弟的法器：衣，袈裟；鉢，盛食物的鉢盂。後來就用「衣鉢相傳」這句成語，指一般師徒、父子之間的技術、學問的傳授。

露尾，走到小春跟前，再三追問。小春只得把�兒酒及纏足大仙一切情節略說個大概，眾人笑個絕倒。

褚月芳道：「今日見了紫菱姐姐飛來飛去，業已奇極，誰知還有海外這些異事，眞是聞所未聞！」

余麗蓉道：「剛才紫菱姐姐來時，何等威武，那知紫瓊姐姐口齒靈便，只消幾句話，把他說的啞口無言，把天大一件事化爲瓦解冰消，可見口才是萬不可少的。當日『子產有辭，鄭國賴之（五）』，這話果眞不錯。」司徒嬿兒道：「紫瓊姐姐幾句話，不獨免了許多干戈，並與紫菱姐姐打成相識，倒結了伴侶。將來路上得了紫絹，紫瓊，紫菱三位姐姐，就只到了客店，可以安然睡覺，叫作『高枕無憂』。」婉如道：「若據姐姐之言，妹子別無叨光之處，連看家狗也不必帶了。」

顏紫綃道：「若把狗帶去，設或有人赤腳鑽在牀下，路上有了他們三位，把腳還要咬赤哩。」說的眾人胡盧大笑。小春道：「紫綃姐姐把『赤腳』二字忽然改做『腳赤』，這個故典用的生動，眞是化臭腐成神奇。將來場中文字都像這宗做法，不獨要擾高發喜酒，並且妹子從此要擱筆了。」婉如道：「場中若像這般用意，卽使高發，也有些臭氣。」紫綃笑道：「原來婉如姐姐腳是臭的！咱們快走罷！莫把紫瓊姐姐廳房薰壞了！」大家笑著，一齊起身，來到葉氏夫人跟前，道了厚擾，各自安歇。

次日飯後，葉氏夫人命影環引眾位小姐到花園遊玩。正是桃杏初開，柳芽吐翠，一派春光，甚覺可愛。大家隨意散步，到各處暢遊一遍。紫瓊道：「妹子這個花圃，只得十數處庭院，不過借此閒步，其實毫無可觀。內中卻有一件好處，諸位姐姐有喜吃茶的，倒可烹茗奉敬。」蘭音道：「莫非此處另有甘泉？何不賜一盞？」紫瓊道：「豈但甘泉，並有幾株絕好茶樹。若以鮮葉泡茶，妹子素不吃茶，固不能知其味，只覺其色似更好看。」墨香道：「姐姐何不領我們前去吃杯鮮茶，豈不有趣！」紫瓊在前引路，不多時，來到一個庭院，當中一座亭子，四圍都是茶樹。那樹高矮不等，大小不一，

一色碧綠，清芬襲人。走到亭子跟前，上懸一額，寫著「綠香亭」三個大字。

未知如何，下回分解。

⑤　「子產有辭，鄭國賴之」──子產，春秋時鄭國政治家；名公孫僑。有辭，會說話的意思。歷史紀載：春秋時，鄭國夾在晉、楚兩大國之間，環境很困難，但由於子產會說話，利用外交手腕來應付，因而鄭國幾十年沒有遭到外患。

第六十一回　小才女亭內品茶　老總兵園中留客

話說眾小姐來到綠香亭，都在亭內坐下。蔡蘭芳道：「這『綠香』二字不獨別致，而且極傳此地之神，這定是紫瓊姐姐大筆了。」燕紫瓊指著姜麗樓、張鳳雛道：「名字是麗樓姐姐的，卻是鳳雛姐姐寫的，並且如今連這花園也就叫做綠香園了。」崔小鶯道：「原來是鳳雛、麗樓二位姐姐手筆，妹子有句批語，叫做『寫做俱佳』。」麗樓道：「這是妹子亂道，尚求姐姐改正。」鳳雛道：「妹子自知寫的不好，虧得名起的雅，把字的壞處也就遮掩了。」

登時那些鬟環僕婦都在亭外紛紛忙亂：也有汲水的，也有搧爐的，也有採茶的，也有洗杯的。不多時，將茶烹了上來。眾人各取一杯，只見其色比嫩蔥還綠，甚覺愛人；及至入口，真是清香沁脾，與平時所吃迴不相同。個個稱讚不絕。婉如笑道：「姐姐既有如此好茶，為何昨日並不見賜，卻要遲到今日？豈不令人恨相吃之晚麼？」小春道：「昨日我們初與紫瓊姐姐會面，婉如姐姐曾言惟恨相見之晚；今日品了這茶，又言惟恨相吃之晚：婉如姐姐原來是世間一個恨人，處處不離恨字。」閨臣道：「適才這茶，不獨茶葉清香，水亦極其甘美，那知紫瓊姐姐素日卻享這等清福。」紫瓊道：「妹子平素從不吃茶，這些茶樹都是家父自幼種的。家父一生一無所好，就只喜茶。因近時茶葉每每有假，故不惜重費，於各處購求佳種，如巴川峽山大樹，亦必費力盤駁⊖而來。誰知茶樹不喜移種，縱移千株，從無一活；——所以古人結婚有『下茶』之說，蓋取其不可移植之義。——當日並不留神，後來移一株，死一株，才知是這緣故。如今園中惟存十餘株，還是家父從前於閩、浙、江南等處覓來

上等茶子栽種活的，種類不一，故樹有大小不等。家父著有茶誠兩卷，言之最詳，將來發刻，自然都要奉贈。」

紅紅道：「妹子記得六經無茶字，外國此物更少，故名目多有不知。令尊伯伯既有著作，姐姐自必深知，何不道其一二，使妹子得其大略呢？」紫瓊道：「茶卽古『茶』字，就是爾雅『茶苦檟』的『茶』。詩經此字雖多，並非茶類。至茶轉茶音，顏師古㊀謂漢時已有此音，後人因茶有兩音，故缺一筆爲茶，多一筆爲茶，其實一字。據妹子愚見，直以『古音讀茶，今音讀茶』最爲簡截。至於茶之名目：郭璞言早採爲茶，晚採爲茗，茶經有一茶、二檟、三蔎、四茗、五荈之稱；今都叫做茶，與古不同。若以其性而論，除明目止渴之外，一無好處。本草言：常食去人脂，令人瘦。倘嗜茶太過，莫不百病叢生。家父所著茶誠，亦是勸人少飲爲貴，並且常戒妹子云：『多飲不如少飲，少飲不如不飲。況近來眞茶漸少，假茶日多；卽使眞茶，若食飲無度，早晚不離，到了後來，未有不元氣暗損，精血漸消：或成痰飲㊂，或成痞脹㊃，或成痿痹㊄，或成疝瘕㊅，黃瘦種種內傷，皆茶之爲害，而人不知，雖病不悔。上古之人多壽，近世壽不長者，皆因茶酒之類日

㊀ 盤駁——水陸上下搬運。
顏師古——唐代的訓詁學家。（訓詁，是對古書中文義不容易明白的地方，加以說明解釋。）
㊂ 痰飲——一種慢性胃炎症。喝水不能吸收，在胃中作響聲。
㊃ 痞脹——一種慢性脾臟腫大症。按着肚皮，彷彿裏面生了硬塊。
㊄ 痿痹——一種神經系的病。筋肉失了功用，四肢不能移動；不覺得痛的叫作痿，覺得痛的叫作痹。
㊅ 疝瘕——疝，小腸偏墜，陰囊腫大；瘕，肚子裏面有積塊，鼓脹一類的病。

日克伐，潛傷暗損，以致壽亦隨之消磨。」此千古不易之論，指破迷團不小。無如那些喜茶好酒之

人，一聞此言，無不強詞奪理，百般批評，並且啞然失笑。習俗移人，相沿已久，縱說破舌尖，誰肯

輕信。即如家父茶誠云：『除滯消壅，一時之快雖佳；傷精敗血，終身之害斯大。獲益則功歸茶力，

貽患則不為茶災。』豈非福近易知，禍遠難見麼？總之：除煩去膩，世固不可無茶；若嗜好無忌，暗

中損人不少。因而家父又比之為『毒橄欖』。蓋橄欖初食味頗苦澀，久之方回甘味，茶初食不覺其

害，久後方受其殃，因此謂之『毒橄欖』。」

亭亭道：「此物既與人無益，為何令尊伯伯卻又栽這許多？豈非明知故犯麼？」紫瓊道：「家父

向來以此為命，時不離口，所以種他。近日雖知其害，無如受病已深，業已成癖，稍有間斷，其病更

凶；自知悔之已晚，補救無及，因此特將其害著成一書，以戒後人。恰好此書去年方才脫稿，腹中忽

然嘔出一物，狀如牛脾，有眼有口；以茶澆之，張口痛飲，飲至五碗，其腹乃滿；若勉強再澆，茶即

從口流出，恰與家父五碗之數相合。蓋家父近年茶量更大，每次必吃五碗，若少飲一碗，心內即覺不

寧；少停再飲，仍是五碗。因此身體日見其瘦，飯亦懶吃。去年偶因五碗之後，強進數碗，忽將此物

吐出，近來身體方覺稍安。」若花道：「這是吉人天相。兼之伯伯立言垂訓，其功甚大，所以獲此善

報，將來定是壽享期頤⑦。」紫瓊道：「家父若像去歲一飲五碗之時，幾至朝不保暮；此時較前雖覺

略健，奈受病已深，年未五旬，已覺衰老。但願如姐姐所言，那就是妹子之福了。」

譚蕙芝道：「適才姐姐言茶葉多假，不知是何物做的？這假茶還是自古已有，還是起於近時呢？」

紫瓊道：「世多假茶，自古已有。即如張華言『飲真茶令人少睡』。既云真茶，可見前朝也就有假

了。況醫書所載，不堪入藥，假茶甚多，何能枚舉。目下江、浙等處以柳葉作茶；好在柳葉無害於

人，偶爾吃些，亦屬無礙。無如人性狡猾，貪心無厭，近來吳門有數百家以泡過茶葉曬乾，妄加藥料，諸般製造，竟與新茶無二。漁利害人，實可痛恨。起初製造時，各處購覓泡過乾茶，近日遠處販茶客人至彼買貨，未有不帶乾茶以做交易。至所用藥料，乃雌黃、花青、熟石膏、青魚膽、柏枝汁之類。其用雌黃者，以其性淫，茶葉亦性淫，二淫相合，則晚茶殘片，一經製造，即可變爲早春；用花青，取其色有青豔，取其味帶清香；用青魚膽，——漂去腥臭，——取其味苦；雌黃性毒，經火甚於砒霜，故用石膏以解其毒，又能使茶起白霜而色美。人常飲之，陰受其毒，爲患不淺。若脾胃虛弱之人，未有不患嘔吐、作酸、脹滿、腹痛等症。所以妹子向來遵奉父母，從不飲茶。素日惟飲菊花、桑葉、柏葉、槐角㈧、金銀花、沙苑㈨、蒺藜之類，又或用炒焦的薏苡仁。時常變換，倒也相宜。我家大小皆是如此，日久吃慣，反以吃茶爲苦，竟是習慣成自然了。」

紫瓊道：「眞茶既有損於人，假茶又有害於人，自應飲些菊花之類爲是。但何以柏葉、槐角也可當茶呢?」葉瓊芳道：「世人只知菊花、桑葉之類可以當茶，那知柏葉、槐角之妙。按本草言：柏葉苦平無毒，作湯常服，輕身益氣，殺蟲補陰，鬚髮不白，令人耐寒暑。蓋柏性後凋而耐久，稟堅凝之質，乃多壽之木，故可常服。道家以之點湯㈧當茶，元旦以之浸酒辟邪，皆有取於此。麋食之而體

㈦　期頤——百歲。

㈧　槐角——槐樹的果實，性寒味苦，能潤肝燥、涼大腸、明目、治風眩及腸風、痔血、陰瘡濕養等症。

㈨　沙苑——又名「沙苑蒺藜」或「白蒺藜」，因產於陝西省沙苑而得名。

㈧　點湯——點，沖、泡的意思；湯，開水。

聯經出版事業公司校印

香，毛女⑨食之而體輕，可為明驗。至槐角按本草乃苦寒無毒之品，煑湯代茗，久服頭不白，明目益氣，補腦延年。蓋槐為虛星㊀之精，角稟純陰之質，故扁鵲㊁有明目烏髮之方，葛洪有益氣延年之劑。當日庾肩吾㊂常服槐角，年近八旬，鬚髮皆黑，夜觀細字，即其明效。可惜這兩宗美品，世人不知，視為棄物，反用無益之苦茗，豈不可歎！」小春道：「妹子正在茶性勃勃，聽得這番談論，心中不覺冰冷，就是再有金茶、玉茶，也不吃了。明日也去找些柏葉、槐角，作為茶飲，又不損人，又能明目，豈不是好。」良箴道：「這茶我們能吃多少，每日至多不過五七杯，何必戒他。」小春道：「誤盡蒼生，就是姐姐這句話！你要曉得，今日是一個五七杯，明日就是兩個五七杯，後日便是三個五七杯；日積月累，到了四五十歲，便是幾百、幾千、幾萬五七杯！」婉如道：「姐姐與其勞神算這細帳，何不另到別處走走？」隨即携了小春出了綠香亭，眾人也都跟著。走了兩層庭院，紫瓊又引至一個杏花多處，進了廳房，就在廳上坐下，看花閒談。

到晚正要擺設晚飯，只見眾園丁擔了許多行李進來。紫瓊只當易紫菱來了，及問園丁，原來卻是過往女眷，因本村客店都被眾小姐車輛人夫住滿，無處存身，因聞燕員外向來最肯與人方便，每逢客店住滿，凡來借居，莫不容留，所以來此借宿一宵。燕義因是女眷，不能推脫，只得命他們暫在園丁女眷房內權宿一夜。不多時，有幾個婦女遠遠而來。園丁走過，把廳上門帘垂下。眾姊妹都在窗內張望，原來卻是四個女子，後面跟著兩個老嬤。內有一個女子，紅蕖甚覺眼熟，仔細一看，倒像薛蘅香模樣。

未知如何，下回分解。

〔九〕毛女——神話傳說中秦始皇宮人，逃亡到華陰山裏，用松柏葉果做食糧，不覺得饑餓寒冷，成爲仙女。

〔一〕虚星——二十八宿之一，兩顆星，也叫「北陸」。這裏說「槐爲虚星之精」，是迷信的說法。

〔二〕扁鵲——戰國鄭人，姓秦名越人，歷史上著名的醫生。

〔三〕庚肩吾——南北朝梁詩人。

聯經出版事業公司校印

第六十二回　綠香園四美巧相逢　紅文館羣芳小聚會

話說洛紅蕖正在細看，只聽廉錦楓道：「紅蕖姐姐：你看那個穿青的，豈非紅萸姐姐麼？」紅蕖復又細看，果是尹紅萸。隨即應道：「姐姐眼力不差。」紫瓊忙問道：「莫非二位姐姐都熟識麼？」紅蕖道：「這四人我只認得兩個：一名薛蘅香，一名尹紅萸。」閨臣道：「那薛蘅香姐姐自然是仲璋伯伯之女，紅萸小姐莫非尹太老師千金麼？」紅蕖道：「正是。」紫瓊道：「既是二位姐姐親眷，何不請來一會。」即命彩環去請。不多時，四個女子過來，大家見禮讓坐。薛蘅香與紅蕖各道久闊；尹紅萸見了紅蕖、錦楓，歡喜非常；姚芷馨同婉如各道別後渴想。眾人問起那個女子名姓，卻是麟鳳山的魏紫櫻。芷馨問了閨臣名姓，即同薛蘅香再三致謝「當日伯伯拯救之恩」；閨臣前在海外，曾聞魏紫櫻男裝打死狻猊之事，也向紫櫻再三道謝。洛紅蕖把在座眾人名姓都向四人說了。問起根由，原來四人也是去赴部試，都在前途相遇的。於是大家約了一齊結伴同行。

紫瓊隨命擺設酒飯，眾人序齒歸坐。

酒過數巡，正在閒談，忽見窗外飛進一個人來。薛蘅香嚇的把筯丟在地下，身上只管發抖；姚芷馨推開椅子，躲在桌下。眾人看那女子，卻是易紫菱回來，把包裹放下，向眾人萬福，眾人還禮讓坐。紫瓊把姚芷馨攙扶起來道：「姐姐爲何這般膽小？」芷馨道：「只因前在巫咸帶了乳母前去掃墓，忽遇強人持刀行凶，幾乎喪命，幸虧唐伯伯拔刀相助，才得脫身。至今留下一個病根。但遇驚嚇，就覺膽落。適才躲避桌下，自知失儀露醜，實係情非得已，諸位姐姐莫要發笑。」蘅香道：「妹

子剛才嚇的失筋，也因那日受了驚恐留的病根。此時想起當日唐伯伯救命之恩，更令人感激無地。」

大家讓紫菱一同坐了。影環把包裹取過。閨臣笑道：「紫菱姐姐這才算得『輕騎簡從』哩。」紫

菱道：「若要僱車裝載行李，大約還須兩三天方能到此，此時不能不從簡便。諸位姐姐不知打算何日

動身？」閨臣道：「此時別無甚事，姐姐既到，自然明早長行。」燕紫瓊仍要攀留一日，眾人執意不

肯，定要明日起身。多九公不時來催。紫瓊見挽留不住，只得命人收拾，明日一同長行。當時飯罷，

張鳳雛、姜麗樓都匆匆回去，約定明早在此會齊。次日大家早早起來，張鳳雛、姜麗樓也都過來。共二十九位小

環送了兩牀被褥過去，紫菱道謝收了。 姐，一同用了早飯，拜辭葉氏夫人，往北進發。

一路曉行夜住，這日到了長安。多九公預先進城找尋下處。恰好太后恐天下眾才女到京住在客店

不便，因當日抄沒九王府一所，院落寬闊，房屋甚多，又命工部蓋了許多羣房，賜名紅文館，如願住

者，悉聽其便。多九公聞之甚喜，即將眾人文書呈驗，用了些須使費，檢了一所大院落，另有一個總門出入；

齊進城，來到寓所。多九公引眾小姐各處看了一遍，前後六層，兩傍羣房無數，另有一個總門出入；

若把總門閉了，宛是一家宅院。眾人看了，無不歡喜。多九公道：「唐小姐看這房屋還夠住麼？」閨

臣笑道：「莫講我們，就再添幾十人也還夠住。好在又有內外，廳房又大，難得九公費心尋此好處。」

多九公道：「這是老夫格外用了些須使費才能如此。現在此處或三五間一所，或十餘間一所，老夫細

細訪問，大約已有二三百處有人住了。我們這所大房，據管房人說，當初原預備禮部尚書[一]、禮部侍

郎○卞、孟兩府小姐住的，此時因兩府小姐俱不赴試，才敢給我們居住。」紅蕖道：「卞、孟兩府有

幾位小姐，卻要如此大房？」多九公道：「據說卞府有七位小姐，孟府有八位小姐；——因他生的小

姐過多，所以卞、孟兩位夫人，人都稱做『瓦窰○』。——還有許多親眷姊妹，連他兩府，約有三四

十位，因此才備這所大房。」婉如道：「既如此，為何又不赴試呢？」多九公道：「聞得有甚迴避，

不准應試。」

林書香道：「姪女有件事拜煩九公：我同蘭芳表妹有幾個弟婦也來赴試，不知可在此處作寓。今

日已晚，明日將名姓開了，拜煩代為問問。」多九公道：「這事容易。明日請把姓名開來。」說著，

即去照應眾人搬發行李，安排廚灶。眾位小姐或三個一房，或五個一房，接接連連，都將行囊牀帳安

置，早早安歇。次日，多九公拿著一本號簿進來，向林書香、蔡蘭芳道：「老夫才同管房子的將號簿

借來，凡有赴試在此住的，都在上面。令親可曾到此，請二位小姐一看就知道了。」二人接過，看了

一遍，不覺滿面堆下笑來。閨臣道：「莫非諸位令弟夫人都在此作寓麼？」二人連連點頭，把號簿交

給九公，再三道謝。多九公拿著去了。

當時譚蕙芳、葉瓊芳、褚月芳、陽墨香、崔小鶯都過來商量同去探望，即命蒼頭在前引路，七位

小姐帶了乳母影環一齊出了總門。兩面房舍雖接連不斷，靜悄悄門前卻無一人，也無閒人來往；惟見

幾個提籃買物之人，亦皆俯首而行。書香細問蒼頭，才知太后因此處地方遼闊，恐有小人

生事，特派兩員大臣帶了兵役在此彈壓。頭門以內，禁止閒人擅入，無論大小交易，均在頭門以外；

所有各家僕人，總歸自己總門以內，毋許門前閒立，亦毋許無故閒步：如有不遵，枷號示眾；貪夜犯

者，即送刑部衙門加倍治罪。因此外面並無閒人來往。章、文兩家蒼頭引著七位小姐各處探望一遍，

隨即回寓。不多時，文府大公子文芸之妻章蘭英、二公子文薜之妻邵紅英、三公子文萁之妻戴瓊英、

四公子文菘之妻由秀英、五公子文菰之妻錢玉英，還有秀英表妹田舜英，六位小姐，俱來回拜。書香

迎接進內，與眾人一一拜見。正在讓坐，忽聞章府大公子章菰之妻井堯春、二公子章芝之妻左融春。書香

三公子章蘅之妻廖熙春、四公子章蓉之妻鄴芳春、五公子章蘚之妻酈錦春、六公子章莒之妻鄒婉春、

七公子章莟之妻施豔春、八公子章芹之妻柳瑞春、九公子章芬之妻潘麗春、十公子章艾之妻陶秀春，

共十位小姐，都來回拜。

蘭芳連忙迎出，引著見了眾人，彼此問了名姓，都請在廳房坐下。

閨臣見人才濟濟，十分歡悅，因與書香、蘭芳商議：「既是至親，此間房屋甚多，何不請他們搬

來同住，彼此都有照應，豈不是好？」書香即將此意向蘭芳、堯春諸人說了，個個歡喜，無不情願。

隨即各命僕婢將行李搬來。

閨臣託末空帶著眾影環鋪設牀帳，安排桌椅。到晚就在廳房擺了十桌酒

席，當時唐閨臣、林婉如、洛紅蕖、廉錦楓、黎紅紅、盧亭亭、枝蘭音、陰若花、田鳳翾、秦小春、

顏紫綃、宋良箴、余麗蓉、司徒嫵兒、林書香、陽墨香、崔小鶯、蔡蘭芳、譚蕙芳、葉瓊芳、褚月

芳、燕紫瓊、張鳳雛、姜麗樓、易紫菱、薛蘅香、姚芷馨、尹紅萸、魏紫櫻、章蘭英、邵紅英、戴瓊

英、由秀英、田舜英、井堯春、左融春、廖熙春、鄴芳春、酈錦春、鄒婉春、施豔春、柳瑞

春、潘麗春、陶秀春，共四十五位小姐，無分賓主，各按年齒歸坐，飲酒暢談。

酒過數巡，婉如道：「今日眾姐妹這般暢聚，妹子心裡喜的不知怎樣才好！若說『惟恨相見之

㊀ 侍郎——官名，在明、清是中央政府六部的次長級官員。

㊁ 瓦窰——瓦，紡塼。古代女子是要從事紡織的；小時候，給她紡塼做玩具，讓她熟習「本分」應做的事。因此，後來就叫生女為「弄瓦」。稱生女較多的婦人做「瓦窰」，是一種含有侮辱性的玩笑話。

晚』罷，小春姐姐又說俺是個『恨人』；若說『都有宿緣』罷，他又說『曾在鬼門關上會過』。這話

俺都不說，只好用那『久仰大名，如雷貫耳』幾句俗套了。」小春道：「這話不但過俗，並且一派虛

浮，全是搗鬼。若謂『久仰大名』，我們若未會面，誰知誰的大名？素日我家叔父曾言當今有兩個才女，

麼？」閨臣道：「『久仰大名』這句話，只有兩個人可以用得︰

一名史幽探，一名哀萃芳，——曾將蘇蕙璇璣圖繹出許多詩句，太后見了甚喜，因此才有女試恩

詔。我們若見這二人，那才算得『久仰大名』哩。」章蘭英道：「這二人素日妹子也曾聞名；並且所

繹之詩也都見過，果然甚好。」林書香道：「妹子昨看號簿上面並無其人，大約不在此處居住；不

然，倒可會會。」井堯春道：「姐姐莫忙，到了部試少不得都要會面的。」

飯罷，都到庭中閒步，忽覺一股清香撲鼻，遠遠望去，原來有幾叢木香蟠在牆角，開的甚覺茂

盛，於是齊到跟前。正在觀看，忽聞隔牆有婦女啼哭之聲。閨臣道：「聞得此處圍牆以內向無民房，

都是我輩赴試的寓所，何得忽有哭聲？——定有緣故。」秦小春道：「有甚緣故！此必赴試女子自幼

從未出外，此刻想家，所以啼哭。」閨臣道：「須託九公前去問問，或者是赴試女子偶然患病，抑或

缺了盤費，均未可知。問個詳細，倘能周濟，也是一件好事。」秀英道：「姐姐不必打聽，此事妹子

盡知。這個啼哭的是赴試緇姓女子。前者妹子同表妹舜英進京，曾與此女中途相遇，因他學問甚優，

兼之氣味相投，所以結伴同行。到了京師，就在一處同住，隔牆這所房子，就是我們所住之處。前者

到寓，此女檢查本籍文書，誰知因他起身匆促，竟將文書未曾帶來；此時離部試之期甚近，其家遠在

劍南，何能起文行查？眼看不能應試，因而啼哭。」紅蕖道：「這是他忙中有失，也是命中造定，歸

咎何人。」田舜英道：「剛才秀英姐姐已將自己文書送給此女，教他頂名應試，不知爲何卻又啼哭？」

林書香、陽墨香一聞此言，嚇的驚疑不止。

未知如何，下回分解。

聯經出版事業公司校印

第六十三回　論科場眾女談果報　誤考試十美具公呈

話說林書香、陽墨香聽得舜英之言，姑嫂至親，分外關心，不覺驚疑不止。書香道：「秀英妹妹，這是怎講！好容易吃了辛苦，巴到此地，卻將文書平白給人！請問妹妹好端端為何不要赴試？」

秀英道：「妹子一因近日多病，不能辛苦；二者，自知學業淺薄，將來部試，斷難有望。與其徒自現醜，終歸無用，莫若借此養病，亦可成全此人。況他學問甚優，必能高中，若不赴試，未免可惜。因此將文書命奶公暗地送去，囑他只管頂名應試，將來得中，再作更名之計，稍遲片刻，奶公就回來了。姐姐切莫替我可惜，倘有可望，妹子又豈肯將現成功名反去給人。」墨香聽了，惟有搔首，只說「怎好」。只見奶公進來向秀英道：「那邊緇小姐命老奴多多致謝：這封公文雖承小姐美意，但自己命運業已如此，即使勉強進場，也是無用，此文斷不敢領，仍命交還小姐，教小姐千萬保重，惟有靜聽二位小姐捷音便了。老奴又撐，自應仍去應試為是。緇小姐明日就要回籍，也不過來面謝，惟有靜聽二位小姐捷音便了。老奴又再再請他存下，他執意不肯，老奴只得帶回。」將文書交給彩環，外面去了。

閨臣道：「秀英姐姐如此仗義，舍己從人，真是世間少有！並且惟恐他人無故那肯就受，卻以近日多病不能應試為詞，如此設想，曲盡人情，即此一端，已可想見平素為人。此女固辭不受，亦是正理。據妹子看來：此事固由匆迫所誤，但如此大事，中途忽有此變，安知不是素日行止有虧，鬼神撥弄，以致如此？若行止無虧，榜上註定該有此人，莫講赴試文書，即使考卷遺失，亦有何妨。妹子聞得古人言：『科場一道，既重文才，又要福命。至德行陰隲，尤關緊要，若陰隲有虧，縱讓文命雙

全，亦屬無用。」以此而論，可見陰隲德行，竟是下場的先鋒，即如出兵，先鋒得利，那主帥先有倚

傍，自然馬到成功了。」舜英道：「這位姐姐一路行來，卻處處勸人向善，所行之事，也有許多好

處。——即如路上每逢打尖⊖住宿，那店小二⊖聞是上等過客，必殺雞宰鴨，諄諄饋送，無論早晚，處處

皆同，——這位姐姐因無故殺生，頗覺不安，到處命人勸阻。——從無一處不送，看其光景，竟是向

來牢不可破之例，先付餘潤，免其雞鴨，豈不大妙。因命僕人：『後凡看店，即將雞鴨餘潤之資，約計若

不卽迎其意，相沿已久，莫可如何。後來他因若輩送雞送鴨，無非希圖正價之外，稍沾餘潤，分外殷勤；

干，預先付給；倘再饋送，即將原資討回。』小二得此，不獨一一遵命，並且一呼即應。

自此饋送雞鴨之風，才能漸息。那些同路的看見這樣，莫不如此。所以一路上活了無數生靈。其餘善

事，不一而足。姐姐若謂陰隲德行為進場先鋒，為何此人這般行為，反不能應試呢？」閨臣道：「此

人若果處處行善，一無虧缺，上天自能護佑善人，不但必能應試，定主高發，自有意外機緣；或者將

來仍有女試大典，此人應在下科方中，亦未可知。總須日後方見明白。」

舜英道：「凡試官看文，全憑考卷以定優劣。適才姐姐說：『即使考卷遺失，亦有何妨。』難道

卷子遺失還能入選麼？」閨臣道：「妹子此話，並非無因。當年有弟兄二人進場，其父曾夢神人云：

『爾長子本無科名之分，他拾得金珠一包，其物是一婦人為他丈夫設措贖罪之

資，因被回祿擁擠遺失，齎爾長子細心密訪，物歸原主，其夫脫罪，夫婦始得團圓；因此今科得與爾

次子同榜。』其父甚喜，即告二子。及至放榜，報弟得中；弟忽伏地慟哭，幾不欲生。其父問其所

⊖　打尖——旅行的人在路上歇下來吃喝。

⊖　店小二——店夥計。

以。弟云：『父親夢兆，本係弟兄皆中；今我誤害哥哥，以致不中，我雖獨中，亦有何顏！』忽又報

兄中第一。其弟仍哭道：『此係報錯，安有卷子遺失而能得中之理！』其父見其語言離奇，再三追

問，料難隱瞞，只得細述根由。諸位姐姐！你道是何根由？原來當日弟兄進場，頭場、二場已過，至

第三場，忽然場中相遇。是時其兄患痢甚重，勉強敷衍完卷，正要交卷出場，又復腹痛，極其狼狽，

因將卷子交付其弟，囑他完卷一同投遞，即奔東廁。弟恐兄卷被污，藏入懷中；忙將己卷謄清，交畢

回寓。及至臨睡解帶，始知兄卷仍舊在懷，其時已交三鼓，知難挽回，悔恨無及，只得將卷收藏，以

為日後請罪地步。今忽報中第一，所以他說『報錯』。及至親去看榜，弟兄實係雙雙高中。旋即回

寓，再覓其兄第三場之卷，依舊在此。父子三人莫不稱奇。到了次日，細細打聽，才知有個緣故。

——諸位姐姐！請猜一猜，其中究係何故？』

秦小春正聽的入彀⊜出神，忽見閨臣又教眾人請猜，不覺發急道：『好姐姐！你快說罷！何必又

教人猜！這段書委實好聽，快快接下去，明日妹子好好畫把春扇奉送。』閨臣道：『賢妹莫騙我說

了，卻把扇子不送。』小春道：『妹子賭個誓：如要騙你，教我日後遇見一隻狗把腳咬出血來！』眾

人聽了，猛然一想，不覺好笑。紫綃道：『這個『血』字只怕從那『赤』字化出來的。』婉如聽了，

鼻中不覺哼了一聲。閨臣接著道：『到了次日，父子三人細去打聽，原來膳錄房失火，把第三場卷

盡都燒了，只好啟奏，且自放榜，所有第三場卷子，隨後再補。誰知此人恰恰碰了這個機會，因此得

中，豈非考卷遺失也都不妨麼？這位姐姐不知是何名姓，我們把他記了，或者天緣湊巧，他家竟把文

書巧巧差人送來，竟能趕上考期，也未可定。」

秀英道：「此女姓繡，名喚瑤釵，祖籍劍南，現年十六歲。」若花道：「既如此，妹子包管教他

進場；倘有差錯，都在妹子一力承當。」眾人聽了，都覺不解。蘭音笑道：「我知姐姐尊意了：大約姐姐意欲仍做女兒國王，不願赴試，所以要把文書給了此女，教他冒名頂替，你便脫身回去。妹子猜的可是？」若花笑道：「阿妹如果不棄，肯做女兒國的宰相，愚姐便做國王，這有何妨！」蘭音笑道：「姐姐如果做了國王，妹子少不得要去做個宰相。」眾小姐聽了，更都不解，齊向蘭音細細盤問。

若花趁大家談論，將閨臣拉在一旁道：「阿妹可記得去年緇氏伯母要去赴考，我們商量要在縣裏捏報假名？彼時因緇氏伯母務要本姓，適值手內拿著一枝瑤釵，就以『緇瑤釵』為名，那時恐嶺南籍貫過多，把他填了劍南。誰知剛才秀英阿姐所說之人，恰與這個名姓、鄉貫相對，年歲又一樣。去歲所起赴試文書，恰好愚姐無意中卻又帶來。何不成全此人，豈不是件好事？」閨臣喜道：「如此現成美舉，真是不費之惠，若非姐姐提起，妹子那里記得。此時對著眾人莫將緇氏伯母這話露出，恐亭亭姐姐臉上不好看，只說前在家鄉，無意拾得這個文書，送給此女便了。」當時若花把文書取來，對秀英說知。秀英道：「天下那有這等巧事！真令人不解！」亭亭心中早已明白，因說道：「我們隊裏現在並無這個名姓；而且又有印信為憑，可見不是捏造來的。姐姐不必猶疑，速速命人送去，包管此人歡喜。」秀英只得命奶公送去，並將路上拾取之話說了。不多時，緇瑤釵過來拜見眾人，並向秀英再三道謝，追問當日拾取之由。若花用些言詞遮掩過去，又道：「阿姐只管投遞，如有差錯，我們眾人自當一力承當。天下豈有將人功名視為兒戲之理！難道自己不想上進麼？」瑤釵聽了，這才拜謝而去。

不幾日，到了三月初三部試之期，闈臣同了諸位小姐並天下眾淑女齊到禮部聽點入考，密密層層，好不熱鬧。到晚散場，各自回寓。過了幾日，禮部尚書卞濱、侍郎孟謨與同考官蔣進等，把各卷等第俱看定，選了放榜吉期。正要修本具奏，忽然接了一個公呈，係江南、淮南、河北、河東等處有十個女童，為首的名叫史幽探，其次哀萃芳、紀沉魚、言錦心、謝文錦、師蘭言、陳淑媛、白麗娟、國瑞徵、周慶覃，或因患病未赴郡考，或緣事故已過部試之期，今情急來京，特具公呈：「無論當日有無郡考，情願一日之內面請四題，一補郡考，一補部試；如一日之內不能完卷，或文理乖謬，情願治罪」云云。卞濱、孟謨接了此呈，不能定奪，只得據情入奏。旋奉諭旨道：「既據該女童等情願一日之內連補二試，姑如所請，特賜四題，即於明日黎明，著該部會同同考各官面試優劣如何，據實速奏。」禮部隨即傳諭。到了第二日清晨，十個女童早已伺候；禮部將題目宣示，到晚交卷散出。次日，卞濱將各卷定了甲乙，即同孟謨修本具奏道：「所有補考十卷，以文理而論，與前所取各卷互有高下；但此卷未經謄錄，似未便與前卷分別等第。今將各卷恭呈御覽，請旨定奪。」武后親自看了一遍，果然都好，因傳旨道：「前日禮部所取各卷，例應覆試後方准殿試，今既續補十卷，著將前榜暫停張挂，統俟覆試後即以覆試之榜作為正榜。至史幽探、哀萃芳……十名，或未趕赴郡考，或逾部試之期，自應停其殿試，第閱該部所呈各卷，文理尚優，況史幽探、哀萃芳二名，朕於璇璣新圖久知其人，皆屬能文之女，自應准其一體入試。前榜既經停止，其四等花再芳等亦著加恩一並入試。該部一面傳諭，即一面速選試期請旨，以免稽延。」卞濱、孟謨接奉此旨，當即出示曉諭，一面選了試期。

未知如何，下回分解。

第六十四回　賭石硯舅甥鬥趣　猜燈謎姊妹陶情

話說卞濱、孟謨接了御旨，當即出示曉諭，一面選了十三日爲部試之期，修本具奏。

原來這卞濱表字渭仙，乃淮南道廣陵人氏。自幼飽讀詩書，由進士歷官至禮部尙書，世代書香，家資巨富，本地人都稱他「卞萬頃」。蓋卞濱自他祖父遺下家業，到他手裏，單以各處田地而論，已有一萬餘頃，其餘可想而知，眞是富可敵國。若要講起這卞家發財根由，倒可使那奢華之家及早回頭，卻敎那勤儉之人添些興致。

那卞濱曾祖名叫卞華，是個飽學秀士；妻子奢氏。夫妻兩口，秉性最好奢華。祖上留下家業雖有數十萬之富，如何禁得卞華毫不打算，一味浪費，不上幾十年，早已一貧如洗。那時卞華年已半百，因見家道蕭條，回想當日揮金如土，一味浪用時節，那里想到一旦如此。悔之無及。況從前是何等樣錦衣美食，而今粗衣淡飯，尙且還費打算。於是憂悶成疾。不兩年，夫妻雙雙去世。存下一子，名喚卞儉：這是卞華臨危替他起的名字，以爲警戒之意。這卞儉娶妻勤氏。夫妻兩口，自從父母去世，將幾間舊房變賣做爲殯葬之用；城內無處安身，就在城外壁旁起了兩間草屋，以爲棲身之所。卞儉是個讀書人，諸事不諳。這衣食兩字要全靠勤氏一人針線，竟難度日；只好且學朱買臣[一]樣子，每日帶著書，砍些柴，添補度日。眞是飢一頓、飽一頓，混過日子。

[一] 朱買臣——漢代人，家庭貧苦，一面賣柴，一面讀書。

一日，正值臘月三九⊖時分，天氣甚寒。卞儉因衣服單薄，甚覺怕冷，到晚先就睡了。一覺睡醒，天有五更光景，卻見勤氏仍在燈下趕做針線。卞儉道：「如此天寒夜深，你還不睡，只管趕他怎麼？」勤氏道：「我因連日天氣甚冷，你身上又無襌寒棉衣，意欲趕些針線可以多賣幾文錢，省得你爬山越嶺又去砍柴。況天寒地凍，那曠野寒冷尤其利害，莫要凍出病來，倒是大事！」卞儉因坐起道：「此話雖是。但你素非強壯，豈不怕勞身子熬傷？斷斷不能如此！明日還是我去砍柴，你做針線，各人交各人工課。若教我終日在家靜坐，未免勞逸不均，心中也是不安的。」夫妻彼此勸慰。說話間，天已發曉。卞儉道：「今日著實寒冷，莫非要下雪麼？」因起來開門一望，只見朔風凜凜，冷氣颼颼，卻已瓊瑤密布，飄下一天雪來。卞儉道：「如此大雪，這卻怎好！」勤氏道：「昨日剩些柴米尚够一餐，今日權且敷衍，等待雪住，再把針線去賣。」

到了次日，雪仍不住。卞儉只得冒雪把針線拿到城中，走了半日，滿天大雪，家家閉戶，那有人買，只得敗興而回。勤氏見這光景，雖然心焦，只好勉強用言安慰。卞儉歎了半晌道：「剛才我想家中這兩隻雞鴨，每日雖在莊田吃些野食，無須喂養，但能生多少蛋？不如把他拿去，倒可賣幾文錢，換些米來，豈不是好？」勤氏搖頭道：「這卻使不得！將來起家發業，全要在他身上。今日如果賣去，所值無多，日後再要買他，就要加上幾倍價。你想：我們一日兩餐尚且不周，何能有錢再去買他？況現在已生二三十蛋，不過早晚就要抱窩，等抱出小雞鴨來，慢慢養大，那是多大利息！今日若將這個再賣去，將來只好做一天、吃一天，窮苦到老，再想別的起家法子，可就沒了。」卞儉無奈，只得咬著牙又餓一日。次日天晴，將針線賣了，這才飽餐一頓。此後仍是勉強度日。

不知不覺到了春天。雞子抱窩時共積下雞蛋二十個，鴨蛋二十個；將雞蛋給雞抱了，鴨蛋也用火

炕了。過了二十餘日，四十個全都抱出。夫妻兩個甚是歡喜。好在鄉間又有池塘，不上半年，鷄鴨俱已長大。將生蛋的留下幾隻，餘者盡都賣去；所賣之錢，又買兩口小母豬。不一年，鷄鴨又是兩大羣，連那兩口豬也生許多小豬。再隔幾年，不但豬羊成羣，就是耕田大水牛也不知滋生多少。又起了兩間草屋，置些田地。他將這地且不種五穀，都培植肥肥的卻做菜園，以此利息更厚。他夫妻本是從苦中過來人，素性又極勤儉，一切莊田動作，牛羊喂養，全是親自動手，因此日盛一日。並且居心甚善：自己雖然衣食淡薄，鄉間凡有窮困，莫不周濟，卻是人人感仰。故遇旱潦之時，他家莊田，眾人齊心設法助他，往往別家顆粒無存，他家竟獲豐收。因此不上三十年，家資巨富，米穀盈倉。到了卜濱之父卜繼身上，也是諸事勤儉，謹守祖業，前後百餘年，竟富有良田萬頃。

卜濱出仕後，適值麟德〔二〕初年，西北大荒，兼之刀兵不靖，國家祭項頗費經營；因將田地變賣五千頃，其價盡行報效，作爲軍需賑濟之用。因此聖眷甚爲優隆。這卜濱一生最重斯文：不但文墨之人愛之如寶，凡琴棋書畫，醫卜星相，如有一技之長者，莫不進謁，莫不優禮以待。而且仗義疏財，有求必應，人又稱爲「賽孟嘗〔三〕」。現年五旬向外，因中年無子，四十歲上就廣置姬妾，雖接連生育，無如總是女兒：如今膝下共有七女。

夫人成氏，十年前曾生一子，名叫卜壁；誰知剛到三歲，得了驚風之症，一病而亡。彼時合家好

〔一〕三九——九，農曆的時令名詞。從冬至這一天算起，每九天是一九；經過九九八十一天，然後「出九」，出九後天氣就漸漸暖和了。「三九」是冬至後第十九天到第二十七天，正是「九裏」最冷的時候。

〔二〕麟德——唐高宗李治的年號。

〔三〕孟嘗——戰國時齊相，姓田名文，封號孟嘗君，好客，經常有好幾千人靠着他生活。

不傷心。正在悲哭之際，適值門外有一道人化緣，聽見哭聲甚慘，問知緣故，要將公子送出一看。及至看過，他道：「此兒雖有一分可救，但在塵凡鬧市之中恐不中用。你們如給我抱去，倘能救轉，俟他災難滿時，年紀略大，我再送來奉還。」卞濱惟恐謠言惑眾，兼之小兒已死，那裏肯信，執意不從。無奈夫人再三苦勸，無論死活，定要把公子給道人領去。卞濱只得歎口氣走開，隨著夫人辦去。過了幾年，毫無影響，卞濱知是無用。

好在這七個女兒都是比花穩重，比月聰明。每日除公事應酬外，惟有敎他們做詩寫字，倒也解悶。去歲縣考，原可聲明原籍，在京赴試；因避嫌疑，故命七女都回本籍。到了縣考，恰好大女卞寶雲取了第一，次女卞彩雲取了第二，三女卞錦雲取了第三，四女卞紫雲取了第四，五女卞香雲取了第五、六女卞素雲取了第六，七女卞綠雲取了第七；後來郡試雖略有參差，都不出十名以外。試畢回來。今年部試偏偏父親做了主考，都要廻避，好不掃興。卞濱雖愛女心勝，每與妹夫孟謨斟酌，又不敢冒昧入奏。因同夫人成氏商量：「眼看就要部試，惟恐眾女兒在家鬱悶，莫若著人把孟家八個甥女接來一同散悶。」因而又向同考官考功員外郎⑮蔣進、主客員外郎⑯董端、祠部員外郎⑰掌仲、膳部員外郎⑱呂良說知，意欲將他幾位小姐請來一同消遣。眾人因女兒不能入試，終日在家無情無緒，今聽此話，如何不喜；況且向來都常來往，如今又算同年⑲，自然更覺親熱。當時個個應允。回來都對女兒說了，無不要來相聚。

卞濱有兩個妹子：一個嫁與原任御史臺大夫孟謀爲妻，一個嫁的就是禮部侍郎孟謨。那孟謀是孟謨的胞兄，早經亡故，存下四個女兒：長名孟蘭芝、次孟華芝、三孟芳芝、四孟芸芝。孟謨也有四個女兒，就從孟芸芝排行：五叫孟瓊芝、六孟瑤芝、七孟紫芝、八孟玉芝。個個都是飽讀詩書，嬌豔異

常。這孟謀之妻卜氏夫人，自從丈夫去世，本要帶著女兒回河南原籍，因小叔孟謨、哥哥卜濱再三留

在京中，以爲將來眾女兒擇壻之計；兼之八個姊妹自從一同赴考，郡縣取中之後，眞是如膠如漆，就

像粘住一般，再也離不開。因此卜氏只好帶著四個女兒就在孟謨府上住下。這日見眾女兒因不能赴

試，個個眉頭不展，正在用言安慰，忽見哥哥那邊來接他們，連忙敎他姊妹略爲穿戴，即時過去。

這八位小姐到了卜府，孟蘭芝帶著七個妹子見了舅舅、舅母，並與寶雲、彩雲、錦雲、紫雲、香

雲、素雲、綠雲，都見了禮，隨便坐下。卜濱道：「我怕你們不能入考，在家發悶，因此接你們過

來。但這一向爲何不來看看我呢？」孟蘭芝同孟瓊芝道：「甥女這兩日本要來請安，惟恐舅舅考試匆

忙，所以不敢過來。」卜濱道：「我雖有事，你舅母同寶雲七個姐姐卻閒在家，你們不過因廻避發

悶，不大興頭，那裏是因我忙就不來哩。」孟紫芝道：「我們好一向不來，今日過來，舅舅該說怎樣

想念甥女的話才是，怎麼剛見面，就把人家心病說出哩。」卜濱笑道：「果然我的話是不錯的。」因

向寶雲道：「我已敎人備了幾桌飯，少刻蔣府、董府、掌府、呂府四家姊妹也都過來，你們就在花園

⑤ 考功員外郎——從前吏部設有考功司，考察官吏工作的成績，考功司的員責人是考功員外郎。

⑥ 主客員外郎——從前禮部設有主客司，專管外國朝見、進貢和招待、賞賜的事情，主客司的員責人是主客員外郎。

⑦ 祠部員外郎——從前禮部設有祠部曹，專管祠祀、天文、漏刻、國忌、廟神、卜祝、醫藥和僧尼簿籍，祠部曹的員責人是祠部員外郎。

⑧ 膳部員外郎——從前禮部設有膳部員外郎，專管備饌的事情。

⑨ 同年——科舉時代，同榜考取鄉貢、舉人、進士的，互稱「同年」。這裏指同考中的淑女。

聚聚，或做詩，或猜謎，如酒量好或行個酒令，隨便頑頑。剛才部裏來送信，說劍南倭寇已被文隱平定，一兩日就有紅旗報捷㊀到京。連日朝中有事，少時我還要上朝伺候，今晚就在部中住下，大約過了十三日考試方能回來。你們只管多聚幾日，等考事完畢，我還要同你們做詩聚聚哩。」

那孟玉芝年紀最小，向來卞濱最是疼他。他聽了這話，便道：「舅舅剛才說教我們姐妹或做詩，或猜謎，如今我倒有個謎請舅舅先猜猜。」卞濱笑道：「猜謎卻是你舅舅生平最喜的，而且從不讓人；但如果猜著，你以何物爲贈，倒要預先說明。」玉芝道：「我們去年郡考有刺史送的端硯，就以端硯一方爲贈。」卞濱道：「狠好！你且說甚麼題面！」玉芝道：「就是舅舅適才所說『紅旗報捷』四字，打一論、孟一句。」卞濱聞言，不覺哈哈大笑道：「你速速教人把端硯取來預備送我，等我好猜。」香雲道：「倘我們猜著，不知有贈無贈？」錦雲不等玉芝回答，就說道：「你問他怎麼！我們只管猜，那有無贈之理！」成氏夫人也笑道：「八甥女如不給贈，將來到他婆婆家鬧去，看他給不給！」玉芝道：「舅母何苦哩，你老人家又要引著頭兒來鬧了。」

卞濱望著蘭芝道：「他這謎你們都曉得麼？」蘭芝道：「都不知道。」華芝道：「我們姐妹終日雖在一處，卻未聽他說過。」卞濱道：「既如此，你們何不也猜猜，豈不有趣？」芳芝道：「不勞舅舅分付，甥女卻著實想哩。」彩雲道：「我猜著了，可是『勝之』？」玉芝搖頭道：「不是。」素雲道：「可是『戰必勝矣』？」紫芝代答道：「也不是。」素雲道：「他這謎你也曉得麼？」紫芝道：「這是玉芝妹妹做的，我不知道。」素雲道：「你既不知，爲何代他回答『也不是』呢？」紫芝道：「我因姐姐猜的與彩雲姐姐意思都相仿：彩雲姐姐猜的既不是，自然你也不是了，所以隨嘴就替他

回答出來。」素雲聽了，把臉紅了一紅。剛要說話，只見卞濱向眾人道：「他這謎，正面自然先打這

個『勝』字。如今猜了兩個既不是，必須另想別的路數，莫要只在『勝』字著想，倒被他混住了。」

芸芝道：「舅舅這話很是。況且論、孟戰勝的話，除了這兩句，別的也加不上，一定另有意思。」卞

濱因問道：「可是『克伐怨欲』的『克』字麼？」瑤芝拍手道：「只怕舅舅猜著了！」玉芝道：「不

是，還要猜猜。」紫雲道：「不是『克』字，一定是『克有罪』了。」綠雲道：「怎麼加上『有罪』

二字？」紫芝代答道：「他在那裏造反，所以兵去征他。難道造反還不是有罪麼？」寶雲道：「紫雲

妹妹猜的不是，只怕是『克告於君』罷？」卞濱點頭道：「不必猜了，被寶雲這句打著了。」玉芝笑

道：「寶雲姐姐猜的不錯。」卞濱笑道：「果然做的也好，猜的也好。我將來倒要做幾個同你們頑

頑。你們就到園中去罷，我也要走了。」因又望着玉芝道：「好是好的，莫要只顧讀好，就把硯臺忘

了。」一路笑著去了。眾姊妹也就別了夫人，齊向花園而來。

未知如何，下回分解。

⊖ 紅旗報捷──古時習慣用紅色表示喜慶：軍隊打了勝仗，由主帥派員拿着紅旗飛馳到京城裏向皇帝報告，就叫做「紅旗報
捷」。

第六十五回　盼佳音虔心問卜　預盛典奉命掄才

話說眾姊妹別過夫人，來到花園，走過幾層涼亭水樹，到了文杏閣。只見滿園桃杏盛開，嫣紅照眼。紫芝望著寶雲道：「姐姐：我們今日莫到凝翠館去，那邊太覺遼闊冷清，此刻桂花又不開，雖說松陰可愛，須交四五月方好頑哩。我們就在這個閣子坐坐罷。」寶雲道：「愚姐也是這個意思。」一齊進了文杏閣。坐不多時，只見使女來報：「蔣府、董府、掌府、呂府四家小姐都到了。」眾姊妹連忙迎出。

原來這蔣進乃河北道廣平郡人氏，現在吏部考功員外郎。夫人趙氏，膝下一子四女：子名蔣勳，尚在年幼；長女名喚蔣春輝、次蔣秋輝、三蔣星輝、四蔣月輝。還有寡嫂跟前兩個姪女：一名蔣素輝、一名蔣麗輝。姊妹六人，都生得麗品疑仙，穎思入慧。去年郡試，俱在十名以內，試畢來京，靜候部試。誰知武后因當年舉子部試本歸吏部考功，今雖特點禮部，仍將蔣進派為同考；又派了禮部主客員外郎董端、祠部員外郎掌仲、膳部員外郎呂良，共四位同考，以示慎重之意。蔣春輝等聞父親派入同考，都要廻避，好不掃興，因同趙氏夫人說知，在家無事，要到姨父董端府上會會姨表姊妹，消遣消遣。夫人隨即命人伴送到了董府。

這董端乃江南道餘杭郡人氏，現任禮部主客員外郎。夫人趙氏，膝下無子，生有五位小姐：長名董寶鈿、次董珠鈿、三董翠鈿、四董花鈿、五董青鈿。個個都是嬌同豔雪，慧比靈珠。這日正因廻避在家悶坐，聽得蔣家表姐過來，姊妹五個連忙迎到上房，大家行禮。趙氏夫人正在讓坐問話，只見董

端從衙中回來，蔣春輝忙同五個妹子上前見禮。董端道：「你們來的正好。我同你父親在卞府，那卞家伯伯恐你們不能赴試，在家煩悶，今日接你們過去同孟府、掌府、呂府幾家姐妹大家聚聚。」言還未畢，蔣進也命人過來告知此話，就教六位小姐同這邊五位小姐一同過去。眾姐妹個個歡喜，登時乘車；行至中途，又遇見掌府，呂府小姐也是望卞府去的。

這掌仲乃河東道太原郡人氏，現任祠部員外郎。夫人朱氏，三胎生育二子四女：二子俱幼；大女名叫掌紅珠、次掌乘珠、三掌驪珠、四掌浦珠。姊妹四個，都生得神凝鏡水，光照琪花。這位掌老爺就是膳部員外郎呂良夫人掌氏之兄，同卞濱、孟謨、蔣進、董端、呂良都是同科進士。那呂良乃河東道平陽郡人氏。夫人掌氏，止生三女：長名呂堯蓂、次呂祥蓂、三呂瑞蓂，也是生得暖玉含春，靜香依影。這日因卞府來請，約了掌家四個表妹一同前來。走至中途，恰恰遇見蔣、董兩家小姐。

不多時，到了卞府。寶雲等迎出，大家拜見，並與成氏夫人行禮，歸坐。茶罷，成氏道：「諸位姪女這兩年都是在家用功，相聚日子甚少；即或偶爾一會，我看你們都是匆匆忙忙就別過了，總因有個書本子放在心上。好在你們姐妹都立了『淑女』匾額，也不枉這幾年苦功。去年多天，我打聽打聽這家也中了，再問問那家也中了；你們姐妹三十三個，就沒剩下一個！我那時得了這些喜音，足足歡喜好兩月，只怕比你們自己喜的還加倍哩。如今就只可惜你們現現成成的『才女』匾額卻被你們父親、伯伯、叔叔們躭擱了。」蔣春輝道：「這是姪女們『才女星』還沒現，所以有此一折。將來能彀托賴伯伯母福氣，再遇才女父親試，諸位伯伯同姪女父親都不派入考試，那就好了。」

紫芝道：「春輝姐姐：你這話才叫『望梅止渴』哩。你想：自古至今，天下考過幾回才女？」—

還想將來再考，並且還要父兄叔伯不派考官，你想可難不難？太后詔內雖有下科殿試之說，也不知何年何月。況且卽或他年再遇女試，只怕到了那時，你同寶鈿、堯蓂、紅珠幾位姐姐都有姐夫了，就是這邊寶雲姐姐同我蘭芝姐姐，到那時大約也有婆婆家了。」蘭芝聽了，臉上不覺紅了一紅，把紫芝瞅了一眼道：「你又亂說了。」呂堯蓂道：「紫芝妹妹如今念了幾年書，怎樣嘴裏還是這樣淘氣？」掌紅珠道：「姐姐，你還不知哩。我們今年正月來賀節，伯母留我們看燈，住了兩日，誰知紫芝妹妹那張嘴近來減去零碎字，又加了許多文墨字，比從前還更狠哩。」董花鈿道：「紫芝妹妹嘴雖利害，好在心口如一，直截了當，倒是一個極爽快的。」紫芝道：「剛才堯蓂姐姐因我說他有姐夫，他就說我淘氣。難道有姐夫這句話也錯了？如果說錯，那孟夫子曾說『女子生而願爲之有家』，只好算他錯的。誰知那樂正子◯聽了不悅道，並不是我錯的，那『紫芝不要混說，我去問問那些女子，他們可肯對天發誓，一生一世不願有家麼？』成氏道：「你們聽聽，他忽然把個樂正子又請出來，說的活靈活現，倒也有個意思。」蔣星輝道：「伯母莫要讚他，他得了意，更要亂說了。」
紫芝道：「我也不想下次再考，我只盼明日部試，太后看了卷子說：『去年那考還有幾家同姓的，怎麼都不見了？』快快教他都來殿試！」那就好了。」蔣春輝道：「妹妹，你這話雖不是望梅止渴，卻有四字批語。」青鈿道：「那四個字？」春輝道：「叫做『畫餅充飢』。」成氏笑道：「要這樣說，一個是望梅止渴，一個是畫餅充飢，那還好麼？依我說：你們飯後無事，何不求個籤兒決疑？聞得六甥女起的課最靈，或者起個課也好。——只顧說話，你們也該用飯了，都到晚芳園去罷。」紫芳道：「這里花園本名『漱芳』，爲何又改做『晚芳』？」成氏道：「這是你舅舅因膝下無子，欲取晚年得子之兆，所以改做『晚芳』了。」

聯經出版事業公司校印

眾姊妹別過夫人，都到園中，進了文杏閣，照向日次序分賓主坐下。用了點心。蔣秋輝道：「可惜今年殿試都不能恭逢其盛。愚姊妹向來並未用功，今年不去，倒是借此藏拙；諸位姊姊未免抱屈了。」寶雲道：「當日伯伯大魁天下㊀，誰人不知！所謂『家學淵源』，六位姊姊如果與試，自然也是前列，怎麼倒說藏拙的話。」董珠鈿道：「若論藏拙，要算我們姊妹五個，莫講別的，只這學問上，向來也不知叨寶雲姊姊多少教，還算我們老師哩。」呂瑞蓂道：「向來我們常叨珠鈿姊姊教，珠鈿姊姊又叨寶雲姊姊教，以此論起來，豈非太老師麼。」紫雲道：「此話怎講？」瑞蓂道：「寶雲姊姊是珠鈿姊姊的老師，又是瑞蓂姊姊的太老師，但我們素日又叨瑞蓂姊姊教，若論稱呼，寶雲姊姊該算我們甚的老師呢？」掌紅珠道：「寶雲姊姊該算我們甚的老師呢？」紫芝道：「據我看來：只好算個『太太老師』了。」蔣麗輝道：「太太同老師本是兩人，今忽變成一人，倒也別致。」

紫芝道：「我勸諸位姊姊暫把酸文收一收，我有句話說。今日之聚，原是舅舅恐大家心裏不能應試，心中煩悶，接來一同玩耍消遣。我可不會說謊。我連日因廻避在家，同我七個姊姊妹妹心裏好不悶躁，今日聽得舅舅來接，以爲借此大家頑頑可以解解悶氣。誰知你們見了面，只說這些口是心非道學話，豈不悶上加悶麼！」董寶鈿道：「你看紫芝妹妹如今中了淑女，還這樣好頑，他的脾氣，倒同我家青鈿妹妹一樣。」芳芝道：「紫芝妹妹平素在家總是如此，我們起他一個外號，教做『樂不

㊀　大魁天下——天下第一的意思。科舉制度，殿試第一名為狀元，中了狀元的稱爲大魁天下。

㊁　樂正子——戰國時人，姓樂正，名克，孟軻學生，在孟子中有許多他和孟軻談話的紀錄。這裏「樂正子聽了不悅道」這一段話，是開玩笑假託的，並不是他真說過這段話。

够○。」紫芝道：「莫說我中了淑女還要頑，就是太后准我們殿試，中了才女，也要頑哩。」錦雲冷

笑道：「你們聽聽，好自在話兒，還想殿試哩！」蔣春輝道：「他這話也有四字批語。」香雲道：「

叫做甚麼？」春輝道：「叫做『一相情願』。」掌浦珠道：「姐姐倒莫這樣說。妹子聽得家父說：『

此番女試，乃自古未有曠典，非往年科場可比，原可無須廻避，無如大家俱怕冒昧，不敢請旨，以致

躭擱。如果聯銜請旨，太后正恐考的人少，那有不准之理。』如今只盼他怎樣能問一聲，或在別的話

上提起，也就好奏了。」

蔣素輝道：「我們與其疑疑惑惑，何不遵著伯母之命，公求一籤，看是怎樣。」寶雲道：「如此

甚好。」因命彩環擺了香案，著人借了籤桶，登時齊備，一個個虔誠頂禮，望空禱告，求了一籤。把

籤本展開，大家一看，卻是「中平」籤。後面有兩句詩道：「欲識生前君大數，前三三與後三三。」

眾人看了都不解何意。紫芝道：「這末句明明寫著前三三，是我們三十三人；那後三三，是三月二十

三日敎我們去殿試。難道這還錯麼？」掌乘珠道：「妹妹解的雖有點意思，但殿試在四月，怎說三月

就殿試呢？」紫芝道：「不錯，我倒忘了。只怕三月二十三日敎我們去補部試罷。」呂祥蓂道：「剛

才伯母說芸芝姐姐會起課，我們何不再起一課？籤課合參，豈不更妙。」彩雲道：「鬧了半日，倒把

這件決疑忘了。」

眾人都圍著孟芸芝，敎他起課。芸芝道：「這也不必都起，只須公起一課，詳詳課體，再看看類

神三，就可略知一二了。」掌驪珠道：「既如此，求姐姐起罷。還是用錢搖，還是要用著草呢？」瑤

芝道：「那是『周易課』用的，他這『六壬課四』要報時的，就請那位姐姐報個罷。」董青鈿道：「等

我來。」剛要想報，因忖了一忖，指著外面向眾人道：「口報時辰，惟恐三心二意，我如今將那東首

緊靠橋邊那顆顆杏樹，有個翠雀落的朝東那枝杏花折來，看看連花帶朵共有多少，如在十二朵之外，就以十三為子時。以此為時，不知可好？」緣雲不等說完，即拉了玉芝一同走出，隨後瓊芝、青鈿也跟來。剛到橋邊，玉芝道：「你看那個雀兒見有人來，他就飛了。——好在還不甚高。」即用手輕輕折了下來。綠雲道：「幸虧他才飛，要早早飛開，還記不清那一枝哩。——」只見蔣月輝迎來道：「芸芝姐姐留神拿著，莫把花朵遺失。」瓊芝道：「你看這個花兒也個花瓣也不落。」芸芝接過杏花，數了一數，卻是初放朵兒，連大帶小共三十三朵。一齊來到閣內。華芝道：「合今日人數，莫不有些道理麼？」香雲搖手道：「姐姐且慢議論，讓他靜靜好算。」芸芝招著指頭，紫芝沈思半晌，忽然滿面喜色道：「今日是初九日，大約二十三日壬申，大家都要禮部走走哩！」紫芝道：「何如？春輝姐姐還說『一相情願』哩！」

董翠鈿道：「姐姐且把課中大略講講，是個甚麼意思？」芸芝道：「凡占考試，以文書爻⑤為主；次則再看朱雀。蓋朱雀屬火，主文明之象，是此課的類神。這兩樣是最要緊的，其次再將課體合參，即如今日是個戊午日，……」紫芝道：「他這課一定靈的，你們只聽這個日子就曉得了。別人可記得今日是個戊午麼？」寶雲道：「芸芝妹妹剛講的有點意思，你又從中添一段子。你看天已不早，等他

---

③ 類神——六壬課中有十二個分別吉凶的迷信名詞，叫做「十二支神」，總稱「類神」。下文三傳、四傳、旬空、陷空、鑄印、乘軒、朱雀、入傳、丁馬，都是卜課中應用的迷信名詞。

④ 六壬課——迷信占法的一種。分有六十四課。占課工具，是刻有干支等字樣的兩個木盤，上名天盤，下名地盤。把天盤加在地盤上去轉動，把日子所值的干支和時辰的部位來分別吉凶。也有在手上掐算的。

⑤ 文書爻——爻，卦象。文書爻，有關文字、文憑之類的卦象。

說完，我們也好吃飯了。」紫芝道：「姐姐：你說加的這段不好？」蔣秋輝道：「好妹妹！你莫說，聽他說。」芸芝道：「杏花三十三朵，除去二十四，仍餘九數，按十二時論之，是爲申時，妙在三

傳四課七個字，除去旬空，陷空，暗暗透出巳、戌、卯三個字，恰合了『鑄印乘軒』之格，占試最吉。況巳爲文書，朱雀又入傳，兼之巳又暗遁丁馬，主文書發動之象；二十三日交了壬申，已申合動文書，丁壬合起丁馬，看來一定補考的。」眾人聽了，無不喜笑顏開。

紫芝道：「你這課，莫像西廂那句才好哩。」秋輝道：「像句甚麼？」紫芝道：「說來的話兒不應口」罷。」蘭芝把紫芝瞅了一眼道：「據我看來：第一次部試是三月初三日，第二次覆試又是三月十三日，我們又是三十三人，如果二十三日補考，恰又合了籤上『前三三後三三』的話：這課一定靈的！」素雲道：「紫芝妹妹敢是看過西廂麼？」蘭芝道：「那裏看過，不過聽那唱戲說的，他就記在心裏，隨口亂說，妹妹何必同他講究。」寶雲道：「飯已擺在對面做廳，請諸位姐姐那邊坐罷。」大家於是過去。自此之後，眾位小姐都在花園日日團聚。

那卜濱進朝伺候紅旗捷報到京，忙了幾日。十三日試畢，於二十二日放榜。陰若花中了第一名部元，唐閨臣中了第二名亞元。卜濱同孟謨帶領司官⑤，捧了各卷，進朝面呈。武后把超等卷子看了數本，道：「不意閨中竟有如此奇才，而且並有外邦才女，真可謂一時之盛了。」又將卷面名姓細細翻閱一遍，不覺歎道：「誰知這幾家竟無一人取在超等，真真可惜！」一面又將特等名次清單前後看了一遍，因向卜濱道：「有件異事，卿可曉得？前者朕閱各處所進淑女試卷，內河南道有孟姓八女，淮南道有卜姓七女，其餘同姓的亦復不少，朕亦不能記憶。但孟、卜幾家，揆其命名，倒像姐妹一

般；細看那縣所取名次，又都前列。朕意今年部試，倘這幾家同姓之女俱能取中固妙；設或竟有一二不能中式，亦必加恩准其一同殿試，以成千古佳話。今將各卷看來看去，不但超等並無一人，就是特等也無其名，以此看來，竟是未曾來京赴試。其淮南一道，或者離京稍遠，所以不來；至於河南距京既近，又是平坦陸路，何以亦不赴試，豈不是件異事？卿居淮南，其卜姓之女，可知其詳麼？」卜濱因叩首奏道：「聖上所言卜姓七女，皆臣妻妾所出，那孟家八女，俱臣甥女，──即臣部侍郎孟謨之女，並孟謨之姪女。臣與孟謨因蒙欽派閱卷，故循科場舊例，臣等令其迴避，未敢入試。」武后忙問道：「卿女並卿之甥女可在京麼？」卜濱同孟謨一齊奏道：「臣等之女，自去歲郡試後都已來京。」武后喜道：「原來有這些緣故。我說郡考既都前列，安有部試一名不中之理。若非問明，幾乎埋沒人才。其實此番考試，原無須迴避，這是卿等過於謹慎之處。不知此外還有迴避幾人？」卜濱奏道：「還有同考官吏部考功員外郎蔣進六女、臣部主客員外郎董端五女、祠部員外郎掌仲四女、膳部員外郎呂良三女，連臣等之女，共迴避三十三名。」

武后立命卜濱開單呈覽，即刻發一諭旨道：

本日經朕查出迴避之淑女孟蘭芝等三十三人未赴部試，例應欽派試官另行考試。第檢閱從前郡縣所呈各卷，認淑女等或文理條暢，或字體端楷，均有可觀；況每考俱經前列，毋庸另行考試，即著一並欽賜才女，至期一體殿試。著先赴禮部，即照前次試題各補詩賦一卷，仍發膳錄。該部堂官⑦會同同考各官公開取列名次呈覽。

⑥　司官──明、清時對中央政府部裏的郎中、員外郎、主事等官的通稱。
⑦　堂官──明、清時對縣以上各級政府機關中的負責長官的通稱。

這旨剛才發下，禮部又奏進一本道：

前日臣部考場有淑女花再芳、畢全貞、閔蘭孫三名，俱因污卷貼出㈠。今該淑女等因孟蘭芝等三十三名俱蒙欽賜殿試，求乞皇恩一視同仁，准預殿試，等因。臣等因其籲懇至再，不敢壅於上聞。再，該淑女卽前次部試名列四等三名，合並聲明，請旨定奪。

武后覽奏，因將原呈並履歷看了一遍道：「這都是少年要好的心勝。況迢迢數千里而來，別人都得才女匾額，獨他三人白白辛苦一場，這也無怪其然。」因於本後批道：

據奏淑女花再芳等籲懇情切，姑念污卷係屬無心之失，著加恩附入冊末，准其一體殿試，以副朕拔取閨才之意。

將本發下，卞濱當卽曉諭，並命人通知眾位小姐明日五鼓齊至禮部補考。

這日寶雲同蘭芝眾姊妹因已交了二十二日，部試業已放榜，仍無消息，正在花園，都說芸芝的課不靈，忽然得了這個消息，人人歡喜。次日赴部補過詩賦，大家商量仍要到紅文館原定房子居住，希圖殿試近便。及至命人打聽，原來那所大房已被部元陰若花並章、文兩府小姐住了。內中雖有幾處房，院落甚小，不能容得多人。大家只好各自歸家，靜候殿試。

那紅文館閨臣眾姊妹因若花中了部元，個個心歡：兼之同寓四十五人都得名列超等，眞是無人不喜；閨臣因叔叔六個女學生也都得中，分外得意。這日正吃慶賀筵席，忽見多九公進來，眾人連忙立起讓坐。多九公道：「適才外面有一人要見若花姪女，眾蒼頭問他名姓，他又不說。老夫細細觀看，

倒像尊府國舅模樣。他不遠數萬里忽然到此，不知何故。老夫特來告知。」若花聽了，驚疑不止。

未知如何，下回分解。

〔八〕污卷貼出——科舉考試，對於澄墨弄髒了的考卷，卽使文章作得好也不取錄，而且要把卷子貼出去，以示警戒。

第六十六回　借飛車國王訪儲子　放黃榜太后考閨才

話說陰若花聞多九公之言，不覺吃驚道：「女兒國向無朝覲之例，今阿舅忽從數萬里至此，必有緣故。但何以知我住處？」——令人不解。」多九公道：「姪女如今中了第一名部元，現有黃榜張挂禮部門首，誰人不知。國舅大約找著長班〇，才尋到此處。」紅蕖點頭道：「九公猜的不錯。」閨臣道：「國舅既已遠來，無論所辦何事，若花姐姐同他骨肉至親，自應請進一會爲是。」若花連連點頭，即託九公命人把國舅請至旁邊書房，進去看時，果是國舅。連忙拜見讓坐，道：「阿舅別來無恙！阿父身體可安？今阿舅忽來天朝，有何公幹？」

國舅垂淚歎道：「此話提起甚長，自從賢甥去後，國主因往軒轅祝壽，我也隨了遠去；不意西宮趁國中無人，與那些心腹狗黨商議，惟恐日後賢甥回國，其子難據東宮，莫若趁此下手，或可久長。竟將其子扶助登了王位。及至老夫同國主回來，他們竟閉門不納。國主只得仍到軒轅避難。誰知其子十分暴虐，信用奸黨，殺害忠臣，荼毒良民，兼且好酒貪花：種種無道，不一而足，竟至家家閉戶，日不聊生。不及一載，舉國並力，竟將西宮母子害了，隨即迎主還朝。那些臣民因吾甥賢聲素著，再三籲懇，務要訪求回國。國主一因現在無嗣，二因臣民再三籲請，不惜重費，於鄰饒國借得飛車一乘。——此車可容二人，每日能行二三千里，若遇順風，亦可行得萬里。——國主得此甚喜，特命老夫馳赴天朝，訪求賢甥回國。老夫到此業已多日，四處訪問，踪跡杳然。幸而得見黃榜，才能尋訪到此。現有國主親筆家書，賢甥看了自知。」把書遞過。

若花看罷，歎道：「原來兩年之間，國中竟自如此！至西宮此種光景，甥久已料定，不然，我又

何肯遠奔他鄉！若非當日見機，早早逃避，豈能活到今日！一經回想，尚覺心悸。現在本族中如西宮

母子者亦復不少，阿父若不振作整頓，仍復耳軟心活，自然禍不旋踵，阿舅久後日見分曉。此時阿父

書中，雖命迅急還鄉，以承祖業，但甥本無才，不能當此重命；二來自離本國，已如漏網之魚，豈肯

仍投火坑。固云『子不言父之過』，然阿父不辨賢愚，不以祖業為重，甥亦久已寒心。況現在近派子

姪，賢者甚多，何必注意於我！若我返國後，設或子姪中又有勝於我的，他日又將如何？總而言之：

甥既到此，豈肯復回故鄉。此時固雖不才，業蒙天朝大皇帝特中才女，並授顯職。此等奇遇，已屬非

分，豈敢另有他想。惟求阿舅回去替我婉言，自當永感不忘。」

國舅道：「賢甥為何忽發此言？實出老夫意料之外！難道果真將祖業不顧？斷無此理！國主固耳

軟心活，連年經此大難，自知當日之失，此時若非急於要見賢甥之面，豈肯花費多金借請飛車？其所

以命我星馳而來者，因當日誤聽讒言，致將吾甥之賢盡行蒙蔽，今後悔既晚，要見又難；若令老夫航

海前來，又恐多就時日，躊躇再再，始有飛車之舉：無非要早見賢甥一日，其心即早安一日。今賢甥

忽然如此，又恐令國主兩眼望穿，深負愛子之心，亦且有失臣民之望。賢甥切莫因當年小

忿，一時任性，致誤大事，後悔無及；他日雖要返國，不可得了。」若花聽這幾句話，登時不悅道：

「阿舅這是甚話！甥又不曾落魄，為何卻要後悔！──即使落魄，又何後悔？若要後悔，當日又

何肯輕離故鄉！總之：阿舅這番美意，無有不知，無有不感；至於『仍返故國』這句話，甥立意已

長班──僕人。

決，阿舅再也休提！」

正在談論，閨臣命人備出飯來。國舅又再再苦勸，無奈若花心如鐵石，竟無一字可商，飯罷後，若花匆匆寫了一封回書，給國舅看了。國舅料難挽回，只得落淚別去。若花送過，回到裏面。閨臣道：「適才姐姐同國舅說話，我們竊聽多時。妹子屢要進去力勸姐姐還鄉，究因男女不便，不好冒昧相見。及至此時。才想起他原是女扮男裝。早知好此，我又何妨進去一會。」若花道：「就是阿妹進去勸我，我也不能應承。但可去得，我又何必如此。這宗苦情，只有各人心內明白了。」小春道：「你若不去，林伯伯也不准你住在嶺南，看你怎樣？」據妹子愚見：莫若早早尋個婆婆家，到了要緊關頭，倒底有個姐國王如立意務要你去，他既不惜錢財去借飛車，安知他又不送金銀與林伯伯？那時林伯伯得他銀錢，務要你去，那就脫不掉了。」若花道：「就是寄父教我回去，我也不去。」小春道：「你若不去，林夫可以照應。」婉如道：「姐姐只顧不做國王，豈不把蘭音姐姐宰相也就擱倒麼？將來你們如到女兒國得了好處，俺也不想別的，只求把那飛車送俺，俺就歡喜了。」小春道：「如果都像這樣，那店小二只好喝風了。」道：「俺如得了飛車，一時要到某處，又不打尖，又不住店，來往飛快。假如俺們今年來京，若有一二十輛飛車，路上又快又省盤費，豈不好麼？」小春道：「你要飛車何用？」婉如

只見緇瑤釵因部試得中，特來拜謝。彼此道喜，見禮讓坐。瑤釵向秀英道：「若非姐姐成全，今日何能徼倖，時刻感念，又不敢屢次過來驚動。明日備有薄酌，意欲奉屈姐姐同舜英、閨臣、若花三位姐姐一聚，因此親自過來奉請。望諸位姐姐賞光，明日早些過去。」閨臣、若花一齊說道：「我們早要奉拜，因連日應試，彼此都覺匆忙，所以未能晉謁。今既承寵召，明日自當同了秀英、舜英二位

姐姐過去，一則奉拜，二來奉擾。」秀英、舜英道：「既如此，我們明日一同過去。」瑤釵見四人都肯去，不勝之喜，隨即拜辭。次日，四人擾過，當即備酒還東。

一連聚了幾日，不知不覺到了四月初一殿試之期。閨臣於五鼓起來，帶著眾姊妹到了禁城，同眾才女密密層層，齊集朝堂，山呼萬歲；朝參已畢，分兩傍侍立。那時天已發曉，武后閃目細細觀看，只見個個花能蘊藉，玉有精神，於那娉娉婉媚之中，無不帶著一團書卷秀氣，雖非國色天香，卻是斌斌儒雅。古人云：「秀色可餐。」觀之真可忘飢。越看越愛，心中著實歡喜。因略略問了史幽探、哀萃芳所繹璇璣圖詩句的話，又將唐閨臣、國瑞徵、周慶覃三人宣來問道：「你三人名字都是近時取的麼？」閨臣道：「當日臣女生時，臣女之父，曾夢仙人指示，說臣女日後名標蕊榜〇，必須好好讀書。所以臣女之父當時就替取了這個名字。」國瑞徵同周慶覃道：「臣女之名，都是去歲新近取的。」武后點點頭道：「你們兩人名字都暗寓頌揚之意，自然是近時取的；至於唐閨臣名字，如果也是近時取的，那就錯了。」又將孟、卞幾家姊妹宣至面前看了一遍道：「雖係姊妹，難得年紀都相仿。」又讚了幾句，隨即出了題。眾才女俱各交卷退出。

原來當年唐朝舉子赴過部試，向無殿試之說，自武后開了女試，才有此例。——到了申刻光景，眾才女俱各歸位，——武后也不回宮，就在偏殿進膳。所有前十名，仍命六部大臣酌定甲乙。諸臣取了唐閨臣是殿試之始。當時武后命上官婉兒幫同閱卷。第一名殿元，陰若花第二名亞元。擇於初三日五鼓放榜。

〇 蕊榜——道家迷信的說法：大羅天的神仙在蕊珠宮放榜。從前恭維科舉功名，把中進士的比做神仙，因而稱錄取進士的榜為蕊榜。

秦小春同林婉如這日聞得明日就要放榜，心裏又是歡喜，又是發愁。二人同由秀英、田舜英同房。到晚，秀英、舜英先自睡了。小春同婉如吃了幾杯酒，和衣倒在牀上，思來想去，那裏睡得著，只得重復起來，坐在對面，又無話說。好容易從二更盼到三鼓，盼來盼去，再也不轉四更，只好房裏走來走去。彼此思思想想，不是這個長吁，就是那個短歎。一時想到得中樂處，忽又大笑起來；及至轉而一想，猛然想到落第苦處，不覺又哽咽起來。登時無窮心事，都堆胸前，立也不好，坐也不好，不知怎樣才好。

秀英被他二人吵的不時驚醒。那時已交四更，秀英只得坐起道：「二位姐姐也該睡了！妹子原因他們那邊都喜夜裏談天，每每三四更不能睡覺，妹子身弱禁不起熬夜，又不能因我一人禁止眾人說話，所以同舜英妹妹搬過這邊。幸喜二位姐姐疼顧妹子，上牀就睡，從未深夜談天，因而妹子欬嗽也就好些，正在感激。那知二位姐姐平素雖不談天，今日忽要一總發洩出來；剛才一連數次，睡夢中不是被這位姐姐哭醒，就是被那位姐姐笑醒，心裏只覺亂跳；並且那種歎息之聲，更令人聞之心焦。尤其令人不解的：哭中帶笑，笑中有哭，竟是憂歡莫辨，哭笑不分的光景。請問二位姐姐：有何心事，以至於此？」

舜英聽了也坐起道：「他們那有甚麼心事！不過因明日就要放榜，得失心未免過重，以致弄的忽哭忽笑，醜態百出。」秀英道：「既因放榜，為何又哭又笑呢？」舜英道：「他若昧了良心，自然要笑，設或天良發現，自然要哭了。」秀英道：「妹妹此話怎講？」舜英道：「他既得失心重，未有不前思後想：一時想起自己文字內中怎樣練句之妙，如何搗藻之奇，不獨種種超脫，並且處處精神，越

思越好，愈想愈妙，這宗文字，莫講秦、漢以後，就是孔門七十二賢㊂也做我不過，世間那有這等好文字！明日放榜，不是第一，定是第二。——如此一想，自然歡喜要笑了。姐姐！你說這宗忖頭豈非昧了良心麼？及至轉而一想，文字雖佳，但某處卻有字句欠妥之處，又有某處用意錯謬之處，再細推求，並且還有許多比屁還臭，不能對人之處，竟是壞處多，好處少，這樣文字，如何能中！——如此一想，自然悶恨要哭了。姐姐！你說這宗忖度豈非良心發現麼？」

秀英道：「妹妹這話未免太過，二位姐姐斷非如此。」小春道：「舜英姐姐安心要尖酸刻薄，我也不來分辯，隨他說去。但秀英姐姐乃我們姐妹中第一個賢慧人，將來卻與這個刻薄鬼一同于歸㊣，那里是他對手！」婉如道：「說話過於尖酸，也非佳兆，第一先與壽數有礙。俺勸姐姐少說幾句，積點壽，也是好的。」秀英道：「二位姐姐，你聽！鷄已啼過幾遍，只怕已轉五更，再要不睡，天就亮了。」婉如道：「二位姐姐只管請睡。俺們已託九公去買題名錄，他於二更去的，大約少刻就可回來。」

話言未畢，只聽遠遠的一陣誼嚷，忽然響了一聲大砲，振的窗櫺亂動。——外面僕婦影環俱已起來，原來報喜人到了。婉如開了房門。小春即命影環去找多九公，誰知二門鎖還未開，不能出去。只聽又是一聲砲響，二人只急得滿房亂轉。小春剛命影環去催鑰匙，忽又大砲響了兩聲。婉如道：「共響四砲，這是『四海昇平』。外面如此熱鬧，你們二位也該升帳了。」秀英笑道：「二位姐姐真好記性！昨日大家因議放砲，講定二門不准開，必須報完天亮方開，怎麼此時要討鑰匙？豈非反覆不

㊂　孔門七十二賢——孔子的學生據說有三千人。其中「高材異能、身通六藝」的有顏回等七十二人，號稱「七十二賢」。

㊣　于歸——出嫁。語出詩經：「之子于歸，宜其室家。」

定麼？——你聽！又是一砲，共成『五穀豐登』。」小春道：「我只顧發急，把昨日的話也忘了，原來放砲也是昨日議的。其中怎樣講究，此時心裏發慌，也想不出。姐姐可記得？」婉如道：「昨日何嘗議論放砲！這是你記錯了。——只顧說話，接連又是三砲，這叫做『大椿以八百歲爲春①』。」舜英笑道：「又是兩響，可謂『十分財氣』了。」秀英道：妹子只當小春姐姐記性不好，誰知婉如姐姐記性更醜。昨日議論放砲，還是你極力贊成，怎麼此時倒又忘了？你聽！接連又是五砲，恰好湊成骨牌名，是『觀燈十五』。」婉如道：「究竟怎樣議的？妹子實實想不出。——

舜英道：「昨日公議：如中一人，外面即放一砲，倘中殿元，外加百子砲十挂。所有報單，統俟報完，二門開放，方准呈進。——如今又是三砲，已有『羅漢之數』了。」秀英道：「若是這樣，俺們四十五人須放四十五砲了。」早知這樣氣悶，昨日決不隨同定議。若不如此，今日中一名報一名，豈不放心？如今也不知那位先中，教人心裏上不上、下不下，不知怎樣才好。——此時又響了六砲，共是『二十四番花信』了。」舜英道：「你聽！這四聲來的快，恰恰湊成『雲臺二十八將』。」

小春道：「怎麼他們眾姐妹都不出來？大約同我們一樣，也在那裏招著指頭數哩，只等四十五砲齊全，他才跳出哩。——你聽！又是兩砲，共成『兩當十五之年』了。」秀英道：「此話怎講？」小春道：「難爲姐姐還是博學，連這出處也不知？這是當日有位才子做『三十而立』破題有此一句，叫做『兩當十五之年，雖有板凳椅子而不敢坐焉』。」婉如道：「接連又是三響，到了『三十三天』了。還有十二砲，俺的菩薩！你快快放罷！」小春朝著外面萬福道：「魁奶奶！魁太太！這十二砲你老人家務必做個整人情，把他掃數全完，一總放了罷！你若留下一個，我就沒命了！——好了，好了！你聽！又是三砲，湊成『三十六鴛鴦』。好！這聲接的快，三十七砲了！你聽，又是一……」正

要說「砲」字，誰知外面靜悄悄並無聲響。小春嘴裏還是「一……一……一……」，等之許久，那個「砲」再也說不出，秀英道：「自一砲以至三十七砲，內中雖陸陸續續，並未十分間斷，此時忽停多時，這是何意？」舜英道：「這又停了半晌，仍無影響，難道還有八砲竟不放麼？」婉如道：「若果如此，可坑死俺了！」

只見天已發曉，各房姊妹都已起來。仔細再聽，外面鴉雀無聞，不但並無砲聲，連報喜的也不見了。眾人這一嚇非同小可。秀英、舜英也收拾下牀，正在梳洗，眾髮環紛紛進來請用點心，眾才女都在廳房等候。二人穿戴完畢，來約小春，婉如一同前去。只見二人坐在椅上，面如金紙，渾身癱軟；那眼淚如斷線珍珠一般直朝下滾。秀英、舜英看了，回想這八砲內不知可有自己在內，也不覺鼻酸；只得扶著二人來到廳房，眾才女久已到齊，一同歸坐。彼此面面相覷，個個臉如金紙，一言不發。點心拿到面前，並無一人上脣。那暗暗落淚的不計其數。

未知如何，下回分解。

鏡花緣

第六十六回　借飛車國王訪儲子　放黃榜太后考閨才

四四三

聯經出版事業公司校印

〔五〕大椿以八百歲為春——莊子：「上古有大椿者，以八千歲為春，八千歲為秋。」椿是香椿樹。這裏和前後幾處含有數字的成語，都是單純的用來表示數目（八百代表八），和句子本身的意義是沒有什麼關係的。

第六十七回　小才女卜府謁師　老國舅黃門○進表

話說眾才女因初三日五鼓放榜，預先分付家人：「如有報子到門，不必進來送信；每中一名，即放一砲，裏面聽得砲聲若干，自然曉得中的名數；等報子報完，把二門開了，再將報單傳進。」誰知自從五更放了三十七砲，等到日高三丈，並未再添一砲，一時害怕起來，不獨面目更色，那鼻涕眼淚也就落個不止。不覺個個發慌，人人膽落，究竟不知誰在八名之內，只覺身上一陣冰冷，那股寒氣直從頂

小春、婉如見眾人這宗樣子，再想想自己文字，由不得不怕。只覺得心頭慌亂，連椅子也搖動起來。婉如一面抖着，心冒將出來；三十六個牙齒登時一對一對撕打；渾身抖戰篩糠，

一面說道：「這⋯⋯這⋯⋯這樣亂抖，俺⋯⋯俺⋯⋯可受不住了！」小春也抖着說道：「你⋯⋯你⋯⋯你受不住，我⋯⋯我⋯⋯我又何曾受得住！今⋯⋯今⋯⋯今日這命要送在⋯⋯在此處了！」閏臣歎了

幾聲道：「今又等了多時，仍無響動，看來八位落第竟難免了。妹子屢要開門，大家務要且緩，難道此時還要等報麼？」婉如一面抖着，一面哽咽道：「起⋯⋯起初俺原想早些開門，如⋯⋯如今俺又不願開門了！⋯⋯你不開門，俺⋯⋯俺還有點想頭，倘⋯⋯倘或開門，說⋯⋯說俺不中，如⋯⋯俺就死了！

實⋯⋯實對你們說罷，除⋯⋯除非把俺殺了，方准開哩！」

若花道：「此時業已如此，也是莫可如何。若據閏臣阿妹追想碑記，我們在坐四十五人，似乎並無一人落第，那知今日竟有八人之多！可見天道不測，造化弄人，你又從何捉摸！但此門久久不開，也不成事，莫若叫人隔着二門問問九公，昨日婉如、小春二位阿妹所託題名錄想已買來，如今求他細

細查看，如題名錄只得三十七人，此門就是不開也不中用。──況所中之人，只怕還要進朝謝恩，何能過緩？」閨臣道：「姐姐此言甚是。」卽分付影鸞去問多九公，誰知九公還未回來。閨臣道：「昨在部裏打聽，准於五鼓吉時放榜，無人不知。現在已交卯正，題名錄還未買來，豈非怪事！」秀英道：「今日如已放榜，何以九公此時還不回來？若說尚未放榜，現在卻又報過三十七人。其中必有緣故。」

忽聽外面隱隱的一片誼嚷，原來多九公跑回來要面見眾小姐。閨臣忙把鑰匙遞給影鸞，眾人都迎到門前。不多時，只見多九公跑的滿臉是汗，走到廳前，望着眾人說了一聲「恭⋯⋯」，那個「喜」字不曾說完，只是吁吁氣喘，說不出話來。小春一面抖着，同田鳳翾把九公攙進廳房，坐在椅上，影鸞送了兩杯茶，喘的略覺好些。小春滴着淚向九公道：「甥⋯⋯甥女可有分麼！」多九公一面喘着，把頭點了兩點。婉如也滴淚道：「九⋯⋯九公！俺呢？」多九公也把頭點了兩點。閨臣道：「請問九公：題名錄可曾買來？」多九公連連搖頭。停了片刻，望着眾人把胸前指了一指，鳳翾從懷中取出一個名單遞給閨臣。閨臣展開同眾人觀看，只見上面寫着：「欽取一等才女五十名、二等才女四十名、三等才女十名。⋯⋯」若花恐眾人看不見，未免着急，就便順口高聲朗誦，從頭念了下去⋯

第一名 史幽探
第二名 哀萃芳
第三名 紀沉魚
第四名 言錦心
第五名 謝文錦
第六名 師蘭言
第七名 陳淑媛
第八名 白麗娟
第九名 國瑞徵

○ 黃門──指宮門。宮門塗黃色，所以叫「黃門」。

第　十　名周慶覃

第十三名印巧文

第十六名林書香

第十九名陽墨香

第二十二名盧紫萱

第二十五名祝題花

第二十八名董青鈿

第三十一名余麗蓉

第三十四名林婉如

第三十七名燕紫瓊

第四十名魏紫櫻

第四十三名薛衡香

第四十六名姚芷馨

第四十九名掌紅珠

第五十二名呂堯蓂

第五十五名卞綠雲

第五十八名寶耕烟

第六十一名孟華芝

第十一名唐閨臣

第十四名卞寶雲

第十七名宋良箴

第二十名酈錦春

第二十三名鄭芳春

第二十六名孟紫芝

第二十九名褚月芳

第三十二名廉錦楓

第三十五名廖熙春

第三十八名蔣春輝

第四十一名宰玉蟾

第四十四名顏紫絹

第四十七名易紫菱

第五十名葉瓊芳

第五十三名左融春

第五十六名董寶鈿

第五十九名蔣麗輝

第六十二名卞錦雲

第十二名陰若花

第十五名由秀英

第十八名章蘭英

第二十一名田舜英

第二十四名邵紅英

第二十七名秦小春

第三十名司徒嬹兒

第三十三名洛紅蕖

第三十六名黎紅薇

第三十九名尹紅萸

第四十二名孟蘭芝

第四十五名枝蘭音

第四十八名田鳳翾

第五十一名卞彩雲

第五十四名孟芸芝

第五十七名施豔春

第　六　十　名蔡蘭芳

第六十三名鄒婉春

聯經出版事業公司校印

第六十四名錢玉英　　第六十五名董花鈿　　第六十六名柳瑞春
第六十七名卞紫雲　　第六十八名孟玉芝　　第六十九名蔣月輝
第七十名呂祥蕓　　　第七十一名陶秀春　　第七十二名掌驪珠
第七十三名蔣星輝　　第七十四名戴瓊英　　第七十五名董珠鈿
第七十六名卞香雲　　第七十七名孟瑤芝　　第七十八名掌乘珠
第七十九名蔣秋輝　　第八十名緇瑤釵　　　第八十一名卞素雲
第八十二名姜麗樓　　第八十三名米蘭芬　　第八十四名宰銀蟾
第八十五名潘麗春　　第八十六名孟芳芝　　第八十七名鍾繡田
第八十八名譚蕙芳　　第八十九名孟瓊芝　　第九十名蔣素輝
第九十一名呂瑞蕣　　第九十二名董翠鈿　　第九十三名掌浦珠
第九十四名井堯春　　第九十五名崔小鶯　　第九十六名蘇亞蘭
第九十七名張鳳雛　　第九十八名閔蘭蓀　　第九十九名花再芳
第一百名畢全員

若花把榜念完，眾才女這才轉悲爲喜。

多九公喘息已定。眾人都問：「何以報子漏報八名？這個名次，從何處抄來？」九公道：「老夫今日三鼓就在那裏守榜。略略用點使費，所以裏面信息也通。起初原是閨臣小姐第一名殿元，若花小姐是第二名亞元。誰知榜已塡到八九，太后忽然想起閨臣小姐名姓不好，因史幽探、哀萃芳向日繹的詩句甚佳，登時把前十名移到後面，後十名移到前面，復又從新塡榜；如此往返轉折，躭擱許多工

夫，以致天明還未放榜。老夫惟恐眾小姐等的心焦，況且報子裏面信息難通，只能塡一名，報一名，那知這些移換之事，若等他報，不知等到何時。老夫只得託人把榜上等第、名次，匆匆抄了，連籍貫也不及寫，飛忙趕回，跑的連氣也喘不過來。並且聞得這是自古未有曠典，一經放榜，就要上朝會齊謝恩，因此更要趕回告知此事。我們甯可走在人先。諸位小姐收拾收拾，用些飯食，急速去罷。……」話未說完，只聽外面接連放了八聲大砲。九公道：「你聽：這砲就是移到後面前十名。原來向日塡榜，惟恐前幾名太后仍要更換，故此先從末名塡起，今日也是這樣。所以前二十名倒報在眾人之後了。

老夫足足一夜未曾合眼，且去歇歇，明日慢慢再領喜酒。」說罷，外面去了。

眾人連忙收拾。誰知小春、婉如忽然不見，四處找尋，好容易才從茅廁找了出來。原來二人卻立在淨桶旁邊，你望着我，我望着你，倒像瘋顛一般，只管大笑；見了眾人，這才把笑止住。舜英道：「二位姐姐卽或嫌樂的受不得，也該檢個好地方。你們只顧在此開心，設或沾了此中氣味，將來做詩還恐有些屁臭哩。」說的眾人不覺好笑。

都到聽房用過飯，匆匆來至朝房，會同眾才女上殿謝恩。武后將一等的授爲「女學士」之職，二等授「女博士」之職，三等授「女儒士」之職。授職已畢，各賜金花一對；隨卽傳旨命膳部大排紅文宴，一連賜宴三日，接着公主又賜了兩日宴。眾才女天天聚會，喚姐呼妹，彼此敍談，不但個個熟識，並且極其親熱。每到席散分手，甚覺戀戀不捨。

眾人都說：「我們雖聚了五日，究竟拘束，不能盡興，怎能檢個幽僻去處，得能暢聚幾日，那就天從人願了！」至第六日，乃佛誕之期，大家約會謝了公主；這才得閒來拜老師，——都向卞府而來。

這日，寶雲帶着七個妹妹同眾才女謝了公主，聽見眾人要到他家，忙命僕人回府通知。卞濱聽了，命人在凝翠館調擺桌椅，預備酒飯。登時眾人都到門前，先投門生名帖並贄見㊀禮。卞濱迎至二門。

眾才女除卞、孟兩家姐妹在後，其餘都是按名魚貫而入。進了二門，穿過廳房，髟環引至凝翠館。

卞濱先說道：「眾位才女且慢行禮，老夫有句話說：若論師生之誼，自然該受半禮才是。無如今日人多，若大家一齊行禮，這里也擠不開；若是一位一位行禮，今日只好盡行禮了。莫若通身行個常禮，我到歡喜的。」史幽探道：「老師話雖如此，但門生們蒙老師知遇提攜，得能恭恭盛盛；若以寶雲……七位姐姐而論，亦是晚輩。今初次晉謁，那有不行全禮之理！哀莘芳道：「既是老師怕行禮過慢，我們就十人為一排，不過頃刻也就行完了。」史幽探即命眾髟環把拜墊依次鋪下。

卞濱無法，只得受了兩禮。

眾人拜完，蘭芝姊妹也上來行禮。卞濱笑道：「怎麼你們八個也是我門生？」紫芝道：「不但我們是舅舅門生，只怕寶雲……七位姐姐也是舅舅門生哩。」卞濱笑道：「定卻是我定的，你說那些批語可好？但有點好處，我就批出。難道我們前日補考卷子不是舅舅定的名次？」卞濱笑道：「七位姐姐也是舅舅門生哩。」卞濱笑道：「定卻是我定的，你說那些批語可好？但有點好處，我就批出。我向來看文總是如此，從不昧人之善。你看你們這些卷子可有委屈去處？」紫芝把臉紅一紅道：「舅舅還說不屈，單單把我考在紅椅子㊁上！我還要同舅舅不依哩。」卞濱不覺大笑道：「原來第三十三名卻是你的卷子

㊀　贄見——初次見面的禮物。古時多用食物，後來多用錢。

㊁　紅椅子——考試錄取的榜示，每每在最後一名的底下，用紅筆勾一下，表示名單到此為止。習慣上因之就稱最後一名為「坐紅椅子」。

後來拆了彌封，我也不曾理會。當時我看卷時，本來要把你這本取在十名前的，後來不知怎樣就弄到後頭了。」紫芝道：「這是過後好看話，我不領情。」眾人聽了，都抿口而笑。

卞濱道：「也罷，若是不見，你們也不依。剛才我已受過禮，師母出來只好行個常禮罷。」不多時，寶雲姊妹把夫人請來。眾人謙讓多時，仍是照前把禮行過。又同寶雲姊妹行了禮。卞濱向寶雲道：「我已教人備了早飯，你們姐妹同蘭芝……八個甥女都替我款待款待。今日不過便飯，改日我還下帖請來你們大家聚聚。我也不陪了。」到了外面，教家人卞彪把贊見禮都墊回道：「你告訴送禮的，說我向來從不收禮，斷不要再送。倘眾才女心裏不安，不妨日後得閒，或寫把扇子，寫個對聯，寫的不佳，如會畫的就畫點東西，我倒收的。至於古字古畫我更不要。好在眾才女墨卷我都見過，卽或寫的不佳，我也歡喜，不過算點情分罷了。」眾家人又送兩遍，見不肯收，只得各各帶回。

那成氏夫人扶着寶雲，把眾才女挨次望望，心裏好不歡喜。真是看看這個誇兩句，瞅瞅那個又讚兩句，不知從那一個問起才好。看了半晌，因說道：「今日諸位年姪女初次見面，我也沒備甚麼見面禮，這卻怎好！也罷，我向來最喜說吉利話，往往說去都有靈驗，我就送你們幾句吉利話兒：『從此以中後，諸事如意，福壽綿長。』這幾個字就算我的見面禮罷。」眾人齊道：「多謝師母吉言！師母是福壽雙全之人，所賜的話，自然也是多福多壽的。」夫人道：「你們姐妹隨便坐坐頑頑。少刻用飯，這里又是老師，又算年伯，比別處不同，都要依實才好。我也不陪了。」眾彩環伺候去了。」

這里寶雲正在讓坐，只見史幽探彩環道：「剛才家人來報：聖上有旨，宣眾位才女進朝領御賜筆

硯，並召若花小姐問話。」登時各家都有信來。大家連忙別過卜濱，齊到朝房。武后御便殿宣入，行

禮，兩旁侍立。若花跪在丹墀道：「臣陰若花見駕。」武后道：「適才朕覽你家國王表章，可謂千秋未有佳

使，才知你因避難到此，不期如今倒在我天朝中了才女，且又經朕授爲女學士之職，可謂千秋未有佳

話。你且把表看了，朕再加恩賜你封號，以便同着來使卽乘飛車早回本國。」近臣把表遞過，若花展

開觀看，只見上面寫着：

女兒國王臣陰奇，匍匐謹上書天朝天后大皇帝陛下。伏惟陛下：坤德無疆，離暉久

照。功媲風媧之煉石，道符月馭以行天。臣早殷服事之心，徒懷蟻悃，僻處稗瀛之

角，未仰龍顏。茲際文教之宏敷，叨沐仁恩之遠被，荒甸咸知。竊聞臣子若

花，恭應制科，濫邀首薦。頌椒語拙，得聯玉筍之班；詠絮才疎，許侍珠櫻之宴。自宜

終身感戴，汲齒瞻依。只緣臣巳四旬，惟生二子：若花立儲雖定，自痛孤雛；次子恃母

而驕，陰連黨類。夢天忽壓，逆子何幸遭憐，祭地而墳，長君無辜受屈。賢愚莫辨，巧

懸衣上之蜂；嫡庶相爭，妄掘宮中之蠱。憂鑠金而出走，去國圖生；喜擇木以高飛，爲

親謀過。及乎鹿馬旣辨，鸞鳳已翔，寢門之問膳無聞，太室之承桃欲絕。臣悔深愛溺，臣眼將

病益愁煎。二豎難驅，藐孤安在？是以哀鳴伏枕，恭懇聖慈：俯念臣心自怨，臣眼將

穿，將若花賞歸故國，得接宗支。指白水而重耳歸來，猶是山河無害；及黃泉而寤生復

見，遂爲母子如初。倘遂犬馬舐犢之私，終矢銜環雀報之報。誠惶誠恐，稽首頓首。

若花看罷，不覺一陣心酸，落下淚來。

未知如何，下回分解。

第六十八回 受榮封三孤膺勅命 奉寵召眾美赴華筵

話說若花看罷表章，不覺滴滴淚奏道：「臣蒙皇上高厚，特擢才女，疊沐鴻施，涓埃未報，豈忍竟回本國。況臣自到天朝，業經兩載，私製金甌之頌，幸依玉燭之光，食德飲和，感恩戀闕。此時家難未靖，荊棘叢生，一經還鄉，存亡莫保，臣稍知利害，豈肯自投羅網。尚祈皇上俯念苦衷，始終成全，即勅來使歸國，俾臣得保蟻命；此後有生之年，莫非主上所賜，惟求格外垂憐！」連連叩首，淚落不止。武后見若花不願回國，又愛他學問，心中也不願他回去。無如業已收了國王許多財寶，究竟懼西宮讒害之禍。今西宮已沒，其子又殤，該國王除你之外，別無子嗣。況他情辭懇切，殊覺可憐；而且不惜重費，特於鄰國借請飛車，可見望子甚殷。爾自應急急回去，善為侍奉，以盡為子之道，庶不失天倫之情。俟他百年之後，續承藩服，翼戴天朝，這才是你一生一世的正事。且國王表內多是後悔之話，你縱百般委屈，看了這表，心中也該釋然。朕意已決，不必再奏。今朕封爾為『文艷王』爵，特賜蟒衣一襲，玉帶一條。可速返本國。」

若花連連叩首道：「臣蒙聖上天高地厚，破格榮封，雖粉身碎骨，不能仰報萬一。第此時臣國西宮之患雖除，無如族人甚眾，良莠不齊，每每心懷異志，禍起蕭牆㊀，若稍不留神，未有不遭其害；此國中歷來風氣如此，臣知之最悉，故不敢仍返故國。今蒙皇上諄諄勸諭，敢不凛遵。惟是臣離本邦業已二載，當日讀書東朝，既未樹援，此時回國，亦豈另有腹心；勢甚孤而年又稚，安得不時切惕悚

惶！倘蒙格外垂慈，許留宇下，策其犬馬之勞，萬死不悔！如聖意必欲命臣歸國，尚懇別開天地之

恩，特派能事宮娥三四人，伴臣數載，使族中無知之徒，知天朝大皇帝有欽差護衛之事，憑藉天威，

自可消其異志；俟臣稍能自立，即敬送欽差還朝。如蒙俞允（三），臣當生生世世，永戴堯天（四），感且不

朽！」武后道：「此事雖易，但朕跟前能事宮娥不過數人，皆朕隨身伺候不可缺的；若使庸懦無能之

輩跟隨前去，不獨教他們笑我天朝無人，反與爾事有礙。朕何惜此三四人，無如人才難得，這便怎

處？」

若花道：「臣意中雖有三人，惟恐冒瀆天顏，不敢妄奏。」武后道：「這三人是何名姓？都是何

等樣人？你且奏來。」若花道：「這三人皆新中才女，殿試俱蒙特取一等。一名枝蘭音，歧舌國人；

一名黎紅薇，一名盧紫萱，俱黑齒國人；向在外洋遇難，賴黎寄父林之洋陸續相救，帶至天朝，適值

女試，均沐恩榮。此三人文理尚優，遇事謹慎，足可為臣膀臂。倘蒙聖上俯如所請，勅此三人同去，

臣得保全，沒齒難忘。」武后道：「他們既是海外之人，趁此伴你回國，彼此倒覺有益，久後在彼如

能相安固妙，卽或不然，亦可就近各歸本鄉。」因命近臣宣枝蘭音、黎紅薇、盧紫萱諭話。登時三人

（一）「家兄」──這裏指錢。晉魯褒作錢神論，諷刺當時人的貪鄙，文中有「親之如兄，字曰孔方」，又有「見我家兄莫不驚
　　　視」等句。後人因用「孔方兄」和「家兄」作為錢的代詞。

（二）禍起蕭牆──蕭牆，小牆。古人建築，房屋當門處有小牆，用以隔別內外。「蕭牆之內」屬於內部，「禍起蕭牆」就是內部
　　　發生了禍患。

（三）俞允──古時指皇帝的許可。

（四）堯天──古時認為堯做皇帝的時候天下太平，所以用「堯天」比喻盛世。

都到丹墀跪下。武后道：「朕命陰若花回他本國，你們本係海外之人，原擬各遣歸國，今因陰若花奏

請，特派爾等伴他回去，皆授為東宮護衛大臣，職有專司，欽承寵命。今授爾枝蘭音為東宮少師學士

之職，爾黎紅薇為東宮少傅學士之職，爾盧紫萱為東宮少保學士之職。各賜蟒衣一件、玉帶一條。限

十日內即隨來使護送若花回國。倘能竭忠翔贊，侯若花奏到，再沛殊恩。」說罷，命太監把筆硯分賜

眾才女，隨即回宮。諸臣退出，眾才女來到朝房。寶雲面邀眾人過去用飯，眾人因要謁見孟老師並同

考四位老師，惟恐回來過晚，再三辭謝；即到各處謁見完畢，各自散了。

　　閨臣同眾人回至紅文館，剛進總門，只見婉如眼淚汪汪從外面哭至廳房，同眾人坐下，道：「俺

們自從若花、蘭音、紅紅、亭亭三位姐姐相聚以來，從無片刻相離，今被無道女兒國王把若花姐姐討

去，就如快刀把俺心割去！今太后又將蘭音、紅紅、亭亭三位姐姐也教跟去，豈不把俺肝肺五臟全都

割去！俺要這命何用！與其日後活活想死，倒不如一刀殺了，倒也乾淨！」說着，悲泣不已。眾人無

不落淚，若花更是哽咽難止，蘭音、紅紅也都流涕。只有亭亭滿面笑容，心中頗覺得意。婉如見他這

樣，不覺發話道：「俺把你這沒良心的！你看俺們這樣落淚，你不傷心也罷了，為何反到滿面笑容？

難道相聚這幾年，你就這樣狠心，毫無依戀麼？大約你因太后封你做了『少保』，你就樂了？幸而是

少保，若封做『老保』，還不知怎樣得意哩！俺把你這沒良心的混帳黃子[5]！」

　　亭亭正色道：「少保何足為奇？愚姐志豈在此！我之所以歡喜者，有個緣故：我同他們三位，或

居天朝，或回本國，無非庸庸碌碌，虛度一生；今日忽奉太后勅旨，伴送若花姐姐回國，正是千載難

逢際遇。將來若花姐姐做了國王，我們同心協力，各矢忠誠：或定禮制樂，或與利剔弊，或除暴安

良，或舉賢去佞，或敬愼刑名，或留心案牘。——扶佐他做一國賢君，自己也落個『女名臣』的美號，日後史冊流芳，豈非千秋佳話。那知婉如妹妹不明此義，只圖目前快聚。再聚幾十年，也不過如此，與若花姐姐有何益處？我們相聚既久，情投意合，豈不知遠別爲悲？況閨臣妹妹情深義重，尤令人片刻難忘，何忍一旦捨之而去？然天下未有不散的筵席，且喜尚有十日之限，仍可暢聚痛談。若今日先已如此，以後十日，豈不都成苦境？據我愚見，我們此後既相聚無幾，更宜趁時分外歡聚爲是。此時只算無此一事，暫把『離別』二字置之度外，每日輪流作東，大家盡歡，俟到別時，再痛痛快快哭他一場，庶悲歡不致混雜。而且歡有九日之多，悲不過一時。若照婉如妹妹只管悲泣，縱哭到臨期，也不過一哭而別，試問此十日內有何益處？古人云：『人生行樂耳。』此時離行期尚遠，正當及時行樂，反要傷悲，豈不將好好時光都變成苦海麼？」幾句話，把眾人說的登時眼淚全無，個個稱善。閨臣道：「我們自從殿試授職之後，連日進朝匆忙，尚未得慶賀筵席。今日妹子就遵亭亭姐姐之令，先做東道主人。」婉如道：「明日俺也做個主人。」閨臣命人預備酒席。亭亭即將此事寫了家書，託多九公寄去，以安緗氏之心。

只見門上來回，國舅過來。若花仍命請到書房，隨即出去相見，道：「阿舅前者回去，走了幾日到家？阿父身上可安？」國舅道：「我自那日別了賢甥，幸遇順風，走了六日，即到本國。不意國主因想念賢甥，業已成疾，及至看見回書，更三躊躇，只得備了許多財寶並表章一道，命我再來天朝，敬獻大皇帝，懇其勅令賢甥還國。惟恐飛車裝了財寶，行走不快，又到周饒借了二

車。三車分裝，甚覺輕便，兼遇順風，所以走了五日，即到此地。適閱邸報㈥，知有三位欽差同去。

現在我們主僕兩個，連賢甥共計六人，三車還不過重，即使路上多走幾日，這也無妨。」因從懷中取

出表章底稿遞給若花道：「我恐賢甥今日在朝未將此表細看，特將底稿帶來，賢甥細細一看，就知國

主悔過想念賢甥的至情了。」說罷，辭去。若花託多九公分付長班打聽住處，以便過去拜望。隨即進

來，把底稿給眾人看了，莫不點頭嗟歎。婉如道：「這個稿子，蘭音、紅紅、亭亭三位姐姐都要記在

心裏，日後若花姐姐做了國王，這些筆墨都是不能免的。」亭亭道：「此表不獨典雅懇切，並且對的

字字工穩，若教我們動手，何能有此巧思。豈但我要記熟，只怕你們做詞臣㈦的，更要揣摩哩！」小

春道：「姐姐說他對的工穩，只怕『孤雛』對『黨類』，似乎遠些。」亭亭聽了，不覺撲嗤笑了一

聲。正要開談，只見多九公進來對若花道：「適才打聽國舅住處，離此甚近，已分付他們套了車了，

何不就去一拜？」若花匆匆去了。

閨臣向陽墨香道：「若花、蘭音、紅紅、亭亭四位姐姐不日就要遠別，聞得姐姐丹青㈧甚佳，妹

子要畫個『長安送別圖』，大家或贈詩贈賦，不拘一格，姐姐可肯留點筆墨傳到數萬里外？也是自古

畫師未有的佳話。」大家都道：「如此極妙！」陽墨香道：「妹子雖畫的不好，卻要洒點墨雨替他去

壓風濤。少時先畫個稿子，侯姐姐改正定了，我再慢慢去畫。這比不得尋常畫債可以歪著良心隨意塗

抹的。」小春道：「妹子明日也做兩首送別詩，就只寫的不好，只好求書香姐姐替我寫寫。」婉如

道：「你求書香姐姐，俺只好託月芳姐姐了。」舜英道：「據我愚見：二位姐姐的詩也託人代做才

好；若要自做，恐怕還有茅厠那股氣味哩。」說笑間，若花業已回來。只見管門家人拿著許多帖子進

來道：「卞老爺著人下帖，請諸位才女明日午飯，並有早麵，請早些過去。」眾人都將帖子留下，回

覆來人，明日清晨過去。

原來寶雲從朝中散後，同眾人拜過各位老師，帶著六個妹子回家，見了卞濱，把女兒國進表及賜筆硯各話告訴一遍。卞濱道：「我只當陰若花是女兒國民人，原來卻是一位儲君，那知你們才女榜上，卻有一位國王、三位宮保⑼在內，倒也是段佳話。散朝之後，為何不將他們邀來？」寶雲道：「大家因謁見孟家姑夫並同考四位伯伯，天已不早，都再三致謝，各自散了。」卞濱道：「也罷，索性明日備個戲酒，請他們過來。」寶雲道：「戲倒可以不用，只備兩頓飯，我們倒有可敘敘。他們都是外省居多，大約早晚也要請假回去。連日雖在一處，因過於拘束，不能暢談，明日這一聚，大家說話還說不清，那里還能看戲。」卞濱笑道：「正是，我倒忘了，還沒告訴你。這個帖兒，只消一個封套，一備過，請示怎樣寫法？」卞濱道點點頭，即到外邊分付家人卞彪預備請帖。卞彪道：「這帖兒從沒備說，請示怎樣寫法？」卞濱道：「正是，我倒忘了，還沒告訴你。這個帖兒，只消一個封套，一個紅籤，一個單帖⑶。那帖子上首只寫『初九日』，不必寫『候光』、『候敍』的話，下首贅過『某

聯經出版事業公司校印

四五七

奉寵召眾美赴華筵

受榮封三孤膺勑命

第六十八回

鏡花緣

⑹ 邸報──政府的官報。

⑺ 詞臣──給皇帝辦理有關文學之類的事情的臣子。

⑻ 丹青──指圖畫。

⑼ 宮保──原指太子少保。太子住在東宮，所以叫做宮保。少師、少傅而言，上文少師也叫宮師，少傅也叫宮傅。

⑶ 單帖──從前通慶弔和一般交際用的請帖之類的東西；單頁紅紙，上面署名。把單帖外面的紅封套上貼一紅紙條，用寫收帖人姓名官銜，這個紅紙條叫做「紅籤」。封建時代的一種榮譽官銜，並不是實職。這裏是包括東宮的少保、

人拜訂』。那籤子上就照殿試的名次，即如：第一名是史幽探，你把籤子當中寫『史才女』三個大字，旁邊添一行小字，寫『欽取第一等第一名』八個字。其餘都照這樣寫去就是了。」卞彪答應，隨即下帖，並命看園的各處多備桌椅。

次日清晨，卞濱分付家人備了二十五桌酒席，就在凝翠館擺列。原來這凝翠館對面是個戲臺；兩旁都是丹桂、桂樹之外，周圍山石堆成一道松嶺，四面接連俱是青松翠柏。把這凝翠館團團圍在居中，極其清雅。卞濱每逢做戲筵宴，就在此地起坐，取其寬闊敞亮。若到桂花盛開之時，襯著四圍青翠，那種幽香都從松陰中飛來，尤其別有風味，所以又名「松濤桂液之軒」。卞濱命人把這二十五席正面向南，由東至西，分做五行擺開，每行五席，每席四坐。正在分派，部中來請議事，因命寶雲在家接待，即匆匆去了。不多時，家人來報眾才女到了。

未知如何，下回分解。

第六十九回　百花大聚宗伯㊀府　眾美初臨晚芳園

話說卞濱去後，家人來報：「孟府、蔣府、董府、掌府、呂府諸位小姐到了。」寶雲帶著妹子彩雲、錦雲、紫雲、香雲、素雲、綠雲連忙迎出。只見孟蘭芝、孟華芝、孟芸芝、孟芳芝、孟瓊芝、孟瑤芝、孟紫芝、孟玉芝、蔣春輝、蔣秋輝、蔣星輝、蔣月輝、蔣素輝、蔣麗輝、董寶鈿、董翠鈿、董珠鈿、董花鈿、董青鈿、掌紅珠、掌乘珠、掌驪珠、掌浦珠、呂堯蓂、呂祥蓂、呂瑞蓂一齊進來，大家見禮。因成氏夫人偶患頭暈，懶於見客，於是都在廳房坐了。

紫芝道：「前在公主府內，也是我門姊妹三十三個先會面，今日不期而遇，又是如此。據我看來：只怕還是籤上『前三三後三三』的餘波哩。」玉芝道：「前日在那里彈琴、下棋、馬弔、投壺、花湖㊁、十湖㊂、狀元籌㊃、陞官

㊀　宗伯——原是周代掌管禮儀的官名，也就是春官，後來用作對禮部尚書客氣的稱呼。

㊁　花湖——一種紙牌。和三十二張的天九牌花色(二十一種)相同，但每種花色六張，——其中三張是白的；兩張中間有藍花；一張中間畫有人物，如西遊記上的唐僧、豬八戒等。——另加圖牌一張，共一百二十七張。四個人玩，實際三人出場，一人輪流休息並負算湖的責任。莊家拿牌二十五張，平家二十四張。牌有大將、中將、小將之別。——算湖數依種種花色，可以如若干倍，最後再看預先搖定的骰子點數，例如拿著天牌的，如達骰子裏六點最多，又可以加上倍數。每每有幾百的，所以通常帶著算盤上場。

㊂　十湖——一種紙牌。有一條到九萬，一餅到九餅各四張；千子四張、駟子四張；仁、義、禮、智、信五張，叫做五星；枝花四張，共一百二十五張。四個人玩，實際三人出場，一人輪流休息的成牌。莊家拿三十一張，平家三十張。有素張、最大的是狀元張之別，先湊成十湖的成牌。

㊃　狀元籌——一種遊戲用的籌子，拿牙、骨、或竹作籌子，排列科舉功名；用六粒骰子擲彩，以決定得注的多寡。最大的是狀元，得六十四注；其餘榜眼、探花為三十二注；各色名目，以次減小，最小的是秀才，只得一注。完了之後，計算籌子以分勝負。

圖⑤，狠夠頑了，偏偏公主又要聯韻⑥。及至輪到妹子，又是險韻⑦，想了許多句子，再也壓不穩，那時心裏急，把點飲食存在心裏，虧得吃了許多普洱茶，這才好了。前日還虧堯蕘、堯春二位姐姐同公主彈琴，才免了許多詩。今日寶雲姐姐務要想個好頑的，若再敎我搜索枯腸，那眞坑死人了。」

只見家人拿著許多名帖進來，原來是紅文館所住的唐閨臣、林婉如、洛紅蕖、廉錦楓、黎紅薇、盧紫萱、枝蘭音、陰若花、田鳳翾、秦小春、顏紫綃、宋良箴、余麗蓉、司徒嫵兒、林書香、陽墨香、崔小鶯、蔡蘭芳、譚蕙芳、葉瓊芳、褚月芳、燕紫瓊、張鳳雛、姜麗樓、易紫菱、薛蘅香、姚芷馨、魏紫櫻、尹紅萸、章蘭英、邵紅英、戴瓊英、由秀英、錢玉英、田舜英、井堯春、左融春、廖熙春、酈芳春、鄒婉春、陶秀春、潘麗春、施豔春、柳瑞春、緇瑤釵四十六位才女到了。寶雲方才迎接進內，接著史幽探、哀萃芳、紀沉魚、言錦心、謝文錦、師蘭言、陳淑媛、白麗娟、國瑞徵、周慶覃、米蘭芬、寶耕煙、印巧文、祝題花、鍾繡田、蘇亞蘭、花再芳、宰銀蟾、宰玉蟾、閔蘭蓀、畢全貞二十一位才女也都到了。大家見禮，都命彩環到成氏夫人跟前請安道謝。

寶雲把眾人讓到花園，走了幾層庭院，眾人嘖嘖讚美。進了凝翠館隨便散坐。茶罷，略敍寒溫；又上了兩道杏酪冰燕湯之類。寶雲道：「家父今早本在家恭候，原想見見諸位姐姐，因部裏兩三次來請，立等議事，只好去了。」孟蘭芝道：「聞得妹子叔叔說：連日因劍南平定，會議善後事宜，並有遣使勑封外國等事，所以甚忙，大約都要在部裏住幾天才能回來。我們趁此倒好暢聚。」史幽探道：「妹子們所送贄見，諸位老師都不肯收，已覺抱歉，反要叨擾，更令人不安。既承老師賜飯，我們自當過翠館寬闊，意欲明日在此奉請諸位姐姐聚聚，少刻備帖過去，務必要求賞光早降。」

來，姐姐千萬不可費事。」蘭芝道：「不過便飯，有何費事。」

寶雲命人調擺桌椅，因向眾才女道：「今日是便飯，不過奉請過來大家聚聚，我們就把早飯用了，也好園中各處走走，說說閒話。」說罷，帶著六個妹子上來讓史幽探首坐。幽探連連搖手道：「諸位姐姐：今日在老師府上，非往日可比，可講不得客情。況一同殿試，就是同年：比我年長的，就是我的姐姐，自然該他上坐；比我年幼的，就如我的妹妹，我也不謙，竟自僭他。若必要妹子上坐，那是斷斷不敢遵命。」畢全貞道：「姐姐不要過謙，若論坐位，自應仍按名次，既不費事，又省彼此推讓。至於序齒，雖有履歷可查，但此中年歲相同的甚多，若再敍起月分日子的先後，那更費事了。」幽探道：「今日難得大家相聚，天時甚早，何妨借此敍敍月分，豈不更妙？」紫芝道：「姐姐要問月分生日，平時閒談，可以問得；若因這個坐位序齒，你想誰肯說比誰大呢？即如我是十四歲，他也十四歲，他要問我月分，我就說是臘月的；再要問我日子，我就說是三十日亥時生的。難道你還替他分別上四刻、下四刻麼？」幽探笑道：「這紫芝妹妹倒說的有趣。」因又望著眾人道：「諸位姐姐：且莫講別人，即如我們若論年紀，要算全

⑤　陞官圖——一種遊戲用的圖。畫有最小到最大的官位。擲骰子以定進退，用三粒骰子，除去點數相同的兩粒，看另一粒的點數為準：四點叫做德，六點叫做才，二、三、五點叫做功，都可以陞官。德最好，升的最快；么點叫做贓，罰降。先到最大

⑥　聯韻——二人或多人接力做詩，句尾同用一個韻目裏的韻。

⑦　險韻——作詩用生僻的字押韻。

貞，再芳兩位姐姐長些。我們若是上坐，卻教兩位年長的坐在末席，這如何使得！不但妹子心裏不安，只怕諸位姐姐也覺不安罷。」

畢全貞道：「姐姐：這可論不得年紀！況今日這個坐兒已是久已定就，應該姐姐第一位，誰人敢僭？就是妹子的末席，也是久已定就的。姐姐如不信，問再芳姐姐就知道了。」花再芳道：「正是，我倒忘了，妹子正要告訴諸位姐姐這件奇事。前者部試，我同閨臣、全貞兩位姐姐坐的甚近，一時說說閒話。我說：『今日我們在此相聚，大約到了殿試，我就沒分了。』閨臣姐姐聽了，他暗暗說道：『我要說出來，你們莫怪！將來殿試，你是倒數第二，全貞姐姐是倒數第一。』——他說他是第十一名。——」畢全貞道：「那第一的名叫史幽探，第二袁萃芳。」當時我都寫下記了。如今看起來，不但名姓相符，難道連次序也不錯。這不是一件奇事麼？」眾人都詫異道：「這是怎講？那時榜還未定，這比芸芝姐姐起的課還奇：他不過斷個日子，不像這個連名姓，等第都有了。」紫芝道：「這話真悶死人，不懂是個甚麼講究，倒都曉得？難道閨臣姐姐未卜先知，是位活神仙麼？」紫芝道：「這話真悶死人，不懂是個甚麼講究，倒都曉得？難道閨臣姐姐未卜先知，是位活神仙麼？」寶雲道：「提起此話，眞也奇怪！前日若非先對再芳、全貞二位姐姐說過，只怕今日平空說起，連大家也不信。此話甚長，諸位姐姐請坐，妹子才好細講。」紫芝道：「好姐姐！你說罷！那里把腳就站大了！」

閨臣道：「這件異事，卻是妹子因到海外尋親，親目所覩的。今日既要細談，必須起根發由說起，諸位姐姐才明白。當日家父因中後被議，未免灰心，想到海外領略山水之奇，借此消遣。適值家母舅要到外洋販貨，於是一同航海。所有經過崇山峻嶺，以及海外各國，處處上去遊玩。及至貨物賣完，忽然起了風暴，那船隨風逐浪，飄了數日，飄到一座小蓬萊山下。家父因山景甚佳，上去遊玩，

誰知竟是一去不歸。」紫芝道：「妹子記得古人書中所載海外各國都是奇怪怪，並且長人其長無

比，小人其小無對；還有以土為食的，又有以魚皮為衣的：以此看來，飲食衣服，都與我們不同了。

既然不同，為何又買我們貨物？不知當初所賣何物？」閨臣道：「貨物甚多，妹子那裡記得。適閨姐

姐所說起長人、小人之話，我卻想起當日在長人國、小人國曾賣兩件貨物，卻大獲其利：長人國賣的是

酒罈。小人國賣的是蠶繭。你道為何帶這兩樣貨物？……」

　　未知如何，下回分解。

第七十回　述奇形蠶繭當小帽　談異域酒罈作烟壺㈠

　　話說閨臣道：「我母舅帶那蠶繭，因素日常患目疾，迎風就要流淚，帶些出去，既可熏洗目疾，又可碰巧發賣。他又最喜飲酒，酒量極大。每到海外，必帶許多紹興酒，即使數年不歸，借此消遣，也就不覺寂寞。所有歷年飲過空罈，隨便擱在艙中，堆積無數。誰知財運亨通，飄到長人國，那酒罈竟大獲其利；嗣後飄到小人國，蠶繭也大獲其利。」紫芝道：「那個長人國想來都喜吃酒，所以買些罈子好去盛酒。但那蠶繭除洗目疾，用處甚少，他卻買他怎麼？」閨臣笑道：「他們那是為此。原來那些小人生性最拙，向來衣帽都製造不佳。他因蠶繭織得不薄不厚，甚是精緻，所以都買了去，從中分為兩段，或用綾羅鑲邊，或以針線鎖口，都做為西瓜皮的小帽兒，因此才肯重價買去。」紫芝道：「這樣小頭小臉，倒有個意思。我不愁別的，我只愁若不釘上兩根帽絆兒，只用小小一陣風，就吹到『瓜窪國㊀』去了。請教那長人國把酒罈買去又有何用？」閨臣道：「說來更覺可笑：原來那長人國都喜聞鼻烟，他把酒罈買去，略為裝潢裝潢，結個絡兒，盛在裏面，竟是絕好的鼻烟壺兒，並且久而久之，還充作『老胚兒』；若帶些紅色，就算『窩瓜瓢兒』了。」

　　紫芝道：「原來他們竟講究鼻烟壺兒。可惜我的『水上飄』同那翡翠壺兒未曾給他看見。他若見了，多多賣他幾兩銀子，也不枉辛辛苦苦盤了幾十年。」小春道：「姐姐這個『十』字如今還用不著，

我替你刪去罷。」紫芝道：「我那壺兒當日在人家手裏業已盤了多年，及至到我手裏又盤好幾年，前後湊起來，豈非幾十年麼？這個『十』字是最要緊的，如何要刪去？幸虧姐姐未在場裏閱卷，若是這樣粗心浮氣，那里屈不死人！」小春道：「姐姐才說要把壺兒多賣幾兩銀子，原來你頑鼻烟壺兒並非自己要頑，卻是借此要圖利的。」紫芝道：「我也並非專心為此，如有愛上我的，少不得要賺幾個手工錢。」

小春道：「我見姐姐於這鼻烟時刻不離，大約每年單這費用也就不少？」紫芝吐舌道：「這樣老貴的，如何買得！不瞞姐姐說：妹子自從聞了這些年，還未買過鼻烟哩。」小春道：「向來聞的自然都是人送的了？」紫芝道：「有人送我，我倒感他大情了。」因附耳道：「都是『馬扁兒』來的。」小春道：「『馬扁兒』這個地方卻未到過，不知離此多遠？」婉如道：「『馬扁』並非地名，姐姐會錯意了。你把兩字湊在一處，就明白了。」小春想了一想，不覺笑道：「原來鼻烟都是這等來的，倒也雅致，卻也儉樸。但姐姐每日如此狠聞，單靠『馬扁兒』，如何供應得上，也要買點兒協濟罷？」紫芝

㊀
烟壺——裝鼻烟的壺。鼻烟，是把烟葉弄成碎屑，加進花露，供人閒嗅因而打噴嚏的一種烟。據說最初是明代由意大利人利瑪竇帶到中國來的；清代極為流行。後文「玫瑰露」，是加入玫瑰花露的紅色烟葉；「乾銃兒」，是沒有加入任何花露的烟葉。烟壺最初是用五色玻璃製造的，後來改用套料，有套四五色；更後有用珠、玉、瓷、石、水晶、寶石做的，上面有的極精緻的雕刻。烟壺以用過時間久的為最寶貴，後文「老胚兒」，就指的這一種；「窩瓜瓢」，是倭瓜瓢的別寫，指一種久了而發深黃色的烟壺。「水上飄」，指一種質料好而分量輕的烟壺。

㊁
瓜窪國——本應作瓜哇國。荷蘭和中國通商很早，那時荷蘭在南洋殖民地的主要城市是瓜哇，中國人都知道有瓜哇這個地方，並認為瓜哇是很遠很遠的外國，因而就用這三個字來形容遙遠。

道：「因其如此，所以這烟壺兒萬不可不多，諸如瑪瑙、玳瑁、琥珀之類，不獨盤了可落手工錢，又可把他撇出去弄些鼻烟回來。設或一時『馬扁兒』來的不接濟，少不得也買些『乾銃兒』或『玫瑰露』勉強敷衍。就只乾銃兒好打噴嚏，玫瑰露好塞鼻子，又花錢，又不好，總不如『馬扁兒』又省又好。」

小春道：「他們諸位姐姐都要聽閨臣姐姐外國話，我們只顧打岔，未免不近人情，妹子只問問鼻烟高下，就不問了。」紫芝道：「若論鼻烟，第一要細膩為主，若味道雖好，並不細膩，不為佳品。其次要有酸味，帶些椒香尤妙，總要一經嗅著，覺得一股清芬，直可透腦，只知其味之美，不見形跡，方是上品；若滿鼻渣滓，縱味道甚佳，亦非好貨。」小春道：「姐姐近日『馬扁兒』不知可有酸的？我要請敎請敎。」紫芝從懷中取出一個翡翠壺兒，雙手遞過去。小春道：「姐姐：為何如此之酸？我也買兩個。」紫芝又附耳道：「這是妹子用『昔酉兒』泡的。」小春慌忙搶進一步，雙手接過來，倒出聞了一聞，只覺其酸無對。登時打了幾個噴嚏，鼻涕眼淚流個不住。不覺皺眉道：「姐姐：賣幾兩銀一個？我也買兩個。」婉如笑道：「他這『昔酉兒』也同『馬扁兒』一樣，都是拆字格。」小春聽了，這才明白。

紫芝道：「請敎閨臣姐姐：這個長人國聞鼻烟，還是偶爾一聞，還是時刻聞呢？」閨臣道：「據說那些貧窮人家，沒錢購買，不過偶爾一聞，至富貴人家，卻是時刻不能離的。」紫芝道：「如此說，那日帶去是甚等酒罈？」閨臣道：「聞得是宗女兒酒㊂，其罈可盛八十餘斤。」紫芳道：「何以見得？」紫芝道：「他這鼻烟旣是時刻不能離的，每長人國聞鼻烟也過於費事了。」閨臣道：「何以見得？」紫芝道：「他這鼻烟旣是時刻不能離的，每日郤敎人抬著鼻烟罈子跟在後面，豈不費事？」閨臣笑道：「原來姐姐還不明白：他所以要烟壺絡子

者，原是挂在身邊以圖便易；豈有叫人扛抬之理。姐姐眞小覷長人國了。」紫芝道：「姐姐：這不是長人國聞鼻烟，叫作『老虎聞鼻烟』，是沒有的事！」小春道：「剛才姐姐還恨長人國未見你的壺兒，你想，他把大酒罎子只算烟壺兒挂在身邊，姐姐若把那個翡翠的送他，只怕他做鈕子還嫌小哩。」紫芳道：「難道長人國只買此一物麼？」閨臣道：「那時家父曾帶了許多大花盆，誰知他們見了，也都重價買去，把盆底圓眼用瑪瑙補整，都做了牛眼小燒酒杯兒。」

寶雲道：「伯伯上山，一去不歸，府上可曾有人尋訪？」閨臣道：「後來妹子得知此信，卽同母舅到了小蓬萊。蒙若花姐姐伴我登了此山，尋訪將及半月，忽見迎面有一五色亭子，上寫『泣紅亭』三個大字；亭設一碧玉座，座上豎一白玉碑，兩旁有副對聯，寫的是『紅顏莫道人間少，薄命誰言座上無。』那白玉碑上鐫著一百位才女名姓，原來就是我們今日百人。名姓之下，各註鄉貫事跡。人名之後，有一總論。論後有一篆字圖章，是：『茫茫大荒，事涉荒唐；唐時過唐，流布遐荒。』」紫芝道：「後面兩句，豈非敎姐姐流傳海內麼？」閨臣道：「妹子因此把碑記抄了。後來遇一樵夫，接得父親家信，催我作速回家，卽赴考試，俟中過才女，父女方能會面，因此匆匆回來。」紫芝道：「姐姐且把碑記取來，大家看看。」閨臣道：「這個碑記帶回嶺南，不意卻被一個得道白猿竊去。」寶雲道：「此猿從何而來？」閨臣道：「此猿乃家父在小蓬萊捉獲，養在船內；婉如妹妹帶

（三）女兒酒——從前紹興人的習慣，養了女兒便釀很多罎酒，埋在地下，俟女兒長大出嫁時，拿出來待客，這種酒叫做「女兒酒」。這種酒的酒罎，比一般的酒罎是較大的。

到家中。每逢妹子看那碑記，他也在旁觀看。那時妹子曾對他取笑道：「我看你每每留神養性，不食烟火，雖然有些道理；但這上面事跡，你何能曉得，卻要觀看？如今我要將這碑記付給文人墨士，做爲稗官野史，流傳海內，你既觀看，可能替我建此大功麼？」誰知他聽了把頭點了兩點，拿著碑記，將身一縱，就不見了；至今杳無下落。」紫芝道：「偏偏被這猴子偷去，令人可恨。不知那段總論姐姐可還記得？」閨臣道：「我在船上看過兩遍。此時提起，雖略略記得，恐一時說不明白，必須寫出才好。」

寶雲隨命彤雲設下筆硯。閨臣道聲「得罪」，坐下，寫一句，想一句，幸而大略都還記得。不多時寫完，隨手又把幾副匾對也寫了。眾人都圍著觀看。紫芝道：「與其大家慢慢傳觀，不如我念給諸位姐姐聽。」於是高聲朗誦，連匾帶對，從頭至尾念了一遍。眾人聽了，個個稱奇。紫芝道：「據我看來：我們大家倒要留神好好頑，將來這些事，只怕還要傳哩。若在書上傳哩，我還不怕；我只怕傳到戲上，把我派作三花臉，變了小醜兒，那才討人嫌哩。」蘭芝點點頭道：「你只是跟著吵，那個三花臉看來也差不多。」因向史幽探道：「姐姐！他這『薄命誰言座上無』一句，是個甚麼意思？」幽探道：「若是多，他何不將『誰』字改做『須』字，『無』字改做『多』字呢？」寶雲道：「話雖如此，但這對句同那『泣紅亭』三字究竟不佳。」因向師蘭言道：「那論上曾說『師仿蘭言』，明明道著姐姐，其中必有寓意。這幾日我們赴宴，你在那裡登答④公主，以及一切言談，莫不深明時務，洞達人情。他這匾對用意，大約姐姐也可參詳大概。何不道其一二？倘竟詳解不差，大家知所趨避，也是一件好事。」師蘭言道：「妹子那能解得仙機；若據對聯兩句細細猜詳，卻有個道理。」

㊉　登答——立刻答覆的意思。

第七十一回　觸舊事神往泣紅亭　聯新交情深凝翠館

話說師蘭言道：「若據對聯兩句看來：大約薄命是不能免的，似還不至甚多，幸虧『座上』兩字；若把『座』字變成『世』字，那可不好了。據我參詳：要說個個都是福壽雙全，這句話只怕未必，大概總有幾位不足去處。莫講別的，只望望那個泣紅亭的『泣』字，還不教人鼻酸麼？妹子有句話奉勸諸位姐姐：倒不必因此懷疑。古人說的最好，他道：『但行好事，莫問前程。』又道：『善惡昭彰，如影隨形。』無論大小事，只憑了這個『理』字做去，對得天地君親，就可俯仰無愧了。今日大家在此相聚，總是同年姐妹，非泛泛可比。諸位姐姐若不嫌絮煩，妹子還有幾句話。即如爲人在世，那做人的一切舉止言談，存心處事，其中講究，眞無窮盡。若要撮其大略，妹子看來看去，只有四句可以做得一生一世良規。你道這四句？就是聖人所說的□：『非禮勿視，非禮勿聽，非禮勿言，非禮勿動。』人能依了這個處世。我們閨閣也可算得第一等賢人。這是爲人存心應該如此，不應妄爲的話。至於每日應分當行的事，即如父母尊長跟前，自應和容悅色，侍奉承歡，諸務仰體，曲盡孝道。古來相傳孝女甚多，如女媬□、緹縈□之類，一使景公廢傷槐之刑，一使文帝除肉刑之令，皆能委曲用心，脫父於難。他如木蘭戍邊，以身代父□；曹娥投江，終得父屍□。他們行爲如此，其平時難道那樹曉得家庭盡孝之處可想而知，所以至今名垂不朽。至於手足至親眼前，總以和睦爲第一。所謂：「和氣致祥，乖氣致戾。」苟起一爭端，即是敗機。如田家那顆紫荊□，方才分家，樹就死了。難道那樹曉得人事，因他分家就要死麼？這不過是那田家一股乖戾之氣，適値發作，恰恰碰在樹上，因此把個好好

紫荊先就戾殺，他家其餘房產各物，類如紫荊這樣遭戾氣的，想來也就不少。雖說紫荊會死，房產不會死，要知房產分析或轉賣他姓，也就如死的一樣了。」

紫芝道：「妹子聞得田家那顆紫荊是他自己要死，以為警戒田家之意，姐姐怎麼說是戾死的？」

蘭言道：「這話錯了。自古至今，分家的也不少，為何不聞別家有甚樹兒警戒呢？難道那樹死後，曾託夢田家，說他自己要死麼？即使草木有靈，亦決不肯自戕其生，從井救人。我說那樹當時倒想求活，無如他的地主已將頹敗。古人云：『人傑地靈。』人不傑，地安得靈？地不靈，樹又安得而生？

一　聖人所說的——聖人，指孔子。這裏引用的「非禮勿視」等四句，是孔子說的，出論語。

二　女婧（ㄑㄧㄢ）——故事傳說：春秋時，齊景公在他所歡喜的槐樹下面豎了一塊牌子說：「犯槐者刑，傷槐者死。」有一名叫衍的人，吃醉酒傷了槐樹，景公就派人把他抓了起來，打算處刑。他的女兒婧，去到當時的大臣晏嬰家裏，問道：「國君愛樹賤人，應該不應該呢？」晏嬰去勸景公，景公就廢除了傷槐的禁令，把犯槐的罪囚也釋放了。

三　緹縈——漢代施用肉刑，分為四種：一，墨，就是在臉上刺字，用墨塗上；二，劓，割鼻子；三，剕，把腳跟砍斷；四，宮，男子割去生殖器，女子幽閉。故事傳說：劉恆（漢文帝）時，太倉縣令淳于意犯了罪，因在長安監獄裏，要處肉刑。他的小女兒緹縈跟到長安，自己請求做官家的奴婢，以身贖父親的罪。劉恆因而下令廢除肉刑，淳于意送得免罪。

四　木蘭戍邊——故事傳說：木蘭因政府徵兵，父親年老，她就女扮男裝，代父從軍，去到邊境。過了十二年才回來，並沒有人知道她是女人。一說木蘭姓花，一說姓魏。

五　曹娥投江——故事傳說：曹娥，東漢人。十四歲時，父親淹死在江裏，屍首沒有撈到。她日夜沿著江啼哭，隔了七天，也投江而死；過了五天，她抱著父屍，浮出水面。

六　田家那棵紫荊——故事傳說：漢代田真、田慶、田廣弟兄三人商議分家，堂前有一棵紫荊樹，也打算劈成三份；還沒有實行，樹就枯死了。三弟兄因此感動，不再分家，後來樹又活轉回來。這是一個迷信的傳說。

總是戾氣先由此樹發作，可為定論。紫芝道：「怎麼別人分家沒見戾死過樹木？難道別家就無戾氣麼？」蘭言道：「戾死樹木，也是適逢其會。別家雖無其事，但那戾氣無影無形，先從那件事發作頹敗，惟有他家自已曉得，人又何得而知。後來田家因不分家，那顆紫荊又活轉過來，豈不是『和氣致祥』的明驗麼？諸位姐姐：剛才妹子所說侍奉承歡，至親和睦，這都是人之根本第一要緊的。其餘如待奴僕宜從寬厚，飲食衣飾俱要節儉，見了人家窮困的儘力周濟他，見了人家患難的設法拯救他：如果人能件件依著這樣行去，所謂人事已盡，至於『薄命誰言座上無』那句話，只好聽之天命。若任性妄為，致遭天譴，那是『自作孽不可活』，就怨不得人了。」眾人聽了，都道：「姐姐這話真是金石之言。」

錦雲道：「以顏子而論，何至妄為，不知他獲何愆而至於夭？」蘭言道：「他如果獲愆，那是應分該夭的，夫子又哭他怎麼？就同歎那『斯人也而有斯疾也⑦』一個意思，因其不應夭而夭，所以才『哭之慟』了。固云『命也』，然以人情而論，豈能自已。即如他這論上『泣』字，自然也是當泣才泣的，我們那里曉得。」錦雲望著眾人笑道：「蘭言姐姐的話，總要駁駁他才有趣。剛才他說：『善惡昭彰，如影隨形。』我要拿王充論衡⑧『福虛禍虛』的話去駁他，看他怎麼說？」蘭言道：「我講的是正理，王充扯的是邪理，所謂邪不勝正，我也講得他過。況那論衡書上，甚至鬧到問孔刺孟，無所忌憚，其餘又何必談他。還有一說：若謂陰隲陽文『善惡報應』是迂腐之論，那左傳說的『吉凶由人』，又道『人棄常則妖興』這幾句，不是善惡昭彰明證麼？即如易經說的『積善之家必有餘慶，積不善之家必有餘殃』；書經說的『作善降之百祥，作不善降之百殃』這些話，難道不是聖人說的麼？近世所傳聖經，那墳、典諸書，久經澌滅無存，惟這易經、書經最

古，要說這個也是迂話，那就難了。」錦雲笑道：「設或王充竟是這樣駁你，你卻何以對答？」蘭言道：「他果如此，我就不同他談了。」錦雲道：「敢是你辭窮麼？」蘭言道：「並非辭窮。我記得家語㈨同那大戴禮都說：『倮蟲三百六十，聖人爲之長。』聖人既是眾人之長，他的話定有見識，自然不錯，眾人自應從他爲是。況師曠㈩言：『鳳翥鸞翔，百鳥從之。』鳳爲禽之長，所以眾鳥都去從他。你想：畜類尚且知有尊長，何況於人！妹子不去答他者，因他既以聖人爲非，自然不是我們倮蟲一類，他自另有介蟲或毛蟲另歸一類，我又何必費脣費舌去理他。」這一番話，說得眾人齊聲稱快。

錦雲道：「若非拿王充去駁他，你們那里聽這妙論。」幽探道：「既是久已註定，我們姐妹更該親熱序齒才是。況且卽或我同萃芳姐姐坐了首者，那句話麼？這個坐位已是註定的，不必謙了，請坐罷！我們腿都站酸了！早些吃了飯，還有痛痛頑哩。」

紫芝扶著茶几望史幽探、哀萃芳道：「二位姐姐：你們可記得那論上說的『以史幽探、哀萃芳冠首者』那句話麼？這個坐位已是註定的，不必謙了，請坐罷！我們腿都站酸了！早些吃了飯，還有痛痛頑哩。」

㈦ 「斯人也而有斯疾也！」——孔子的學生冉伯牛生病，孔子去看他，歎息說：「斯人也有斯疾也！」意思是：這樣的人，怎麼會害這樣的病呢！語出論語。

㈧ 王充論衡——王充，東漢時傑出的思想家；著論衡一書，揭穿統治階級利用自然界的現象欺騙人民，警告統治者不要虛偽地自稱天命。在封建社會裏，統治階級及其擁護者反對他的學說，認爲是離經叛道的異端。問孔、刺孟，是論衡中兩篇的篇名。

㈨ 家語——書名，孔子家語的省稱。魏王肅作。內容是採取左傳、國語、荀子、孟子、二戴記的材料湊成。

㈩ 師曠——春秋時音樂家，晉國的樂師。

席、二席，只怕沉魚、錦心兩位姐姐也不肯就坐三席、四席罷？」哀萃芳、紀沉魚道：「我們謙讓的話也不必再說，如果寶雲……七位姐姐，同蘭芝……八位姐姐，也照中式名次坐了，我們無不遵命。」蘭芝道：「諸位姐姐要敎寶雲……七位姐姐也按名次坐，他是主人，安有此理。這是苦他所難了。至愚妹在舅舅家裏，既不能僭客，又是奉命陪客的。如四位姐姐坐過，自然該是文錦、蘭言諸位姐姐，何必再讓。」謝文錦道：「這可使不得！妹子年紀甚輕，若這樣坐了，豈不敎別位姐姐見怪麼！」

蔣春輝道：「諸位姐姐：看來這坐兒也難讓。妹子有個愚見：莫若除了主人，——既是蘭芝……八位姐姐在母舅府上不肯僭客，索性也除了。共除一十五位。餘着拈鬮何如？並且不論上下，就以東北第一坐拈起，至西南主席上一位為末席。鬮兒雖按次序，坐位仍無上下。不然，要論席面，又要許多分派。諸位姐姐以為何如？」衆人都道：「如此甚妙。」寶雲明知難讓，只好依着衆人。拈過之後，卻是陰若花第一，唐閨臣居末。婉如道：「你看連這鬮兒也來湊趣，若花姐姐本是女兒國儲君，自應該他首坐，恰恰就拈了第一。閨臣姐姐為何眼圈通紅，只管滴淚？這是何意？莫非拈了末席，心中委屈麼？」閨臣忙把眼淚揩了，道：「妹子何嘗落淚！剛才被風吹了，所以如此。」原來閨臣因大家談論泣紅亭之事，觸動思親之心，不覺鼻酸滴淚，恨不能立時飛到小蓬萊見見父親，才趁心願；正在傷悲，忽被綠雲看見，忙用言詞遮飾，衆人也就忽略過了。

閨臣姐姐為何眼圈通紅，只管滴淚？這是何意？莫非拈了末席，心中委屈麼？」閨臣忙把眼淚揩了，道：「妹子何嘗落淚！剛才被風吹了，所以如此。」

應該他首坐，恰恰就拈了第一。」紫芝道：「閨臣姐姐拈在末席，怎講呢？」婉如道：「閨臣姐姐拈在末席，言在坐一百人，無非都是唐朝閨中之臣。」紫芝不等說完，連忙搖手道：「姐姐留神，莫敎人聽見，把舌頭割去，那才是個累呢！」說話間，大家挨次坐了。綠雲道：

若花道：「幽探阿姐，妹子有句話說：我們都是同門而兼同年，大家理應親熱，不該客氣才是。況異姓姐妹相聚百人之多，是古今有一無二的佳話。剛才諸位阿姐都不肯上坐，也不過因姐妹相聚，那里論得客套，所以此刻按圖而坐，無分上下，眞是親熱之中更加親熱。但既如此，還要阿姐向寶雲諸位姐姐說聲，送酒上菜一切繁文，也都免了，才更見親熱哩。」史幽探道：「姐姐所言極是。」於是大家都向寶雲姊妹說過。

不多時，髟鬟送了酒，又上了幾道菜。紫芝叫道：「若花姐姐！你說異姓姐妹相聚百人之多，是古今有一無二的，這話我就不信！天地之大，何所不有，難道自古至今，就只我們聚過？這話不要說滿了！」掌紅珠道：「若花姐姐這話並非無稽之談。妹妹不妨去查，無論古今正史、野史，以及說部之類，如能指出姐妹百人相聚的，愚姐情願就在對面戲臺罰戲三本。」紫芝道：「我不信。我要查不出也罰三本。」眾人道：「好了！無論那位輸贏，我們總有戲看了！」紫芝想了半日，因走至卞濱五車樓上把各種書籍繙了一陣，那里有個影兒，只得掃興而回。——我倒有哩，不但百十人，就是二三百人我也找得認個輸罷。莫講百十人，就是打個對折也少的。——也罷，我就出。你如請我三本戲，我就告訴你。」紫芝道：「與其請你三本戲，倒不如認輸了。」蔣春輝道：「妹妹！我勸你不必查了，請你，你說出大家聽聽學個乖，也是好的。只怕未必有百十姐妹聚在一處，也未必有個憑據罷。」春輝向若花道：「妹子同紫芝妹妹說頑話，姐姐莫要多心。」因又向紫芝道：「如何沒憑據！我們本朝那部西遊記可是有的？西遊記上女兒國可是有的？你到女兒國酒樓戲館去看，只怕異姓姐妹聚在一處的，還成千論萬哩。」紫芝道：「姐姐：我也不說，只教你自己想想這幾句話可值得三本戲？」春輝道：「若說這個不值，你就展我一年限，等我也去諁出一部書來，那就有了。」說的眾人都笑。

少刻，用過麵。寶雲道：「妹子恐諸位姐姐用不慣早酒，不敢多敬，只好晚飯多敬幾杯罷。」說著，一齊茶罷出席。彩雲道：「妹子在前引路，請諸位姐姐到園中遊玩遊玩。」大家都跟著散步閒行。

未知如何，下回分解。

話說眾才女都到園中閒步，只見各處花光笑日，蝶意依人，四壁廂嬌紅姹紫，應接不暇。剛過了小橋曲水，又見些茂林修竹，步過幾層庭院，到了古桐臺。錦雲道：「諸位姐姐莫走乏了，請到臺上歇歇吃杯茶罷。」眾人道：「如此甚好。」都進了古桐臺。這平臺是五間敞篷，兩旁數間涼閣，庭中青桐無數。壁上懸著幾張古琴。紫芝道：「我才看見這琴，忽然想起前在公主府，只顧外面看紫瓊、紫菱二位姐姐下棋，後來才知堯蓂、堯春二位姐姐同公主彈琴，可惜妹子未得聽見。我想當日伏羲削桐爲琴，後來堯、舜都作過五絃琴，今二位姐姐香名皆取『堯』字，可見此道必精。妹子意欲求敎，不知可肯賞臉？」井堯春道：「妹子這個名字，叫做有名無實，那里及得堯蓂姐姐彈的幽雅，他才名實相稱哩。」呂堯蓂道：「姐姐不必過謙。妹子前日原是勉強奉陪，今旣高興，自然還要現醜。但舜英姐姐前在公主府因天晚未及領敎，聞得瑤芝姐姐背後極讚指法㊀甚精，今日定要求敎。」田舜英道：「不瞞姐姐說：彈是會彈兩調，就只連年弄這詩賦，把他就荒疏了，所謂『三日不彈，手生荆棘』。設或彈的不好，休要見笑。」寶雲道：「瑤芝妹妹：前日業已讓你躲懶，今日遇見知音，還不替我陪客麼？」瑤芝道：「妹子正要叨敎，怎敢躲懶。但琴主人不來陪客，未免荒唐。」素雲聽了，忙把兩手伸出道：「好姐姐：我並非躲懶，你看這兩手指甲，若翦去豈不可惜？況有四位儘够一彈，

㊀　指法──指彈琴時運用手指的技巧。

何必定要妹子？」瑤芝也把手伸出道：「這兩年因要應試，無暇及此，那個不是一手長指甲；你是主人既怕辭，我更樂得不辭了。」紫芝道：「你們二位姐姐不彈，豈不把『瑤琴』、『素琴』兩個好名色埋沒了。」瑤芝姐姐既肯陪客，素雲姐姐，你是主人，何能推脫？」素雲無奈，只得命影環把辭子取來。寶雲命人擺了琴桌，又焚了幾爐好香。紫芝道：「五位姐姐！香都上了，快把腳修好，請登壇罷！」素雲道：「我同舜英姐姐，你罵一句也罷了；說道你家瑤芝姐姐你也罵麼？」紫芝道：「妹子何嘗罵人？」素雲道：「我們三人在此辭指甲，你說把腳修好，豈非罵麼？」紫芝道：「原來姐姐聽錯了。我說把甲修好，並非把腳修好。甲者，指甲之謂也；姐姐奈何疑到我的腰中乎？」素雲道：好！這句罵的更好！我看你咬文嚼字的，太把科甲擺在臉上了！」

堯春道：「我們現在共有五人，若每人各彈一套，須半天工夫，豈不誤了遊玩。此處琴既現成，莫若大家竟將平沙㊀一套合彈，四位姐姐以為何如？」四人都道：「甚好。」歸了坐，慢慢把絃調了。影環送上茶來。眾人茶罷，也有站的，也有坐的，聽他五人彈的眞是聲清韻雅，山虛水深，兼之五琴齊奏，彩雲欲停，那些聽琴的姊妹也都覺得驚鴻照影，長袖臨風，個個有凌雲欲仙之意。都道：「從未聽過五琴合彈，倒也有趣。」師蘭言道：「這可算得『絕調』了。」言錦心道：「五位姐姐琴是撫的極妙，不必說了；我不喜別的，只喜蘭言姐姐這『絕調』二字，眞可抵得嵇叔夜㊁的一篇琴賦。任你怎樣讚他撫的好，彈的妙，總不如這兩字批的簡潔。」

大家出了古桐臺，又往別處遊玩。紫芝道：「我不喜別的，難得五個人竟會一齊住。」因向井堯春道：「剛才五位姐姐彈過琴，此刻該弄五管笛兒吹吹，才不缺典呢。」堯春道：「此話怎講？」紫芝道：「姐姐豈不聞俗語說的『牛童橫騎牛背上，短笛無腔信口吹』？五位姐姐彈過琴，如今都變作

牧童，難道不該弄個笛子頑頑麼？」眾人都笑道：「紫芝姐姐好罵。」⑭

說話間，又遊幾處。行到一帶柳陰之下，桃杏已殘，四面田中尚存許多菜花；並有幾個莊農老叟在那里，也有打水澆菜的，也有牽牛耕田的；又有好些豬羊鷄鴨點綴那芳草落花，倒像鄉村光景。哀萃芳道：「此地怎麼又有莊戶人家？」寶雲道：「這非鄉莊，是我家一個菜園。當日家父因家中人口眾，每日菜蔬用的不少，就在此處買下這塊地作為菜園，並養些牲畜。每年滋生甚多，除家裏取用之外，所餘瓜果以及牛馬豬羊之類，都變了價，以二分賞給管園的，其餘八分慢慢積攢起來，不上十年，就起造這座花園。」

此亭既以『白荒』為名，其中牡丹想來必盛，吃點心還在其次，何不前去看看牡丹？」寶雲道：「牡丹雖不甚多，各色湊起來也有四五百株，還可看得。」不多時，過了海棠社，穿過桂花廳，由蓮花塘過去，到了白荒亭。只見姚黃魏紫⑮，爛熳爭妍。正是：

只見髣髴環來請諸位才女到白荒亭吃點心。史幽探道：「方才用麪，那裏吃得下！」謝文錦道：「

㈠　平沙——琴曲平沙落雁的省詞。這個琴曲包含很多聲調，可以同時合奏。

㈡　稽叔夜——名康，三國魏人。會彈琴。

㈢　這裏的一段話，是暗用「對牛彈琴」的典故寫人的話。

㈣　姚黄、魏紫——宋時兩種珍貴牡丹的名稱：姚黄是一種千葉黄色的花，出在姓姚的家裏；魏紫是一種千葉肉紅色的花，出在宰相魏仁溥家裏。後來一般用這四個字形容所有的牡丹。

本來天上神仙侶，偶看人間富貴花。

紫芝道：「此處牡丹雖佳，未免有些犯諱。」紀沉魚道：「何以見得？」紫芝道：「牡丹人都叫作『花王』。若花姐姐是候補女兒國王，這『花王』二字，豈不犯諱麼？」

一齊進了亭子。只見燕紫瓊同易紫菱在裏面著棋，卞香雲同姚芷馨在旁觀陣。史幽探道：「原來四位姐姐卻在此手談㊅，怪不得半日不曾見面。」四人連忙立起讓坐。眾鬟把點心預備，大家隨便坐下，一面吃點心，一面賞牡丹。把點心用過，錦雲意欲邀著到芍藥軒、海棠社各處去玩，眾人因見亭內四壁懸著許多字畫，收拾的十分精緻，都不肯就走，分著這裏一攢，那裏一夥，圍著觀看。

寶雲道：「素日華芝妹妹同彩雲妹妹評論此處字畫，每每爭論。今日放著書香、文錦兩位姐姐乃欽定的書家，為何倒不請教呢？」華芝道：「卻是前日赴宴，太后極讚他二位書法，妹子久已預備今日要來求教。」說著，從袖中取出兩把春扇，遞給書香、文錦道：「拜煩二位姐姐替妹子寫寫。」林書香道：「不是妹子故做謙詞，其實寫的不好。前日不知怎樣合了聖意。這不過偶爾微倖，姐姐若以書家看待，那就錯了。」謝文錦道：「妹子的字，那裏及得巧文姐姐。去歲郡試，巧文姐姐是第一；他的書法，誰人不讚，那求寫對聯的也不知多少。誰知今年殿試，妹子倒在前列，不過因我們閨中字外面甚少，叫作『物以罕為貴』，其實算得甚麼。前者殿試，字既不好，偏又坐的地方甚暗，兼之詩賦又不佳，能彀微倖，不致名列四……」因轉口道：「不致落第，已算萬幸，怎麼還說抱屈哩！」花再芳道：「據我看來：就是取在一等，也不過是個才女，難道還比人多個鼻子眼睛麼？」閔蘭蓀道：「就是四等，也不見得有甚麼回不得家鄉、見不得爺娘去處！」寶雲望著芸芝、芳芝遞個眼色，二人會意，連忙望

著再芳、蘭蓀道：「那邊芍藥開的甚佳，我們同二位姐姐看芍藥去。」拉著二人去了。

這里寶雲命人取了兩盒扇子，就在亭中設了筆硯，託書香、文錦、巧文三人替他寫。彩雲也取三把扇子，一把遞給褚月芳，一把遞給鍾繡田，一把遞給顏紫綃。剛要說話，紫綃笑道：「怎麼又要姐姐費心送咱扇子？」彩雲道：「姐姐休得取笑。我是求教的，拜懇三位姐姐都替妹子寫。」月芳道：「妹子的字如何寫得扇子！這是姐姐安心要遭遢扇子了。」鍾繡田道：「此時坐中善書的甚多，何苦卻要妹子出醜！」顏紫綃道：「咱妹子向來又無善書的名兒，爲何卻要見委？倒要請教。」彩雲道：「三位姐姐都不要過謙。若論書法，大約本朝也無過三位府上了。月芳姐姐府上千字文[七]、繡田姐姐府上靈飛經[八]、紫綃姐姐府上多寶塔[四]，這是誰人不知。豈非家傳？還要謙麼！」月芳同繡田道：「我家祖父雖都有點微名，那都是人所共知的，不必說了，至於顏府這多寶塔，不知是誰的大筆？我們何能及得萬分之一。既是姐姐諄諄見委，須先說明：可是姐姐教我們寫的！」紫芝在旁道：「不妨，你們只管寫，如寫壞了，我來拜領。我還要請問彩雲姐姐：方才所說褚府千字文，鍾府靈飛經，那都是人所共知的，不必說了，至於顏府這多寶塔，不知是誰的大筆？妹子卻未見過。」彩雲笑道：「妹妹莫忙，再遲幾十年，少不得就要出世。」顏紫綃道：「咱

（四）多寶塔──原是西京的一座寶塔。這裏指的是唐顏真卿給這座塔寫的碑文拓本。顏真卿寫碑文是武則天時代以後幾十年的事，所以下文有「再遲幾十年，少不得要出世」的話。

（五）靈飛經──原是佛經名。這裏指的是唐褚遂良根據靈飛經節寫的字帖。

（六）手談──指下圍棋，意思是用手在談天。

（七）千字文──原是書名，梁周興嗣作。這裏指的是唐褚遂良根據周書寫的字帖。

（八）靈飛經──原是佛經名。這裏指的是唐鍾紹京根據靈飛經寫的字帖。

家多寶塔還未出世，姐姐卻要咱寫，豈非苦人所難麼？莫若咱去託人替你畫畫，何如？」彩雲道：「

如此更妙。」紫綃拿著扇子向陽墨香道：「姐姐替咱畫畫罷！」墨香道：「妹子何嘗會畫？」紫綃笑

道：「姐姐好記性！昨日所說『長安送別圖』，你倒忘了！」墨香道：「呸！原來你是曉得的！我也

要預先說明：如畫壞了，可要姐姐賠他扇子。」

登時眾髟環各處都擺了許多筆硯。墨香把扇子接過道：「此時顏料不便，只好畫個墨筆罷。」彩雲

道：「我家錦雲妹妹向來最喜學畫，顏料倒是現成，並且碟子碗兒多的狠哩。」錦雲道：「我已教人

取去了。」不多時，髟環把顏料碟子取來，擺了一桌，卻是無一不備。墨香調了顏色，提起筆來畫了

許多竹子，眾人在旁看著，個個道好。墨香道：「諸位姐姐且慢讚好。去年妹子郡考，聞得本處有好

幾位姐姐都撇的好詩，畫的好畫，可惜名姓我都忘了；今日坐中同鄉人卻有，但不知那位會畫？」彩

雲道：「難道姐姐這樣善忘，連一個也想不出？」墨香停著筆，猛然想起道：「我還記得一位姓祝

的，不知可是題花姐姐？」祝題花在旁笑道：「不是！」紫芝道：「眾位姐姐莫信他，他一定會畫；

他若不會，為甚麼帶著笑說呢？這笑的必定有因。」說罷，同寶雲要了一把扇子央他畫。

題花接了扇子道：「紫芝妹妹說的好！難道不教我笑著說，卻教我裝個鬼臉兒罷？」題花道：「既

忙，我問你可喜畫個絕妙美人？」紫芝道：「除了別人，如不歡喜美人，你只管罵。」題花道：「既

如此，為何放著我家麗娟表妹倒不請教呢？你只看他尊名，就知他美人畫的如何。前日我在公主跟前

要保舉他，他再三懇我，所以未說，今日可脫不掉了。」白麗娟道：「妹子名字固與『美人』二字相

合，難道姐姐的花卉也不與尊名『題花』二字相合麼？豈似姐姐，就是銀蟾姐姐草蟲，鳳雛姐姐禽

鳥，蕙芳姐姐蘭花，也未有不與本名相合。若論本鄉閨秀，都可算得獨步了。」譚蕙芳道：「妹子的

蘭花，那才混鬧哩！從未經人指教，不過自己一點假聰明，豈能入得賞鑒！」張鳳雛道：「妹子的翎

毛，更是無師之傳，隨筆亂畫，算得甚麼！」宰銀蟾道：「要拿妹子的草蟲也算畫，眞是慚愧！姐姐

何苦把我也拉出來！」只見錦雲又命彩環取了許多畫碟擺在各桌。紫芝把寶雲盒內扇子取出四把遞

「四位姐姐莫謙了，都替妹子畫畫罷。題花姐姐在那裏倒要畫完了。」大家只得各接一把分著畫去。

這邊林書香因閨臣提起當日曾見紅紅、亭亭寫的女誡、璇璣圖甚好，同寶雲要了兩把扇子託他二

人寫。紅紅道：「當日妹子寫那扇子，因迫於先生之命。這宗筆墨，豈可入得姐姐法眼〔一〕。」亭亭

道：「沒奈何，我們只好『班門弄斧』。」綠雲也拿一把扇子遞給顏紫絹道：「剛才彩雲姐姐託你寫扇

子，你卻轉託別人替你畫；如今妹子這把扇子可要賞臉了。」紫絹只得接了，同紅紅、亭亭一桌寫。

紫芝走到圍棋那桌。只見燕紫瓊同易紫菱對著，手拈冷玉〔二〕，息氣凝神；卞香雲同姚芷馨靜悄悄

的在旁觀陣。紫芝道：「原來四位姐姐卻在這里下棋！今日這琴棋書畫倒也全了。」就只紫瓊、紫菱二

位姐姐特把芷馨、香雲兩個姐姐拉來觀陣，未免取巧。」紫瓊一面下棋，一面問道：「爲何取巧？」

紫芝道：「芷馨姐姐是『馨』，香雲姐姐是『香』，既有馨香在跟前，就如點了安息香一般，卽或下

個臭著兒，也就不致熏人。若不如此，此地還坐得住麼？」易紫菱聽了，不覺好笑。

未知如何，下回分解。

〔一〕法眼——佛家的說法：看事物，有五等眼睛的不同，第一等是佛眼，無事不見；第二等是法眼，是僅次於佛的；第五等就叫
　　　肉眼。一般用法眼二字恭維內行、有眼光的人。

〔二〕冷玉——指圍棋子。

第七十三回　看圍棋姚姝談奕譜⊖　觀馬弔孟女講牌經

話說易紫菱道：「這紫芝妹妹真會取笑，怪不得公主說你淘氣。」紫芝道：「芷馨姐姐既喜觀陣，自然也是高棋了？」姚芷馨道：「不瞞姐姐說：妹子向在外洋，除養蠶紡機之外，惟有打譜，或同薴香姐姐下下棋。雖說會下，就只駛些⊜，每日至少也下百十盤。」香雲道：「就是隨手亂丟，一日也不能這些盤。」芷馨道：「我們這棋叫做『跑棋』。彼此飛忙亂趕，所以最快。」香雲道：「依我說：姐姐既要下棋，到底還要慢些。譜上說的：『多算勝，少算不勝。』如果細細下去，自然有個好著兒，若一味圖快，不但不能高，只怕越下越低。俗語說的：『快棋慢馬弔，縱高也不妙。』圍棋犯了這個『快』字，最是大毛病。」紫瓊道：「時常打打譜，再講究講究，略得幾分意思，你教他快，他也不能。所以這譜是不可少的。」芷馨道：「妹子打的譜都是『雙飛燕』、『倒垂蓮』、『鎮神頭』、『大壓樑』之類，再找不著『小鐵網』⊜在那譜上。」香雲道：「倒像甚的『武庫』有這式子，你問他怎麼？」芷馨道：「妹子下棋有個毛病，最喜投個『小鐵網』。誰知投進去，再也出不來；及至巴巴結結活一小塊，那外勢全都失了。去年回到家鄉，時常下棋解悶，那些親戚姐妹都知妹子這個脾氣，每逢下棋，他們就支起『小鐵網』。妹子原知投不得，無如到了那時，不因不由就投進去。因此他們替妹子取個外號，叫作『小鐵網』。姐姐如有此譜，給妹子看看，將來回去，好去破他。」

紫菱道：「妹子當日也時常打譜，後來因吃個大虧，如今也不打了。」紫芝道：「怎麼打譜倒會

吃虧呢？」紫菱道：「說起來倒也好笑。我在家鄉，一日也是同親戚姐妹下棋，下未數著，竟碰到譜上一個套子，那時妹子因這式子變著兒全都記得，不覺暗暗歡喜，以為必能取勝。下來下去，不意到了要緊關頭，他卻沉思半晌，忽然把譜變了，所下的著兒，都是譜上未有的，我甚覺茫然，不知怎樣應法才好。一時發了慌，隨便應了幾著，轉眼間，連前後共總半盤，被他吃的乾乾淨淨。」紫芝道：「姐姐那時心裏發慌，所下之棋，自然是個亂的。那幾個臭著兒被他吃去，倒也無關緊要，我不可惜別的，只可惜起初幾個好譜著兒也被他吃去，真真委屈。所以妹子常說，為人在世，總是本來面目最好。即如姐姐這盤棋，起初下時，若不弄巧鬧甚麼套子，就照自己平素著兒下去，想來也不致吃個罄淨。就如人家做文，往往竊取陳編，攘為己有，惟恐別人看出，不免又添些自己意思，雜七雜八，強為貫串，以致他這文就如好好一人，渾身錦繡綾羅，頭上卻戴的是草帽，腳上卻穿的是草鞋，所以反覺其醜。如把草帽草鞋放在粗衣淡服之人身上，又何嘗有甚麼醜處！可見裝點造作總難遮人耳目。」

（一）奕譜——就是棋譜。把高深的、危險的棋勢彙列編成，註明先後著數的走法，並加講解，以供研究的書。一個人，自己又做甲方，又做乙方，按着棋譜下棋，藉以練習棋藝，叫做「打譜」。

（二）駛些——快些。

（三）這裏的五個名詞，都是圍棋局勢的術語。圍棋盤橫直各有十九道線路；乙方下子在四四線上，甲方就下子在六三和三六兩面的線上，形像彷彿是燕子，這叫做「雙飛燕」。乙方下子在三六線上，甲方就下子在五六線上，切斷乙方對外的聯系，這叫做「鎮神頭」；乙方下子在三六線上，甲方就下子在四七線上加以鎮壓，這叫做「大壓探」。甲方下子在四七線上，佔據了靠邊角的陣地，這叫做「倒垂蓮」，甲方地位低於乙方一格，這叫做「網」，縱使能活一塊，局勢也很有限。甲方的四四和八三線上下子，是進了「網」。乙方下子在三六線上，甲方想打進去，在六三線上下子，這叫做「小鐵網」，如果乙方想打進去，局勢也很有限。

只見素雲同井堯春走來望一望道：「我這紫芝妹妹話匣子要開了，有半天說哩，我們還是彈琴去罷。」堯春道：「如此甚好。但此地過於熱鬧，我們須找靜些地方才好。」於是約了呂堯蕣、田舜英、孟瑤芝仍到古桐臺去。適值陰若花、由秀英從海棠社走來，堯春素聞二人彈得一手好琴，携了二人一同來到古桐臺。

七個人，彈琴的彈琴，講究指法的講究指法，正在說笑，只見紫芝也走來。井堯春道：「妹妹那段草帽講完麼？」紫芝道：「那話不過隨嘴亂說，長也由得我，短也由得我，比不得諸位姐姐撫琴，定要整套彈完才歇哩。」呂堯蕣道：「妹妹將來何不學學？如學會了，到那風清月朗時候，遇見知音，大家彈彈，倒是最能養心，最可解悶的，在我們閨中，眞可算得良朋益友；就是獨自一人，只要有了他，也可消遣的。」紫芝道：「正是。剛才妹子聽你們五琴合彈，到得末後正在熱鬧之際，猛然鴉雀無聲，恰恰一齊住了，實在難得！我至今還是佩服。」瑤芝笑道：「諸位姐姐：你說紫芝妹妹這話可是外行不是外行？他且不講人家撫的好，只說五個人難得一齊住；也不想想人家既會彈，難道連個彈完還不知道麼？」

紫芝道：「妹子也曾學過。無奈學了兩天，泛音④總是啞的，因此不甚高興。往常瑤芝姐姐同素雲姐姐彈時，我去問問，他們總不肯細心教我，說我性子過急，我實不服。請教這個泛音究竟怎樣才響？」秀英道：「若論泛音，也無甚難處。妹妹如要學時，記定左手按絃，不可過重，亦不可太輕，要如蜻蜓點水一般，再無不妙。其所以聲啞者，皆因按時過重，若失之過輕，又不成爲泛音。『蜻蜓點水』四字，卻是泛音要訣。」紫芝道：「泛音既有如此妙論，爲何譜上都無此說？他卻

秘而不宣，是個甚麼意思？」瑤芝道：「他那譜上單論八法，儘夠一講，那還說到這個；況且他又怎

能曉得有人把泛音算做難事哩。」田舜英道：「妹妹要學泛音，也不用別法，每日調了絃，你且莫彈

整套，只將蜻蜓點水四字記定，輕輕按絃，彈那『仙翁』兩字：「彈過來也是『仙翁仙翁』；彈過去也

是『仙翁仙翁』。如此彈去，不過一兩日，再無不會的。」若花道：「阿妹把泛音會了，其餘八法，我倒

如：『擘』、『托』、『勾』、『踢』、『抹』、『挑』、『摘』、『打』之類，初學時倒像頭緒紛

紜，及至略略習學，就可領略，更是不足道。」紫芝道：「還有幾句歌訣，這兩年沒去弄他，我倒忘

了，不知共有幾句？」秀英道：「歌訣雖有八句，第一卻是『彈欲斷絃方入妙，按令入木始為奇』這

兩句是要緊的。此訣凡譜皆有，你細細揣摩，自能得其大意。』」

紫芝道：「姐姐：你說泛音要如蜻蜓點水一般，我要請姐姐彈個樣兒，我也好彈。」秀英隨即按

著絃，「仙翁仙翁」彈了一陣。紫芝也按著絃彈了幾聲，誰知按不得法，仍是啞音，不覺著急道：「

秀英姐姐！莫是這絃也有嘴眼罷？你們按的得法，按了他的眼，所以有聲；我按的不得法，按了他的

嘴，所以啞了。只好懇那位姐姐，要像先生教學生寫字樣子，用個『把筆』法兒把我才好。」瑤芝

道：「不知六位姐姐當日學時可有這個把法？真是學個琴兒也是古怪的！」若花笑道：「阿妹過來，

我來把你。」於是把著紫芝兩手又彈一陣「仙翁」。把了多時，紫芝道：「我會了。」若花把手放

開，隨他自彈，果然彈的竟成泛音。紫芝道：「你們且彈，我去去就來。」

說罷，來到白荒亭，向紫雲道：「他們寫字的寫字，畫畫的畫畫，下棋的下棋，彈琴的彈琴；我

（四）泛音——七絃琴面上有十三個指示音節的標識，叫做「徽」；彈琴時，彈著徽位上的絃所發出的聲音，叫做「泛音」。

們也想甚麼頑的才好，不然，這許多姐姐不要悶氣麼？」紫雲道：「今日人多，據我主意，須分幾樣頑法。莫若我們挨著問問，先派幾桌雙陸、馬弔，再派幾桌花湖、象棋，餘者或投壺、鞦韆、拋毬、甚至鬥草、垂釣，無所不可；如不喜頑的，或做詩聯句，悉聽其便。你道如何？」綠雲在旁點頭道：

「姐姐所論極是。不如此，也分派不開，也不足盡興。」隨命彩環預備調擺。

紫雲向蔣春輝、董青鈿道：「這件事必須二位姐姐同我們挨著問問，分派分派；不然，再也分派不開。」蔣春輝道：「如今弄的滿眼都是人，也不知除了他們琴棋書畫，還剩幾位姐姐？」紫芝道：

「這個妹子都記得，等我數給你聽：那彈琴的是堯春、堯嬪、舜英、若花、秀英、瑤芝、素雲七位姐姐，那下圍棋的是紫瓊、紫菱、芷馨、香雲四位姐姐；那畫扇子的是墨香、題花、麗娟、銀蟾、鳳雛、蕙芳六位姐姐。那寫扇子的是書香、文錦、巧文、月芳、繡田、紫綃、紅紅、亭亭八位姐姐；共計二十五位。下存七十五位；再除大解，小解二十五位，實存五十位。」說的眾人不覺好笑。寶雲道：「紫芝妹妹真好記性！至於那處那幾位，我原都曉得，你要教我一位一位念他名姓，這個實實不能。今日全仗妹妹替我各處照應照應；此時也不知都在此處，也不知有到別處去的，弄的糊里糊塗，這才叫做慢客哩。」

當時蔣春輝同眾人分了馬弔一桌、雙陸一桌、象棋一桌、花湖一桌、十湖一桌。餘者或投壺、鬥草、拋毬、鞦韆之類，也分了幾處。還有不喜頑的，或吟詩、猜謎、垂釣、清談，各聽其便。登時都在文杏閣、凝翠館、芍藥軒、海棠社、桂花廳、百藥圃，分在幾處坐了。寶雲道：「紫芝妹妹記性又好，走路又靈便。今日眾姐妹或在這裡，或在那里，惟恐照應不周，未免慢客，務必拜託妹妹替我挨著時常看看。若彩環老嬤躲懶，缺了茶水，千萬告訴我。」因把腳揚一揚道：「一連跑了五天，偏

偏今日他又疼了。」紫芝道：「我勸姐姐：就是四寸也將就看得過了；何必定要三寸，以致纏的走不動，這才罷了？」

董青鈿道：⋯⋯「他是我們老姐姐，你也要刻薄他？剛才寶雲姐姐說你記性好，我今日同你賭個東道：少時你到各處挨著看看眾姐妹共分幾處，某處幾人，共若干人；除了琴棋書畫，其餘如說的絲毫不錯，那才算得好記性，我情願將手上這副翡翠鐲送你；你若說錯，就把翡翠壺兒送我。不知你可敢賭？」紫芝道：「原來你倒看上我的鼻煙壺兒！既如此，我就賭這東。」寶雲道：「罷！罷！罷！我不做中人。」省得臨期反悔，同你們淘氣。」題花笑道：「妹子最喜做中人。你們二位把賭的東西放在我處，我才放心哩。」青鈿隨即把鐲子交代了。紫芝也把煙壺遞給題花道：「姐姐切莫把煙偷吃完了，近來像這酸味的少的很哩。」題花道：「不妨。如吃完了，我有『昔酉兒』。」紫芝道：「怎麼姐姐還未出閣，預先倒喜吃『昔酉兒』了。」題花聽了，把筆放下，舉著扇子趕來要打。

紫芝飛忙跑開，來到文杏閣。只見師蘭言、章蘭英、蔡蘭芳、枝蘭音四人在那裏要打馬弔；旁邊是宰玉蟾、錢玉英、孟玉芝觀局。大家搬了坐。蔡蘭芳道：「紫芝姐姐何不打兩弔？」紫芝道：「妹子今日受了主人之託，要替他照應客，所以不能奉陪。我看你們鬥兩牌，還要到別處去哩。」章蘭英道：「請教蘭言姐姐：我們還是打古譜、打時譜呢？還是三花落盡，十字變爲熟門；還是百子上桌，十字就算熟門？」師蘭言道：「要打，自然時譜簡便。至於百子上桌，十字就算熟門，未免過野，十子就算熟門呢？」

這是譜上未有的。若照這樣打法，那「鯽魚背」有個譜兒，不知各家是怎樣幾張？」紫芝道：「我記得椿家是紅萬、九十、六萬、六索，餘皆十子，餅子；四八之家，百子、九餅、一萬、一索、三萬、三索、七萬、七索，公五九家、九萬、九索、五萬、五索，餘皆十字；二六之家，一張空堂，四張餅子、三張十字、二索堂面、四肩在底。二六之家、關賞鬪十，椿家五紅，九十加捉，四八之家，以百子打椿，或發三萬，或發三索，大家照常鬪去，那就上了。」宰玉蟾道：

「玉蟾姐姐這句道得好。」章蘭英道：「怪不得人說紫芝姐姐嘴頭利害，你只聽他講這牌經，就如燕子一般，滿口唧唧咋咋，叫個不住。看這光景，將來紫芝姐夫如不懂內，我再不信。」眾人聽了，都道：

請教是何分別？」章蘭英道：「古譜哩，不過小色樣多些，今譜小色樣少些。諸如『百後趣』、『趣後百』、『大參禪』、『小參禪』、『捉極獻極』、『捉百獻極』之類，今譜盡都刪了。」玉芝道：

「色樣多些，豈不有趣，為何倒要刪去？難道嫌他過於熱鬧麼？」師蘭言道：「他刪去不為別的，因此等小色樣，每牌皆有，如果鬪上，其中恐有犯賠之家，必須檢查滅張，若牌牌如此，未免過煩，因此刪去，以歸簡便。況此中四門色樣不一而足，其餘如『雙疊』、『倒捲』、『香爐』、『桌弔』之類，何嘗不妙。只要會打，千變萬化之處甚多，又何必在幾個小色樣時刻較量哩。」蔡蘭芳道：「不消再議，我們就打時譜罷。」枝蘭音道：「妹子才初學，色樣越少越好，省得照應不來。」大家翻了百子，都打起來。

宰玉蟾道：「請教諸位姐姐：如今還有把馬弔抽去八張，三個人打著頑，叫作『蟾弔』，那是甚麼意思？」蔡蘭芳道：「他因向來四人打馬弔，馬是四條腿；所以三人打就叫蟾弔，蟾是三條腿；還

有兩人頑的叫作「梯子弔」，蓋因梯子只得兩條腿。」玉蟾道：「若是這樣，將來一人頑，勢必叫作『商羊⑤弔』了。」師蘭言道：「姐姐：你道那打蟾弔的是個甚麼主見？皆因粗明打弔，尚未得那馬弔趣味，或者當日學時本由蟾弔學成，一時令其驟改馬弔，就如鄉裏人進城，滿眼都是巷子，不知走那一路才好。只好打個蟾弔，倒底頭緒少些。」玉芝道：「我聽人說：『蟾弔熱鬧，馬弔悶氣，因此都愛蟾弔。』」蘭言道：「這話更錯了。馬弔本好好四十張，今抽去八張，改爲蟾弔，以圖熱鬧；試問若圖熱鬧，如打天九，把三長四短全都去了，滿手天九、地八，亦有何味？卽如當日養由基百步穿楊⑥，至今名傳不朽者，因其能穿楊葉，並非說他射中楊樹，就算善射；若射中楊樹就算善射，縱箭箭皆中，亦有何趣？卽如蟾弔抽去清張，縱牌牌成色樣，亦不過味同嚼蠟。」宰玉蟾道：「我還聽見人說：『馬弔費心，蟾弔不費心，所以人喜蟾弔。』請教姐姐此話可是？」蘭言道：「這做馬弔的，當日做時，原不許粗心浮氣人看的。若謂馬弔費心，何不竟將蟾弔不打，豈不更省許多心血？」蘭芳道：「蘭言姐姐把這蟾弔眞駁的有趣；不然，久而久之，被這粗心浮氣的把馬弔好處都埋沒了。」紫芝道：「諸位姐姐且慢打弔，我說個笑話，一人好打蟾弔。死後，冥官道：『好好馬弔不打，你卻矯揉造做去打蟾弔。——也罷，如今就罰你變個蟾去！』此人轉世雖變了蟾，那打弔心腸，仍是念念不忘。一日，同了素常相好的許多小蟾出去遊玩；他前走，小蟾隨後。他道：『我們這個走法，好像馬弔一副色樣。』衆蟾道：『叫做甚麼？』他道：『叫做「公領孫」。』衆蟾鼓譟道：『把我們

　　⑤　商羊——古代神話中一種一隻脚的鳥。
　　⑥　養由基百步穿楊——養由基，春秋時楚國大夫，歷史紀載上最會射箭的人，在百步之外射柳葉，百發百中，所以叫做「百步穿楊」。

做他孫子這還了得！』不由分說，一齊動手，把他按住，也有打的，也有罵的。有一小蟾，取了一個石子，狠狠朝他頭上一丟道：『你說！這是甚麼色樣？說不出，再打！』他道：『求諸位莫打，容我說！這叫「佛頂珠」。』又一小蟾把他足上皮撕下一片道：『你說！這是甚麼？』他道：『這是「佛赤腳」。』又一蟾拿著竹片，把他打的渾身是血道：『這是甚麼？』他道，『這是「硃砂鼎」。』又一蟾取些黑泥，把他塗的渾身漆黑道：『這是甚麼？』他道，『這是「鐵香爐」。』眾蟾道：『剛才他身上是紅的，所以說是硃砂鼎；此刻身上塗黑了，就算綠毛龜」麼？究竟不像，還要打！』他道：『諸位若說不像，難道把你身上塗綠了，就算爐樣兒給你們看。』眾蟾果然一齊閃開。他把三足立在地下，把腰朝上一拱道：『諸位請看：難道香爐不是三隻腳麼？』說罷，他就勢想要逃走，連忙將身一縱，遠遠落在地下，誰知不巧，恰恰將嘴碰在一堆糞上。眾蟾看見一齊笑道：『好了！如今蟾弔新添一副色樣了！』他忍著臭氣問道：『請教諸位：這副色樣叫做甚麼？告訴我，我好添在譜上。』眾蟾道：『叫作「狗吃屎」。』」說的眾人笑個不了。

玉蟾聽了，望著紫芝只管冷笑。紫芝道：『妹子實在一時疏忽，忘你大名；若要記得，怎敢犯諱！我嘗聽得銀蟾姐姐說，小瀛洲四員猛將都敵你不過，妹子還敢放肆麼？』玉蟾把手伸出道：『姐姐：你拿手來試試，妹子何嘗有甚麼力量。』紫芝嚇的連忙跑開道：『姐姐莫給我苦吃，我還到各處替寶雲姐姐照應客哩。』說著，去了。

未知知何，下回分解。

第七十四回　打雙陸嘉言述前賢　下象棋諧語談故事

話說紫芝懼怕玉蟾，連忙走開，來到雙陸那桌。只見戴瓊英同孟瓊芝對局；掌紅珠、邵紅英、洛紅蕖、尹紅萸在旁觀局。掌紅珠道：「當日雙陸不知為何要用三骰。與其擲出除去一個，何不就用兩個，豈不簡便？妹子屢次問人，都不知道。其中一定有個緣故。」孟瓊芝一面擲骰，一面笑道：「據我看來，大約因為杜弊而設。即如兩個骰子下盆，手略輕些，不過微微一滾，旋即不動，至於三個骰子一齊下盆，內中多了一個，彼此旋轉亂碰，就讓善能掐骰㊀也不靈了。況雙陸起手幾擲雖不要大點，到後來要緊時，全仗大點方能出得來。假如他在我盤，五樊已成，我不擲個六點，只好看他一人行了。以此看來：他除大算小，最有講究的。」尹紅萸點頭道：「姐姐議論極是。古人制作，定是這個意思。我還聽見人說：雙陸是為手足而設㊁。不知是何寓意？」戴瓊英道：「他是勸人手足和睦之意，所以到了兩個、三個連在一處，就算一樊，別人就不能動；設若放單不能成樊，別人行時，如不遇見則已，倘或遇見，就被打下。即如手足同心合意，若各存意見，不能和睦，是自己先孤了，別人安得不乘虛而入。總要幾個連在一處成了樊，就不怕人打了。這個就是『外禦其侮』一個意思。」洛紅蕖道：「可見古人一舉一動，莫不令人歸於正道，就是遊戲之中，也都寓

㊀ 掐骰——一種擲骰子的技巧。有這種技巧，擲骰子，可以任意擲出所需要的點子來。也叫「做骰子」、「做點子」。

㊁ 雙陸是為手足而設——雙陸是何時、何人所發明，傳說不一。其中一說：雙陸是胡人發明的。當時胡主的兄弟有罪被囚，在獄裏創製雙陸，裏面包含了兄弟合作的道理，送給胡主，希望胡主能從雙陸中得到感化。

著勸世之意。無如世人只知貪圖好玩，那曉其中卻有這個道理。」

紫芝道：「瓊英姐姐且莫擲骰，妹子說個燈謎你猜：『三九不是二七，四八不是三十二，五七不是三十五，六六不是三十六，打一物。』」掌紅珠道：「我猜著了，可是『十二』？」紫芝道：「『三九』、『四八』、『五七』、『六六』，湊起來都是十二，姐姐猜的真好。──但妹子剛才有言在先，打的是個物件，請姐姐把『十二』取來看看，如果是個物件，就算姐姐猜著。」紅珠不覺笑道：「呸！我只當是個數目哩。」邵紅英道：「可是『雙陸』？」紫芝笑道：「這個猜的卻好。至於是不是，且等我看看花湖再來回覆。」

於是走到海棠社。只見酈錦春、言錦心、廉錦楓、卞錦雲四人在那里看三花湖；哀萃芳、葉瓊芳在旁看「歪頭湖四」。廉錦楓見紫芝走來，連忙叫道：「姐姐來的正好。妹子輸的受不得了！我這初學的花湖，如何上得場！剛才我求萃芳、瓊芳二位姐姐替我看兩牌，誰知他把『么六』、『二三』認作雜花，成了下去，倒被他們割了一個耳朵。姐姐替我看看罷，今日被這『三公』、『三才』，頭都鬧昏了。」紫芝道：「怎麼如今花湖忽又添出三公、三才，這是怎講？」錦雲道：「何嘗添什麼三公、三才。只因錦楓姐姐頭一次起了一個雙張，做了一回老相公五；第二次補牌又多補一張，又做一回老相公，他又多起一張，又做一回老相公六，因此他叫做『三公』。第三次下家還未起牌，他又先讀過三字經麼？」錦楓道：「三才又是怎講？」廉錦楓道：「紫芝姐姐未曾讀過三字經麼？」紫芝道：「三字經上有句：『三才者，天地人。』怎麼沒有讀過。」錦雲道：「妹子每牌總是天、地、人三個單張在手，偏偏又是肚子七，又不敢打，所以打了半日，還未成得一牌。剛才好容易

叫六頭，偏偏又被上家攔成。」哀萃芳道：「那牌原是姐姐自己打錯。」紫芝道：「怎麼打錯？」葉

瓊芳道：「他手裏只剩一對天牌，卻把長三打出去，恰好錦心姐姐六張開招，一連補了三張么三，又

是一個六張，這也罷了；末尾還補二三一坎，恰恰湊成一封；及至錦心姐姐再打三六，錦雲姐姐也是

六張開招，喜相逢攔成：這比我的么六、二三、四六詐湖⑴更臭。」酈錦春道：「這一牌不獨錦楓姐

姐吃虧，就是妹子也多輸三個龍船。這牌方才打錯，接著一牌湖四頭又把長二打去，被人六張開招雙

封，也是一對人牌成了。」

言錦心道：「錦楓姐姐打錯也罷了，並且打的也過慢。剛才有一牌，左拆右拆，弄了半天，再也

打不出。彼時適值我是夢家⑼，因他躊躇，過去看看，誰知他手裏除了天、地、人三個孤張，還有六

張閒牌，打去一張，卻是『八尖嘴』。」紫芝道：「若是這樣，他打的雖臭，倒有一件可取，卻還細

膩。但只工夫還未到家，能嫺練的打到『眠張兒』，那就好了。」錦春道：「何為『眠張兒』？」紫

芝道：「眠者，睡也。卽如他家應該發牌，左拆右拆，左打右打，再也打不出。及至鬧到後來，把那

（三）看——這裏同玩牌的「玩」、打牌的「打」。

（四）「歪頭湖」——看人打牌，坐在桌子旁邊要歪著頭看，所以叫做「歪頭湖」，也叫做「邊湖」。

（五）老相公——打牌時多拿了一張以上的牌，叫做「老相公」。

（六）三字經——從前給蒙童讀的書。因為三個字一句，所以叫做三字經。據說是宋代人所作，明、清人都加以增訂。

（七）肚子——花湖牌的中間畫有人物的牌叫做肚子。有了這種牌，可以加倍數計算，所以不能輕易打去。

（八）詐湖——牌未組織成功，冒認或錯認已組織成功，擺出牌來，叫做「詐湖」。

（九）夢家——打牌時，如果規定入局的人輪流休息，休息的人就叫做「夢家」。

三個看牌的都等的瞌睡起來，這才打出去，其名就叫『眠張』。」錦楓道：「姐姐莫鬧了，你再鬧，更要錯了。」紫芝道：「今日這牌不但添了三公、三才，只怕還要添個骨牌名哩。」錦楓道：「此話怎講？」紫芝道：「姐姐剛才湖六頭，打長三，湖四頭，又打長二，少刻湖二頭，再把地牌打了，豈不湊成一副『順水魚』麼？」錦楓道：「我的紫姑太太！夠了！夠了！你老人家不要刻薄了！請罷！」紫芝道：「我要抽幾頭兒才肯走哩。」錦楓道：「我還沒贏，那有頭兒。」紫芝用指在錦楓頭上一彈道：「這不是頭兒？」錦雲用力把紫芝朝外一推道，「人家這里頑錢，你只管跟著瞎吵！」

紫芝趁勢走出，來到猗蘭堂。只見余麗蓉、姜麗樓、潘麗春、蔣麗輝在那里閒談，旁邊放著一桌十湖。四人見了紫芝，都欠身讓坐。紫芝道：「你們為什麼不看牌，卻在這里清談？」余麗蓉道：「我們因為麗輝姐姐不大高興，所以歇歇再打。」紫芝道：「麗輝姐姐為甚不高興？」蔣麗輝道：「我一連看了八輪㊀，我一牌未成，這不是討罪受麼！並且每牌總是一張老千㊁，從未起過空堂，牌牌總要打九索；至於破綁破羣㊁，更不必說了。尤其可恨的，都破綁破羣再不教你成個二報三報㊂，他總是一張八餅、一張二索，或是一張七餅、一張三萬，教你八下不成副；及至巴到十成，不是人家湖了，就是上家攔成。你說這夤緣鬼㊃令人恨不恨！我明日一定戒賭，妹妹莫勸我。」紫芝道：「妹子何敢勸？但姐姐又何須勸？今日戒，明日開，那是向來的老規矩。並且這『戒賭』二字，我從太后頒恩詔那年一直聽到如今了。姐姐莫生氣，妹子替你看兩牌。」姜麗樓道：「如此甚好。」大家歸坐。紫芝一連看了幾牌，誰知牌牌皆成，不但不輸，並且反做了贏家。把牌交給麗輝道：「你來看罷。如今反

輸爲贏，大約可以不必戒賭了。」麗輝接過牌道：「人說你們的好，果然不錯。才看這幾牌，都在我的意料之外，倒長許多見識。明日一定要送門生帖過去。」紫芝道：「拜門生你且暫緩；等我老師開了窮子店，替你多多預備幾把窮子你再來。」說的眾人不覺好笑。

紫芝走出，要去看看象棋，找了兩處，並未找著。後來問一聲環，才知都在圍棋那邊。隨即來到白荒亭。只見崔小鶯同秦小春對局，旁邊是掌乘珠、蔣月輝、董珠鈿、呂祥蓂四人觀局。那對局的殺的難解難分，觀局的也指手畫腳。紫芝道：「教我各處找不著，原來卻在圍棋一處。看這光景，大約也是要借點點馨香之意。」

只聽蔣月輝道：「小春姐姐那匹馬再連環起來，還了得！」董珠鈿道：「不妨！小鶯姐姐可以拿車攔他。」呂祥蓂道：「我的姐姐！你這話說的倒好，也不望馬後看看！」誰知秦小春上了馬，崔小鶯果然拿車去攔。這里呂祥蓂連忙叫道：「小鶯姐姐攔不得，有個馬後砲哩！」話未說完，秦小春隨即用砲把車打了。崔小鶯道：「人家還未走定，如何就吃去？拿來還我！」秦小春道：「你剛才明明

（一）看了八輪──猶如說「打了八圈」。

（一）老千──指千子，參看第六十九回註（三）。

（三）破梆破斛──二條、二萬、八餅一副叫做「梆子」，三條、三萬、七餅一副叫做「斛子」。破梆破斛是每副裏缺一張餅子，如二條、二萬、三萬。

（三）二報三報──二條、二萬、二餅叫做二報；三條、三萬、三餅叫做三報。

（四）麵糊鬼──指紙牌。因為紙牌是用麵糊粘貼而成的。

走定，如何還要悔？」掌乘珠道：「小春姐姐把車還他罷。況且這棋小鶯姐姐業已失勢，你總是要贏的，也不在此一車。」紫芝道：「二位姐姐且慢奪車，聽我說個笑話：一人去找朋友，及至到了朋友家裏，只見桌上擺著一盤象棋，對面兩個坐兒，並不見人。這人不覺詫異；忽朝門後一望，誰知他那朋友同一位下棋的卻在門後氣喘噓噓奪車。恰好今日二位姐姐也是因車而起，好在有例在先。」紫芝一面說著，故意大聲叫道：「影環快將門後打掃打掃，少刻就有客來了。」

題花按著扇子，一面撇蘭，一面笑道：「『女孩兒家恁響喉嚨，也不管諕得人來怕恐，準備精皮膚一頓打！』」紫芝道：「有件奇事：一家養口小豬，忽然得個怪病，伏在地下將尾亂擺。有人傳個方兒，教他磨些黑墨塗在尾上就好了，——那知擺的更甚。這家沒法，只得把獸醫請來。偏偏這獸醫又是近視眼，走來一望，見那豬尾上黑墨畫的滿地橫一道，豎一道。看了一看，回頭就走道：『這樣好豬，還說有病！』這家忙問道：『怎說無病？』獸醫道：『我們雖是獸醫，也要「望、聞、問、切」呢！你莫看別的，只看豬尾就知道了，他如果有病，怎麼還撅的那樣好蘭呢？』」題花笑道：「

好啊！替你畫，你還罵我！」紫芝道：「這個只好算個筆資罷。」

忽聞遠遠簫音嘹亮，甚覺可耳。紫芝正要叫影環去看，只見芳芝走來道：「諸位姐姐聽聽這簫品的可好？」眾人道：「不知那位姐姐品的這樣好簫。」忽聽又有笛音，倒像簫笛合吹光景。芳芝道：「

「剛才我同再芳、蘭蓀兩位姐姐看了芍藥，到了蓮花塘，蘭蓀姐姐被他們邀去投壺。再芳姐姐因見綠雲妹妹鐵笛鐵簫甚好，所以約了亞蘭姐姐、綠雲妹妹就在水閣合吹，這簫笛借著水音，倍覺清亮，又是順風吹來，遠聽更有意思。」左融春道：「如此妙音，簫笛必另有不同，姐姐把我帶去看看。」二人攜手去了。

紫芝也隨後跟來，走到桂花廳。只見林婉如、鄒婉春、米蘭芬、閔蘭蓀、呂瑞蓂、柳瑞春、魏紫櫻、卞紫雲八個人在那里投壺。林婉如道：「俺們才投幾個式子，都覺費事，莫若還把前日在公主那邊投的幾個舊套子再投一回，豈不省事。」眾人都道：「如此甚好，就從姐姐先起。」婉如道：「俺說個容易的，好活活準頭，就是『朝天一炷香』罷。」眾人挨次投過，也有投上的，也有投不上的。鄒婉春道：「我是『蘇秦背劍』⑥、」米蘭芬道：「我是『張果老倒騎驢』。」呂瑞蓂道：「我是『烏龍擺尾』。」柳瑞春道：「我是『鷂子翻身』。」閔蘭蓀道：「我是『流星趕月』。」卞紫雲道：「我是『富貴不斷頭』。」眾人都照著式子投了。紫芝走來，兩手撮了一捆箭，朝壺中一投道：「我是『亂劈柴』。」鬧的眾人好笑。

紫芝說笑一陣，信步走到鞦韆那邊。只見田鳳翾、施艷春、薛蘅香、董翠鈿、蔣素輝、卞彩雲六人在那里一起一落打著頑。紫芝道：「我看你們打來打去，不過總是兩個俗套子。據我主意：何不各抒己見，出個式子，豈不新鮮些？」彩雲道：「如此甚好，就請鳳翾姐姐先出。」田鳳翾道：「妹子出個『平步青雲』，要雙足平起。」薛蘅香道：「我是『鯉魚跳龍門』，要雙足微縱。」施艷春道：「我是『金雞獨立』，要一足微長。」董翠鈿道：「我是『指日高陞』，要一指向日。」蔣素輝道：「我是『鳳凰單展翅』，要一手朝天。」卞彩雲道：「我是『童子拜觀音』，要一手合掌。」都照式

⑤「望、聞、問、切」——中醫給人看病的四種方法的省詞。四種方法是：望色、聞聲、問狀、切脈。

⑥「蘇秦背劍」——這句和一下面幾句，都是指投壺時的姿式。

子打了一回。彩雲道：「倒是紫芝妹妹會頑，果真出個式子就覺有趣。」田鳳翾道：「紫芝姐姐何不出個式子也頑頑呢？」紫芝道：「我怕頭暈。」薛蘅香道：「姐姐向來鬧的趣兒甚好，既不打鞦韆，何不說個笑話呢？」紫芝道：「這倒使得。」因想了一想，登時編了一個笑話。

未知如何，下回分解。

話說紫芝因薛蘅香教他說笑話，當時想了一想，望著六人道：「老姐在茅坑缺食甚饑。忽然磕睡，因命小姐道：『如有送食來的，即來喚我。』不多時，有人登厠出恭，因腸火結燥，蹲之許久，糞雖出，下半段尚未墜落。小姐遠遠看見，即將老姐叫醒。老姐仰頭一望，果見空中懸著一塊『黃食』，無奈總不墜下。老姐喉急，因命小姐沿坑而上，看是何故。老姐去不多時，回來告訴老姐道：『我看那食在那里頑哩。』老姐道：『做甚麼頑？』小姐道：『他搖搖擺擺，懸在空中，想是打鞦韆哩。』」董翠鈿道：「臭轟轟的，把人比他，姐姐也過於尖酸了。」蔣素輝道：「那『黃食』二字，倒也新奇。」薛蘅香、施艷春道：「幸而沒有痔瘡，若有血痔，那可變成『紫食』了。」紫芝遙指著道：「姐姐，你聽：他們這個笛音，遠遠聽著，實在有趣，姐姐何不領我們望望去？」紫芝道：「我正要去哩。」

七人一同到了蓮花塘，進了涼閣。蘇亞蘭、左融春、董花鈿、孟芳芝、卞綠雲五人連忙站起讓坐。田鳳翾道：「我們原是特來領教的，怎麼倒不吹了？」綠雲道：「吃了這杯茶，少不得都要吹一套奉敬。」董花鈿道：「你們七位卻在何處遊玩，半日總未見面？」蔣素輝道：「紫芝姐姐才從白荇亭來的；我們六人在桃花嶺旁打了一會鞦韆。」蘇亞蘭道：「敢是六位姐姐在鞦韆架上聽見我們這里

簫笛聲音才過來的？」施豔春道：「剛才我們打著鞦韆，在半空中忽聞這個簫笛之音，倒像雲端裏飄出一陣仙樂，好不令人神爽。」綠雲道：「那是姐姐離的遠，又在高處，所以隱隱躍躍倒覺可耳；今若近聽，可差遠了。」芳芝道：「姐姐何不再吹一套呢？」左融春道：「還是綠雲、亞蘭二位姐姐合吹有趣。」亞蘭道：「如此甚好。」同綠雲各拿簫笛合吹起來。

紫芝一心記挂東道，無暇細聽，趁空走到外面。只見寶雲也向蓮花塘走來，道：「妹妹可曉得眾位姐姐共分幾處？我恐我們表姐妹陪不過來，又託了蔣、董兩家姐姐替我陪陪客。不知每處可有我們四姓之人？倘竟並無一個，教客人自己照應自己，那眞是慢客了。」紫芝道：「姐姐！你等妹子先把這幾處念給你聽，就明白了：馬弔那邊是蘭言、蘭英、蘭芳、蘭音、玉蟾、玉英、玉芝七位姐姐；雙陸那邊是瓊英、瓊芝、紅蕖、紅蕊、紅珠六位姐姐；花湖那邊是錦楓、錦春、錦心、錦雲、萃芳、瓊芳六位姐姐；十湖那邊是麗蓉、麗樓、麗春、麗輝四位姐姐；象棋那邊是小春、小鶯、乘珠、祥黃、月輝、珠鈿六位姐姐；投壺那邊是婉如、婉春、瑞春、瑞黃、蘭芬、蘭蕙、紫櫻、紫雲八位姐姐，鞦韆那邊是豔春、翠鈿、素輝、彩雲六位姐姐；品簫那邊是亞蘭、融春、花鈿、芳芝、綠雲五位姐姐：共四十八位。還有幾處，等妹子看過，再來告訴你。大約靑鈿妹妹那副鐲子是我的了。姐姐可見芸芝姐姐麼？」

寶雲道：「他同再芳姐姐才從蓮花塘出去，因再芳姐姐要學『大六壬課』，大約都在芍藥軒講究課哩。」紫芝道：「芸芝姐姐果然如此，未免可惡！」寶雲道：「這卻為何？」紫芝道：「妹子一心要學大六壬課，往常求他，再也不肯教我；今日倒教外人，豈不可惡麼！」寶雲輕輕說道：「剛才巧

文姐姐在白荒亭無心說了一個四等，誰知再芳姐姐當日部試就是四等，因此語言頗有芒角㊀，所以我託芸芝妹妹伴伴他。這位姐姐氣性不好，到處同人鬭嘴。芸芝妹妹同他談論，因受我之託，那裏情願教他。妹妹要學，恰好他們方才過去，你跟去聽聽就是了。」

紫芝走到芍藥軒。房內並無一人，窗外倒像有人說話。輕輕走到紗窗跟前，朝外一望，原來再芳同芸芝緊靠窗子，坐在那裏說話。只聽芸芝道：「這有甚麼要緊，怎說拜起老師來了？」再芳道：「此話倒出我的本心：妹子這個念頭，並非一朝一夕，已存心中幾年了。向日聞得古人有『袖占一課』之說，真是神乎其神，我只當總是神仙所為，凡人不能會的；後來才知袖占一課，就是如今世上所傳大六壬課。妹子聽了，四處購求課書，日日習學，再也不能入門。要訪一位精於此道的求他指引，訪來訪去，比訪神仙還難。今幸遇姐姐，豈不是我心上老師麼？妹子並非求精，只要姐姐指點，能勾入門，起得『三傳四課』，心願也就足了。」芸芝道：「若能會起三傳四課，底下功夫，自然容易。可惜妹子所著大六壬指南尚未脫稿：姐姐如將此書一看，登時就能瞭然。至於古人之書，精微奧妙則有之，若講入門，倒是罕見的。」

再芳道：「請問姐姐：何謂『地盤』？」妹子再也弄不明白。」芸芝道：「世人學課，往往半途而廢者，皆因『天地盤』分不明白之故。其所以然者，總由前人於入門一條，未能分晰指明，學者又不能細心體察，所以易於忽略。妹子今將地盤寫一樣式，再細細註解，自然易於領略。」隨命影環設個

㊀芒角──形容尖銳、刺人的意思。

小几，擺下筆硯，登時寫畢。再芳接過，只見上面寫著：

申酉戌亥
未　子
午　丑
巳辰卯寅

此地盤式，有從左起的，有以右手起的。以左手而論：於無名指第四節起子時；中指第四節丑，食指第四節寅，第三節卯，第二節辰，第一節巳；中指第一節午；無名指第一節未；禁指第一節申，第二節酉，第三節戌，第四節亥。以右手而論：於中指第四節起子時，無名指第四節丑；禁指第四節寅，第三節卯⋯⋯照前順排，至食指第四節為亥。

此式必須細心摹擬，須將地盤十二時所列方位個個記得爛熟，然後再講天盤。若地盤未熟，即講天盤，勢必上下不分，徒亂人意。蓋地盤千載不移，天盤隨時流轉。今以隨時流轉之盤，加於千載不移盤上，若不記清，何能上下分得明白？即如你以右手五指，合於我之右手五指之上，你若問我大指之上，是汝何指，我必說是禁指，食指之上，是你無名指。蓋上下十指，是胸中滾熟的，所以不看亦能瞭然。姐姐要明天地盤，只須記熟就能領會了。」

紫芝在窗內看的明白，不覺喜道：「原來地盤卻是如此。」

再芳道：「妹子適觀此式，地盤業已明白。請敎天盤式子呢？」芸芝道：「天盤隨十二時流轉，每日式子十二。要明天盤，先記月將。——月將者，太陽也。正月雨水後在亥，就是曆書所謂『日躔

禁指──第五小手指。

登明之次」。每三十日一換：二月春分後在戌，三月穀雨後在酉，四月小滿後在申，五月夏至後在未，六月大暑後在午，七月處暑後在巳，八月秋分後在辰，九月霜降後在卯，十月小雪後在寅，十一月多至後在丑，十二月大寒後在子。逆行十二時。假如正月雨水後起課，應用亥將，來人口報寅時，卽以亥將加在地盤寅時之上，依次排去，就是天盤。今寫個樣兒請看。」

	巳	午	未	申
正月雨	辰			酉
水後亥	卯			戌
將寅時 天盤式	寅	丑	子	亥

	辰	巳	午	未
二月春	卯			申
分後戌	寅			酉
將寅時 天盤式	丑	子	亥	戌

紫芝看了，只管暗暗點頭，記在心裏。

再芳道：「這天盤式子，妹子也明白了。請教『四課』呢？」芸芝道：「凡起四課，有六句歌訣須要讀熟：『甲課在寅乙課辰，丙戊在巳不須論，丁己在未庚申上，辛戊壬亥是其真，癸課由來丑上坐，分明不用四正辰。』此訣皆指地盤而言，切須牢記。今以甲課在寅而論：卽如甲日占數，須在地盤寅上起第一課。──寅上者，卽天盤所加之時。假令三月穀雨後占課，應用酉將，來人口報丑時，本日係甲子日，今將先排日干，後起四課樣子寫來你看。」

甲
卯
辰 巳 午 未
申

子　　寅　　酉

丑　子　亥　戌

紫芝看了忖道：「原來未起四課，先將本日干支排在兩處，倒要看他怎樣起法。」

未知如何，下回分解。

第七十六回　講六壬花前闡妙旨　觀四課牖下竊真傳

話說紫芝正在思忖，只聽芸芝對再芳道：「天盤排定，先將本日干支從中空一格寫在兩處，再起四課。今把一課、二課、三課、四課寫來你看。此是起課入門，最為切要，向來各書從未指出，姐姐從此追尋，可以得其初學無從入手。這是妹子因姐姐學課心切，所以獨出心裁，特將門戶指出，以致梗概了。」

戊甲　　戊甲　　戊甲　　辰巳午未
午戌　　午戌　　午戌　　申
申子　　午戌　　戌　　　酉
子　　　申子　　子　　　寅
辰申　　申　　　子　　　丑子亥戌

紫芝忖道：「向來課書只講三傳，從未講到四課，令人無從下手，非口授不能明白；今既曉得天盤、四課，再將課書三傳合參，自能知其來路，何必又要口授。他向來不肯教我，那知我倒會了。」

芸芝道：「我把這個式子一層一層分開講給你聽：即如甲子日起課歌訣是『甲課在寅』，即看地盤寅上所加之時，如所加是戌，即於日干甲上寫一戌字，支干中間所空之處亦寫一戌。——此是第一課。一課起後，再看地盤戌上所加之時，如所加是午，即於戌上寫一午字，此是第二課，——蓋寅上得戌，戌上得午也。二課起後，再看地盤子上所加之時，如所加是申，即於日支子上寫一申字，子字之旁也寫一申，亦如第一課戌字一樣，——凡占皆如此。——此是第三課。三課起

後，再看地盤申上所加之時，如所加為辰，即於申上寫一辰字，此是第四

看，無不瞭然。古人起課歌訣都是『甲課在寅乙課辰』，必須改為『甲課寅上乙課辰』，初學始無舛

錯之虞。四課起畢，然後照著古法再起三傳，如『元首』、『重審』〇之類，課經所載甚詳。三傳明

後，再將畢法賦〇以及指掌占驗〇不時細玩，自能領會。」

再芳道：「即如起貴人『甲戊庚牛羊，乙己鼠猴鄉，丙丁豬雞位，壬癸兔蛇藏，六辛逢馬虎，此

是貴人方』。這六句歌訣雖然記得，至如何起法，尚不明白。」芸芝道：「所謂甲戊庚牛羊者，謂甲

日或戊日或庚日占課，貴人總在天盤丑未之上，——蓋丑屬牛，未屬羊也。」再芳道：「妹子聞得貴

人有晝貴、夜貴，陽貴、陰貴之分：上一字為晝為陽，下一字為夜為陰。即以首句而論，丑為甲戊庚

晝貴，未為甲戊庚夜貴。但每日既有兩貴，為何往往占課卻寫一個貴人呢？」芸芝道：「貴人雖二，

要看來人所報之時：如所報之時是子、丑、寅、卯、辰、巳，則用晝貴，夜貴不論；是午、未、申、

酉、戌、亥，則用夜貴，晝貴不論。或以卯酉分晝夜者，或以日出日沒分陰陽者，議論不一。據妹子

愚見：似以子至巳為晝為陽，晝貴為是；午至亥為夜為陰，用夜貴為是。如此用去，恰與古人所謂

『天干相合處，便是貴人方』其義甚合。姐姐久後自知。」

再芳道：「課傳一切，蒙姐姐指教，略知一二。至於怎樣斷法，還求姐姐講講。」芸芝道：「課

體不一，事務紛紜，雖云課止七百有二，但時有不同，命有不同，斷法豈能一定。若撮其大略，總不

外乎『生、克、衰、旺、喜、忌』六字，苟能透徹此理，無論所占何事，莫不一望而知。姐姐細心體

察，慢慢自能領會。」再芳道：「姐姐何不將這六字大略談談呢？」芸芝道：「妹子新著一部大六壬

類纂，上面無一不備，將來拿去，姐姐一看就明白了。」

紫芝在窗內喊道：「我明白了！」把二人嚇了一跳。芸芝回過頭來，見是紫芝，不覺變色道：「

這里空空的，我們坐在此處，就是沒人驚嚇，心裏也覺膽怯，那里禁得冒冒失失這一聲！此時心裏跳

個不住。要像這樣頑法，不顧人死活，這可了不得了！」紫芝道：「姐姐！你不怪自己，反來怪人！」

芸芝道：「為何倒怪我自己？」紫芝道：「你的課既靈，剛才在此坐時，為何預先不起一課？若課中

知我躲在窗內，豈不省此一驚麼？」芸芝道：「要像這樣處處起課，將來喝碗茶、吃袋烟，還要問問

吉凶哩。」紫芝道：「姐姐莫氣，我說個笑話你聽。」芸芝把手按住兩耳道：「罷！罷！罷！我不

聽！」紫芝道：「你不聽，我改日再說。」

說罷，走到金魚池邊。只見唐閨臣、陶秀春、紀沉魚、蔣星輝、掌驪珠五人都在池邊垂釣。紫芝

道：「池內菱藕甚多，你們莫非借垂釣為名，偷吃蟠桃麼？」掌驪珠道：「你要賴人做賊，也把誑兒

撒的完全些！如今才交四月，不但藕是老的沒人吃，就是菱角也未出世哩。」蔣星輝道：「菱藕雖未

見，我倒看見有枝血紫的靈芝，可惜被狗銜了去。」陶秀春道：「這句罵的有點意思。」

紫芝要想編個笑話回他，偏又想不出，因向閨臣道：「姐姐可曾釣幾個？」紀沉魚道：「閨臣姐

(一)「元首」、「重審」──六壬課課名。元首是六十四課的第一課，被星相家認為萬事順遂、大吉大利的課。重審卻被星相家

認為是以下犯上、可吉可凶應該考慮的課。

(二)畢法賦──六壬課的「畢法」有一百句，是解釋所謂「格局」的一些迷信歌訣。如第一句是「前後引從陞遷吉」，第二句是

「首尾相見始終宜」等等。

(三)指掌占驗──說明六壬課卜占方法的一部迷信書。

姐未曾垂釣，先把鉤兒去了，所以尙未釣著。」紫芝道：「旣要釣魚，爲何倒把鉤兒去了？」閨臣道：「我雖垂釣，卻志不在魚。若暗藏毒餌，誘他上鉤，於心何忍？此時面對淸泉，頗覺適意，雖不得魚，亦有何妨。」沉魚道：「閨臣姐姐是無鉤之釣，所以不曾得魚；妹子不知爲何也未釣著一個。」

紫芝道：「姐姐尊名明明說是魚都沉了，如何還想釣著！倒是婉如姐姐所說海外『雲中雁』，你去弄個『鳥槍打』，那雁只怕倒可落下；若要想魚，卻是難的。」一面說著，忽然把腰彎下道：「我這腳縫疼的很，不知甚麼塞在裏面？」故意在繡鞋邊摸了一摸，把手退出望一望，道：「吥！我只當甚麼東西，原來是個『灰星』子塞在腳縫裏！」星輝聽了，放下釣竿，趕來要打。

紫芝慌忙跑開，來到百藥圃。只見史幽探、周慶覃、國瑞徵、孟蘭芝遠遠走來。蘭芝道：「妹妹到那裏去？」紫芝道：「我同靑鈿妹妹賭東，要到各處查查人數。」周慶覃道：「姐姐爲何賭東？」紫芝道：「這也論不定，就是這一百人敎我一個一個念出來，我也不能。看來姐姐竟有八分要輸了。」紫芝道：「我們才在菊花岩搶了一回狀元籌，此時要到蓮花塘聽聽亞蘭姐姐笛子去。」紫芝道：「只因幽探聽聽姐姐五紅得了狀元，正自歡喜，誰知不巧，我又擲了六紅奪了過來，因此幽探姐姐不高興，把狀元籌歇了。」

國瑞徵道：「這個東道，你如何同他賭？莫講分在幾處不能記，就是這一百人，你們四位適從何來？」史幽探道：「我們才在菊花岩搶了一回狀元籌，倒也好頑，爲何半途而廢？」蘭芝道：「狀元籌又不費心，我又擲了六紅奪了過來，因此幽探姐姐不高興，把狀元籌歇了。」紫芝道：「六紅蓋五紅，就如他的文章比你高，這個狀元應該他得。要像這樣就不高興，設或把後十名弄到前面，又將如何呢？」蘭芝道：「你去罷，不要亂說了。」四人攜手去了。紫芝自言自語道：「今日方替閨臣姐姐出了這口悶氣。」

一面思忖，已進了百藥圃。只見陳淑媛、寶耕烟、鄺芳春、畢全貞、孟華芝、蔣春輝、掌浦珠、董寶鈿八人都在那裏採花折草，倒像鬥草光景。連忙上前止住道：「諸位姐姐且慢折草，都請臺上坐了，有話奉告。」眾人都停了手，齊到平臺歸坐。陳淑媛道：「妹子剛才鬥草，屢次大負，正要另出奇兵，不想姐姐走來忽然止住，有何見教？」紫芝道：「這鬥草之戲，雖是我們閨閣一件韻事，但今日姐妹如許之多，必須脫了舊套，另出新奇鬥法，才覺有趣。」寶耕烟道：「能脫舊套，那敢妙了。何不就請姐姐發個號令？」紫芝道：「若依妹子鬥法，不在草之多寡，並且也不折草。況此地藥苗都是數千里外移來的，甚至還有外國之種，若一齊亂折，亦甚可惜。莫若大家隨便說一花草名或果木名，依著字面對去，倒覺生動。」畢全貞道：「不知怎樣對法？請姐姐說個樣子。」紫芝道：「古人有一對句對的最好：『風吹不響鈴兒草，雨打無聲鼓子花。』假如耕烟姐姐說了『鈴兒草』，有人對了『鼓子花』，字面合式，並無牽強。接著再說一個，或寫出亦可。如此對去，比舊日鬥草豈不好了。」鄺芳春道：「雖覺好頑，但眼前俗名字面易對的甚少。即如當歸一名『文無』，芍藥一名『將離』，諸如此類，可准借用麼？」紫芝正要回答，忽然想起青鈿東道之事，連忙說道：「妹子有件事，少刻再來。」

說罷，走到外面去尋青鈿。找來找去，找到梅花隖，只見董青鈿同宋良箴、司徒嫵兒、廖熙春、緇瑤釵、蔣秋輝在那裏擺著算盤，談論算法。蔣秋輝道：「剛才所說這些歸除之類，無甚趣味。據我愚見：莫若大家隨便說一難算之事請教眾人。如有人答得出固妙；倘無人知，自再破解。諸位姐姐以爲何如？」緇瑤釵道：「如此甚好，就請那位先說一個。」廖熙春道：「因談算法，忽然想起前在家

鄉起身時，親戚姐妹都來送行。適值有人送了一盤鮮果，妹子按人分散，每人七個多一個，每人八個少十六個，諸位姐姐能算幾人分幾果麼？」司徒嫵兒道：「此是盈朒④算法，極其容易。以七個、八個相減，餘一個爲法；多一個、少十六個相加，共十七個爲實。法除實，爲人數。這帳『一』爲法，一歸不須歸，十七便是人數。以十七乘七個，得一百一十九個；加多一個，是一百二十個。乃十七人分一百二十果兒。」熙春道：「向來算法有籌算、筆算、珠算，今姐姐一概不用，卻用嘴算，又簡便，又不錯。」宋良箴命影）環取出百文錢道：「妹子不喜算法，卻有兩個頑意：一名『韓信點兵⑤』，一名『二十八宿鬧昆陽』」……

紫芝等的發躁，只得上前拱手道：「諸位請了！我要兌換幾兩銀子。」青鈿道：「開錢店倒還有點油水；就只看銀水眼力還平常，惟恐換也不好，不換也不好，心裏疑疑惑惑，所以不敢就開。姐姐何不出個新奇算法頑頑呢？」紫芝道：「別的頑意都可奉陪，就只此道弄不明白。不瞞妹妹說：一個『小九九』兒學了半年，我還只當九九是八十三哩。你跟我來，寶雲姐姐找你哩。」於是一同來至白荒亭。

紫芝道：「這星錢也有，算盤也有，不是要開錢店麼？」青鈿道：「此話怎講？」

未知如何，下回分解。

④ 盈朒（ㄋㄩ）算法——盈，多，有餘；朒，少，不足。盈朒算法，是根據一方面有多餘，一方面不足的兩個數目，來求出眞實人數目。它的歌訣是：「算家欲知盈不足，兩家互乘併爲物，併盈不足爲人實，分率相減餘爲法，法除物實爲物價，法除人數實數目。」

⑤ 韓信點兵——這裏指古代算法的一種，也叫做「物不知總」，就是現在的一次聯立不定方程式問題。「韓信點兵」的歌訣是：「三人同行七十稀，五樹梅花廿一枝，七子團圓正半月，除百零五便得知。」例如說，現有一個數目，用三去數，剩兩個；用五去數，剩三個；用七去數，剩兩個，用「韓信點兵」算法，求出總數，它的答案是二十三個。下文「二十八宿鬧昆陽」，也是算法的一種。

第七十七回　鬥百草全除舊套　對羣花別出新裁

話說青鈿跟了紫芝一同來到白荒亭。寶雲道：「今日紫芝妹妹替我各處照應，令人實在不安。但除兩次所說七十三位之外，其餘眾姐妹共分幾處，你都見麼？」紫芝道：「適才妹子都去過。那講六壬課的是再芳、芸芝二位姐姐；垂釣的是閨臣、秀春、沉魚、星輝、驪珠五位姐姐；狀元籌是幽探、慶覃、瑞徵、蘭芝四位姐姐，鬥草是淑媛、芳春、耕烟、全貞、華芝、春輝、浦珠、寶鈿八位姐姐；談算法是良箴、熙春、瑤釵、秋輝、姽兒、青鈿六位姐姐：共二十五位姐姐。」

青鈿道：「寶雲姐姐喚我有何話說？」紫芝道：「寶雲姐姐請你非為別事，要告訴妹妹這個東道你可輸了。題花姐姐把烟壺、鐲子都給我罷！」紫芝道：「幸而還是絕精扇面，易於著色，」若是醜的，畫上顏色，再也擦不開，那才坑死人哩。」紫芝道：「我問你烟壺、鐲子，怎麼不理我？」題花道：「人說『洛陽紙貴』，誰知今日鬧到『長安扇貴』。此時畫的手也酸了，眼也花了，我要⋯⋯」話說完，被紫芝伸進手去，在肋肢上一陣亂摸。題花笑的氣也喘不過來道：「快放手！我怕癢！我給你！」紫芝把手退出道：「你快給我！不然，我還亂摸，看你可受得！」

青鈿道：「姐姐且慢給他。我聽他說過前後五十人，至當中五十人還未聽見哩。」題花從扇子底下拿出一張單子道：「剛才妹子已將各處眾姐妹命彤環陸續查明，開了一個清單。姐姐拿去教紫芝妹

妹從頭再說一遍，如與單子一樣，只怕姐姐就要輸了。」青鈿道：「姐姐說的固然不錯。但我們是一百人，今只九十八位，這是何意？」紫芝道：說了一遍。青鈿道：「姐姐說的固然不錯。但我們是一百人，今只九十八位，這是何意？」紫芝道：「我同寶雲姐姐湊上，難道不是一百麼？題花姐姐不必替他就擱，這半日我的心血也用盡了。」題花把壺兒鐲子放在桌上。

紫芝連道「多謝」，拿著來到百藥圃。眾人都埋怨道：「你騙我們坐在這里，卻去了這半日，必定有個緣故。」紫芝把賭東話說了。蔣春輝道：「原來為這小事。剛才芳春姐姐問你『當歸一名文無，可准借用』的話，你還未回他哩。」紫芝道：「卽如鈴兒草原名沙參，鼓子花本名旋花，何嘗不是借用。又如古詩所載『鴉舅影、鼠姑心』：鴉舅卽藥中烏白，鼠姑卽花中牡丹。餘如合歡蠲忿、萱草忘憂之類，不能枚舉。只要見之於書，就可用得，何必定要俗名。」陳淑媛道：「據姐姐所言，自然近世書籍也可用了？」紫芝道：「只要有趣，那里管他前朝後代，若把唐朝以後故典用出來，也算他未卜先知。」

登時擺了筆硯。紫芝道：「其實可以無須筆硯。」董寶鈿道：「設或遇著新奇的，記下也好。就請妹妹先出罷。」紫芝道：「妹子四處一望，只見牆角長春盛開，因指著道：『頭一個要取吉利，我出『長春』。」寶耕烟道：「這個名字竟生在一母，天然是個雙聲⊖，倒也有趣。」掌浦珠道：「這兩字看著雖易，其實難對。」眾人都低頭細想。陳淑媛道：「我對『半夏』，可用得？」春輝道：「這兩字對『半夏』，字字工穩，竟是絕對。妹子就用長春別名，出個『金盞草』」。郟芳春遙指北面牆角道：「我對『玉簪花』」。寶耕烟指著外面道：「那邊高高一株，滿樹紅花，葉似碧蘿，想是『觀音

「柳」……鄞芳春指著一株盆景道：「我對『羅漢松』。」春輝道：「以『羅漢』對『觀音』，以

「松」對『柳』，又是一個好對。

只見彈琴的由秀英……七人，下圍棋的燕紫瓊……四人，寫扇子的林書香……八人，畫扇子的祝

題花……六人，打馬弔的師蘭言……七人，打雙陸的洛紅蕖……六人，講六壬的花再芳……二人，打

花湖的廉錦楓……六人，都因坐久，寶雲陪著閒步。見他們議論紛紛，都進來坐了。秀英問其所以，

華芝把鬥草翻新之意說了。林書香道：「這倒有趣。不知對了幾個？」掌浦珠把長春、觀音柳說了。

眾人無不稱妙。

寶鈿道：「紫芝妹妹才說『鼓子花』……」素雲即接著道：「去歲家父從雅州移來一

種異草，見人歌則舞，名喚『舞草』。」鍾繡田道：「這個對的好。我出『續斷』。」瑤芝道：「這

二字只怕難對。」譚蕙芳道：「我對『連翹』。」宰銀蟾道：「這又是絕對。妹子就出續斷的別名『

接骨』。」紫芝把畢全貞脊背一拍，道：「我對『扶筋』。」紅珠道：「狗脊一名『扶筋』，全貞姐姐

被他罵了。」張鳳雛道：「鳳仙一名『菊婢』。」謝文錦道：「桃梟一名『桃奴』。」褚月芳道：「姐

我出『蝴蝶花』。」姚芷馨道：「我對『蜜蜂草』。」紫芝道：「這個只怕杜撰了。」耕烟道：「姐

姐剛才說過：『只要見之於書就可用得。』『鈴兒草』既是沙參別名，他這『蜜蜂草』就不是香需的

別名麼？」邵紅英道：「我才想了『木賊草』三字，因其別致，意欲請教，但紫芝姐姐莫要說我賊

頭賊腦才好哩。」紫芝道：「果真姐姐這個『賊』想的有趣！」紅英道：「不是又罵麼！」廉錦楓

○ 雙聲——兩個字同一個子音的叫做『雙聲』。舊說指兩字同母。

道：「我對『水仙花』。」祝題花道：「以『仙』對『賊』，以五行對五行，又是好對。妹子把『草』字去了，就出『木賊』。」若花道：「牡丹一名『花王』。」春輝道：「這可列入超等了。」易紫菱道：「妹子出玫瑰別名『離娘草』。我出『猴薑』。」蔡蘭芳道：「我對『馬韭』。」玉芝道：「骨碎補一名『猴薑』，那是人所共知的，這『馬韭』二字有何出處?」蘭芳道：「陶宏景名醫別錄，麥門冬一名『馬韭』，因其葉如韭，故以為名。」瓊芝道：「姐姐既看過此書，大約李勘所修本草自然也看過了。我出『燈籠草』。」白麗娟道：「這是國朝本草酸漿別名，又叫『紅姑娘』。」亭亭道：「我對鉤吻的別名『火把花』。」眾人齊聲喝彩。宰玉蟾道：「我出『慈姑花』。」戴瓊英道：「我對黃芩別名『妬婦草』。」田舜英道：「我出『鉤藤』。」印巧文道：「茜草一名『翦草』。」素雲道：「以『翦』對『鉤』，又是巧對。」章蘭英道：「我出『金雀花』。」陽墨香道：「我對淡竹葉的別名『竹雞草』。」洛紅蕖道：「我出『千歲虆』。」錢玉英道：「我對『萬年藤』。」芸芝道：「這個對的字字雪亮，與『燈籠草』都是一樣體格。」

只見投壺的林婉如……八人，打鞦韆的薛蘅香……六人，下象棋的秦小春……六人，打十湖的余麗蓉……四人，擲圍籌⊖的史幽探……四人，都走過來，眾人讓坐。問了詳細，都道有趣。紫芝道：「幸虧昨日舅舅又添了幾百張椅子，若不早為預備，今日被諸位姐姐這邊聚聚，那里坐坐，只好抬了椅子跟著跑了。」

婉如道：「俺先發發利市，出個『金星草』。」姜麗樓道：「梨花一名『玉雨花』。」錦雲道：「以『玉』對『金』，以『雨』對『星』，無一不穩。」秦小春把崔小鶯袖子一拉，道：「我出『牽

牛」。崔小鸞兩手向小春一揚，道：「我對丹參的別名『逐馬』。」紫芝道：「你對『逐馬』，我

對『奪車』。」引的眾人好笑。花再芳道：「妹子因小春姐姐『牽牛』二字，忽然想起他的別名，我

出『黑丑』。」紫芝道：「好端端為何要出醜？」素雲道：「這個『丑』字暗藏地支之名，卻不易

對。」燕紫瓊道：「茶有『紅丁』之名。」田鳳翾道：「茶是紫瓊姐姐府上出產

自然有此好對。」鄒婉春道：「桂州向產一草，名喚『倚待草』，枝蘭音道：「我出『蒼耳子』。」呂瑞玫瑰一名『徘徊

花」。蘭芝道：「『倚待』對『徘徊』，這是天生絕對。」施豔春道：

蕙道：「我對『白頭翁』。」米蘭芬道：「徧處薔薇向有別種，其花與月應圓缺，名叫『月桂』。此

花不獨我們智佳最多，聞得天朝也有此種。」閔蘭蓀道：「溫台山出有催生草，名喚『風蘭』，以此

為對。」紫芝道：「請教『催生』二字怎講？」蘭蓀想一想道：「你說甚麼！

姐姐莫說閒話，請教兔絲是何別名？」柳瑞春道：「記得兔絲又名『火焰草』。」蔣麗輝道：「蘭蓀

我對『佛桑』。」紫芝道：「他又結巴了。」酈錦春道：「三春柳一名『人柳』。」董翠鈿道：「我……我

對『金燈花』。」眾人一齊叫好。掌乘珠道：「苜蓿一名『連枝草』。」魏紫櫻道：「我……我

對袁寶兒所持的㊁。」眾人聽了，一齊稱妙。　袁寶兒所持的雛叫『合蒂花』，但原名卻

㊀ 圍棋——和狀元籌形式相似的一種遊戲用的籌子。拿牙、骨或竹做籌子，排列各種歡名；用六粒骰子擲彩，以決定得注的多寡。最大的是獅，得六十四注；其餘虎、豹，各色名目，以次減少，最小的是兔，只得一注。完了之後，計算籌子，以分勝負。因打獵又叫打圍，所以這種遊戲叫做圍籌。

㊁ 袁寶兒所持的——袁寶兒，楊廣（隋煬帝）的寵妃。故事傳說：某次，有人進貢迎輦花，花很香，楊廣叫袁寶兒拿了花，稱她做『司花女』。

叫『迎輦花』。」周慶覃道：「我對連翹的別名『搖車草』。」紫芝搖頭道：「這個對的無趣。」呂

祥蓂道：「我出地楡別名『玉豉』。」余麗蓉道：「五加一名『金鹽』，以此爲對。」蔣素輝道：「

小鶯姐姐言丹參一名『逐馬』，但除『逐馬』之外，可另有別名？」潘麗春道：「還有『奔馬草』。」

董珠鈿道：「隔虎刺一名『伏牛花』。」哀萃芳道：「三奈一名『山辣』。」蔣月輝道：「澤蘭又叫

『水香』。」

只聽外面有人讚道：「這個可以算得絕對。原來你們瞞著我們卻在此地做這韻事。那個騙我鐲子

的可在這里？」眾人看時，原來是講算法的董青鈿……六人，品籌的蘇亞蘭……五人，垂釣的唐閨臣

……五人，都進來。青鈿向紫芝道：「我那鐲子通身盡翠，百十副還挑不出一副，最是難得的，姐姐

如留自戴就罷了，設或賞給女檔子，我可不依的。」紫芝道：「妹妹何不早說！」玉芝道：「剛才我

見紫芝姐姐將鐲子交給髾環，命人送給寶兒、貝兒，果然被你猜著。」青鈿道：「把這好東西賞給他

們怪可惜的，我明日給他二百銀子務要贖回來。」寶雲道：「紫芝妹妹替我照應，既得了彩頭，還該

有始有終。這里擠的滿滿的，不知還有幾位在別處，何不替我邀來都在一處頑頑哩？」紫芝道：「此

時除了你我，恰恰九十八位都在這里，敎我何處再去邀人？」

閨臣道：「今日把這鬥草改做偶花，一對一對替他配起來，卻也有趣。剛才我們只聽山辣對水

香，可謂工穩新奇之至。不知還有甚麼佳對？」春輝道：「這里有個單子，姐姐一看便知。」閨臣接

過，眾人圍著觀看，莫不稱讚。董花鈿道：「『慈姑花』對『妒婦草』，雖是絕對，但『慈姑』二字，

往往人都寫作草頭『茈菰』，今用這個慈姑，自然也有出處？」宰玉道：「按各家本草言：慈姑

一根，歲生十二子，閏月則生十三，如慈姑之乳諸子，故以爲名。大約有草頭、無草頭皆可用得。」

國瑞徵道：「我出莪茱別名『水鏡草』。」廖熙春道：「我對『金錢花』。」葉瓊芳道：「我出『金絲草』。」掌驪珠道：「我對『錦帶花』。」綠雲道：「請敎姐姐：金絲草原名叫做甚麼？」瓊芳正要回答，紫芝把閔蘭蓀左耳一指，又把花再芳右耳一指，道：「他就叫做這個。」引的眾人好笑。蘭蓀、再芳暗暗請敎呂堯蓂，才知叫做「狗耳草」。二人聽了，氣的正要發揮，只聽綠雲道：「我對『雞冠花』。」陶秀春道：「我出『龍鬚柏』。」蔣秋輝道：「我對『鳳尾松』。」芳芝道：「秋輝姐姐如此敏捷，可知母又名甚麼？」言錦心道：「知母又名『兒草』、『女花』，姐姐可知菊花別名甚麼？」司徒婋兒道：「菊花又名『女花』。」紅紅即接著道：「蕀蓫一名『廉薑』。」紫雲拍手道：「這個眞可上得『無雙譜』了！」掌浦珠道：「景天一名『據火』。」綞瑤釵道：「白英又號『排風』。」枝蘭音道：「水仙一名『雅蒜』。」紀沉魚道：「『兒草』、『女花』，眞是天生絕對。」左融春道：「芍藥有『花相』之名。」陰若花笑道：「梓樹有『木王』之號。」鄴芳春道：「常山原名『互草』。」香雲笑道：「首烏又喚『交藤』。」玉芝道：「我看這個光景倒像要做賦了。」只見髮鬟捧上茶來。花再芳道：「我就出『茶花』。」陳淑媛道：「椰名酒樹，我對『酒樹』。我因姐姐比鬼還醜，所以出『鬼醜』，這又給你對。」眾人道：「這又是絕對。」紫芝道：「姐姐才出黑丑，此時又出鬼醜，原來姐姐卻喜出醜。我倒想個對你一對。」因忖一忖道：「妹子記得疏虓一名神虓，我對『神虓』。」花再芳道：「你見那位神的面上有麻子？」紫芝道：「你見那個鬼的臉上生得醜？」田舜英道：「馬齒莧一名『五行草』。」宋良箴道：「柳穿魚一名『二至花』。」閔蘭蓀道：「我出『獨活』。」紫芝道：「一人活著有甚趣味？」顏紫綃道：「玉蘭一名『叢生』。」柳瑞春道：「我出『三春柳』。」春輝道：「『三春』二字卻不易對。」師蘭言

道：「我對『九節蘭』。」錦雲道：「『九節』對『三春』，可謂巧極。」閨臣道：「我出『仙人掌』。」紫芝用手朝花再芳頭上一指，道：「『九節』對『夜叉頭』。」再芳道：「紫芝姐姐杜撰，這是要罰的。」紫芝道：「此對或者平仄不調，若說杜撰，姐姐問牛蒡子就明白了。」春輝道：「若不論平仄，諸如青葙一名『崑崙草』，瑞香一名『蓬萊花』；地黃苗喚作『婆婆奶』，赤雹兒叫作『公公鬚』…都可爲對子。」蔣麗輝道：「地錦一名『馬蟻草』，請敎一對。」紫芝道：「你把妹子取在後頭，我會移到前面去。」蔣麗輝道：「這個對子，若論等第，要算倒數第一。」紫芝道：「這個名字，又是獸，又是蟲，倒也別致。」紫芝用手向畢全貞身上一撲，道：「我對蠟梅的別名。」呂瑞蕡笑道：「藕一名雨草，我出『雨草』。」畢全貞道：「蠟梅是何別名，妹子還未問明，姐姐就出雨草麼。」題花笑道：「蠟梅一名『狗蠅花』。」蘇亞蘭道：「我對絡石草別名『雲花』。」呂堯蓂道：「梨一名『蜜父』。」閔蘭蓀道：「我對枇杷別名『蠟兒』。」紫芝道：「共總兩個字，再將上一字平仄不調，有何趣味。」這個同我『夜叉頭』一樣，都是四等貨。並且觀音柳、羅漢松、五行草、二至花，都是上一字平仄不調，也不能列之高等。」

史幽探道：「日巳向西，再對幾個，主人好賜飯了。」寶雲隨即分付彩環預備。

井堯春把案上所擺『木瓜』拿了一個，道：「我就出這個。」蔣星輝道：「這個易對的，何必出他。」青鈿道：「姐姐看著容易，只怕難哩。」眾人想了，都對不出。星輝道：「我對『銀杏』。」青鈿道：「『瓜是總名，杏字如何對得。」潘麗春道：「我對無漏子別名『金果』。」玉芝道：「你才對丹參別名，此刻又是無漏子別名，本草都是透熟，無怪醫道高明了。」錦雲道：「這個又是絕對。」印巧文道：「菠菜一名『鸚鵡菜』。」彩雲道：「忍冬一名『鷺鷥藤』。」林書香道：「醫書誤以牡蒙

認作紫參，其實牡蒙乃『王孫草』。」若花道：「我對菊花別名何如？」春輝鼓掌道：「『帝女花』對『王孫草』，又是天生絕唱。」

史幽探立起道：「我們外面走走罷。」大家於是一齊起身。

未知如何，下回分解。

第七十八回　運巧思對酒縱諧談　飛舊句當筵行妙令

話說眾人離了百藥圃，只見影環稟道：「酒已齊備，夫人也不過來驚動，請諸位才女不要客氣，就如自己家裏一樣才好。」眾人道：「拜煩先替我們在夫人跟前道謝一聲，少刻擾過，再去一總叩謝。」說罷，一齊散步。影環預備淨水都淨了手。香雲引至凝翠館。若花道：「這個坐兒早間妹子胡亂坐了，此刻必須從新拈過才好坐哩。」閨臣道：「早間業已說過，今日這個坐位原無上下，何必又拈？」春輝道：「坐位自然照舊，不必說了。但妹子還有一個愚見：少刻坐了，斷無啞酒之理，少不得行個酒令方覺有趣。若照早間二十五桌分五排坐了，不知這令如何行法。據我主意：必須減去十三桌，只消十二桌，由東至西，分兩行團團坐了，方好行令。」蘭芝道：「若擺十二桌，每行只須五桌；東西兩橫頭再擺兩個圓桌；圓桌上面可坐十人，還有四位怎樣坐呢？」春輝道：「由東至西雖分兩行，每行只須五桌，東西兩橫頭再擺兩個圓桌就夠坐麼？」眾人聽了，齊聲讚好，都道：「如此團團坐了，既好說話，又好行令。」寶雲惟恐過擠，執意不肯。眾人那里由他，各命自己影環動手，又囑寶雲把送酒上菜繁文也都免了。一齊歸坐。影環送了酒，上了幾道菜。

大家談起園中景致之妙，花卉之多。掌紅珠道：「適才想了一謎，請教諸位姐姐：『無人不道看花回』，打論語一句。」眾人想了多時，都猜不出。玉芝道：「妹子向來參詳題議，往往都有幾分意思，無如所讀之書都是生的，所以打他不出。可惜今日只顧對花，無暇及此。明日諸位姐姐切莫另出花樣，務必猜謎頑頑。若把明日再蹉跎過去，不知何日方能再聚。偏偏今日過的又快，轉眼已是下

午。剛才紅珠姐姐說『無人不道看花回』，此等句子，妹子最怕入耳：如把『看花回』改做『看花來』，我就樂了。這個『回』字，好像一本戲業已唱完，吹打送客，人影散亂，有何餘味？若換個『看花來』字，就如大家才去遊玩，興致方豪，正不知何等陶情，我就歡喜了。」青鈿道：「且莫閒談。究竟他這『無人不道看花回』是個甚麼用意？」玉芝道：「據我看來：內中這個『道』字，卻是要緊的。大約所打之句，必定有個『日』字或有個『言』字在內。至於此句口氣，剛才我已說過，就如一本戲已經唱完，無非遊玩已畢之意。」小春道：「若果這樣，只怕是『言游過矣』。」紅珠道：「正是。」題花道：「此謎以人名借爲虛字用，不獨靈活，並可算得今日遊園一句總結，可謂得對景挂畫。

紫芝道：「遊玩一事既已結過，此刻是『對酒當歌』，我們也該行個酒令多飲兩杯。春輝姐姐可記得前月我們在文杏閣飲酒，那時姐姐曾教我吃杯令酒宣令的？後來大家只顧說笑鬥趣，也就忘了。今日難得人多，必須行令才覺熱鬧，莫若妹子就遵姐姐前月之命，吃個令杯宣罷。」眾人道：「如此甚妙，我們洗耳恭聽。」蘭言道：「此時如要行令，自應若花姐姐或幽探姐姐先出一令，焉有我們倒僭客呢？」若花道：「阿姐此話過於客氣。行令只要鬥趣好頑，那里拘得誰先誰後。」史幽探道：「今日紫芝妹妹在母舅府上也有半主之分。俗語說的：『主不吃，客不飲。』就請先出一令。行過之後，如天時尚早，或者眾人再出一令，也未爲不可。就請飲杯令酒宣罷，不必謙了。」

紫芝把酒飲過道：「請教蘭言姐姐：妹子宣令之後，如有不遵的，可有罰約？」蘭言道：「不遵的，罰三巨觥。」紫芝道：「既如此，妹子宣了。諸位姐姐在上：妹子今日這令並非酒令之令，是求題花姐姐先出一令之令。如有不遵的，蘭言姐姐有言在先。題花姐姐請看：妹子又飲一杯了。」題花

道：「莫講一杯，就飲十杯，我也不管。這三巨觥我也情願認罰。但爲何單要派我呢？」紫芝道：「

妹子初意原要自出一令，因人數過多，竟難全能行到，意欲拜懇公議一令，又恐推三阻四，徒然就

攔，因姐姐天姿明敏，一切爽快，所以才奉求的。」眾人道：「此話卻也不錯。就請題花姐姐先出一

令，如普席全能行到，那更有趣了。」題花仍是推辭，無奈眾人執意不肯。題花道：「大眾既聽紫芝

妹妹之話，都派我出令，我一人又焉能拘得。令雖要出，但妹子放肆也要派一派了。先請諸位姐姐

吃個雙杯。」眾人都飲了。題花道：「再請紫芝妹妹格外飲兩杯。」紫芝道：「妹子不知。」題花道：

「格外這兩杯，可知敬你卻是爲何？」紫芝無法，只得飲了。題花道：「是替你潤喉嚨的。把喉嚨

潤過，好說笑話；笑話說過，我好行令。」

紫芳道：「你左一個雙杯，右一個雙杯，都教人吃了，此刻又教人說笑話，竟是『得隴望

蜀〇』，貪得無厭了。——也罷，我就把『貪得無厭』做個話頭。當日有個人甚是窮苦。一日，遇見

呂洞賓，求其資助。洞賓念他貧寒，因用『點石成金』之術，把石頭變成黃金，付給此人。以後但遇

洞賓，必求資助，不幾年，竟居然大富。一日，又遇洞賓，仍求資助，洞賓隨又點石成金，比前資助

更厚。此人因拜謝道：「蒙大仙時常資助，心甚感激；但屢次勞動，未免過煩，此後我也不敢再望資

助，只求大仙賞賜一物，我就心滿意足了。」洞賓道：「你要何物？——無不遵命。」此人上前把洞

賓手上砍了一刀道：「我要你點石成金這個指頭！」蘭言笑道：「這雖是笑話，但世間人心不足，

往往如此。」春輝道：「怪不得點石成金這個法術如今失傳，原來呂洞賓指頭被人割去了。」

紫芝道：「笑話說了，請出令罷。」題花道：「所謂笑話者，原要發笑，剛才這個笑話並不發笑，

如何算得？」也罷，我同你豁拳賭個勝負，輸家出令，何如？」紫芝道：「你要豁拳，我倒想起一個笑

話：一人騎驢趕路，無奈驢行甚慢，這人心中發急，只是加鞭催他快走。那驢被打負痛，索性立住不走，並將雙蹄飛起，只管亂踢。這人笑道：『你這狗頭也過於可惡！你不趕路也罷了，怎麼還同我豁拳！』」眾人笑道：「這個笑話可發笑了，請出令罷。」題花道：「既派我出令，焉敢不出。但必須紫芝妹妹再飲兩杯，我才出哩。」

紫芝道：「諸位姐姐！剛才我同眾人飲過之後，他又教我格外飲兩杯，及至飲過，他又教我說笑話；此時笑話說了，他又教我再飲兩杯：這明明要同我歪纏了。他的意思，總因我派他出令，所以如此。妹子因他只管歪纏，忽又想了一個笑話：有一富翁帶一小廝拜客，行至中途，腹中甚飢，因同小廝下館吃飯。飯畢，店主算帳，誰知富翁吃的只得白飯兩碗，那小廝吃的除飯之外倒有一菜。富翁因他業已吃了，無可奈何，只得忍痛還了菜帳。出了飯館，走未數步，富翁思及菜錢，越想越氣。回頭望見小廝跟在後面，因發話道：『我是你的主人，並非你的頂馬﹝一﹞，為何你在我前？』小廝聽罷，慌忙退後，與主人並肩而行。走未數步，富翁又發話道：『我非你的跟班﹝二﹞，為何你在我前？』小廝聽罷，只得說道：『請問主人：前引也不好，後隨也不好，並行也不好，究竟我並行？』小廝因動輒得咎，只得說道：『請問主人：前引也不好，後隨也不好，並行也不好，究竟怎樣才好呢？』富翁滿面怒色道：『我實對你說罷，你把菜錢還我就好了。』」

﹝一﹞頂馬──官員出行時走在前面的儀仗性的騎兵。

﹝二﹞跟班──跟隨出行的僕人。

題花笑道：「若非派他吃酒，諸位姐姐何能聽這許多笑話。適才我倒想了一令，往常人少，狠無意味，今日喜得人多，倒可行得，也可算得雅俗共賞。但過於簡便，恐不合眾人之意，必須大家公同斟酌才好。」史幽探道：「只要雅俗共賞，我就放心。若是難題目教人苦思惡想，那不是陶情取樂，倒是討苦吃了。並且今日有百人之多，若全要行到，也須許多工夫，能彀令完，大家回去不至夜深，那才好哩。隨姐姐宣宣罷。」題花道：「此令也無可宣。就從妹子說一句書，無論經史子集，大家都頂針緒麻㈣依次接下去。假如我說『萬國咸寧』第一字從我數起，順數至第四位飲一杯者不致勉強，方無偏枯。據我愚見：大量一杯，小量半杯；內中還有半杯也不能的，亦惟隨量酌減，量小接令。」蘭言道：「既如此，就請姐姐起令。但量有大小，必須定了分數，使量大者不致屈量，量小這才好哩。」題花道：「此話極是。」因飲一杯道：「妹子有僭了。我就下個註語：『舉欣欣然有喜色。』……」雲……七位姐姐破格優待，今日之聚，可謂極歡了。

只見眾影環來報：「長班才從部裏回來，說現奉太后御旨，命諸位才女做詩，所有題目卷子，已分送寓所去了。」眾人聽了，茫然不解。

未知如何，下回分解。

㈣　頂針緒麻——一種文字遊戲。後一人所說句子的第一字，一定要和前一人句子的末一字相同。例如前一人說「萬國咸寧」，後一人的句子必須是「寧×××」之類。

第七十九回　指迷團靈心講射　擅巧技妙算談天

話說眾才女聽了髣髴環之話，正在不解，恰好卜濱也差家人把題目送來，告知此事。原來太后因文隱平定倭寇，甚是歡喜，適值上官昭儀以此爲題，做了四十韻五言排律（一），極爲稱頌。太后因詩句甚佳，所以特命眾才女俱照原韻也做一首，明晨交卷。眾人把原唱看了。幽探道：「既如此，就請主人早些賜飯，大家趕回去，連夜做了，明早好交卷。」寶雲道：「眾位姐姐何不就在此處一齊做了，豈不甚便？」顏紫綃道：「這比不得應酬詩，可以隨便謅幾句，咱要回去靜靜細想才做得出哩。」哀萃芳道：「妹子也有這個毛病。求姐姐快賜飯罷，設或回去遲了，還不能交卷哩。好在明日承蘭芝姐姐見召，今日早些去，明日也好早些來。」眾人齊道：「甚是。」寶雲只得命人拿榮拿飯，道：「這總是妹子心不虔，所以如此。卽如昨日數人紮了幾百燈球，以備今夜頑的，那知至今還未做成，豈非種種不巧麼！」小春道：「卽或做成，現在都要回去，也不能頑；都留著明日再來請教罷。」大家飯畢出席，命人到夫人跟前道謝。寶雲道：「家母所要藥方，麗春姐姐不可忘了。」潘麗春道：「妹子記得。」閨臣道：「我託寶雲姐姐請問師母之話，也不可忘了。」寶雲連連點頭。當時匆匆別去。次日把卷交了，陸續都到卜府，彼此把詩稿看了，互相評論一番。用過早麨，仍在園中各處散步。遊了多時，一齊步過柳陰，轉過魚池，又望前走了幾步。紫芝手指旁邊道：「這裏有個箭道，卻

（一）　四十韻五言排律——舊詩一般的詩句，兩句押一次韻，四十韻就是八十句。五言，是五字一句。一般稱八句四韻的做律詩，有時多到幾十韻或者百韻，也還叫律詩；元時把長的律詩叫做排律。

與玉蟾姐姐對路。　諸位姐姐可進去看看？」張鳳雛道：「此地想是老師射鵠消遣去處，我們進去望望。」一齊走進。裏面五間敞廳，架上懸著許多弓箭，面前長長一條箭道，迎面高高一個敞篷，篷內懸一五色皮鵠。蘇亞蘭道：「這敞篷從這敞廳一直接過去，大約為雨而設？」香雲道：「正是。家父往往遇著天陰下雨，衙門無事，就在這裏射鵠消遣。」

張鳳雛見這許多弓箭，不覺技癢，因在架上取了一張小弓，開了一開。玉蟾道：「姐姐敢是行家麼？」鳳雛道：「不瞞姐姐說：我家外祖雖是文職，最喜此道，我時常跟著頑，略略曉得。」紫芝道：「妹子也是時常跟著舅舅頑。我們何不同玉蟾姐姐射兩條舒舒筋呢？」瓊芝道：「蘇家伯伯曾任兵馬元帥，亞蘭姐姐自然也是善射了？」亞蘭道：「妹子幼時雖然學過，因身體過弱，沒甚力量，所以不敢常射，但此中講究倒知一二。如諸位姐姐高興，妹子在旁看看，倒可指駁指駁。」紫芝道：「如此甚好。」當時就同玉蟾、鳳雛各射了三箭：紫芝三箭全中，玉蟾、鳳雛各中了兩箭。紫芝滿面笑容，望著亞蘭道：「中可中了，但內中毛病還求老師說說哩。」亞蘭道：「玉蟾、鳳雛二位姐姐開放勢子，一望而知是用過功的。我說這是養心的，反覺胳膊疼，人說這是養心的，我射過之後，只覺心裏發跳：一定力用左了，所以如此，姐姐自然知道的。」亞蘭道：「玉蟾、鳳雛二位姐姐開放勢子，一望而知是用過功的。我說這是養心的，只覺心裏發跳：一定力用左了，所以如此，姐姐自然知道的。」

至於妹妹毛病甚多，若不厭煩，倒可談談。」綠雲道：「如此甚妙，就請姐姐細細講講，將來我們也好學著頑，倒是與人有益的。」

亞蘭道：「妹子當日學射，曾撮大略做了一首西江月。後來家父看見，道：『人能依了這個，才算會射；不然，那只算個外行。』今念來大家聽聽：

射貴形端志正，寬襠下氣舒胸。五平三靠是其宗，立足千金之重。

剛才紫芝妹妹射的架勢，放須停頓從容。後拳鳳眼最宜豐，穩滿方能得中

句『射貴形端志正』，以這西江月論起來，卻樣樣都要斟酌。既要我說，諒未必見怪的。即如頭一

胸』，他卻直身開弓，誰知他身子卻是歪的，頭也不正，胸又何得而舒？胸既不舒，氣又安得而下？所以三箭射

完，只覺噓噓氣喘，無怪心要發跳了。第三句『五平三靠是其宗』，兩肩、兩肘、天庭⊜，俱要平

正，此之謂五平；翎花靠嘴，弓弦靠身、右耳聽弦，此之謂三靠‥這是萬不可忽略的。以五平而論，

他的左肩先已高起一塊，右肘卻又下垂，頭是左高右低，五平是不全的。以三靠而論，翎花並不靠

嘴，弓是直開直放，弓梢並未近身，所以弓弦離懷甚遠，右耳歪在一邊，如何還能聽弦？三靠也是少

的。第四句『立足千金之重』，他站的不牢，卻是我們閨閣學射通病，這也不必講。第五句『開要安

詳大雅』，這句紫芝妹妹更不是了。剛才他開弓時，先用左手將弓推出，卻用右手朝後硬拉，這不是

開弓，竟是扯弓了。所謂開者，要如雙手開門之狀，兩手平分，方能四平，方不吃力，若將右手用扯

的氣力，自然肘要下垂，弄成茶壺柄樣，最是醜態，不好看了。第六句『放須停頓從容』，我看他剛

才放時並不大撒，卻將食指一動，輕輕就放出去，雖說小撒不算大病，究竟箭去無力，樣子也不好

看。射箭最要灑脫，一經拘板，就不是了。況大撒毫不費事，只要平時拿一軟弓，時時撒放，或者手

不執弓，單做撒放樣子，撒來撒去，也就會了。若講停頓二字，他弓將開滿，並不略略停留，旋即放

了出去，何能還講從容？第七句『後拳鳳眼最宜豐』，他將大指並未挑起，那裏還有鳳眼？——縱有

⊜ 翎花——就是箭羽。箭的末端嵌入羽毛，這樣，箭可以射得快而且穩。因為箭羽是用膠粘嵌在箭桿上的，所以怕受潮濕。

⊜ 天庭——人的兩眉之間。

些須鳳眼，並不朝懷，弦也不擰，因此後肘更不平。——第八句『穩滿方能得中』，就只這句，紫芝妹妹卻有的。因他開的滿，前手也穩，所以才中了兩箭。」

紫芝道：「姐姐此言，妹子真真佩服！當日我因人說射鵠子只要準頭，不論樣子，所以我只記了『左手如托泰山，右手如抱嬰孩』這兩句，隨便射去，那里曉得有這些講究。」亞蘭道：「妹妹：你要提起『左手如托泰山』這句，真是害人不淺！當日不知那個始作俑者④，忽然用個『托』字，初學不知，往往弄成大病，實實可恨！」瓊芝道：「若這樣說，姐姐何不將這『托』字另換一字呢？」亞蘭道：「據我愚見，『左手如托泰山』六字，必須廢而不用才好。若按此句，托字另換一字，惟有改做『攥』字。——雖說泰山不能下個攥字，但以左手而論，卻非攥字不可。若誤用托字，必須手掌托出；手掌既托，手背定然彎曲，手背既彎，肘也因之而翻，肩也因之而努。這托字貽害一至於此！你若用了攥字，手背先是平正，不但箭去不準，倒做了射中廢人。弦也靠懷，不但終身無病，更也高了，射到後來，不但箭去不準，並且也不能執弓，由腕一路平直到肩，毫不勉強，弓也易合。這托字貽害一至於此！你若是日漸精熟，這與托字迥隔霄壤了。」玉蟾道：「妹子也疑這個托字不妥，今聽姐姐之言，真是指破迷團，後人受益不淺。」綠雲道：「據妹子意思：只要好準頭，何必講究勢子，倒要費事？」亞蘭道：「姐姐這話錯了。往往人家射箭消遣，原圖舒暢筋骨，流動血脈，可以除痼疾，可以增飲食，與人有益的。若不講究勢子，卽如剛才紫芝妹妹並不開弓，卻用扯弓，雖然一時無妨，若一連扯上幾天，肩肘再無不痛。倘不下腰，不下氣，一股力氣全堆胸前，久而久之，不但氣喘心跳，並且胸前還要發痛，甚至弄成勞傷之症。再加一個托字，弄的肘歪肩努，百病叢生，並不是學他消遣，倒是討罪受了。」張鳳雛道：「姐姐這番議論，真可算得『學射金針』。」

眾人離了箭道，□環請到百藥圃吃點心。大家都走進坐了。春輝道：「昨日若不是紫芝妹妹躭擱

半日，還可多對許多好花。」紫芝道：「我一心只想翡翠鐲子，那知青鈿妹妹同他們談論算法，滔滔

不斷，再也說不完。」閨臣道：「適因算法偶然想起家父當日曾在智佳訪問籌算，據說有一位姓米的

精於籌算，又善筆算，久已帶著女兒來到天朝，自然就是蘭芬姐姐了。可惜這一向匆忙，也未細細

請教。」米蘭芬道：「家父向在家鄉，籌算，筆算，俱推獨步；妹子自幼也曾習學，卻不甚精。將來

無事，大家談談，倒可解悶。」青鈿道：「昨日那里知道卻埋沒這一位名公，眞是瞎鬧！」蘭芬同寶雲要了一管尺，將對過一量，三尺二寸。取筆畫

圓桌道：「請教姐姐這桌周圍幾尺？」

了一個「鋪地錦⑤」……

畫畢道：「此桌周圍一丈○○四分八。」春輝看了道：「聞得古法『徑一周三』，是麼？」蘭芬道：

④　始作俑者—比喻開造成惡事例的。俑，古代殉葬的土木偶，有面目手足，很像真人。由於有俑，才造成後來皇帝和貴族用真人殉葬的惡果。孔子痛恨這種俑的作者，曾說：「始作俑者，其無後乎！」出論語。

⑤　鋪地錦—古時算乘法。先畫方格，各作對角線。然後寫乘數在格外上方，寫乘數在格外右方。乘後把乘積寫在交格裏：個位數寫在斜線下面，十位數寫在斜線上面。各數乘完，依著斜線把各乘積合併起來，寫在格外的下方和左方。從左方到下方連起來讀，這個數字便是所要求得的數字。

「古法不準。今定『徑一周三一四一五九二六五』，甚精。只用『三一四』三個大數算的。」春輝道：「若將此桌改做方桌，可得多長、多寬？」蘭芬道：「此用圓內容方算，每邊二尺二寸六分。」

寶雲指桌上一套金杯道：「此杯大小九個，我用金一百二十六兩打的，姐姐能算大小各重多少麼？」

蘭芬道：「此是『差分法』。法當用九個加一個是十個，九與十相乘，共是九十個，折半四十五個，作四十五分算，用『四歸五除』除一百二十六兩，得二兩八錢，此第九小杯，其重如此。」因從髣環帶的小算袋內取出二、八兩籌擺下，用筆開出：大杯重二十五兩二錢、次重二十二兩四錢、三重十九兩六錢、四重十六兩八錢、五重十四兩、六重十一兩二錢、七重八兩四錢、八重五兩六錢。

寶雲看那兩籌碼，只見寫著：

二籌

八籌

寶雲道：「據這二籌，自然是一二如二，至二九十八；那八籌是一八如八，至八九七十二了。但姐

姐何以一望就知各杯輕重呢？」蘭芬道：「剛才我用四歸五除，得了小杯二兩八錢數目，所以將二、

八兩籌一看就知了。你看第一行『二八』兩字，豈非末尾小杯斤重麼？第九行『二五二』就是頭一個

九杯。其餘七杯計重若干，都明明白白寫在上面。」寶雲道：「第九行中間『一八七二』二字，湊起來是『

二五二』呢？」蘭芬道：「凡兩半圈上下相合，仍算一圈。即如第九行中間『八七』二字，怎麼說是『

『一五』之數，把『一』歸在上面一圈，豈非『二五二』麼。」寶雲點頭道：「我見算書中差分法，

有遞減、倍減、三七、四六等名，紛紛不一，何能及得這個明白了當。籌算之精，即此可見。」

宋良箴指花盆所擺紅白瑪瑙兩塊道：「此可算麼？」蘭芬道：「如知長短，就可算出斤重。」取

尺一量，對方三寸，算一算道：「紅的五十九兩四錢，白的六十二兩二錢。」寶雲命人拿比子一秤，

果然不錯。廖熙春道：「一樣瑪瑙，為何兩樣斤重？」蘭芬道：「白的方一寸重二兩三錢，紅的一寸

重二兩二錢，今對方三寸，照立方積二十七寸算的。凡物之輕重，各有不同，如白銀一寸重九兩，紅

銅方一寸重七兩五錢，白銅一寸重六兩九錢八分，黃銅一寸只重六兩八錢。」熙春點頭道：「原來如

此。」

說話間，陰雲滿天，雷聲四起。蘭芝道：「莫要落雨把今晚的燈鬧掉，就白費寶雲姐姐一片心

了。」蘭芬道：「如落幾點，雨後看燈，似更清妙。」說著，雨已大至，一閃亮過，又是一個響雷

緇瑤釵道：「算家往往說大話，偷天換日，只怕未必。」蘭芬道：「此是誑話。但這雷聲倒可算知里

數。」月輝道：「怎樣算法？」蘭芬指桌上自鳴鐘道：「只看秒針，就好算了。」登時打了一閃，少

刻又是一雷。玉芝道：「閃後十五秒聞雷，姐姐算罷。」蘭芬算一算道：「定例一秒工夫，雷聲走一

百二十八丈五尺七寸。照此計算，剛才這雷應離此地十里零一百二十八丈。」陽墨香道：「此雷既離十里之外，還如此大聲，只怕是個『霹靂』。」畢全貞道：「雷都算出幾丈幾里，這話未免欺人了。」

少時，天已大晴。成氏夫人因寶雲的奶公才從南邊帶來兩瓶「雲霧茶」，命人送來給諸位才女各烹一盞。盞內俱現雲霧之狀。眾人看了，莫不稱奇。寶雲把奶公叫來問問家鄉光景，並問南邊有何新聞。奶公道：「別無新聞：只有去歲起了一陣大風，把我院內一口井忽然吹到牆外去。」綠雲道：「如此大風，卻也少見。」奶公道：「不瞞小姐說：我家是個籬笆牆，這日把籬笆吹過井來，所以倒像把井吹到牆外去。今日為何我說這話？只因府裏眾人都說我家乳了寶小姐十分發財，那知我還是照舊的籬笆牆。——倒是人不可不行善，那惡事斷做不得；若做惡行凶，人雖欺了，那知那雷慣會報不平。剛才我在十里墩遇雨，忽然起一響雷，打死一人，彼處人人念佛。原來是個無惡不作的壞人。我在那里吃了一嚇，也不敢停留，一直趕到十里墩才把衣服烘乾。」眾人聽了，這才佩服蘭芬神算。

素雲道：「十里墩離此多遠？」奶公道：「離此只得十里。那打人的地方離墩還有半里多路。」眾人聽了，這才佩服蘭芬神算。

用過點心，來到白荒亭。大家意欲聯句。又因婉如、蘭音韻學甚精，都在那里談論「雙聲、疊韻⑥」。蘭芬又教眾人「空谷傳聲」。談了多時。玉芝因昨日紅珠說的「言游過矣」甚好，只勸眾人猜謎。

未知如何，下回分解。

⑥　疊韻──兩個字同一個母音的叫做「疊韻」。舊說指兩字同韻。

第八十回　打燈虎亭中賭畫扇　拋氣毬園內舞花鞋

話說玉芝一心只想猜謎，史幽探道：「你的意思倒與我相投，我也不喜做詩。昨日一首排律，足鬥了半夜，我已夠了。好在這裏人多，做詩的只管做詩，猜謎的只管猜謎。妹妹既高興，何不出個給我們猜猜呢？」玉芝見幽探也要猜謎，不勝之喜。正想出一個，只聽周慶覃道：「我先出個吉利的，請教諸位姐姐：『天下太平』，打個州名。」國瑞徵道：「我猜著了，可是『普安』？」慶覃道：「正是。」若花道：「我出『天上碧桃和露種，日邊紅杏倚雲栽』，打個花名。」謝文錦道：「好乾淨堂皇題面！這題裏一定好的。」董寶鈿道：「我猜著了，是『凌霄花』。」若花道：「不錯。」春輝道：「真是好謎！往往人做花名，只講前幾字，都將花字不論，即如牡丹花，只做牡丹兩字，並未將花字做出。誰知此謎全重花字。這就如蘭言姐姐評論他們彈琴，也可算得花卉謎中絕調了。」言錦心道：「我出『直把官場作戲場』，打論語一句。」師蘭言道：「這題面又是儒雅風流的，不必談，將來還變成呪語哩，連沒得說都來了。」紫芝道：「姐姐，你又何以知其變成呪語呢？」書香道：「罷！罷！罷！好妹妹！我是鈍口拙腮，可不能一句一句同你套！」⊖忽題一定好的。」紫芝道：「既是好的，且慢讚，你把好些都讚了，少刻有人猜出，倒沒得說呢？」林書香輝道：「妹妹……你何以知他沒得說呢？」紫芝道：「卿非我，又何以知我不知他沒得說呢？」笑道：「要像這樣套法，將來還變成呪語哩，連沒得說都來了。」

聽一人在桌上一拍道：「眞好！」眾人都吃一嚇，連忙看時，卻是紀沈魚在那里出神。紫芝道：「姐姐！是甚的好，這樣拍著桌子打板凳的？」——難道我們莊子套的好麼？」紀沈魚道：「直把官場作戲場」，我打著了，可是『仕而優』？」錦心道：「是的。」紫芝道：「原來也打著了，怪不得那麼驚天動地的。」春輝鼓掌道：「像這樣燈謎猜著，無怪他先出神叫好，果然做也會做，打也會打。這個比『凌霄花』又高一籌了。他借用姑置不論，只這『而』字跳躍虛神，眞是描寫殆盡。」花再芳道：「據我看來：都是一樣，有何區別？」若說尚有高下，我卻不服。」春輝道：「姐姐若講各有好處倒還使得，若說並無區別這就錯了。一是正面，一是借用，迥然不同。前者妹子在此開聚，聞得玉芝妹妹出個『紅旗報捷』，被寶雲姐姐打個『克告於君』，這謎卻與『仕而優』是一類的，一是拿著人借做虛字又借做人用，都是極盡文心之巧。凡謎當以借用為第一，正面次之。但借亦有兩等借法，即如『國士無雙』，有打『何謂信』的，『秦王除逐客令』，打『信斯言也』的。此等雖亦借用，但重題旨，與重題面迴隔霄壤，是又次之。近日還有一種數典⊟的，終日拿著類書⊟查出許多，誰知貼出麪糊未乾，早已風捲殘雲，頃刻罄淨，這就是三等貨了。」

余麗蓉道：「我出『日』旁加個『火』字，打易經兩句。」綠雲道：「此字莫非杜撰麼？」哀萃芳道：「這個『吷』字，音光，見字書，如何是杜撰。」芳芝道：「就是不成字，也可算得『破損格⊟』。」張鳳雛道：「可是『離爲火、爲日』？」麗蓉道：「正是。」薛蘅香道：「這個『離』字用的極妙。往往人用『拆字格』，都渾淪寫出，不像這個拆的這樣生動，這是拆字格的另開生面。宋良箴道：「我仿麗蓉姐姐意思出個『他』字，打孟子兩句。」玉芝道：「這明明是個『人也』。難道先是一句『分之』，後是一句『人也』？那孟子又無這兩句。」春輝道：「這兩句大約戰國時還有，

到了秦始皇焚書後，——妹妹不怕你惱——想是焚了。」戴瓊英道：「可是『人也，合而言之』？」

良箴道：「正是。」寶耕烟道：「我也效顰出個『昱』字，打詩經一句。」華芝道：「這個昱字，若

將『日』字移在下面，『立』字移在上面，豈非『音』字麼。」酈錦春道：「必是『下上其音』。」

耕烟道：「正是。」余麗蓉道：「剛才蘅香姐姐讚我『其』字拆的生動，誰知這個『昱』字卻用『下

上』二字一拆，不但靈動可愛，並且天然生出一個『其』字，把那『昱』字挑的周身跳躍，若將

『吠』字比較，可謂天上地下了。」緇瑤釵道：「春輝姐姐說『國士無雙』有打『何謂信』的，我就出

『何謂信』，打論語一句。」香雲道：「瑤釵姐姐意思，我猜著了。他這『何謂』二字必是問我們猜

謎的口氣，諸位姐姐只在『信』字著想就有了。」董花鈿道：「可是『不失人，亦不失言』？」瑤釵

道：「正是。」瓊芝道：「這個又是拆字格的別調。」易紫菱道：「我出個『四』字，打個藥名。」

妹子不過出著頑，要問甚麼格，我可不知。」眾人想了多時，都猜不出。潘麗春道：「可是『三

七』？」紫菱道：「妹子以爲此謎做的過晦，即使姐姐精於岐黃，也恐難猜，誰知還是姐姐打著。」

柳瑞春道：「我仿紫菱姐姐花樣出個『三』字，打孟子二句。」眾人也猜不著。尹紅萸道：「可是『三

一之中、四之下也』？」瑞春道：「妹子這謎也恐過晦，不意卻被姐姐猜著。」葉瓊芳道：「這兩個

㈠　數典——數出故事的來源。

㈡　類書——搜集古書的典故，用各種方法分類編纂成書，供人參考檢閱，叫做類書，如太平御覽、佩文韻府等是。

㈢　破損格——燈謎有各種格式。「拆字格」是把謎面的字拆破；破損格也是拆字，但有時謎底的字被拆得不完整，有時面的

㈣　字是自己創造，並非原來有的。其餘如從揣想上領悟的叫「會意格」，倒讀的叫「捲簾格」，第一個字讀作別字的叫「白頭格」等等。後文「廣陵十二格」就是指燈謎的各種格式。

燈謎，我竟會意不來。」春輝道：「此格在廣陵十二格之外，卻是獨出心裁，日後姐姐會意過來，才知其妙哩。」

只見芸芝同著閔蘭蓀，每人身上穿著一件背心，遠遠走來。眾人道：「二位姐姐在何處頑的？爲何穿了這件棉衣，不怕煖麼？」蘭蓀道：「妹子剛才請教芸芝姐姐起課，就在芍藥花旁，檢個絕靜地方，兩人席地而坐，談了許久，覺得冷些。」褚月芳道：「妹子從來不知做謎，今日也學個頑頑，不知可用得：『布帛長短同，衣前後，左右手，空空如也』，打一物。」蔣麗輝道：「我猜著了，就是蘭蓀姐姐所穿的背心。」月芳笑道：「我說不好，果然方才說出，就打著了。」司徒斌兒道：「月芳姐姐所出之謎，是『對景挂畫』；妹子也學一個，『席地談天』，打孟子一句。」譚蕙芳道：「你看蘭蓀姐姐剛才席地而坐，把鞋子都沾上灰塵，芸芝姐姐鞋子卻是乾淨的，我也學個即景罷，就是『步塵無跡』，湊巧，可是『位卑而言高』？」斌兒道：「我這個也是麫糊未乾的。」芸芝道：「我倒來的怎麼才說出就打去呢？」呂瑞蕣道：「姐姐！不是這樣講。大凡做謎，自應貼切爲主；因其貼切，所以易打。就如清潭月影，遙遙相映，誰人不見？若說易猜不爲好謎，難道那『凌霄花』還不是絕妙的，又何嘗見其難打？古來如『黃絹幼婦外孫齏臼④』，至今傳爲美談，也不過取其顯豁。」春輝道：「那難猜的，不是失之浮泛，就是過於晦闇。卽如此刻有人腳指暗動，此惟自己明白，別人何得而知。所以燈謎不顯豁、不貼切的，謂之『腳指動』最妙。」玉芝道：「狠好！更鬧的別致！不打，又講到腳指頭了！姐姐！你索性把鞋脫去，給我看看，到底是怎樣動法？」春輝道：「妹妹真個要看？這有何難，我且做個樣兒你看。」一面說著，把玉芝拉住，將他手指拿著朝上一伸，又朝下一

曲道：「你看：就是這個動法！」玉芝哀告道：「好姐姐！鬆手罷，不敢亂說了！」春輝把手放開。

玉芝抽了回來，望著手道：「好好一無名指，被他弄的『屈而不伸』了。」

紫芝道：「你們再打這個燈謎，——我才做的，如有人打著，就以麗娟姐姐畫的這把扇子為贈。

——叫做『嫁個丈夫是烏龜』。」蘭芝道：「大家好好猜謎，何苦你又瞎吵！」紫芝道：「我原是出

謎，怎麼說我瞎吵？少刻有人打了，你才知做的好哩。」題花道：「妹妹這謎，果然有趣，實在妙

極！」紫芝望著蘭芝道：「姐姐！如何？這難道是我自己讚的？」因向題花道：「姐姐既猜著，何不

說出呢？」題花道：「正是，鬧了半日，我還未曾請教；畢竟打的是甚麼？」紫芝道：「呸！我倒忘

了！眞鬧糊塗了！打論語一句，姐姐請猜罷。」題花道：「好啊！有個論語，倒底好捉摸些；不然，

雖說打的總在天地以內，究竟散漫些。」紫芝道：「你還是談天，還是打謎？」題花道：「我天也要

談，謎也要打。你不信，且把你這透新鮮的先打了，可是『適蔡⑤』？」紫芝道：「你眞是我親姐

姐，對我心路！」題花把扇子奪過道：「我出個北方謎兒你們猜：『使女擇焉』，打孟子一句。」

紫芝道：「春輝姐姐。你看妹子這謎做的怎樣？你們也沒說好的，也沒說壞的，我倒白送了一把扇

⑤　「黃絹幼婦外孫齏臼」——故事傳說：曹操經過曹娥碑下面，看見碑後面題著「黃絹幼婦外孫齏臼」八個字。隨從的文士楊修

解釋道：「黃絹是色絲，色絲合起來是『絕』字，幼婦是少女，少女合起來是『妙』字；外孫是女子，女子合起來是『好』

字，齏臼用來搗辣菜的，是受辛之器，受辛合起來是『辤（同辭）』字，所以這八個字隱藏著「絕妙好辭」四字。這是古

代一種拆字格的謎。

⑥　「適蔡」——論語原文的意思是「到蔡國去」。因為「適」字也可作出嫁解釋，「蔡」字也可作大龜解釋，所以這裏借用作

「嫁個丈夫是烏龜」的謎底。

子。」春輝道：「我倒有評論哩，你看可能捅進嘴去？題花妹妹剛打著了，又是一句左傳，他剛說完，你又接上。」春輝說著，不覺掩口笑道：「這題花妹妹真要瘋了，你這『使女擇焉』，可是『決汝……』」話未說完，又笑個不了，「……可是『漢⑦』哪？」一面笑著，只說：「該打！該打！瘋了！瘋了！」

蘭芝笑道：「才唱了兩齣三花臉的戲，我們也好然中臺用些點心，歇歇再打罷。」蘭言道：「如何又吃點心？莫非姐姐沒備晚飯麼！」寶雲道：「我就借歇歇意思，出個『斯已而已矣』，打孟子一句。」春輝道：「聞得前日有個『紅旗報捷』是寶雲姐姐打的；但既會打那樣好謎，為何今日卻出這樣燈謎？」呂堯蕖道：「只怕善打不善做罷？」田舜英道：「我打『可以止則止』。」寶雲道：「你只看這五字，可有一個實字？通身虛的，這也罷了，並且當中又加『而』字一轉，卻仍轉到前頭意思。你想；這部孟子可能找出一句來配他？」田堯蕖道：「何以見得？」春輝道：「我只說這五個虛字，再沒不犯題的句子去打他，誰知天然生出『可以止則止』五字來緊緊扣住，再移不到別處去。況且那個『則』字最是難以挑動，『可以』兩字更難形容！左融春道：「『天地一洪鑪』，打而』字，就把『可以』『則』的行樂圖畫出，豈非傳神之筆麼！」融春道：「正是。」師個縣名。但這縣名是古名，並非近時縣名。」章蘭英道：「可是『大治』？」融春道：「正是。」玉芝道：「這兩個縣做的好，不是這個『大』字，也不能包括『天地』兩字，眞是又顯豁，又貼切，又落落大方。」亭亭道：「我出『橘踰淮北為枳』，打個州名。」呂祥蕖道：「妹妹道此兩句，以此為還出句：一是周禮，一是淮南子。今日題面齊整，以此為第一。」呂祥蕖道：「妹妹道此兩句，以為還他的娘家，殊不知淮南子這句還從晏子春秋⑧而來。」蔡蘭芳道：「據妹子看來；那部晏子也未必就

是周朝之書。」魏紫櫻道：「可是『果化』？」亭亭道：「正是。」掌乘珠道：「這個『化』字真做的神化。」紫雲道：「既有那個淵博題面，自然該有這個絕精題裏；不然，何以見其文心之巧。」錢玉英道：「我出個鬥趣的：『酒鬼』，打孟子一句。」玉蟾道：「這個倒也有趣。」邵紅英道：「我打『下飲黃泉』。」玉英道：「正是。」蘭言聽了，把玉英、紅英望了一望，歎息不止。

顏紫綃正要問他為何歎氣，只見彩雲同著林婉如、掌浦珠、董青鈿遠遠走來。呂堯蓂道：「四位姐姐卻到何處頑去，臉上都是紅紅的？」掌浦珠道：「我們先在海棠社看花，後來四個人就在花下拋毬，所以把臉都使紅了。」彩雲道：「告訴諸位姐姐。我們不但拋毬，內中還帶著飛個鞋兒頑頑哩。」瓊芝道：「這是甚麼講究？」彩雲只是笑。婉如指著青鈿道：「你問青鈿姐姐就知道了。」青鈿滿面緋紅道：「諸位姐姐可莫笑。剛才彩雲姐姐拋了一個『丹鳳朝陽』式子，教妹子去接，偏偏離的遠，轂不著，一時急了，只得用腳去接，雖然踢起，誰知力太猛了，連毬帶鞋都一齊飛了。」眾人無不掩口而笑。紫芝道：「這鞋飛在空中，倒可打個曲牌名。」青鈿道：「好姐姐！親姐姐！你莫罵我，快些告訴我打個甚麼？」紫芝道：「你猜。」青鈿道：「我猜不著。」紫芝道：「既猜不著，告訴你罷，這叫做……」

未知如何，下回分解。

（七）「決汝漢」──孟子原文的意思是「挖掘汝水、漢水遠兩條河流」。因為「決」字也可作判斷、選擇解釋；「汝」古寫同「女」字，也可作你字解釋；「漢」字也可作丈夫解釋。所以這裏借用作「使女擇馬」的謎底。

（八）晏子春秋──著名，紀載春秋時齊國政治家晏嬰的言行故事，原是後人搜集材料編輯而成，假託是晏嬰自己的著作。

第八十一回　白荒亭董女談詩　凝翠館蘭姑設宴

話說青鈿道：「我這『飛鞋』打個甚麼？姐姐告訴我。」紫芝道：「只打四個字。」青鈿道：「那四個字？」紫芝道：「叫做『銀漢浮槎』。」題花笑道：「若這樣說，青鈿妹妹尊足倒是兩位柁工了。」眾人聽著，忍不住笑。

青鈿呆了一呆，因向眾人道：「妹子說件奇事：一人飲食過於講究，死後冥官罰他去變野狗嘴，教他不能吃好的。這人轉世，在這狗嘴上眞眞熬的可憐。諸位姐姐，你想：變了狗嘴，已是難想好東西吃了，況且又是野狗嘴，每日在那野地吃的東西可想而知。好容易那狗才死了。這嘴來求冥官：不論罰變甚麼都情願，只求免了狗嘴。冥官道：『也罷！這世罰你變個猴兒屁股去！』小鬼道：『稟爺爺：但凡變過狗嘴的，那臭味最是難改，除非用些仙草搽上方能改哩。』冥官道：『且變了再講。』不多時，小鬼帶去，果然變了一個白猴兒屁股。冥官隨命小鬼覓了一枝靈芝在猴兒屁股上一陣亂揉，霎時就如胭脂一般。爺爺：是用紫芝揉的。』」紫芝道：「他要搽點青還更好哩。」題花道：「只怕還甜哩。」

青鈿道：「諸位姐姐且住住笑，妹子還有一首詩念給諸位姐姐聽。一人好做詩，做的又不佳。一日，因見羣花齊放，偶題詩一首道：『到處嫣紅嬌又麗，那枝開了這枝閉。』寫了兩句，底下再做不出。忽一朋友走來，道：『我替你續上罷。』因提起筆來寫了兩句道：『此詩豈可算題花，只當區區放個屁！』」掌紅珠笑道：「這兩個笑話倒是極新鮮的，難為妹妹想的這樣敏捷。」顏紫綃道：「這

都從『銀漢浮槎』兩位柂工惹出來的。」

紫芝道：「青鈿妹妹大約把花鞋弄髒，所以換了小緞靴了。我就出個『穿緞靴』，打孟子一句。」素輝道：「這個題面雖別致，但孟子何能有這湊巧句子來配他。」姜麗樓道：「可是『足以衣帛矣』？」紫芝道：「然也。」陶秀春道：「這可謂異想天開了。」題花把青鈿袖子抓兩抓道：「你是穿緞靴，我是『隔靴搔癢』，也打孟子一句。」鄴芳春道：「可是『不膚撓』？」題花道：「如何不是！」洛紅蕖道：「這兩個燈謎，並那『滴蔡』、『決汝漢』之類，真可令人解頤。」紫芝道：「題花姐姐把扇子還我罷。」題花道：「我再出個『照妖鏡』，打老子一句，如打著，還你扇子。」紫芝道：「諸位姐姐莫猜，等我來。」因想一想道：「姐姐，我把你打著了，可是『其中有精』？」彩雲道：「是甚麼精？」紫芝接過扇子道：「大約不是芙蓉精，就是海棠怪，無非花兒朵兒作耗。」廉錦楓道：「我因玉英姐姐『酒鬼』二字也想了一謎，卻是吃酒器具，叫做『過山龍①』，打爾雅一句。」陽墨香笑道：「可是『逆流而上』？」錦楓道：「正是。」紫芝道：「今日為何並無一個西廂燈謎？莫非都未看過此書麼？」題花道：「正是。前者我從家鄉來，偶於客店壁上看見幾條西廂燈謎，還略略記得，待我寫出請教。」鬟環送過筆硯，登時寫了幾個。眾人圍著觀看，只見寫著：『廂』，打西廂七字；『亥』，打西廂四字；『花鬮』，打西廂十五字；『甥館②』，打西廂四字；『連元』，打西廂八字；『秋江』，打西廂五字；『歎比干』，打

① 過山龍：──近似虹吸管一類的東西，可以把酒吸上來的一種酒具。

② 甥館──甥，指女婿，館，住所。孟子：「舜尚見帝（堯），帝館甥於貳室。」舜是堯的女婿，稱「甥」，所以後來就稱女婿的住所為「甥館」。

西廂八字；『東西二京』，打西廂三字，『一鞭殘照裏』，打西廂四字；『偷香』，打孟子三字；

『易子而教之』，打孟子四字。」題花道：「其餘甚多，等我慢慢想起再寫。」呂祥蓂道：「他以廂字

打西廂倒也別致。」紅珠道：「據我看來：這個『廂』字，若論拆字格，必是以目視牀之意。」鍾繡

田道：「請教題花姐姐：那『花闥』二字，只怕妹子打著了。我記得賴來有兩句：『金蓮蹴損牡丹

芽，玉簪兒抓住荼蘼架。』不知可是？」春輝道：「這十五字個個跳躍而出，竟是『花闥』一副行樂

圖，如何不是！」蘇亞蘭道：「那『一鞭殘照裏』，可是『馬兒向西』？」眾人齊聲叫好。春輝道：

「這『殘照』二字，把『向西』直托出來，意思又貼切，語句又天然，真是絕精好謎。我們倒要細細

打他幾條。」燕紫瓊道：「我記得『長亭送別』有句『眼看著衾兒枕兒』，只怕那個『廂』字就打這

句罷？」春輝道：「牀上所設無非衾枕之類，以目視牀，如何不是此句！姐姐真好心思！」陳淑媛

道：「他那『亥』字，不知可是『一時半刻』？」春輝道：「姐姐是慧心人，真猜的不錯。若以此謎

格局而論，卻是『會意』帶『破損』。不但獨出心裁，脫了舊套，並且斬釘截鐵，字字雪亮：此等燈

謎，可謂擲地有聲了。」施豔春道：「那『東西二京』，打的必是『古都都』。」題花道：「這個燈

謎我看了多時，總未猜著，不想卻被姐姐打著，真打的有趣！」紫芝道：「春輝姐姐，他這『歎比

干』是何用意？」春輝道：「按史記：『微子去，比干強諫，紂怒，剖比干，觀其心。』以此而論，

他這謎中必定有個『心』字在內，但必須得他『歎』字意思才切。」廖熙春道：「我才想了一句：『

你有心爭似無心好。』不知可是？」春輝道：「此句狠得『歎』字虛神；並且『爭似無心好』這五個

字，真是無限慷慨，可以抵得比干一篇祭文。」蘭蓀道：「好好一個人，怎麼把心剖去倒好呢？」春

輝笑道：「他若有心，只怕你我此時談起還未必知他名字。即或意中有個比干，也不過泛常一個古

人。今日之下，其所以家喻戶曉，知他爲忠臣烈士，名垂千古者，皆由無心而傳。所以才說他『有心

爭似無心好』。此等燈謎，雖是遊戲，但細細揣度，卻含著『君子疾沒世而名不稱』之意，眞是警勵

後人不少。」青鈿道：「他這『偸香』二字出的別致，必定是個好的。我想這個『偸』字，無非盜竊之

意，倒還易猜，第『香』爲無影無形之物，卻令人難想。莫非內中含著『嗅』字意思麼？」素雲道：

「只怕是『竊聞之』。」春輝道：「這個『聞』字卻從閨臣姐姐所說長人國聞鼻烟套出來的，倒也有

趣。」香雲道：「他這『易子而教之』，大約內中含著互相爲師之意。」呂堯蓂道：「今人稱師爲西

席，又謂之西賓，只怕還含著『賓』字在內哩。」張鳳雛道：「必是『迭爲賓主』。」春輝道：「不

意，這個單子竟有如此好謎，雖不如『仕而優』、『克告於君』借用之妙，也算正面出色之筆了。」紫

芝道：「他這『秋江』二字，我打一句『清霜淨碧波』；『甥館』二字，打『女孩兒家』；『連元』

二字，打『又是一個文章魁首』。請教可有一二用得？」春輝道：「這三句個個出色！即如『清霜淨

碧波』，不獨工穩明亮，並將『秋江』神情都描寫出來；至於『甥館』打『女孩兒家』，都字字借的

切當，毫不浮泛，最妙的『又是一個文章魁首』，那個『連』字直把題裏的『又』字擒的飛舞而出。

這幾個燈謎，可與『迭爲賓主』並美了。」

掌紅珠道：「他這單子我們猜的究竟不知可是。倘或不是也說是的，將來到弄的以訛傳訛，這又

何必。好在所有幾個都已猜過，題花姐姐也不必再寫了，還是請教那位姐姐再出幾個，豈不比這個爽

快。」易紫菱道：「剛才紅珠姐姐所說『將錯就錯，以訛傳訛』，妹子就用這八字，打孟子一句。」

哀萃芳道：「可是『相率而爲僞者也』？」紫菱道：「正是。」題花道：「題裏題面，個個字義無一

不到，眞好心思。」姜麗樓道：「我出『蟾宮曲』，打個曲牌名。」董珠鈿道：「以曲牌打曲牌，倒

也別致。」崔小鶯道：「可是『月兒彎』？」罷樓道：「正是。」題花道：「這個『曲』字借的巧

極，意思亦甚活潑。」紀沉魚道：「我出『走馬燈』，打禮記一句。」玉芝道：「這有何難，無非燃

燈卽動之意。」蔣星輝道：「妹妹何不就打『燃燈卽動』呢？」鄺錦春道：「可是『無燭則止』？」

沉魚道：「正是。」薛蘅香道：「我出『農之子恆爲農』，打孟子一句。」寶鈿道：「這個『恆』

字，倒像世代以耕爲業，永不改行的意思。」姜麗樓道：「必是『耕者不變』。」眾人齊聲讚「好」。

鄺婉春道：「這『耕者不變』四字，最難挑動，不意天然生出『農之子恆爲農』六字，把個『不變』

扣的緊緊的，此謎可謂天生地造，再無他句可以移易了。」印巧文道：「我出『核』字，先打孟子一

句，後打論語一句。」玉芝道：「這個『核』字有何精微奧妙，要打兩部書？若按字義細細推求，『

核』之外有果，『核』之內有仁。」董翠鈿道：「我猜著了：可是『果在外』、『仁在其中矣』？」

巧文道：「正是。」錦雲道：「他雖結巴，倒會打好謎，並且說的也淸爽。」廉錦楓道：「我出『

鴉』字，打孟子二句。」小春道：「這個大約又是拆字格。」田鳳翾道：「若要拆開，必是『爵一、

齒一』。」紅珠道：「此謎做的簡淨。」宰銀蟾道：「我出『重慶』，打孟子一句。」婉如道：「孟

子上面『祖』字甚少，至於『父父子子』，又是論語。」掌驪珠道：「必是『父子有親』。」題花

道：「這個『親』字借的有趣。」

　　蘭言道：「今日主人須早些擺席才好，我們早早吃了飯，把寶雲姐姐燈看了，彼此回去也好歇息

歇息。昨日足足忙了一夜，今日若再過遲，妹子先支不住了。」蘭芝道：「既如此，妹子也不再拿點

心，就敎他們早些預備。——但此時未免過早，諸位姐姐再打幾個，少刻就來奉請。」譚蕙芳道：「

我出『其涸也可立而待也』，打個藥名。」葉瓊芳道：「可是『無根水』？」蕙芳道：「妹妹打著

了。」燕紫瓊道：「非『無根』二字不能『立待其涸』，眞是又切當，又自如。」林書香道：「我出『轍環天下，卒老於行』。秀英道：「必是『盡其道而死者』。」書香點點頭。顏紫綃暗暗問蘭言道：「姐姐爲何聽了這幾個燈謎只管搖頭？聞得姐姐精於風鑑，莫非有甚講究麼？」蘭言道：「我看玉英、紅英、蕙芳、瓊芳、書香、秀英六位姐姐面上，都是帶著不得善終之像。——那玉英姐姐即使逃得過，也不免一生獨守空房。不意這些『黃泉』、『無根』、『生死』字面，恰恰都出在他們姊娌、姊妹、姑嫂六人之口，豈不可怪！」顏紫綃道：「你看咱妹子怎樣？」蘭言道：「姐姐骨格清奇，將來自然名登寶籙，位列仙班，到了那時，只要把妹子度脫苦海，也不枉同門一場。」顏紫綃道：「咱能成仙，眞是夢話了。」蘭言道：「少不得日後明白。」

紅紅道：「你們二位談論甚麼？」妹子出個燈謎你猜：『疏影橫斜水清淺㈢』，打曲牌名。」掌驪珠道：「姐姐好媽潤題面！」枝蘭音道：「可是『梅花塘』？」紅紅道：「正是。」素雲道：「這七個字又是『梅花塘』一個小照，眞是如題發揮，一字不多，一字不少。」宰玉蟾道：「我出『不重傷，不禽二毛㈣』，打古人名。」蔣月輝道：「可是『鬥廉』？」玉蟾道：「正是。」紫芝道：「你當日在小瀛洲同那四員小將打仗，心裏就存這個愛惜麼？將來銀蟾姐姐同史公子成了親，有人感你當日『不重傷』之情，一定託他們來作伐哩。」玉蟾道：「少刻捉住你，再同你算帳。」陽墨香道：「我出『事父母幾諫㈤』，打個鳥名。」瑤芝道：「世上那有這樣孝順鳥兒。」田鳳翾道：「可是『子

㈢「疏影橫斜水清淺」——宋詩人林通咏梅的有名的詩句。

㈣「不重傷，不禽二毛」——不重傷，不使已受傷的人再受傷。禽，同擒。不禽二毛，不擒捉頭上長了花白頭髮的人，也就是不擒捉上了年紀的敵人的意思。歷史紀載：春秋時，宋襄公在作戰中，採用「不重傷，不擒二毛」的策略去對待他的敵人。

㈤幾諫——下對上的溫和的，低聲下氣的勸告。

規』？」墨香道：「正是。」錦雲道：「『事父母』三字把個『子』字扣定，『幾諫』二字把個『規』字扣定，眞是又貼切，又自然，可以算得鳥名謎中獨步。」井堯春道：「可是『拂塵』？」蘭芬道：「正是。」花再芳道：「我出曲牌名『刮地風』，只用『刮風』二字就可拂起塵來，何必多加『地』字，這是贅筆。」春輝道：「此謎之妙，全虧『地』字把個『塵』字扣的緊緊的。若無『地』字，凡物皆可『拂』，豈能獨指『拂塵』。並且還有……」玉芝道：「夠了！今日若無春輝姐姐評論，不知還聽多少好謎。評論哩，也罷了。偏要添岔枝兒，甚至還牽到腳指頭上去，你說敎人心裏可受得？剛把腳指頭鬧過，紫姑太太『滴翠』也來了，題花太太『漢子』也來了，弄這刁鑽古怪的，敎我一個也猜不著，你還只管說閒話。」紫芝道：「妹妹莫急，我出個容易的，包你猜著。題面是曲牌名『稱人心』，打個物名『如意』。你猜！」題花道：「這謎又打物名，又打如意，倒難猜哩！」紫芝道：「呸！我又露風了！」秦小春道：「我出『張別古⊙寄信』，打兩個曲牌名。」玉芝道：「我於曲牌原生，再打兩個，那更難了。」崔小鸞道：「可是『貨郎兒』、『一封書』？」小春道：「正是。」紫芝道：「你們二位如要下棋，可先招呼我一聲。」小鸞道：「告訴你做甚麼？」紫芝道：「我好打掃去。」閩臣道：「我出『老萊子戲綵⊙』，打兩個曲牌名。」秀英道：「可是『孝順兒』、『舞霓裳』？」只見影環稟道：「酒已齊備。」畢全貞道：「今日也算鏖戰了。此時既要上席，我出『鳴金』⊙，打孟子三字。」言錦心道：「可是姐姐貴本家？」全貞點點頭。周慶覃笑道：「我曉得了，必是『使畢戰』。」全貞笑道：「正是。」春輝道：「此謎不但畢字借的切當，就是使字也有神情。」蘭芝道：「今日之聚，可謂極盛了，我出『高朋滿座，勝友如雲』，打曲牌名。」衆人聽了，

都不做聲。

綠雲道：「他們諸位姐姐過謙，都不肯猜，我卻打著了，是『集賢賓』。這才叫做對景挂畫哩。」

眾人起身，都到外面散步淨手。蘭芝讓至凝翠館，仍舊撤了十三席，擺了十二席，照昨日次序圍團坐定。蘭芝只得遵照舊例，把敬酒上菜一切繁文也都蠲了。酒過數巡，大家又把昨日詩稿拿出，彼此傳觀，七言八語，議論紛紛。

未知如何，下回分解。

（六）張別古——元人雜劇漁樵記中的人物，他的職業是賣郎。張別古，原作張懶古。

（七）老萊子戲綵——老萊子，故事傳說中的孝子。春秋楚人，七十歲了，還穿着綵衣扮戲，讓老年父母看着高興。

（八）鳴金——古時打仗，在收兵時，敲響鈴，鐘一類金屬品作為信號。

第八十二回　行酒令書句飛雙聲　辯古文字音訛疊韻

話說眾才女歸席飲酒，談起所和上官昭儀之詩，某首做的精，某句做的妙，議論紛紜。蘭芝道：

「諸位姐姐且莫談詩，妹子有一言奉陳：今日奉屈過來，雖是便飯，必須盡歡暢飲，才覺有趣。拜懇諸位姐姐行一酒令，或將昨日未完之令接著頑頑，借此既可多飲幾杯，彼此也不致冷淡。」史幽探道：「昨日之令，又公又普，是最妙的。無如方才起令，就生出和韻岔頭。今日甯可閒談，斷不可又接前令，設或再有岔頭，豈不更覺掃興？」哀萃芳道：「酒令雖多，但要百人全能行到，又不太促，又不過繁，何能如此湊巧？據妹子愚見：與其勉強行那俗令，倒不如就借評論詩句，說說閒話，未嘗不能下酒。」

紫芝道：「妹子今日叨在主人之列，意欲拋磚引玉，出個酒令。如大家務要清談，也不敢勉強。」師蘭言道：「主人既有現成之令，無有不遵的。是何酒令？請道其詳。」紫芝分付彩環把籤桶送交蘭言道：「此桶之內，共牙籤一百枝，就從姐姐掣起，隨便挨次掣去，將所剩末尾一籤給我，以免猜疑。掣過，妹子自有道理。」蘭言點頭。大家掣畢，看了並無一字，只見若花拿著牙籤，只管細看。紫芝隔席叫道：「若花姐姐可看明白了？請宣令罷。」眾人聽了，都不解何意。春輝道：「若花姐姐何不念給我們聽聽呢？」若花道：「他這籤上寫的是：『奉求姐姐出一酒令，普席無論賓主，各飲兩杯。』旁邊又贅幾個小字，寫著：『此籤倘我自己掣了，即求自己出令，所謂求人不如求己，普席也飲雙杯。』若照此籤看來，這令自然要我出了，豈非是個難題麼。」蘭言道：「今日這籤所投得人，

一定該有好令，以補昨日未盡之興。姐姐只管慢慢細想，我們且飲兩杯，再候出令。」

大家飲畢，若花道：「我雖想出『雙聲、疊韻』一令，但恐過於冷淡，必須大家公同斟酌，可行則行，如不可行，容妹子另想別令。」春輝道：「聞得時下文人墨士最尚雙聲、疊韻之戲，以兩字同歸一母，謂之雙聲，如『烟雲』、『游雲』之類；兩字同歸一韻，謂之疊韻，如『東風』、『融風』之類。姐姐可是此意？但怎樣行法？還要宣明才好。」若花道：「此令並無深微奧妙，只消牙籤四五十枝，每枝寫上天文、地理、鳥獸、蟲魚、果木、花卉之類，旁邊俱註兩個小字，或雙聲，或疊韻。說過之後，也照昨日再說一句經史子集之類，即用本字飛觴⊖；如係天文疊韻，就在天文內說一疊韻，如係天文雙聲，就在天文內說一雙聲，以字之落處，飲酒接令；挨次輪轉，通席都可行到。不知可合諸位之意？」眾人道：「此令前人從未行過，不但新奇，並且又公又普，毫無偏枯，就是此令甚好。」若花道：「既如此，就將剛才所用牙籤寫一令籤，挨次掣去，卻被國瑞每人各掣一枝，掣著令籤之家，飲杯令酒，道：「此籤共二十餘門，每門兩枝。這是妹子創始，其中設有不妥，或增或減，臨時再爲斟酌。」

蘭芝說：「此令固妙，但內中怎樣可以多銷幾杯，還求姐姐設法代爲生發生發，才覺熱鬧。」若花道：「既如此，我就添個銷酒之法：此後凡流觴所飛之句，也要一個雙聲或一個疊韻，錯者罰一杯。如有兩個雙聲或兩個疊韻，接令之家，或說一笑話，或行一酒令，或唱一另說。

小曲，均無不可，普席各飲一杯。如再多者，普席雙杯。至於所飛之書以及古人名，

誤用本朝者，罰一杯。其書名一切仍是本人自報，省得臨時又費扳談。揸籤之後，宣過題目，即將原

籤交給下家歸桶，以杜取巧之弊；髮環接了，送交接令之家。如將原題記錯，罰一杯另說。不准旁人

露意，違者罰十巨觥。凡接令之家，俱架一籤，以便輪轉易於區別。所有酒之分數，昨日已有舊例，

無須再判。但昨日並無監令，今日妹子意欲添兩位監令；人數既多，並又離的寫遠，必須再添兩位監

酒，庶不致錯誤。」眾人道：「如此更妙。就請姐姐預先派定，方無推諉。」若花道：「既承大家見

委，妹子斗膽，就煩春輝、題花二位姐姐監令，寶雲、蘭芝二位姐姐監酒。都請各飲令酒一杯，妹子

也奉陪一杯。」

國瑞徵把酒飲了，接過籤筒，搖了兩搖，道：「妹子有僭了。」掣了一籤，高聲念道：「花卉雙

聲。」玉芝道：「昨日題花姐姐起令，是『舉欣欣然有喜色』，暗寓眾人歡悅之意；今日姐姐是何用

意呢？」瑞徵道：「我想五福壽爲先，任憑怎樣吉利，總莫若多壽最妙，先把這個做了開場，自然無

往不利了。適才想了『長春』二字，意欲飛一句列子，不知可好。說來請教。

　　長春　　列子　　荊之南有冥靈者，以五百歲爲春。

『冥靈』疊韻，敬瑞春姐姐一杯。」

柳瑞春掣了一籤，是古人名疊韻。紫芝道：「這是今日令中第一個古人，必須出類拔萃，與眾不

同，才覺有趣。」瑞春道：「姐姐要出類拔萃的，我想自古帝王名諱，那是不敢亂用；至於大聖大賢

名諱，也不敢行之酒令。除此之外，那個出類拔萃呢？」春輝道：「我也吃個令杯。今日我們所說一

百個，必須前後接連不斷，就如一線穿成，方覺緊湊。卽如瑞徵姐姐才說了『長春』二字，瑞春姐姐

所說古人名要與上文『長春』二字或成雙聲，或成疊韻，方准令歸下手；下面接令之家，也照前例緊

承上文：『錯者罰一杯。』眾人都道『甚好』。瑞春道：「我看你們出這許多花樣，只怕把令行完，還

要多多吃些天王補心丹哩。好在我已想了一個古人，是最能孝母的，俗語說的『百行孝爲先』，大約

也可做得令中第一位領袖。待妹子說來求教：

　王祥⊙

　　張河間集　備致嘉祥。

『備致』疊韻，敬祥蓂姐姐一杯。」師蘭言聽了點頭道：「人生在世，最要緊的莫過『忠孝節義』四

字，今瑞春姐姐於遊戲之中，卻請出一位孝子，爲令中第一位領袖。況他當日爲徐州

別駕時，民間歌頌，都稱他『溫如玉，冷如冰』，後來得列名宦。如此之人，我們都該恭恭敬敬立飲

一杯，才不失爲欽仰之意。」眾人道：「此話極是。」於是都立飲一杯。

呂祥蓂擎了一籤，仍是古人名疊韻。紫芝道：「姐姐這個古人必須與第一位相配才好哩。」祥蓂

道：「當日韋彪言：『求忠臣必於孝子之門。』上首既有孝子，此時必須請出一位忠臣，方覺連貫。

但要『七陽』之韻始與上文相連，何能如此之巧。」蘭言道：「有了……

　張良　屈原九歌　　吉日兮辰良。

『吉日』疊韻，敬良箴姐姐一杯。」蘭芝道：「按史記，張良五世相韓；及韓亡，他欲爲韓報仇，曾

以鐵椎擊始皇於博浪沙中，誤中副車。其仇雖未能報，但如此孤忠，也可與王祥苦孝相匹。諸位姐姐

似乎也該飲一杯了。」蘭言道：「張良於韓國已亡之後，猶且丹心耿耿，志在報仇，彼時雖未遇害，

⊙　王祥──晉人，字休徵，古人稱頌的孝子。後文第九十二回所說「臥冰求魚」，就是關於他的故事傳說之一。

但他一片不忘君恩之心，也就是奮不顧身。如此忠良，自應也照前例爲是。」於是都立飲一杯。

宋良箴掣了一籤，是列女名雙聲。小春道：「這是點到我們眾人本題了，或好或醜，全仗姐姐飛的這句，不可弄出一羣夜叉才好哩。」良箴道：「妹妹如吃一杯，我就飛個絕好句子。」小春把酒飲了。良箴道：

　　姬姜　　鮑參軍集

　　　東都妙姬，南國麗人。

「東都」雙聲，敬麗輝姐姐一杯。」小春道：「請教令官：諸如『東都妙姬，南國麗人』之類，還是飛一句好呢，兩句好呢？」若花道：「若按正理，自應飛一句爲是。但眼前常見之書則可；若非常見之書，必須多贅一句，才能明白。與其令人時刻請教上下文，何不隨嘴多帶幾字，豈不省了許多脣舌。」

蘭芝道：「請教姐姐：卽如上手用過之書，下手可准再用？」若花道：「主人之意若何？」蘭芝道：「據妹子愚見：凡上家用過之書，一概不准再用，誤用的罰兩杯另飛。況花木、鳥獸、蟲魚等類，惟詩經、爾雅、方言㈢、釋名㈣最多，若都用此書，不但毫無趣味，並且這幾部書句子最短，大約至多不過四五字，何能有兩個雙聲疊韻。姐姐替我所定銷酒之法，豈非有名無實麼？」花再芳道：「若據主人所言，我們百人自然要百部書了。不瞞姐姐說：妹子腹中除了十幾部經書並史記、漢書及幾部眼面前子書，還有幾部文集，共總湊起來，不滿三十種。你要一百部，豈非苦人所難麼？」閔蘭蓀道：「妹子不但並未讀過百部，若認眞看過百部，我也賭個誓，但書多寡不等，如左傳、禮記每部有一二十萬言之多；如今連多帶少，每部只算類如毛詩一部，一年如能讀得五部毛詩，也算極等聰明。若細細核算，這一百部書也須二十年方能讀完。妹子今

年十六歲，卽使過了三朝就去讀書，還得再讀四年，大約過了二十歲就好奉陪行此酒令了。」蘭芝道：「妹子恐大家都飛一樣書未免無趣，妄發此論，取其多飛幾種書，旣可多銷幾杯酒，又覺好看。今三位姐姐旣不情願，何敢勉強？」

紫芝道：「你們三位可曉得這個才女的『才』字怎講？若一百人連百部書也湊不起來，那還稱得甚麼才女！此時若不定了規例，設或所飛都在十數種書上，日後傳揚出去，豈不是個笑話麼？況且各人所讀之書不同，別人又焉能把你所飛之書恰恰都飛去呢？」再芳道：「姐姐不知：此中有五件難處。」紫芝道：「爲何有五件難處？」再芳道：「卽如所報花鳥等名，要他生成雙聲疊韻，這是第一難，不必說了。並且所飛之句，又要從那花鳥等名之內飛出一字，豈非第二難麼？而所報花鳥等名的，又要緊承上文，或歸一母，或在一韻，豈非第三難麼？這些雙難，還可勉強敷衍；就只最難招架的，所飛句內要有雙聲疊韻。你想：古人書上那里能像詩經巧巧都有『窈窕、輾轉、參差、優游』之類？句內若無此等字面，隨你想出一萬句也不中用。再要加上百部書，豈不難而又難麼？」蘭言道：「妹子有個調停之法，此令主人旣已定了，以後如有誤用前書的，外罰兩杯，卽算交卷，不必另飛，何如？」眾人道：「如此甚妙。」

小春道：「旣如此，必須一一登記才能瞭然。這個差使敎誰辦呢？」紫芝道：「寶雲姐姐的影環玉兒，寫的也好，記性也好，敎他寫罷。」蘭芝把前面幾句寫了，交給玉兒，就在席旁茶几設了筆硯。小春道：「你姓甚麼？今年十幾歲？」玉兒道：「我姓王，十三歲了。」小春道：「寶雲姐姐替

　　（三）方言──書名，是一部解釋名物、地域、言語異同的書。漢揚雄作，晉郭璞註。據傳實是漢人所著而假託揚雄名字的。
釋名──書名，是一部研究事物命名的原由的書。也叫逸雅，漢代劉熙作。

鬟環起名字也這樣儉省。」寶雲道：「為何儉省？」小春道：「你把他的姓上只添了小小一點就算名

字，還不省麼？」

麗輝道：「我才掣了鳥名雙聲交卷了。

鴛鴦　　　　師曠禽經

　　　　　鴛鴦元鳥愛其類。

本題雙聲，敬芳芝姐姐一杯。」

孟芳芝掣了天文疊韻。若花道：「這個題目甚寬。據我愚見，不但『天田、常陳』這些星名不可

用，就是『東風、夜月』那些浮泛的也都避了，才不過泛。」紫芝道：「姐姐此話甚是。若用浮泛

的，莫講別的，單風月兩門，就要寫一大篇了。」芳芝飲了令杯道：

『月窟　　　淮南子　　　是以月虛而魚腦減。

『月窟』，『以月』雙聲，敬玉英姐姐一杯，普席各飲一杯。」若花道：「此令輪到主人，普席

自然要發利市了。」

董青鈿道：「此句如果說的不錯，不但我們都有酒，並且玉英姐姐還要說笑話。但細細推求：『

是』係去聲，『以』係上聲。只怕芳芝姐姐說錯，要罰一杯哩。」春輝笑道：「多時未見妹妹說話，

此刻才開口就有酒吃，倒也有趣。你說『是以』二字上去不分，固然講的不差；無如沈約韻書『是』

字歸在『四紙』，恰恰是個疊韻。若以今時語言而論，似乎上去不分；若照前人韻書，芳芝姐姐倒像

說的不錯。只好奉屈妹妹飲了罰酒，再看韻書。」青鈿道：「妹子如果錯罰，自然該吃罰酒。但這『

是』字要讀成『使』字，將來都不叫『是非』，只好叫作『使非』了。安有此理！」紫芝道：「我勸

大家行令罷，莫說濛話了。」青鈿道：「這個『濛』字又是何意？」紫芝道：「古人讀夢為濛，我勸

你們莫說濛話，就是莫說夢話。」小春道：「凡說話全要直截了當，霜霜快快，今諸位姐姐所說之

話，只圖講究古音，總是轉彎磨祿，令人茫然費解，何妨霜霜快快的說哩。」錦雲笑道：「小春姐姐

把『爽爽快快』讀做『霜霜快快』，把『轉彎磨角』讀做『轉彎磨祿』，滿口都是古音，他還說人講究

古音。據我愚見：大家說的使古音也罷，不使古音也罷，且把『使』字查明再講。」婉如道：「這是

西方老先生到了。」青鈿道：「卽如錦雲姐姐所說『使古音也罷，不使古音也罷』，他把『是』字忽

然改做『使』字，請敎諸位姐姐：若非預先講論『是』字，誰又懂他這話呢？」春輝道：「此時說也

無用，少刻把書看過，自然明白。」說話間，寶雲已命彩環把沈約四聲類譜⑤取來，青鈿展開細細看

過，只得勉強飲了罰酒道：「只顧替玉英姐姐爭論，那知倒罰一杯。請說笑話罷，不要帶累我了！」

小春道：「這是今日令中第一個笑話，就如戲中的『加官⑥』一樣。玉英姐姐先把加官跳了，我們好

一齣一齣慢慢的唱。」錢玉英道：「適因『加官』二字，我倒想起一個笑話。」

未知如何，下回分解。

⑤　沈約四聲類譜──沈約，南北朝梁人，曾在宋、齊、梁各朝做官。著有晉書、宋書等書。又撰四聲譜，分字為平、上、去、入四聲，使聲韻學發生一大變化。沈是武康人，武康屬湖州管轄，後文「湖州老兒」，也就是指的他。

⑥　加官──從前演戲開場時，照例由一人戴着面具，紅袍手笏，拿着「天官賜福」、「指日高陞」一類吉祥字眼的條幅道具，在場上跳幾轉，叫做「跳加官」。

第八十三回　說大書佐酒爲歡　唱小曲飛觴作樂

話說玉英道：「適因小春姐姐談論跳加官，倒想起一個笑話。把他做個話頭，卽或不甚發笑，就算老師加官進爵之兆，也未嘗不妙。——一人最喜奉承，凡事總要人讚好方才歡喜。這日請客做戲，偏偏戲甚平常，並無一人讚好。到晚戲散，與客閒談道：『今日之戲如何？』客人只得勉強答道：『做的甚好。』此人又問道：『究竟那幾齣做的好？』客人見問，忖多時道：『加官跳的好。』」眾人不覺好笑。蘭言道：「這就如請敎人看文，那人不讚文好，只說書法好，都是一個意思。」

玉英擎了鳥名疊韻道：

「商羊　劉向說苑

『之皮』疊韻，敬融春姐姐一杯。」

左融春擎了官名雙聲道：「請敎若花姐姐：這個官名還是要用古名，要用時名呢？」若花道：「不論古名時名，總以明白顯豁、雅俗共賞，那才有趣。卽如花鳥之類，按著古書，別名甚多，若說出來，與其令人不懂，又要講說破解，何妨說個明白的，豈不省了許多脣舌。」融春連連點頭道：

「士師　桓寬鹽鐵論

有司思師望之計。

『司思』雙聲而兼疊韻，『思師』疊韻，敬紫瓊姐姐雙杯，笑話一個，普席雙杯。」燕紫瓊道：「紫

聯經出版事業公司校印

芝妹妹替我說個笑話，我格外多飲兩杯，何如？」紫芝道：「妹子自然代勞。」綠雲道：「紫芝妹妹向來說的大書(一)最好，並且還有寶兒教的小曲兒，紫瓊姐姐既飲兩杯，何不點他這個？」紫芝道：「如果普席肯飲雙杯，我就說段大書。」眾人道：「如此極妙，我們就飲兩杯。」髣環把酒斟了。

紫芝取出一塊醒木道：「妹子大書甚多，如今先將『子路從而後』至『見其二子焉』這段書說給大家聽聽。」於是把醒木朝桌上一拍，道：「列位壓靜，聽在下且把此書的兩句題綱念來：遇窮時師生錯路，情殷處父子留賓。」又把醒木一拍，道：「只爲從師濟世，誰知反宿田家。半生碌碌走天涯，到此一齊放下。雞黍殷勤款洽，主賓情意堪嘉。山中此夕莫嗟訝，師弟睽違永夜。」又把醒木一拍，道：「話說那子路在楚、蔡地方，被長沮、桀溺搶白了一番，心中悶悶不樂。迤邐行來，見那道旁也有耕田的，鋤草的，老的老，少的少，觸動他一片濟世的心腸，腳步兒便走得遲了。抬起頭來，不見了夫子的車輛。正在慌張之際，只見那道旁來了一位老者，頭戴范陽氈帽，身穿藍布道袍，手中拿着拄杖，杖上挂着鋤草的傢伙。子路便問道：『老丈：你可見我的夫子麼？』那老者定睛把子路上下一看道：『客官，我看你：肩不能挑，手不能提，識不得芝蔴，辨不得菽豆。誰是你的夫子！』老者說了幾句，把杖來插在一邊，取了傢伙，自去耘田去了。」又把醒木一拍，道：「列位！大凡遇見年高有德之人，須當欽敬。所以信陵君爲侯生執轡(二)，張子房爲圯上老人納履(三)，後來與王定霸，做出

(一) 說大書——一個人說故事，不用樂器，只用一塊醒木。所說故事的取材以水滸、三國演義等小說為主。

(二) 信陵君為侯生執轡：信陵君是戰國時魏國名無忌，信陵是他的封號，侯生指侯嬴，是大眾看守東門的一個打更的人。信陵君親自為車御，迎接到家裏，當作貴客看待。後因為侯嬴的謀略，完成卻秦救趙的計劃。

(三) 張良為圯上老人納履：張良，漢代人，名良，圯上，橋上。故事傳說：張良遊下邳，在橋上遇見一位老人，鞋掉在橋下，要他去取；張良取來，給老人穿上。老人後來傳給他一部兵書。他熟讀了這部兵書，幫助劉邦戰勝敵人，成為漢代開國功臣。

許多事業。那子路畢竟是聖門高弟，有些識見的人，聽了老丈言語，他就叉手[四]躬身站在一旁。那老者耘田起來，對着子路說：『客官：你看天色晚下來了，舍間離此不遠，何不草榻一宵？』子路說：『怎好打攪！』於是老者在前，子路隨後，逶至門首，遜至中堂；宰起雞來，煮起飯來；喚出他兩個兒子，兄先弟後，彬彬有禮，見了子路。唉！可憐子路半世在江湖上行走，受了人家許多怠慢，今日餚饌雖然不豐，卻也殷勤款待，十分盡禮，不免飽餐一頓，蒙被而臥。正是：『山林惟識天倫樂，廊廟空懷濟世憂。』畢竟那老者姓甚名誰？夫子見與不見？下文交代。」眾人聽了一齊讚「好」，把酒飲了。

紫瓊掣了蟲名疊韻道：「請教令官：即如上文『士師』二字所飛之句，可准本題『士師』接連在內？」若花道：「二字連用，未嘗不可；但飛觴之時，只能算得本題雙聲交令，不能格外普席敬酒。」蘭芝道：「若飛本題都無普席之酒，那還好麼？」若花道：「即如句內有了本題雙聲，再加別的雙聲，雖係兩個雙聲，原當普席敬酒，但究有本題在內，若不區別，誰肯另想新奇句子，酒反少了。總而言之，雖如此定例，至接令之家，如有情願替主人敬酒，或說笑話，或行小令，普席仍飲一杯，並不拘定：也可隨便銷酒了。」紫瓊把酒飲畢道：

「螣子　劉勰新論
野人畫見螣子者。

本題疊韻，敬鳳翾姐姐一杯。」玉芝道：「請教姐姐：野人見了螣子怎樣呢？」紫瓊正要回答，田鳳翾道：「下句是『以爲有喜樂之瑞』。」玉芝道：「怪不得今人見了螣子也有此論，大約當日命名就是此意。此蟲按詩經、爾雅叫做甚麼？」鳳翾道：「毛詩『螣蛸在戶』，就是此蟲。相傳當年有母子離別日久，其母正在想子，忽見螣蛸垂絲落在身上，不覺喜道：『莫非我子要回來麼。』後竟果然。

所以叫做喜子。」玉芝道：「既有喜子，可有喜母？」鳳翾道：「聞得此蟲又名喜母，就如喜子一個

意思。」玉芝道：「這還罷了。若只有喜子，並無喜母，未免對不住父母了。」

鳳翾掣了藥名雙聲道：

「豨薟（五）　王符潛夫論　　西方之眾有逐豨者。

『之眾』雙聲，敬熙春姐姐一杯。」

廖熙春掣了一籤，高聲念道：「水族疊韻。」春輝道：「水族之內，如鱅魚、鯠魚、鰷魚、銀魚

之類，都是雙聲，若照這樣，未免過寬。據妹子愚見：凡說魚名，必須避了魚字，才不重複。」熙春

道：「既不准魚字露面，只好借重鼉碑的交卷了：

晶晶　　　左思吳都賦　　巨鼇贔屭，首冠靈山。

『晶晶』疊韻，敬瓊芝姐姐一杯。」紫芝道：「好好的行令，怎麼忽然把祝大姐夫請出來？」題花道：「

本題疊韻，你去問問他，他的夫人還會說大書哩。」

蘭芝趁便讓了一陣菜，又命影環上了一道點心。蘭言道：「主人讓酒讓菜這些舊套，必須鐲了才

好。況且昨日叨擾寶雲姐姐，既無一人做假，無不盡歡，無不盡量，我們日親日近，安有今日倒來做

假之理。妹子飲個令杯：此後席中如有做假的，罰兩杯，主人如再過於讓菜，也罰兩杯。行令的只管

行令，用酒用菜的只管酒用菜，各隨其便，彼此才覺適意。並且今日所行之令，一經令到跟前，全

要細心，並非粗心浮氣所能行的；若再彼此遜讓，不獨分心耽擱好令，就是過於拘束，亦甚無趣。」

（四）叉手——拱手。

（五）豨薟——菊科，一年生草，葉可入藥。

眾人道：「所論極是。以後如有誤犯的，無論主客均照此例。」

瓊芝擎了獸名疊韻道：

「獬豸[六]　　范蔚宗後漢書　獬豸，神羊也。　　本題疊韻，『羊也』雙聲，敬浦珠姐姐一杯。」玉芝道：「妹子聞得東方朔把獬豸叫做『任法獸』，古有『獬豸冠』，取義於此。」蘭言道：「因他能別曲直，所以皐陶[七]治獄，凡罪疑者，俱令獬豸觸之。這是何意？」

掌浦珠道：「紫芝妹妹：你替我唱個小曲，我也多飲兩杯。」紫芝道：「小曲雖有，但眾姐妹今日聚後，聞得都有告假回府之意。我想我們百人自從赴宴相聚以來，內中結拜的不一而足；即以妹子而論，除了我家七個姐妹，其餘八九十位，倒有多半同我結爲異姓姐妹。將來別後，不知今生可能再見。那昭明太子[八]說的：『歡分飛之有處，嗟會面以無期。』細想起來，能不令人心酸！」說着，不覺滴下淚來。眾人聽了，也都觸動離懷，個個傷感。青鈿道：「別後究竟怎樣呢？」紫芝道：「惟有想他們再來。」青鈿道：「你想他，他不來呢？」紫芝道：「他不來，我自然要恨了。我這小曲就是這個意思。」因唱道：

　　又是想來又是恨，想你恨你都是一樣的心。我想你，想你不來反成恨；我恨你，恨你不
　　來，越想的恨。想你是當初，恨你是如今。我想你，你不想我，我可恨不恨？若是你想
　　我，我不想你，你可恨不恨？

小春道：「婉如姐姐是個有名的『恨人』，這個小曲許多『恨』字，倒與他對路。小曲唱過，我們都飲一杯，請接令罷。」

浦珠掣了昆蟲雙聲。蘭芝道：「姐姐也要替我敬一杯哩。」春輝道：「這個題目最窄，浦珠妹妹

雖受主人之託，只怕所飛之句還難得湊巧哩。不知妹妹要用何名？」掌浦珠道：「要承上文，惟『蜘

蛛』二字最好。」春輝道：「若用蜘蛛，其飛觴之句，莫若西京雜記『蜘蛛結而百事喜』最妙了。」

浦珠道：「妹子適才也曾想到。因受主人之託，意欲想個雙聲疊韻俱全的才覺有趣。」把酒飲畢，想

一想道：「有了⋯

蜘蛛　關尹子　聖人師蜘蛛，立網罟。

『師蜘』疊韻，『蜘蛛』雙聲，敬玉芝妹妹一杯，普席一杯。」

玉芝一心只想早早接令，惟恐過遲容易題目被人說了，難以交卷，正在盼望，恰好這個蛛字巧巧

輪到，不覺滿心歡喜。要過籤桶，搖了兩搖，口中祝道：「籤神！籤神！弟子素與韻學生疏，務必賜

個容易題目，免的教我勞神！」掣了一枝列女名疊韻，念過題目，把籤交給下家歸桶。

青鈿道：「有令在先⋯凡接令之家，遇見雙聲而兼疊韻，俱要說個笑話，且請妹妹把笑話說了再

講下文。」玉芝道：「這更難住我了。我自從掣了題目，見上面註着雙聲疊韻，是頭一件心事；所報

各名，又要記着上文，是第二件心事；飛觴之句，要將所報各名飛出一字，是第三件心事，所飛句

內，又要湊成雙聲疊韻，是第四件心事；所用之書，又不准重複，是第五件心事。此刻記了這個，忘

〔六〕獬豸——古代傳說中的一種獨角獸。

〔七〕皐陶（一ㄠ）——虞舜的臣子，歷史紀載上法律和監獄制度的創始人。

〔八〕昭明太子——南北朝蕭衍（梁武帝）的長子，名統，昭明是他的諡號，歷史上著名的文學家。

了那個；及至想起那個，又忘了這個，眞是心緒如麻，何能再說笑話？諸位姐姐讓我吃一杯。算我說過，免了罷！」春輝道：「若花姐姐有令在先：凡說本題雙聲疊韻，只算交卷，不在普席敬酒之例。今浦珠姐姐所說之句，內有蜘蛛本題雙聲，如何接令之家又說笑話，普席又要敬酒？剛才姐姐自己接令，業已誤飲兩杯，託人唱曲，此刻我們何能被你錯呢？」浦珠想了一想，不覺笑道：「只顧要替主人敬酒，自己倒受罰了。」青鈿道：「玉芝妹妹爲何只管發獃？還不接令麼？」玉芝道：「左思右想，總無一個好笑話。好姐姐！我吃一杯，你替我說罷！」青鈿笑道：「怪不得發獃，原來還想笑話哩。我看你只怕有些癡了！難道大家的話你沒聽見麼？」玉芝道：「妹子一心想笑話，你們七言八語，那里還敢理會，實實不曾聽得。」青鈿道：「這才是『心不在焉，聽而不聞』哩。大家免了你的笑話，快接令罷。」玉芝道：「姐姐莫非騙我麼？」青鈿笑道：「你只管接令。如有人叫你說笑話，罰我十巨觥。難道還不放心麼？」

玉芝聽了，不覺滿心歡喜。正要朝下接令，因就擱多時，只顧注意笑話，倒把題目忘了，偏偏又鐵業已歸桶，不由暗暗發急。猛然想道：「我記得剛才所掣，倒像是古人名。不知可是，且去碰他一碰。我用『伊尹⑨』。」春輝道：「錯了，罰一杯。如有露意的，有令在先，要罰十巨觥哩。」玉芝道：「難道『伊尹』不是雙聲麼？」春輝道：「若不是雙聲，豈止罰一杯！」玉芝道：「共工⑧、逢蒙⑩呢？」春輝道：「不是。共三杯了。」玉芝道：「既非古人，我把天文、地理再搜尋幾個。如說的對了，你就回我是的；設或不是，你莫答應，我就明白；不必只管不是、不是，令人聽着討厭。我用天文：穹窿⑧、河漢⑨；玉燭、霹靂、列缺⑨、招搖、鶉首、娵訾⑤、星象、時令、清明、處暑；地理：原野、長川；地名：幽州、空桐。——可有想頭？」春輝道：「無想頭！共十八杯了。」玉芝

道：「天文、地理既不是，我到百官找找去。」

未知如何，下回分解。

〔九〕伊尹──商湯時的開國功臣，歷史紀載上著名的政治家。

〔一〇〕共工──古代神話中的人物。參看第九十八回註〔一〕。

〔一一〕逢蒙──古代會射箭的人。

〔一二〕穹窿──天的代名，指中間高、四面低的樣子。

〔一三〕河漢──天河。

〔一四〕列缺──電。

〔一五〕招搖、鵝首、娵訾──都是星名。

第八十四回　逞豪興朗吟妙句　發婆心敬誦眞經

話說玉芝道：「我用官名：少師、正詹、治中、檢校、知州；身體：眉目、股肱、膀胱、指掌、喑啞、鬍鬚、毫毛。——可有意思？」春輝道：「無意思。共三十杯了。」玉芝道：「好在不過二十幾門，我就吃一罈，也不怕飛上天去！我用音樂：鼕鼓○、簫韶○；文具：金簡○、玉硯、戲具：高竿○、呼盧○；財寶：玉印、金珠○；器物：便面○、茶船○；服飾：釵釧、香囊、舟車：桴筏○。蕊。——可用得？」春輝道：「對曰：『否！』共七十杯了。」玉芝道：「怎麼今日忽然鑽進『迷魂陣』了？」青鈿道：「據我看來：左一杯，右一杯，只怕還是『酉水陣』哩。」玉芝道：「我用禽名：青雀、金雞、灰鶴、魚鷹、野鴨、鶴雉○、鵁鶄○；獸名：橐駝、夷由○，於菟○、水族：蝦蟆、蟾蜍、鯪鯉○、玉蚗○；蟲名：螳蜋、蛺蝶、青蜓、蟋蟀、果蠃、蜉蝣、蛻蜋、蛄蠍○、蜈蚙、耀夜○。——何如？」春輝道：「得罪！共九十七杯了！」紫芝道：「各門你都想到，單這一門想不到，卻也奇怪。」春輝道：「你口中露意，也想酒吃了。」芸芝趁春輝同紫芝講話，忙向玉芝輕輕說了一句。玉芝道：「春輝姐姐聽了，我用列女：瑤英○、驪姬、文君、扶都○，莊姜○，……」正念的順口，只聽春輝叫道：「有了，不必念了。」玉芝道：「那個是的？」

玉興：；百穀：蜀黍、黃粱；蔬菜：金針、薰風○；飲食：餛飩、糟糕。——可好？」春輝道：「不好。共五十杯了。」玉芝道：「眞要糟糕了！我用花果：菌苕、苜蓿、黃楊、扶蘇、花紅、林檎、橄攬、毛桃、諸蔗○；圓眼、藥名：茺蔚、漏盧、阿魏、薑黃、血竭、槐花、良薑、茵陳、五味、豆

（一）鼛（ㄍㄠ）鼓——古代一種大鼓，敲此鼓作為勞動和休息的信號。

（二）簫韶——舜時音樂。

（三）金簡——鑲金的竹片，古代貴族隨身攜帶紀事用的。

（四）高竿——一種雜技的名稱。豎立是竿，人爬到竿上作種種驚險動作。漢代就有了，那時叫做「上唐樣」。現在的雜技團還有近似這種的表演。

（五）呼盧——古代一種擲殼的遊戲。這種遊戲中，有盧有堆，以五盧為最勝。盧，就是狗。擲的時候嘴裏叫着「盧」，所以謂之呼盧。參看第九十回註四。

（六）金玦（ㄐㄩㄝˊ）——鑲佩，像環而有缺口。

（七）便面——圍扇。圍扇可以遮住臉，有避免和人見面的便利，所以叫做便面。

（八）茶船——狹長如船的一種茶托。

（九）桴筏——用竹子或木頭編成在水上的交通工具，大的叫筏，小的叫桴。

（一〇）菜（ㄅㄨㄥˋ）風——廣東地方出產的一種菜。

（一一）諸蔗——甘蔗。

（一二）鶉（ㄓㄠ）堆——白堆。野雞的一種。色白，會鬥。

（一三）流離——貓頭鷹的別名。

（一四）荆鳩——身體較小的一種貓頭鷹的名字。叫起來聲音像「休留休留」一樣的運轉。

（一五）鵃鶋——身體較小的一種鳩的名字。

（一六）焦鵝——小鳥。一名巧婦，也叫黃脰鳥。做的窠如大雞蛋，非常精密。

（一七）於（ㄨ）菟——老虎的別名。

（一八）夷由——鼯鼠，和松鼠差不多。兩尺多長，有鈎爪和飛膜，很像蝙蝠。褐毛長尾，在樹洞裏作窠，晝伏夜出。

（一九）鮫鯉——就是穿山甲。有三尺多長，遍身角質鱗甲，卻爪宜於穿洞。

春輝道：「扶都、莊姜都對本題。」玉芝道：「既是列女，爲何單這個切兩題，別的又不對呢？」若花道：「上文是蜘蛛二字，你把承上這個規例怎麼忽然忘了？」玉芝聽了，這才明白。

春輝道：「如今玉芝妹妹恰共罰一百杯，不但他自己不能全飲，就是他府上七位姐姐也不能代如許之多，必須設法銷去若干，自飲若干，然後好接前令。」玉芝道：「既承姐姐美意，我倒有個善處之法。今日難得連主帶客共計一百人，這一百杯酒好在不多不少，每位只消代我一杯就完了。」青鈿道：「你們聽！好自在話兒！若不認眞罰幾杯，少刻都要亂令了！並且所有幾個雙聲疊韻都被你隨嘴說的乾乾淨淨，少刻別人掣籤，又不能抄你舊卷，要費人許多神思，更覺可恨，如何輕輕放了你！」因向眾人道：「他這罰酒，妹子出個主意：此刻且將罰酒暫停，先把『莊姜』流觴句子敎他飛出；所飛之句，只准四字。其四字之內，如有三個雙聲或三個疊韻一氣接連不斷，即將此酒請寶雲姐姐出個飛觴之令，都替他飛出去。倘不如式，自飲十杯，其餘九十杯，就以『莊姜』二字要在一部書上敎他飛出。諸位姐姐以爲何如？」

蘭言道：「若以正理而論，凡雙聲疊韻，必須兩字方能湊成一個，今四個字內要他三個雙聲疊韻，這是打馬弔推般出色算法，未免苦他所難了。古來只有『溪西雞齊啼』五個字內含着四個疊韻，這是自古少有的；今又限他要在『莊姜』二字之內飛觴，較之『溪西雞齊啼』，豈非更是難中之難麼？」瓊芝道：「既如此，何不就請青鈿妹妹說個樣子呢？」青鈿道：「『溪西雞齊啼』就是樣子，何必再說。」史幽探道：「據我愚見，只要四字之內，恰恰湊成兩個，也就罷了。」青鈿道：「一句中又要或『莊』或『姜』在內，就是兩個也就儘彀一想了。」青鈿道：「一百杯罰酒，若不給他一個難題目，就是大家心裏也不服，少刻別人倘或受罰，都要以此爲例了。」秦小春道：「我用一百『

「秦」字在一部書上替他飛出，何如？」青鈿道：「『秦』字不算。」蘭言道：「據我調停，不必定限

四字，就是六七字也未爲不可。」

玉芝道：「姐姐莫要勸他，你越勸，他越得意了。天下既有『溪西雞齊啼』五個字內含着四個疊

韻，難道就無四個字內含着三個雙聲麼。」一面說着，舉起杯來連飲兩杯，道：「必須多飲幾杯活活

機才想的出哩。」又命影環斟兩杯飲了，不覺笑道：「我今日要學李太白斗酒百篇㉗了。」掌紅珠

道：「這位李太白不知何時人，向來卻未聽見過。」玉芝道：「難道『自稱臣是酒中仙㉗』這句也未聽

過麼？」呂堯蓂道：「這玉芝妹妹只怕要瘋了，他的話越說越敎人不解。」

玉芝忽叫道：「諸位姐姐暫止諠譁，酒仙交卷了。」

莊姜　中庸　齊莊中正。

『齊莊』雙聲，『莊中』雙聲，『中正』雙聲，敬鳳雛姐姐一杯，請敎笑話一個，普席各飲雙杯。」

㉖　玉姚──就是玉珧，也叫江瑤。海裏的二種軟體動物，殼薄而大。食品中的江瑤柱就是玉珧的肉柱。

㉕　蛄蠣──就是了子。

㉔　耀夜──就是螢火蟲。

㉓　瑤英──姓辟，唐元載的寵妾。

㉒　扶都──主夗的母親。

㉑　莊姜──春秋時衛莊公的夫人，美而無子。下文說「不知何時人」，參看第十九回註㊄。

㉗　李太白──李白，字太白。「太白斗酒詩百篇」和「自稱臣是酒中
仙」，都是杜甫飲中八仙歌這一首詩裏面稱讚李白的句子。

眾人齊聲讚道：「這句果然飛的有趣！難得四個字巧巧生在一母。今日大家飛觴之句，以此爲最了。」

張鳳雛道：「妹子因昨日綠雲姐姐央求眾人寫扇子，偶然想起一個笑話：一人夏日去看朋友，走到朋友家裏，只見朋友手中拿着一把扇子，面前卻跪着一人在那裏央求，不肯輕易落筆。朋友拿着扇子只管搖頭，似有不肯之狀。此人看見這個樣子，只當朋友素日書法甚佳，不肯輕易落筆，所以那人再三跪求，仍不肯寫。此人看不過意，因上前勸道：『他既如此跪求，你就替他寫寫，這有何妨。』只見地下跪着那人連連喊道：『你會意錯了！我並非求他寫，我是求他莫寫。』」眾人不覺好笑。蘭言道：「世人往往自以爲是，自誇其能，別人看着，口裏雖然稱讚，他自己那裏曉得。這個笑話雖是鬥趣，若教愚而好自用的聽了，卻是當頭一棒，眞可猛然喚醒。人能把這笑話存在胸中，凡事虛心，所行之事，自然不敢貽笑於人了。」

青鈿道：「笑話業已說過，請寶雲姐姐銷這百杯酒了。」寶雲道：「恰好妹子素日有個心願，此時借此把酒銷去，卻也有趣。但恐過於迂腐，不合大家之意。」眾人道：「姐姐有何心願，只管分付，無不遵命。」寶雲道：「妹子幼年因父母常念膝下無子，時常憂悶，每每患病，所以暗暗許個心願，親自敬錄一萬張覺世眞經，各處施送。此刻意欲奉送諸位姐姐一張。當日發願之時，曾禱告神祇：有人見了此經，如能敬誦一遍的，願他諸事如意，遇難成祥。今日奉送之後，但願時時敬誦，自然消凶聚慶，福壽綿長。喜得大家分居各道，每位另有十張，拜懇帶去替我施送。並且眞經之後還有幾行小字，是勸人敬避聖諱的。妹子因鄉愚無知，往往直稱聖諱，並不稱『某』，而於文字亦不敬避。卽使有不能不用者，則『霸』字按前人韻書原可通用，似應書此，方爲尊敬。尤可駭者，鄉愚無知，往往以『天』字取爲名號。殊不知天爲至尊，人間帝王尚且稱爲天子，若世人爲名爲號，其悖謬無

何可勝言！又有以『君』字爲名號的。要知人生世上，除天地之外，惟君父最大，今於名號既知父字宜避，而君在父上，偏又不避，不知何意。諸如此類，總要明哲君子於鄉黨中愷切曉喩，俾知尊敬天地君親之道，自然同歸於善了。」眾人道：「如此好事，姐姐又是寫就現成之物，並非敎我們代寫施送，怎麼還說拜懇的話，未免客套了。」

蘭言道：「他爲父母的事，況且又是聖經，這拜懇二字卻是不可少的，不如此也不顯他愼重之意。眾人因他愼重，也就不肯草草施送了。——請敎怎麼又能借此可以行令呢？」寶雲道：「如今妹子意欲借此把這眞經對眾敬誦一遍，普席都以句之落處飲酒。假如『敬天地』，順數第三位卽架一籌，周而復始。念完之後，以面前酒籌多寡，照數飲酒。雖是奉敬兩杯之意，其實要借此宣揚宣揚。這就如昨日姐姐所說，無非勸人眾善奉行之意。諸位姐姐以爲何如？」眾人道：「我們無不遵令。」蘭言道：「如此好令，眞是酒筵前所未有的，妹子恭逢其盛，能不浮一大白！至於姐姐所囑眞經，妹子不但代爲施送，並且親自薰沐㉓，也錄千張施送，以爲老師、師母求福一點孝心。」寶雲再三稱謝。

那邊閔蘭蓀同畢全貞、花再芳三人所坐之處雖都隔席，但相離甚近，不時交耳接談，今聽寶雲、蘭言之話，都不覺暗暗發笑。畢全貞暗向二人道：「寶雲姐姐要行此令，已是迂腐討厭，今聽這位蘭言夫子不但並不攔阻，還要從中讚揚，你說令人恨不恨！眞是輕擧妄動，亂鬧一陣了。」花再芳道：「蘭言夫子聽了寶雲夫子之話，正中心懷，樂不可支，如何肯去攔阻。你只聽他昨日那一片『但行好事，莫問前程』的話，也不怕人厭，刺刺不休，就知他素日行爲之謬。他口口聲聲只是勸人做好事，

㉓　薰沐——用香料塗在身上沐浴，表示極端恭敬。

要知世間好事甚多，誰有那些閒情逸志去做。——不獨沒工夫去做，並且也做不了許多。與其有始無終，不能時行方便，倒不如我一善不行的爽快。——遇著錢上的方便，我給他一毛不拔，借此也省許多花消；遇著口上的方便，我給他如聾似啞，借此也省許多脣舌。我主意拿的老老的，你縱有通天本領，也無奈我何。行爲一定如此，這是牢不可破的。」閔蘭蓀道：「姐姐主見之老，才情之高，妹子雖不能及，但果蒙不棄，收錄門牆之下，一時也說不完，好在大家言談都歸一路，將來慢慢倒要叨教，只怕還要『青出於藍』哩。這些行爲妙算，一時也說不完，好在大家言談都歸一路，將來慢慢倒要叨教，只怕還要『青出於藍』哩。這些行爲妙算，最是高興，從不畏首畏尾，剛才聽了這些不入耳之言，不但興致索然，連頭都要疼了。昨日聽了蘭言夫子那番話，足足頭疼一日，今日剛覺輕鬆，偏遇寶雲夫子又是這番話，這個頭疼倒又接上了。」

寶雲見眾人個個遵令，滿心歡喜。因命影環焚了幾爐好香，遠遠擺在香几上，隨即飲了令杯，以淨水漱了口，命影環取了一副酒籌，一面念著，一面散籌。不多時，把眞經念完。眾影環七手八腳，都在各席查看眾人面前酒籌，照數斟酒。內中如閔蘭蓀、花再芳、畢全貞，並還有幾位才女都厭煩怕聽眞經，誰知不巧，偏偏句子落在這幾位座上，較多幾籌。無如他們又要逞強，也不等眞經念完，每架一籌，趕忙飲了，就去銷籌。總是架一籌，乾一杯。俗語說的『酒入歡腸』；——他們聽了此令，已是滿心煩悶，勉強應酬，偏又加上幾杯急酒，等到寶雲念完，這幾位已是東倒西歪，就要嘔吐，勉強忍住。誰知花再芳因吃些看饌葷腥之類，何能禁得起一連幾杯急酒。那酒吃了下去，登時就在腹中同菜爭鬥起來：裏面地方甚小，爭之許久，酒既不能容菜，菜又安肯容酒，一齊都朝外奔。再芳再三攔撼，那里攔得住。說時遲，那時快，只聽哇的一聲，連酒帶菜吐了一地。紫芝走到那邊在地下看一

看道：「罪過！罪過！」一面說著，取了一雙牙箸，在地下夾起一物，放在再芳口邊道：「姐姐快把這個吃了，不但立時止吐，還免罪過哩。」再芳果眞把嘴張開，吞了下去。紫芝頓足道：「我的姐姐！怎麼並不嚼爛，還是整呑進去？少刻倘或嘔出，仍是整的了。」眾人道：「是個甚麼，你就給他吃了？」紫芝：「剛才我夾起的，是整整的一個蝦仁兒。再芳姐姐當時大約吃的匆忙，未曾嚼爛，剛才嘔出，還是一個整的；此刻他又整呑進去。」眾人聽罷，不覺掩鼻大笑。

紫芝放下牙箸，正要回席，只見閔蘭蓀拿著牙杖在那里剔牙。紫芝走進身邊道：「姐姐是甚麼牙塞了，這樣狠剔還剔不出？我替你剔。」把牙杖接過。閔蘭蓀張口仰首，紫芝朝裏望一望道：「姐姐：你的牙縫甚寬，塞的東西甚大，你拿這根小小牙籤去剔，豈非大海撈針麼？」說罷，放下牙籤，取了一雙牙箸，放入口內，朝著牙縫向外狠狠一夾。

未知如何，下回分解。

第八十五回　論韻譜冷言譏沈約　引毛詩佳句美莊姜

話說紫芝拿著牙筯在蘭蓀牙縫狠狠一夾才夾了出來，望了一望，朝地下一丟道：「我只當肉絲子塞在裏面，原來卻是整整的一個肉圓子！寶雲姐姐這個廚子，明日一定要重重賞他，難爲他做的這樣結實！」說的眾人笑個不了。

鳳雛掣了列女疊韻。玉芝道：「詩經極言莊姜容貌甚美，姐姐既承上文，豈可將他美貌置之不問？倘能引出毛詩讚他一句，妹子格外再飲一杯。」鳳雛道：「詩經之句原多，要與所報之名相合的，一時何能湊巧？——也罷，我借別書略爲點染一句，也就算不辱命了。

延娟　　　　陳思王集　　　　雲髻峩峩，修眉聯娟。

『峩峩』雙聲，『聯娟』疊韻，敬華芝姐姐一杯，普席一杯。」小春道：「本題既無普席之酒，這個重字也不應普席有酒；若像這樣，少刻都飛重字了。」若花道：「嗣後凡飛本題以及重字者，只算交卷，普席一概無酒。倘接令之家，情願照常說一笑話，普席仍飲一杯。」眾人道：「如此極妙。」

華芝掣了戲具雙聲，飲了令杯道：

秋千　　　　陸平原集　　　　探千載之遺韻。

『之遺』疊韻，『遺韻』雙聲，敬星輝姐姐一杯，普席一杯。」蘭言道：「大家飛了若干句子，惟華芝姐姐這句才歸到今日酒令本題，借此點明，卻是不可少的，但普席又要吃酒，未免令人接應不暇了。」蘭芝趁著大家飲酒，又在那裏讓棻，被眾人罰了一杯。

蔣星輝道：「妹子說個禪機笑話。有個和尚，道行極深，講的禪機，遠近馳名。這日有個狂士，因慕和尚之名，特來拜訪。來至菴中，走到和尚面前，不意和尚穩坐禪牀，並不讓坐。狂士不覺怒道：『和尚既有道行，就該明禮，爲何見我仍舊端坐，並不立起，是何緣故？』和尚道：『我不立起，內中有個禪機。』狂士道：『是何禪機？』和尚道：『我不立起，就是立起。』狂士聽罷，卽在和尚禿頭上狠狠打了一掌。和尚道：『相公爲何打我？』狂士道：『我也有個禪機。』和尚道：『是何禪機？』狂士道：『我打你，就是不打你。』」說的眾人好笑。

星輝掣了財寶雙聲道：

『青錢』魯褒錢神論　錢多者處前，錢少者居後。

『前錢』雙聲而兼疊韻，敬全貞姐姐一杯，普席一杯。」春輝道：「這句當中很可點斷，普席之酒似乎可免。」畢全貞道：「既如此，我的笑話自然也免了。」蘭言道：「這句『錢多處前，錢少居後』，令人聽了，想起世態炎涼，能無慨歎！」青鈿道：「姐姐因『錢』字而歎，我因『青』字忽又想起『是以』二字眞罰的委屈。試問這個『青』字同水旁『淸』字有何分別？『龍』與玲瓏之『瓏』其音又有何異？他卻分在兩韻。最令人不懂的：方旁之『於』歸在『六魚』，干鈎之『于』歸在『七虞』，諸如此類，不知是何肺腑？」春輝道：「他以一身而事宋、齊、梁三朝之君，於忠之一字，已可想見，其餘又何必談他。」

全貞道：「二位姐姐暫停高論，妹子交卷了。」隨手掣了人倫雙聲道：

「妻妾　蔡邕月令問答　今日御妾，何也？」

紫芝道：「他要置妾，你便怎樣？我看姐姐倒有些醋意了。」蘭芝道：「人家話還未完，你停停再說

罷。」

全貞接著道：「『曰御』雙聲，敬亞蘭姐姐一杯。」

蘇亞蘭掣了蟲名雙聲道：「玉芝姐姐才託鳳雛姐姐所飛毛詩之句不能湊巧，如今妹子倒可引用讚美莊姜原句了：

螗蟀　詩經　領如螗蟀。

本題雙聲，敬舜英姐姐一杯。」蘭言道：「這句不但補足莊姜之美，並且所敬亦得其人。若是容貌稍差的，也就不配了。」舜英道：「姐姐言談最是純正，何苦卻拿妹子開心？」蘭言道：「我是言道其實，你只問問眾人就知道了。」

舜英掣了戲具雙聲道：「青鈿姐姐！又是飛鞋那個頑意到了：

氣毯　馬融忠經　導之以禮樂以和其氣。

『樂以』、『其氣』俱雙聲，敬巧文姐姐一杯，普席一杯。」

印巧文道：「這都是青鈿姐姐拋毯帶累的，不但要吃酒，還要說笑話。奉告諸位姐姐：往日妹子原喜說笑話，今日只好告罪了。」青鈿道：「今日為何不說？」巧文道：「既是姐姐諄諄下問，我也不得不說了。實告訴你罷：我不說，就是說。」眾人聽了，猛然想起禪機笑話，不覺大笑。青鈿道：「諸位姐姐莫笑，且聽巧文姐姐說笑話。」巧文道：「凡說笑話，原不過取其發笑；今大家既已笑了，妹子才說之話，就可算得笑話，何必再說。」蘭言道：「此言並不勉強，自應接令為是。」

玉芝道：「請教令官：卽如剛才妹子誤說各名約有一百之多，以後別人可准再用？」春輝道：「

聯經出版事業公司校印

再用的罰三杯。」玉芝道:「這還罷了。」

巧文掣了古人名雙聲道:

「劉伶㊀
　　國語　聞之伶州鳩。

『州鳩』疊韻，敬彩雲姐姐一杯。」玉芝道:「此時酒仙既出來，必須奠他一奠，少刻大家才有興

哩。」於是面對戲臺，恭恭敬敬福了一福，奠了三杯。小春也奠了一杯道:「劉老先生:我也不求『

五斗解醒』，只求你老人家保佑我莫吐，就感大情了!」

紫芝道:「此令既有二十餘門之多，何必要這古人名？妹子適才約計由唐虞至前隋，按經史可考

的共有二百餘人，都是雙聲疊韻，若慢慢行去，恐令未完，天就晚了。必須除去這一門，方不浮泛。」閨臣道:「不但此籌可

去，並且此令甚長，據妹子愚見:莫若大家依次先掣二三十籤，

再一總結算。應說笑話者說笑話，願行小令者行小令。如此分個段落，不過兩三次就可令完，既不就

誤飲酒，又可不致夜深。不知可好？」

彩雲掣了服飾雙聲道:「妹子就遵姐姐之命，早早交卷，

輕裘
墨子　牸羊之裘，練帛之冠。

『牸羊』疊韻，敬紅英姐姐一杯。」

紅英掣了戲具雙聲道:

「琴棋　顏氏家訓　圍棋有手談、坐隱之名。

㊀ 劉伶——晉人，好酒，曾寫過一篇名酒德頌的文章，稱讚酒的好處。這裏下文所稱的「酒仙」、「劉老先生」，都指的是他。「五斗解醒」是酒德頌裏面的句子。

『有手』疊韻，敬瑤芝姐姐一杯。」井堯春道：「這樣寬題，不替主人轉敬，未免可惜。」燕紫瓊

道：「此題若輪到妹子，大約也可轉敬一杯。」邵紅英道：「你們二位一善琴，一善棋，腹中自然該

有琴棋故典。既是如此，你們就各認一字，也飛一句書，如雙聲疊韻俱全，兩個疊

韻，我說一個笑話；設或飛句不能如式，每人各飲三杯。」堯春道：「既如此，我就有僭，先飛琴

字。李延壽北史：『垂簾鼓琴，風韻雅遠。』兩個雙聲。」紫瓊道：「邯鄲淳藝經：『夫圍棋之品有

九，一曰入神。』雙聲疊韻俱全。請教笑話了。」

紅英道：「輪我掣籤飛句，只有我聽人的笑話，此時反弄到自己身上，倒也別致。適才我因李延

壽『李』字卻想起一個笑話：有個宰相去世多年，他族中有個姪兒，每與親朋交談，就把『家伯』賣

弄出來，意欲使人知他為宰相族姪。一日偶到杭州遊玩，因見石壁題著前朝許多名士，他也寫了幾字

道：『大丞相再從姪某嘗遊於此。』題畢而去。後來有個士人李某，最好詼諧，看見此字，因題其

旁道：『元元皇帝㊀二十五代孫李某繼遊於此。』」蘭言笑道：「此話雖是遊戲，但鄉愚往往犯了此

病，若將這話給他聽了，受益不淺。」

瑤芝掣了獸名雙聲道：

「窮奇㊂

　　　王弼周易略例　　一陰一陽而無窮。

『一陰』、『陰一』、『一陽』俱雙聲，敬月芳姐姐一杯，普席兩杯。」

褚月芳掣了藥名雙聲道：

「紅花　　謝康樂集

『含紅

　　　含紅敷之繽翻。

『含紅』雙聲，敬萃芳姐姐一杯。」

哀萃芳掣了地名雙聲。春輝道：「按現在十道所轄縣名，雙聲疊韻，約有一百，若用縣名，未免

過於省事，誤用者罰。」萃芳道：「幸而妹子想了一個，卻與這些名目不同：

中州　離騷經　　夕攬中州之宿莽。

本題、『州之』俱雙聲，敬小鶯姐姐一杯。」

題花道：「我飲一個令杯。以後旁令說過之書，也不准再用。至於詩句，惟閨閣之書准用，餘皆

不准，才不寬泛。違者罰。」

崔小鶯掣了藥名雙聲道：

「妯風　崔寔農家諺　　日沒胭脂紅，無雨也有風。

『雨也』雙聲，『也有』雙聲，敬錦春姐姐一杯，普席一杯。」

酈錦春掣了身體雙聲道：

「肺腑　司馬遷史記　　諸侯子弟若肺腑。

本題雙聲，敬婉春姐姐一杯。」

鄒婉春掣了人倫雙聲道：

「祖宗　劉向列女傳　　學窮道奧，文爲辭宗。

『文爲』雙聲，敬月輝姐姐一杯。」

蔣月輝掣了藥名雙聲道：「藥名雖有，就只承上甚難，這卻怎好？」只聽耳旁有人說道：「……

○一　元元皇帝——就是玄元皇帝，也稱玄玄皇帝。是唐李隆基（玄宗）給李耳上的尊號。

○二　窮奇——一種犀牛。

如此如此，豈不好麼？」月輝聽了，滿心歡喜道：

「蜂房　春秋佐助期　虞舜之時，景星出房。

『之時』疊韻，敬⋯⋯」一面說著，又細細數一數道：「敬二位姐姐一杯。」

的好，怎麼敬到自己家裏了？」青鈿道：「這才顯得你們姐妹親熱哩。」蔣秋輝笑道：「這個頑

道：「好個短命鬼！」題花把月輝一指道：「好個冒失鬼！」

秋輝掣了服飾雙聲道：

「繡黻④　金樓子　觀人以言，美於繡黻文章。

『以言』、本題俱雙聲，敬蕙芳姐姐一杯。」

譚蕙芳掣了舟車雙聲道：

「風帆　沈約宋書　願乘長風破萬里浪。

『乘長』雙聲，敬蘭言姐姐一杯。」玉芝道：「怎麼蘭言姐姐落下淚來？」蘭言道：「我因蕙芳姐姐

所飛這個『風』字，忽然想起韓詩外傳⑤『樹欲靜而風不止，子欲養而親不待』這兩句話，觸動思親

之心，所以傷感。假如雙親在堂，此時蒙太后半支俸祿，再能內廷供奉，即使家寒，亦可敷衍養親。

無如『子欲養而親不待』，雖高官極品，不能一日養親，亦有何味！這總是自己早不樹立，以致親不

能待，後悔何及。」蘭芝道：「姐姐只顧如此，豈不打斷酒興麼？」

未知如何，下回分解。

④　黼（ㄈㄨˇ）黻（ㄈㄨˊ）——古代禮服上的繡花。

⑤　韓詩外傳——書名。漢韓嬰所著。原有兩部分，一名內傳，一名外傳；內傳失傳，下回中所說的韓嬰詩外傳，就是這部書。

話說蘭芝道：「眾人聞了此話，莫不落淚，豈不打斷酒興麼？」閨臣道：「此事雖由那個『風』字惹出來的，但蘭言這幾句話，令人聽了，卻勉勵我們不少。據我看來，無論貧富，得能孝養一日且孝養一日，得能承歡一日且承歡一日；若說等你富貴之時再去盡孝，就只怕的來不及了！」蘭芝道：「好姐姐，接令罷。」蘭言掣了人倫雙聲，就在桌上用酒寫了一個『厶』字道：「玉兒：你可認得？」玉兒走來望一望道：「這是某處的『某』字，又讀公私的『私』。」蘭言道：「你何以曉得？」玉兒道：「當日晉朝范甯註穀梁，曾有『某』字之說；周時韓非論倉頡，卻有『私』字之義。」蘭言道：「我正要把這『私』字告訴他，好寫在底本上，誰知他更明白。」題花道：「這叫作『強將手下無弱兵』。請罷，玉老先生，我們認得你了！」紫芝道：「他豈但在冷字上用功，還有一肚子好笑話哩。」月芳道：「少時我飲兩杯，務必代我一個。」青鈿道：「我記得『……子欲養而親不待』這兩句倒像出在劉向說苑，怎麼說是韓嬰詩外傳呢？」春輝道：「你把這兩部書仔細對去，只怕有幾十處都是雷同哩。」蘭言道：「多謝明斷。」

公姑　　韓非子　自營爲厶，背厶爲公。

『爲厶』、『厶爲』俱疊韻，敬紅蕖姐姐一杯。」

紅蕖道：「我情願吃兩杯，這個笑話只好拜託玉姑娘了。」寶雲道：「姐姐怎麼稱他姑娘，豈不折他壽麼？」紅蕖道：「這叫做『敬其主以及其使。』況他如此穎悟，下科怕不中個才女！」紫芝

道：「他的笑話雖好，不知可能飛個雙聲疊韻？」蘭芝道：「如飛的合式，諸位才女自然都要賞鑑一杯。」玉兒道：「我就照師才女『公姑』二字飛焦氏易林『一巢九子，同公共母。』雙聲疊韻俱全，敬諸位才女一杯。」紫芝道：「都已賞臉飲了，說笑話罷。設或是個老的，罰你一杯。」

玉兒道：「就以我的姓上說罷。有一家姓王，弟兄八個，求人替取綽號。所起名字，還要形象不離本姓。一日，有人替他起道：第一個，王字頭上加一點，名喚王主，綽號叫做『硬出頭的王大』；第二個，王字身旁加一點，名喚王玉，綽號叫做『偷酒壺的王二』；第三，綽號叫做『沒良心的王三』；第四個，名喚王丰，綽號叫做『扛鐵槍的王四』；第五，綽號叫做『硬拐彎的王五』；第六個，名喚王壬，綽號叫做『歪腦袋的王六』；第七個，名喚王毛，綽號叫做『拖尾巴的王七』；第八個，名喚王全，……」玉兒說到此處，忽向眾人道：「這個『全』字歸入部，並非人字，所以王全的綽號叫做『不成人的王八』。」

月芳笑道：「這個笑話雖好，未免與你尊姓吃虧了。我吃兩杯，你也替說一個，我好銷帳。倘能把他們昨日射鵠子說一笑話，我格外再飲一杯。」玉兒道：「既如此，我就勉強敷衍一個，我好銷帳。有一武士射鵠，適有一人立在鵠旁閒望，惟恐箭有歪斜，所以離鵠數步之遠，自謂可以無虞。不意武士之箭射的甚歪，忽將此人鼻子射破，慌忙向前陪罪，連說失錯。此人用手一面掩鼻，一面說道：『此事並非你錯，乃我自己之錯。』武士詫異道：『我將尊鼻射破，為何倒是你錯？』此人道：『我早知箭是這樣射的，原該站在鵠子面前了。』」

鄶錦春笑道：「玉姑娘！我也只好奉煩了。」紅珠道：「姐姐詩學甚精，如做一首打油詩也就算了，何必定說笑話？」玉兒道：「才女把酒乾了，我就說個做詩笑話。──有一士人在旅店住宿，夜

間忽聽隔房有一老翁自言自語：『又是一首。』士子忖道：『原來隔房竟是詩翁，可惜夜深不便前去請敎。據他所說又是一首，可見他業已做過幾首了。』正在思忖，只聽老翁道：『又是一首。』士子道：『轉眼間就是兩首，如此詩才，可謂水到渠成，手無難題了。』到了次日，急忙整衣前去相會，略道數語，卽問老翁道：『聞得老丈詩學有七步之才㊀，想來素日篇什必多，特來求敎。』老翁詫異道：『老漢從不知詩，不知此話從何而起？』士子笑道：『老丈何必客敎？頃刻就是兩首，何必騙我？』老翁道：『原來尊駕會意錯了。昨晚老漢偶爾破腹，睡夢中忽然遺下糞來，因未備得草紙，只得以手指揩之。所謂一手一手者，並非一首詩，乃是一手屎。』眾人聽了，不覺大笑。題花道：『凡做詩如果詞句典雅，自然當得起個『詩』字；若信口亂言，就是老翁所說的那句話了。』

紅蕖掣了地名雙聲道：

「東都　江醴陵集㊁」

「帳飲東都，送客金谷。」

本題雙聲，敬亭亭姐姐一杯。」春輝道：「姐姐怎麼忽然鬧出江文通別賦？恰恰又飛到亭亭姐姐面前，

㊀　七步之才——故事傳說，三國魏曹丕做了皇帝，對兄弟曹植很嫉視，限他在走七步路的時間內作好一首詩。曹植應聲而成。後來因稱作詩文敏捷的為「七步之才」。

㊁　江醴陵集——江淹，字文通，南北朝文學家。曾在宋、齊、梁三朝做官。江曾被封為醴陵侯，所以詩文集稱江醴陵集。別賦是他有名的作品之一。下文「帳飲東都，送客金谷。」和「踏然銷魂」、「惟縛酒兮敍別」都是別賦中的句子。

㊂　神話傳說：江淹老年時夢見自己把一枝五色筆還給了另一個人，從此以後，作的詩文就再没有好句子了。後文第九十一回所引用的「江郎才盡」，就借用的這個神話傳說。

豈不令人觸動離別之感『黯然銷魂』麼？若要想起諸位姐姐行期，連日之聚，眞是江文通說的『惟罇酒兮敍悲』了。少刻必須紫芝妹妹把將來別後大家怎樣音信常通唱個小曲，略將離愁解解才好哩。」

亭亭掣了列女雙聲道：

「嫫母㊂　　老子　　有名萬物之母。

「萬物」雙聲，敬豔春姐姐一杯。」玉芝道：「我記得『嫫母』二字見之史記、漢書，別的書上也還有麼？」亭亭道：「卽如『嫫母姣而自好』，見屈原九章；『嫫母有所美』，見淮南子；『嫫母勃屑而自侍』，見東方朔七諫；『嫫母倭傀，善譽者不能掩其醜』，見王諫議集；『飾嫫母之篤陋』，見晉書葛洪傳；『瞀者遇室，則西施與嫫母同情』，見嵇康養生論；『使西施出帷，嫫母侍側』，見吳質書。他如古詩『若敎嫫母臨明鏡』之類，歷來引用者甚多，妹子一時何能記得。」玉芝道：「常聽人說亭亭姐姐腹中淵博，我故意弄這冷題目問他一聲，果然滔滔不斷，竟說出一大篇來。」

施豔春掣了官名雙聲道：

「祭酒　　周禮　　酒正掌酒之政令。

『之政』雙聲，『政令』疊韻，敬綠雲姐姐一杯。」

綠雲掣了藥名雙聲道：

「細辛　　劉熙釋名　　少辛，細辛也。」

本題雙聲，敬珠鈿姐姐一杯。」

珠鈿掣了時令雙聲道：

「小雪　　春秋元命包　　陰氣凝而爲雪。

『而爲』疊韻，敬紅蕖姐姐一杯。」

紅蕖掣了百穀雙聲道：

「麰麥　尚書大傳　過殷之墟，見麥秀之蔪蔪。

重字雙聲，敬幽探姐姐一杯。」

幽探掣了服飾雙聲道：

「布帛　諸葛丞相集　臣本布衣，躬耕南陽。

『本布』、『躬耕』俱雙聲，敬書香姐姐一杯。」

林書香掣了財寶雙聲道：

「寶貝　鍾嶸詩品　陸文如披沙簡金，往往見寶。

『簡金』重字俱雙聲，敬瑤釵姐姐一杯。」

緇瑤釵掣了地理雙聲道：

「瀑布　孫廷尉集　瀑布飛流以界道。

本題雙聲，敬麗娟姐姐一杯。」

麗娟掣了藥名雙聲道：

「百部　大戴禮　有霢之蟲，三百六十。

『有霢』雙聲，敬堯春姐姐一杯。」

（三）娸母──古代傳說中像貌很醜而有賢德的女才，並傳說是黃帝第四個妃子。

堯春挈了飲食雙聲道：

「玉液　史游急就章　　有液容調。

『有液』雙聲，『液容』雙聲，敬秀春姐姐一杯，普席一杯。」陶秀春道：「這個『容』字，我們讀做『戎』字，今姐姐說液容雙聲，只怕錯了。」春輝道：「按前人韻書，容液本歸一母。若讀做『戎』字，那是貴處土音，豈是堯春姐姐錯哩。」

秀春道：「既如此，這個笑話少時只好奉託玉姑娘了。」紫芝道：「與其記在帳上，莫若你飲兩杯，我替你說。」秀春把酒飲了。紫芝道：「有個公冶短去見長官。長官道：『吾聞公冶長能通鳥語，你以『短』為名，有何所長？』公冶短道：『我能通獸語』。正在說話，長官道：『你既能通獸語，可知此犬說甚麼？』公冶短聽之良久，不覺皺眉道：『這狗滿嘴土音，教我怎懂？』」眾人一齊大笑。

秀春道：「怪不得敎我預先吃酒，那知這短命鬼卻來罵我！」隨卽挈了音律雙聲道：

「音樂　孝經　　移風易俗，莫善於樂。

『於樂』雙聲，敬紫雲姐姐一杯。」閨臣道：「據這兩句聖經看來，可見人家演戲，那壞人心術之戲也不可唱。若是官長在廟宇敬神，以及有父兄在家庭點戲。尤應點些忠孝節義的使人效法才是。雖係遊戲陶情，其實風化攸關，豈可忽略。但人只圖悅目，那里計及於此。」

紫雲挈了列女雙聲道：

「雲英　陶潛聖賢羣輔錄　　天下忠貞魏少英。

『忠貞』雙聲，敬淑媛姐姐一杯。」

淑媛掣了藥名雙聲道：

「荊芥　曹大家集　生荊棘之榛榛。

『荊棘』、『之榛』俱雙聲，『生荊』疊韻，敬文錦姐姐一杯。普席兩杯。」青鈿道：「且慢斟酒。

我記得揚雄反離騷有此一句，爲何說是曹大家集？只怕要罰一杯。」春輝道：「那反離騷是『枳棘之

榛榛兮』，與東征賦『生荊棘之榛榛』卻微有不同，只怕妹妹錯了。」青鈿道：「吓！是我記錯，罰

一杯。」

謝文錦道：「我不會說笑話，這個交易可有人做？」紫芝道：「你果眞不會，把酒乾了，我替你

說。」文錦道：「莫非騙我吃酒，又是『公冶短』麼？」紫芝道：「你說話又無土音，就是『公冶

短』也與你無干。」文錦把酒飲了。「有個公冶矮去見長官。長官問其所長，原來此人乃公

冶短之弟，也通獸語。正在談論，適値驢鳴。長官道：『他說甚麼？』公冶矮道：『他說他不會說笑

話。』」

文錦忍不住發笑道：「我也不知他怎麼編的這樣快。」隨手掣了舟車雙聲道：

「錦車　易經　大車以載，有攸往，无咎。

『有攸』、『往无』俱雙聲，敬題花姐姐一杯。多飛『无咎』二字，以爲日後若花姐姐飛車回鄉吉祥

之兆，並非敢敬普席之酒。」蘭言道：「聞得飛車出在奇肱，若花姐姐這個飛車可是此處借的？」若

花道：「飛車原是奇肱土產，近來周饒得了其術，製造更精，所以家父從周饒借來的。」玉芝道：「

將來我們過去送行，倒要長長見識哩。」

題花掣了服飾雙聲道：「我用剛才『銀漢浮槎』那個故典，春輝姐姐以爲何如？」春輝拍手笑

道：「若果如此，妹子就有文章做了。姐姐快些交卷。」

未知如何，下回分解。

第八十七回　因舊事遊戲仿楚詞　卽美景詠諧編月令

話說春輝笑道：「姐姐快些交卷，妹子有文章做了。」題花道：

「巨屨　孟子　有業屨於牖上，館人求之弗得。」

紫芝道：「求之弗得，那里去了。」題花道：「飛了。──『有業』、『於牖』俱雙聲，敬寶鈿姐姐

一杯，普席一杯。」

春輝道：「我因今日飛鞋這件韻事，久已要想替他描寫描寫，難道有這『巨屨』二字，意欲借此

摹仿幾部書，把他表白一番。姐姐可有此雅興？」題花道：「如此極妙。就請姐姐先說一個。」春輝

道：「我仿宋玉九辯：獨不見巨屨之高翔兮，乃墮卞氏之圃。」題花道：「我仿反離騷：巨屨翔是蓬

渚兮，豈凡屨之能捷？」玉芝道：「我仿買誼賦：巨屨翔於千仞兮，歷青霄而下之。」小春道：「我

仿宋玉對楚王問：巨屨上擊九千里，絕雲霓，入青霄，飛騰乎杳冥之上；夫凡庸之屨，豈能與之料天

地之高哉！」春輝道：「這幾句仿的雄壯。」紫芝道：「若要雄壯，這有何難！我仿莊子，其名爲

屨，屨之大不知其幾千里也。怒而飛，其翼若垂天之雲。是屨也，海運則將徙於南冥。──南冥者，

天池也。諧之言曰：『屨之徙於南冥也。水擊三千里，搏扶搖而上者九萬里，去以六月墮者也。』」

春輝道：「這個不但雄壯，並且極言其大，很得題神。」題花道：「若像這樣，仿到何時是了？莫若

把五經仿了好接前令。我仿春秋：庚子，夏四月，一屨高飛過卞圃。」春輝道：「記其年，記其月，

而並記其所飛之地，這是史筆不可少的。」玉芝道：「我仿易經：初九，屨，履之則吉，飛之則否。

象曰：「履之則吉，行其正也；飛之則否，舉趾高也。」春輝道：「此言事應休咎，也是不可缺的。」

小春道：「我仿禹貢：厥屨維大大，厥足維臭。」春輝道：「這是言其形，辨其味，也是要緊的。」

青鈿道：「原來姐姐還能辨其味，倒也難得。」紫芝道：「我仿毛詩：巨屨颺矣，于彼高岡；大足光矣，于彼馨香。」春輝道：「『馨香』二字是褒中帶貶，反面文章，含蓄無窮，頗有風人之旨。我仿月令：是月也，牡丹芳，芍藥豔，遊卜圃，拋氣毬，鞋乃飛騰。」玉芝道：「還有一句呢？」紫芝道：「足赤。」說的眾人好笑。青鈿道：「你變著樣兒罵我，只好隨你嚼蛆，但有侮聖言，將來難免都有報應。」眾人道：「有何報應？」青鈿把舌一伸，又把五個手指朝下一彎道：「只怕都要『適蔡』哩。」眾人聽了，一齊發笑。

董寶鈿掣了鳥名雙聲道：

「錦雞　譙周法訓　羊有跪乳之禮，雞有識時之候。

『羊有』、『識時』俱雙聲，『時之』疊韻，敬素雲姐姐一杯。此句當中可以點斷，不敢轉敬。」

素雲掣了花卉雙聲道：

「蒹葭　申培詩說　蒹葭君子，隱於河上。

本題、『隱於』俱雙聲，敬墨香姐姐一杯。」

陽墨香掣了地理雙聲道：

「疆界　陶彭澤集　紓遠蜿於促界。

『紓遠』雙聲，敬麗蓉姐姐一杯。」

蘭言聽墨香飛的這句，把他細細望了一望，不覺歎息不已。

余麗蓉掣了列女疊韻道：

「王嬙　劉劭人物志　詩詠文王，小心翼翼。

『文王』、『小心』俱雙聲，敬耕烟姐姐一杯。」

寶耕烟道：「此句幸虧當中可以點斷，省了一個笑話。」於是掣了花卉雙聲道：

　「黃花　邱司空集　佩紫懷黃，贊帷幄之謀。

『懷黃』、『帷幄』俱雙聲，敬翠鈿姐姐一杯。」花再芳道：「黃花無所指，未免過於浮泛，只怕要

耕烟道：「汲冢周書：『又五月，菊有黃華。』禮記月令：『季秋之月，鞠有黃華。』這

兩部書都說的是菊，為何妹子無指呢？古無『花』字，俱以『華』字通用，如光華之華，讀為陽平；

華卉之華，讀做陰平。況爾雅釋草明明寫著：『荷，芙蕖，其華菡萏。』他如『唐棣之華』、『桃始

華』之類，莫不以『華』為『花』。」再芳道：「若據此說，我這賤姓竟是杜撰了。但花字始於何

時，姐姐可知麼？」耕烟道：「妹子記得北魏太武帝始光二年造新字千餘，頒之遠近，以為楷式。如

花字之類，雖不知可在其內，但晉以後每每見之於書，大約就是當時所頒新字了。」

董翠鈿製了飲食雙聲，想了多時，雖有幾個，無奈總不能承上。紫芝見他為難，因暗向題花道：

「他有結巴毛病，我敎他奏個音樂你聽。」忙把湯匙拿起，向青鈿照了一照，又將兩手比做一個圓

形，故意說道：「飛了許多句子，可惜總未將班婕妤、蘇若蘭詩句飛出來，姐姐何不飛一句呢？」翠

鈿猛然被他提醒，連忙說道：「湯……湯……

　湯團　班婕妤詩　裁成合歡扇，團團如明月。

『合歡』、『團團』俱雙聲，敬——呸！敬四妹妹一杯。」董花鈿道：「怎麼敬到家裏來了？」題花

道：「剛才是蔣四姑娘敬蔣二姑娘，此刻又是董二姑娘敬董四姑娘，怪不得我們都摸不著酒吃。」紫

芝道：「他豈但敬酒，並且湯、湯、湯，敲起大鑼，還奏樂哩。」幽探道：「我聞翠鈿姐姐口吃毛病

醉後更甚，大約今日又多飲兩杯了。」

紫芝道：「我說個笑話：一人素有口吃毛病，說話結結巴巴，

中有一少年道：「某兄雖然口吃，如能隨我問答，不假思索，卽可教他學做雞鳴。那日偶與眾友聚會，內

吃的，說話全不能自己做主，不因不由就要結結巴巴，何能教他學做雞鳴？果然如此，我們都以東道

奉請。」少年道：『既如此，必須隨問隨答，不許停頓。』因取出一把穀來放在口吃面前道：『這

是何物？』口吃者看了，隨卽答道：『穀……穀。』說的眾人好笑。紫芝用湯勺掬了一勺湯道：「

翠鈿姐姐，你看這是何物？」翠鈿看了笑道：「這……這……刻薄鬼，又教我奏樂了。」

董花鈿掣了列女雙聲道：

　　列肆侈於姬姜。

「敬姜㊀　班蘭臺集

本題雙聲，敬蘭蕘姐姐一杯。」

閔蘭蕘正吃的爛醉，聽見令到跟前，急忙抽了一籤，高聲念道：「身體雙聲。」想了多時，信步

走到玉兒那邊道：「我看看他們用的都是甚麼書，莫用重複了，又要罰酒。」紫芝趁空寫了一個紙

條，等蘭蕘走過，暗暗遞了過去。蘭蕘正在著急，看了一看，如獲至寶，慌忙說道：

「腳筋　洛陽伽藍記

　　牛筋狗骨之木，雞頭鴨腳之草。

『狗骨』雙聲，敬婉如姐姐一杯。」眾人聽了，滿心要笑，都因蘭蕘性情不好，又不敢笑，只得你望

著我，我望著你，勉強忍住。紫芝道：「婉如姐姐這杯吃的有趣，還有狗骨可以下酒哩。」婉如皺著

眉頭，自言自語道：「偏偏輪到俺，又是腳筋，又是狗骨都來了。」眾人聽了，那個敢笑，只得再三

忍住。花再芳道：「所報名類，原要顯豁明白，雅俗共賞；若說出來，與其慢慢替他破解，何不就像

蘭蓀姐姐這個明明白白，豈不爽快？我倒要賞鑒一杯。」紫芝道：「你因有了好菜，自然想酒吃了。」

婉如掣了果木雙聲道：

「金橘　陳壽三國志　陸郎作賓客而懷橘乎？

『陸郎』雙聲，敬芳春姐姐一杯。」

芳春掣了了時令雙聲道：

「人日　宗懷歲時記　正月七日為人日。

本題雙聲，敬麗樓姐姐一杯。」青鈿道：「初七為人日，請教初一、初二呢？此說可見經史麼？」鄭

芳春道：「此說見董勛問答；後來魏書序有一雞、二狗、三猪、四羊、五牛、六馬、七人、八穀之

說。大約自元旦至初八日總宜晴和為佳，卽如初五為牛，若是日有狂風暴雨，當主牛有災病。餘可類

推。」

姜麗樓掣了音律雙聲道：

「律呂　劉向別錄　吹律而溫至黍生。

『黍生』雙聲，按時音『而溫』也是雙聲，敬繡田姐姐一杯。」鄒婉春道：「這個『黍』字，我們讀

做『褚』字，與『生』字並非一母，為何是雙聲？」春輝道：「按『黍、鼠、暑』三字，韻書都是賞

呂切，乃『舒』字上聲，正與『生』字同母；若讀『褚』字，那是南方土音，就如北方土音把『容』

○敬姜——春秋時魯相文伯歜的母親，兒子做了大官，他還是終日紡織，勞動不懈。

字讀做『戎』字。好在有書可憑，莫若都遵韻書爲是。」

鍾繡田挈了獸名雙聲道：「『鼠』字旣是賞呂切，我就易於交卷了：

鼬鼠　姚思廉梁書　意懷首鼠，及其猶豫。

『首鼠』、『猶豫』俱雙聲，敬芸芝姐姐一杯。」

芸芝挈了飲食雙聲道：

蔹水　蔡邕獨斷　地下之眾者莫過於水。

『之眾』、『眾者』俱雙聲，敬青鈿姐姐並普席一杯。」青鈿道：「我記得這句出在風俗通，怎麽說是獨斷？難道姐姐說錯也敎我吃酒麼？」春輝道：「你又記錯了。那風俗通是『土中之眾者莫若水』，與『地下之眾者莫過於水』卻稍有分別，原來這酒還是要你吃的。」青鈿敎玉兒把書取來看了，這才把酒告乾，挈了官名雙聲道：

『尙書』魏徵隋書　聖人在上，史爲書，瞽爲詩。

驪珠挈了地理雙聲道：

『爲詩』疊韻，敬驪珠姐姐一杯。

『山水　龍魚河圖　崑崙山有五色水。

『崑崙』疊韻，敬蘭芝姐姐一杯。」

蘭芝挈了文具雙聲。題花道：「可惜今日已晚，只能行得雙聲疊韻之令，不能聯韻。若一百人每人一韻做一首百韻詩，豈非大觀麼。」春輝道：「每人只得一韻，若疊起精神，細細做去，只怕竟是曹娥碑『黃絹幼婦』那個批語哩。」蘭芝道：「就只怕的內中有幾位姐姐不喜做詩；若果高興，豈但

黃絹幼婦，並且傳出去還有一個批語：

鎮紙　房喬晉書　洛陽為之紙貴。

『為之』疊韻，『之紙』雙聲，敬瑞蕶姐姐並普席一杯。

呂瑞蕶掣了器物雙聲道：

　　「竹枕　令狐德棻周書　所居之宅，枕帶林泉。

『之宅』、『宅枕』俱雙聲，敬蘭英姐姐一杯。」

章蘭英掣了藥名疊韻道：「可惜有許多好書都不准再用，只好借著酒字敷衍完卷了⋯

荼蕶　束晳發蒙記　貓以薄荷為酒，蛇以荼蕶為酒。

玉芝道：「虎以犬為酒，鳩以桑椹為酒。」蘭英道：「妹妹莫鬧。本題疊韻，敬乘珠姐姐一杯。」

掌乘珠掣了天文雙聲道：

　　「陰陽　荀悅申鑑　想伯夷於首陽，省四皓於商山。

『夷於』、『商山』俱雙聲，敬蘭英姐姐一杯。可惜易經有人用過，若飛京房易傳『易曰陰與陽』，豈不與『齊

莊中正』並美麼？」紫芝道：「若飛京房易傳『易曰陰遇陽』，還是四個雙聲哩。」

枝蘭音掣了昆蟲雙聲道：

　　「衣魚⊖　元中記　一日逢魚頭，七日逢魚尾。」

玉芝道：「此魚如此之長，若吃東西，豈不要三四天才到腹麼？『一日』、『七日』俱疊韻，敬紅紅

⊖　衣魚──就是蠹魚，衣服和書籍中的蛀蟲。

姐姐一杯，我替蘭音姐姐說了。」紅紅道：「適因『衣魚』二字，偶然想起書集往往被他蛀壞，實爲

可恨。麗春姐姐最精藥性，可有驅除妙方？」潘麗春道：「古人言，司書之仙名『長恩』，到了除

夕，呼名祭之，蠹魚不生，鼠亦不齧。妹子每每用之有效。但遇梅雨時也要勤曬，若聽其朽爛，大約

這位書仙也不管了。」

紅紅連連點頭，掣了百穀雙聲道：

「薏苡 王充論衡 薏苡之莖，不過數尺。

本題雙聲，敬錦雲姐姐一杯。」

錦雲掣了一籤，正在高聲念道「天文雙聲」，忽覺松林微微透出一陣涼風，個個吹的毛骨悚然。

閨臣道：「怎麼剛掣天文就刮起風來？這籤竟有些作怪！爲何風中還帶一股清香？」舜英道：「此香

順風飄來，宛如丹桂，若非四季桂，安能如此。原來此處卻有如此佳品。」寶雲道：「家父四季桂久

已進上，此時那得有此。適才這陣幽香，芬芳異常，且陣陣俱從霄漢吹來，看這光景，

果真竟是『天香雲外飄』了。莫非這位桂花仙姑知道今日座有佳賓，特放此香，以助妹子敬客之意

麼？」銀蟾道：「據我看來：此是師母連得貴子之兆，或主玉兒下科蟾宮折桂也未可知。」

只見影環向寶雲道：「剛才卞興來稟：外面有兩個女子自稱殿試四等才女，──雖係四等，卻是

博學。他因眾才女在此聚會，執意要來談談。如果都是學問非凡，得見一面，死也甘心；若非眞才，

不敢相見，他也不敢勉強，只等眾才女回他一句，他就去了。」卞興因他說之至再，不敢不稟。如何回

他，請小姐示下。」寶雲聽了，默默無言。閨臣道：「影環：你教管家去回他，就說我們殿試都是徼

倖名列上等，並非眞才實學，何敢自不量力，妄自談文。況在酒後，尤其不敢冒昧請見。」若花道：

「閨臣阿妹是謙謙君子，如此回覆，卻也省了許多屑舌。」只見亭亭、題花、春輝、青鈿一齊連說：

「不可！……」

未知如何，下回分解。

第八十八回　借月旦㊀月姊釋前嫌　逞風狂風姨洩舊忿

話說亭亭、青鈿、春輝、題花聞聽若花之言，一齊連說：「不可！……姐姐爲何如此示弱，先滅自己威風？與其不戰而負，何不請他一會？大家憑著胸中本領同他談談，倘能羞辱他一場，也教那些狂妄的曉得我們利害，如風頭不佳，不能取勝，那時再『拜倒轅門』也不爲遲。影環快去相請！」不多時，兩女子攜手而來。一個年長的穿著青衫，年幼的穿著白衫。都是嬌豔無比，綽約異常。眾人見他器宇不凡，都不敢輕視，見禮讓坐。問了姓氏：青衣女子姓封，白衣女子姓越。寶雲命人當中另設一席。

二人歸坐，一一請問名姓。及至問到唐閨臣，白衣女子道：「聞得前者殿試，才女有一篇天女散花賦可冠通場，可惜仍存大內，傳抄不廣，未覩全豹，甚覺耿耿。昨雖看見幾聯警句，卻自平平，恐係傳寫之誤，抑或假託冒名，均未可知。今日難得幸遇，意欲以本題五字爲韻㊁，請教再做一賦，可肯賜教？」閨臣道：「當日只想求取功名，不顧顏厚，只管亂寫，今日豈可又來現醜？斷斷不敢從命！」青衣女子道：「他既諄諄求教，才女若不賞光，不獨負他一片美意，豈不把眾才女素日英名全付流水麼？」亭亭道：「閨臣姐姐此番應試，原是迫於嚴命，現在團聚業已勉強，那有閒情又做詩賦。既承二位執意見委，我雖不才，尚可塗鴉勉強應命。就煩主人預備筆硯，我好現醜。」白衣女子道：「才女高才，久已拜伏，何必再勞大筆。至唐才女乃眾朝臣曾推第一之選，與眾不同，因此才敢冒昧求教，意謂借此可以

開開茅塞，那知竟是如此咨教！但既與致不佳，何敢過勞費心，只求略略見賜一二短句，也就如獲拱璧了。」閨臣仍要推辭，無奈眾人已將筆硯另設一座，推他坐了。白衣女子道：「素聞才女有七步之才，果能文不起草，走筆立就，那才算得名下無虛哩。」閨臣聽了，把神凝了一凝，只得打起精神，舉起筆來，刷、刷、刷，如龍蛇飛舞一般，一連寫了幾句。眾才女在旁看著，莫不暗暗稱讚，都道：「如此佳作，少時給白衣女子看了，不怕他不肝腦塗地！」閨臣一面寫著，眾人只管點頭稱「妙」。登時寫完，玉兒送給兩女子觀看。

天女散花賦（以題為韻）

昔者：魏夫人葆朱蜜而迤御，鍊紫芝而上仙，宮於丹林之側，樓於絳樹之邊。長河煜燿，元都綺鮮；石藥彌浦，瓊草為田。丸袂零而霞邁，服胡麻而雲騫。惟恨風多作惡，月不常圓。青蘋屢動而相擾，丹桂被錮而可憐。往往攀條泛若，執葉淒然。其女弟子黃令徵乃離席而前曰：「臣忝羣芳之總，竊九命之權，叨榮於二十七位，布華於三十六天。願盟甌國，共駕花軿，近披香雨，遠匝釀烟。煩草檄以木筆，更買醉以金錢。靡弗繽紛拱震，紅縵輝乾。又豈慮乎十八之性虐，與夫三五之期怨。」夫人曰：「善，吾將觀焉。」

令徵於是開芳庵，設華俎，裹尤糧，命椒醑，左笙簧，右鐘呂，懸風鈴，笑月杵。始命

〇二　月旦——指對人物的評論。漢許劭、許靖等，每月要聚會一次，評論鄉里人物，人稱為「月旦評」。

〇一　以本題五字為韻——用題目上那五個字，作為詩文句尾所要押的韻。這裏題目是天女散花賦，賦的第一段，就要押「天」字的韻；其餘四段，依着女、散、花、賦的韻押下去。

御史進於釦斝，再命太醫列於階序。斟酌囊攜，校量窖貯。招玉藥院之眞妃，約紫蘭宮之神女，邀金莖洲之上靈，迓芙蓉城之仙嶂。追逐茵藍，紆邅容與。氣雜蕙馨，餐惟鞠茹。或矜頃刻之巧，而筵頓呈芳。或擅生枯之能，而谷咸吹黍，或愛絲縧之縈，而自喜蒴刀；或貪羅綺之工，而別裁機杼。珊瑚之屑重重，翡翠之拋處處。信足以詭惑羣情，回皇眾緒。雖習聞乎蹧通報德之迢遙，而何硜於分景靈飛之來去。

至其花之爲狀也：如串珠之相銜，如連環之不斷，如扇帶之奇，如瓔珞之散；如四面鏡之難分，如萬卷書之罕判；如七寶、八寶之低旋，如重臺、三臺之高貫，如冠子、纈子、毬子之靡窮，如紐絲、鉸絲、垂絲之還絆。若夫花之爲色也：紅則寶州、岳州、延州，陳州之美以地而分，蘇家、賀家、林家、袁家之妍以人而冠；紫則朝天、乾道、軍容、狀元之異以貴而稱，夢良、師博、潘何、惠知之叢以幽而唤；黃則疊金、疊雪偕疊羅而並嬌，白則玉帶、玉盆與玉版而爭燦，丹則有捲丹、番丹、月丹之各殊，墨則有撥墨、染墨、暈墨之微漫，綠則比鳳毛之垂，青則葊鴨卵之饕。莫不綜異形於三靈，醫殊變於一榦。將使善狀者譜而且疑，悟色者拈而竟歎。

其散之中爰有蒂也：華容之抽特秘，洛陽之並無加；畫省之二分蠟綴，昌州之一寸絹斜。其散之中更有屬也；三寸則有金鶴之徑，八寸則有青鴛之夸；雙頭則有合芳之訏，三頭則有會英之嘉。其散之中又零而爲辦也；迎春則有九辦之秀，拒霜則有千辦之奢；兎耳則有二辦之細，鹿葱則有七辦之遮。其散之中又聚而爲蕊也；鶴頂之蕊正滿，麝香之蕊偏賒；合蟬之蕊自瑞，捲獅之蕊如拏。而且殊名競紀，閱號爭誇。第覺香溫曉霧，

豔失晨霞。並是太平之尊，俱爲稱意之花。

於斯之時：天帝來觀，神君驚顧，太一徬徨：羣靈奔赴，三十有二司辰，二萬四千宰訴。天上枝枝，人間樹樹。曾何春而何秋，亦忘朝而忘暮。不夜之彩，何假乎纖阿之輝；迴飆之能，何虞乎蜚廉之怒。丕召令徽而寵以誥曰：「魏夫人乃俯碧寓而暫翔，凌紫虛而微步。始焉迷離，既而凝注。

惟汝之賢，符吾之素。吾其錫汝押忽之珍，方圓之璐；更饗汝凝津之漿，則莒槖之所賦也。

甘之露，終畀汝以下弦一規，珂弓滿庫，俾汝如居士之息，貯皓魄於素壁之間；希神堯之臣，繳大風於青邱之渡。汝其敬揚新命，保乃休遇，以無墜吾劇陽之垂裕。」令徽則感激弗勝，媿謝靡喻，再拜而請於夫人曰：「今日之會，靡苞弗吐；既旋陰而幹陽，復醲和而吹煦。願爲短歌，敬寫長慕。」

其歌曰：

「夫人之福兮廣慈靈，花姑之靈兮耀天路。庶幾攬此景於無窮兮，延榮暉於億祚。」夫人又從而和之。其歌曰：

「眇孤蓬之振根兮，每刁調而難住。抑閒扶之過影兮，又悽愴而易誤。得女夷於今日兮，豈二者之足妬。」

令徽更起而答以亂曰：

「景彼元化，紛以寓兮。嗟彼埃壒，馳且驚兮。鬑余弱抱，勞冶鑄兮。獲從夫人，陪衆嫗兮。自今以游，焉容汙兮。」

白衣女子見這賦上處處嘲著風月，登時怒形於色。原來此女正是月姊。他因當年受了百花仙子諷，以爲譏下凡塵，可消此恨；誰知他倒聯捷直上，名重一時，太后公主均極隆重。因此頗爲不平，特邀風姨、嫦娥，假扮白衣、青衣兩個女子來此攪鬧一場，正要借著此賦，吹毛求疵，羞辱幾句，那知倒被閨臣先替羣芳占了身分。不覺大怒道：「此是『天女散花賦』，並非『散風散月賦』。你只言花，何必節外生枝？況花根柢極微，只知獻媚求榮，何能竟要輕視風月。乃太后格外姑容。今自不諒，可想而知。太后移置十名後，可見姸媸難逃聖鑑，得能不致名落孫山，乃太后格外姑容。今自不知愧，仍復隨筆混寫，竟是信口亂言了！」風姨道：「他句句總不畏風，要知這些花卉又非銅枝鐵蕊，何能不怕風吹？莫講粗風暴雨，不能招架，就是小小一陣涼颸，只怕也難支持了！」言還未畢，只聽四面呼呼亂響，陡然起了一陣大風，把衆才女吹的個個清寒透體，冷氣鑽心，戰兢兢只管發抖。

正在驚慌，忽見半空中現出萬道紅光，照的凝翠館霞彩四射，一片通紅。紅光之內，猛然擲下一蟾六位才女早已掣出寶劍，立在一旁。那個美女兩手執著斗筆，指著風姨、嫦娥道：「爾等職掌風月，各有專司，爲何無故越俎，攪亂文教？且姸媸莫辨，品論乖張，逞風狂以肆其威，借月旦以洩其忿，豈是堂堂上界星君所爲！我職司閨秀，執掌女試大典，豈容殿辱斯文！特興問罪之師：如果知忿，亟宜各歸，以免饒舌，彈章一上，後悔無及！」嫦娥道：「我洩私忿，與爾何干？」那美女聽了，氣的暴跳如風姨道：「我正怪你點額失當，你反出言責備，豈不自羞？」那美女聽了，氣的暴跳如雷。正在屬聲分辯，只見影環來報：「又有一位道姑要來求見。」言還未畢，道姑業已走來，同美女執手相見。衆才女上前見禮。

道姑向嫦娥、風姨道：「星君請了。此時羣芳塵緣將及期滿，吾輩歡聚諒亦不遠。當日彼此語言雖小有芒角，但事隔多年，何必介意？若再參商㊂，曉曉不休，豈非前因未了，又啟後世萌芽？且仙凡路隔，尤不應以違心之言，釋當日之恨。況彼既俯首無詞，毫無較量，亦可略消氣惱。從此倘能歡好如初，不惟從前是非一概瓦解，亦足見大度汪洋，有容人之量。如其不然，何妨俟其返本還原，再明斥其非？今忽急急冒然而來，第恐舉止孟浪，物議沸騰，於二位大有不利，竊爲星君不取。拙見如此，尚望尊裁。」風姨連連點首道：「高論極是，敢不凛遵！況我向無芥蒂，無非爲他相招而來。既承見教，自應即退，以副尊命。」嫦娥道：「當日我無故受他譏諷，以爲被謫歷受劫磨，可消此忿；誰知他倒名重一時，優游樂土。心中頗爲不平，因此特來一會。仙姑既正言規勸，所有前事，自當謹頌尊命，一概盡釋，決不挂懷。倘有後言，皇天可證，永墮塵凡！」說著，同了青衣女子出了凝翠館，飄然而去。那個執筆女子，仍化一道紅光，不知去向。

道姑正要告別。眾人聽他剛才那一片話，知他道行非常，必是一位仙姑，再三挽留，另設素席坐了。把賦看了一遍，連連點頭道：「前因不昧，足見宿慧非凡。」寶雲道：「仙姑指爪如此之長，莫非『長指仙姑』麼？」道姑道：「貧道乃長指山人。」伸出兩手道：「貧道以此爲名。」若花道：「那個執筆美女，當日我在海外同閨臣阿妹見過一面，後來曾在尼菴仿照塑了一像，看其光景，自然是女魁星了。請教那白衣、青衣兩個女子是何星君？」道姑道：「諸

㊂ 參（ㄕㄣ）商——指彼此之間的不和睦。古代神話：古代皇帝高辛氏有兩個兒子，時常互相爭鬥，高辛氏就把一個兒子放在東方，一個兒子放在西方，讓他們彼此不見面。在東方的是在商星的天文度數之下，在西方的是在參星的天文度數之下，造兩個星，相背而出，從地面不能同時看到，因此稱為「參商」。

位才女日後在他兩個姓上細細著想，少不得自能領會。」閨臣上前恭恭敬敬斟了一杯素酒，又奉了幾樣果品。

紫芝趁空同眾人商議：「這位仙姑來歷不凡，必知過去未來之事，我們大家何不問問休咎，將來到底是何結局，豈不放心？」眾人都道「甚好」。於是七言八語，都要請教道姑講講休咎。道姑道：「貧道素於卜筮命相雖略知一二，但眾才女有百人之多，一生窮通壽殀，一時何能說得完結。且今日之聚，也非偶然，此中因果，更非頃刻所能言的。」閨臣道：「仙姑何不略將大概說說呢？」道姑道：「當日我在海外曾見一首長句，細揣大略，內中因果，頗有幾分彷彿諸位才女光景，如不嫌絮煩，倒可口誦一遍。」閨臣道：「如此極妙。設有不明之處，尚望明白指示。」道姑道：「此詩義甚精微，詞多秘奧。或以數語歷指一事，或以一言包括數人。其中離合悲歡，吉凶休咎，或隱或現，或露或藏，虛虛實實，渺渺茫茫，貧道見識短淺，何能知其端倪。必須諸位才女互相參詳，或可得其梗概。」閨臣道：「據仙姑之言，此詩定非數句所能完的，若一總念去，我們何能得其詳細？必須分個段落，才好細細請教。」道姑點頭道：「此詩隨處皆可點斷。待貧道先念幾句，大家不妨各就所知，互相評論。設有錯誤，貧道不知則已，若有所知，無不盡言。」因向題花道：「才女尊名莫非『題花』二字？」聞得當日此詩因題薹花而作，難得尊名恰恰相合，何不就請大筆一揮？」眾人聽了，莫不吐舌稱異。紫芝道：「道姑可知我的名字麼？」道姑道：「才女大名何能知道。但荷池犬兒最劣，昨日已被傷了一口，此後仍要留神才好。」星輝聽了，不覺拍掌大笑。道姑道：「才女休要笑人，那繡鞋裏面也非藏身之所。」話未說完，紫芝早已笑的連聲稱快。眾人不懂，個個發獃。紀沈魚把昨日釣魚各話說了，大家這才明白，不覺大笑。

題花舉筆道：「請教仙姑：此詩是何起句？」道姑道：「他這起句，倒像從大周金輪而起，待貧

道念來。」

未知如何，下回分解。

第八十九回　闡元機歷迹新詩　遡舊跡質明往事

話說道姑道：「這詩起句雖係唐朝，但內中事跡倒像從大周金輪女帝而起。待貧道先念幾句，自然明白：

　　皇唐靈秀氣，不僅畀蛾眉。帝座咸推后，……

這三句其義甚明，諸位才女自必洞悉了。」唐閨臣道：「上二句與詔上『靈秀不鍾於男子』之句相似，第三句大約說的就是太后？」

道姑道：「才女所見不錯。

　　奎垣乃現雌。

此句對的何如？可知其義麼？」小春道：「『帝座』、『奎垣』對的極工，而『推后』、『現雌』四字尤其別致。據我揣奪：閨臣姐姐海外所見女魁星，大約就是此句。」

道姑點頭道：

　　科新逢聖歷，典曠立坤儀。

春輝道：「這是總起女試頒詔之始，而並記其年，雖是詩句，卻是史公□文法。」閨臣道：「據我管見：這兩句字是緊扣全題，必須如此，後面文章才有頭緒，才有針線。仙姑以為何如？」

道姑道：「才女高論極是。

　　女孝年纔稚，親遊歲豈衰。潛搜嗟未遇，結伴感忘疲。著屐循山麓，浮槎泛海涯。

攀蘿防徑滑，捫葛訝梯危。橋渡虹松偃，衣眠怪石欹。霧腥粘蜃沫，霞紫接蛟鬐。縱比

蓬萊小，寧同培塿卑。」

花再芳道：「這幾句說的必是閨臣姐姐。昨日聽他尋親那段話，以爲不過隨口亂說，那有十四五歲的孤身弱女，就敢拚了性命，深入荒山之理；莫講若花姐姐一人結伴，就再添幾個，無非是個弱女，有何能爲。今聽這幾句詩，才知他跋涉勞碌，竟是如此辛苦！末一聯對句雖佳，但何以比蓬萊卻小而又不卑呢？」若花道：「那座大山生在海島，雖名小蓬萊，其實甚高，故有此二句。」

道姑道：「這是才女身歷其境，所以明白。

泣紅亭寂寂，流翠浦潺潺。秘篆偏全識，眞詮許暗窺。拂苔名已改，拾果路仍歧。」

彩雲道：「前幾句大約是泣紅亭碑記。但『拂苔名已改……』二句卻是何意？」若花道：「閨臣阿妹原名小山，後來因在小蓬萊遇見樵夫，接著家信，才遵嚴命改名閨臣。起初上山時，惟恐道路彎曲，日後歸時難尋舊路，凡遇岔道，於山石樹木上俱寫『小山』二字，以便他日易於區別，那知及至回來，卻都變爲『閨臣』二字。」芸芝道：「以此看來，原來唐伯伯竟是已成仙家了。」

道姑道：

轆轤鱗愁渴，倉空雀忍飢。清腸茹異粒，滌髓飽祥芝。他日投簪⑵去，憑誰仗劍隨？

婉如道：「前四句是海外絕糧，以及閨臣姐姐餐芝之事，這都明白。至『憑誰仗劍隨』，請敎仙姑……

⑴　史公——指作史記的司馬遷。司馬遷做過太史令，自稱「太史公」。史公，太史公的省稱。

⑵　投簪——古時官吏的制服帽子上插有簪子。投簪，把簪子拔了丟掉，就是不做官的表示，猶如後來說的「擲紗帽」。

卻是何人？」道姑道：「上面明明寫著『劍』字，其義甚明，才女何必細問。」

玉芝道：「詩上所敍闈臣姐姐事跡，長篇大論，倒像替他題了一個小照。我們一百人，若都像這樣，倒也有趣。」青鈿道：「都像這樣，卻也不難，大約刪繁就簡，只消八百韻也就夠了。──就只可惜韻書無此寬韻。」道姑道：「若將四紙所收『是』字之類歸在四寘，再把別的湊湊，大約也就夠了。」青鈿道：「他們打趣我已難招架，怎麼仙姑也來同我做對？」道姑笑道：「原來此中卻礙著才女？貧道如何得知。偶爾失言，罰一大杯。」蘭芝親自斟一巨觥送去。

道姑飲畢道：

　　林幽森黯淡，峯亂蟲崎嶇。星彈奔殲寇，雷槍震熭獅。

蘭英道：「上二句大約描寫山景。下二句請教怎講？」司徒嫵兒道：「妹子記得麗蓉姐姐前在兩面曾以鐵彈退寇，第三句倒像說的就是此事。」婉如道：「若論第四句，看來坐中除了紫櫻姐姐，惟有俺最瞭然。當日唐家姑夫同俺父親在麟鳳山被一羣猛獸困住，幾遭大害，虧得紫櫻姐姐一陣連珠槍把猛獸傷了，才解此圍。那獸名狻猊，也是獅之種類。」閨臣道：「『星彈』、『雷槍』，可謂天生絕對。聽了這種雄壯句子，遙想二位姐姐當日那股神威，能不凜凜可畏！」

道姑道：

　　雅馴調駿馬，叱咤駭蟠螭。潮激鯤揚鬣，濤掀鼉奮鰭。

閨臣道：「不料駿馬、人魚今日忽於詩中出現，令人意想不到。」瑤芝道：「原來姐姐知道。請教怎講？」閨臣道：「上兩句說的是若花姐姐同妹子，虧得駿馬才不致為虎所傷；下兩句說的是家父同我母舅，虧得人魚才不致為火所害：一獸一鱗之微，此詩亦必敍及，可見有善必書。以此看來：魚馬之

善，尚且不肯埋沒，何況於人？眞是勉勵不小！」

道姑點頭道：「誠哉是言！

踏波生剖蚌，跨浪直剸鱷〔三〕。罥挂逃魚腹，……」

此三句坐中只有兩位才女曉得。」婉如道：「這是錦楓姐姐之事。」眾人正要細問，只聽道姑道：

婉如道：「此事也只得兩人明白。前年俺父親同姑夫在東口山遊玩，忽見一隻大蟲，正在害怕，誰知那虎把皮去了，卻是紅蕖姐姐。」眾人不明，洛紅蕖把前事說了。眾人都吐舌道：「這個豈非女中楊

香〔四〕麼！」

道姑道：

崔符〔五〕遭困阨，荆棘脫羈縻。

若花道：「若據『崔符』二字，大約說的是紅紅阿姐遇盜被擄，後虧女盜釋放，我們才得逃下山來。」

道姑道：

〔三〕剸（ㄊㄨㄢˊ）鱷——剸，割的意思；鱷，這裏是鱷龍的省詞。神話傳說：深海裏有鱷龍，頷下有大珠。剸鱷，就是到深海裏殺死鱷龍取得大珠的意思。

〔四〕楊香——漢代人。故事傳說：楊香幼年時隨楊豐在田裏收割，忽然來了一隻老虎要咬楊豐。當時楊香手裏沒有武器，便使用手又住老虎的頭子，老虎跑了，這樣救了楊豐性命。

〔五〕崔（ㄏㄨㄢˊ）符——歷史紀載：春秋時，鄭國強盜藏在多生蘆葦的水澤裏行刦，那個地方叫崔符。因而後人就用「崔符」兩字指強盜聚居的地方。

符獲踰牆逸，枚銜掣電追。

婉如道：「這是婑兒姐姐盜旗，駙馬遣將追趕兩齣熱鬧戲。怪不得麗蓉姐姐說他善能飛簷走壁，只這『踰牆』二字就可想見了。」

道姑道：

聳身騰美俠，妙手嚇纖兒。

秉燭從容劫，懷箋瞬息馳。

紅蕖道：「這幾句不但描寫紫綃姐姐黑夜行劫以及寄信之事，並且連赤足亂鑽醜態幾乎也露了出來。」

寶雲眾人都向紅蕖盤問，不覺大笑。玉芝道：「他劫甚麼？」宋良箴見問，惟恐洛紅蕖失言，心內十分著急。

道姑道：「才女慢慢自然明白。

智囊曾起瘠，仙藥頓扶羸。

消寒早，穿針乞巧遲。

蘭芝道：「上兩句大約是蘭音姐姐向日所言蟲積之患。下四句婉如姐姐都知麼？」易紫菱道：「此事前在綠香園久已聞得薇香、芷馨二位姐姐都善養蠶織機，若據末句，只怕還是好針黹哩。」

道姑道：

紡績供朝夕，機樞藉浙炊。

蒸蒸剛煮繭，軋軋又繅絲。　壓線

剔憐編網罟，始克奉盤匜。

玉芝道：「據這兩句，莫非我們隊裏還有漁婆麼？」婉如道：「豈但漁婆，並且堂堂御史還做漁翁哩！」於是把尹元取魚爲業，紅蕖織網養親各話說了。眾人無不歎息，都道：「若非仙姑今日念這詩句，我們何能曉得海外眾姐妹卻有這些奇異之事。最難得婉如姐姐都能句句破解出來，真比古跡還好

聽。

道姑道：

「求仙姑莫要遺漏才好。」

萃芳道：

「棄國甘嘗蓏，來王顧託葵。瀝誠遙獻表，抒悃密緘辭。

道姑道：

「這段話若非若花姐姐前在朝中說過，少不得又要勞動婉如姐姐破解了。」

錦楓道：「怪不得都說享亭姐姐談文不肯讓人，據這『窖』字，當日九公受累光景可想而知。那知如

今路上倒虧他老人家起早睡晚，種種照應，真是『人生何處不相逢』，只怕罵的還不止哩。——原來這詩用

呢？」婉如道：「那時若不虧他另眼垂青，豈止『問道於盲』，為何又留青目

的字眼卻如此尖酸。」閨臣道：「若以末句而論，倒像總結海外之意。不知下面是何起句，難道我們

考試這樣曠典，只輕輕點了一句就不談了？」道姑道：「如何不談！下面緊接就是此事，並且還將來

源指出哩。」春輝道：「若說末句係結海外而言，那紫綃姐姐並非海外人，為何也列其內？」道姑

道：「前路茫茫，誰得而知。但此詩既將顏才女也列外洋，安知他日後不是海外人呢？」

米蘭芬道：「請教女試來源究竟從何而起？就請詳細指示，我們外鄉人也好知其梗概。」道姑

道：「你問來源麼。

緣繹廻文字，旋圖織錦詩。掄才縈睿慮，製序費宸思。昔闇能臻是，今閨或過之。金輪

愛獨創，玉尺竟無私。鸑鷟鳴鸞闕，鵬翔集鳳墀。堆鹽誇詠絮，膩粉說吟梔。巨筆洶稀

匹，宏章實可師。璠璵尤重品，蘋藻更添姿。」

闈臣道：「我說安有如此大典竟置之不問，原來卻有如許議論，並將幽探、萃芳兩位姐姐繹詩，太后製序，也都一字不遺。」舜英道：「就只缺了婉如、小春二位姐姐榜前望信一段佳話。」道姑笑道：「才女莫忙，只怕就在下面。」

陽墨香道：「這幾句豈但描寫榜前望信情景，連翠鈿姐姐赴宴，滿口結結巴巴，也都活畫出來。」舜英道：「若把末聯改作『廁中言咄咄，筵上語期期』還更好哩。」芳芝道：「這卻為何？」舜英把婉如、小春聞報入厠狂笑光景說了，眾人無不發笑。

道姑道：

盼捷心徵夢，遷喬信復疑。榜聞言咄咄，筵撤語期期。

盛事傳三輔，歡呼動九夷。

闈臣道：「『九夷』二字用的得當，連海外諸位姐姐赴試也一字不遺。據我看來：這首長句只怕就是仙姑做的。」道姑道：「何以見得？」闈臣道：「適才我剛說怎麼不講考試，你就滔滔不斷，說出一大篇來，豈非是你大筆麼？」道姑道：「貧道向來只知貿易，那會做詩，若會做詩，久已也來觀光了。」婉如道：「仙姑所說『只知貿易那會做詩』這話，倒像俺姑夫在白民國同那先生講的；至『觀光』二字，是海外道姑對俺闈臣姐姐說的：原來仙姑話中卻處處帶著鈎兒。」紫芝道：「我看這話只怕從那鈎中又套出一個鈎兒。」道姑道：「我又不會垂鈎，那得有鈎；即使垂鈎，也是無鈎之鈎。」

道姑道：

千秋難凝儷，百卉有專司。

闈臣道：「女試自然是千秋罕有之事。但『百卉有專司』是何寓意？」道姑道：「其中奧妙，豈能深

知。若據字面而論：那『百卉』二字，倒像暗寓百位才女嬌豔如花之意；至『專司』二字，大約言諸

位才女或授女學士之職，或授女博士之職，或授女儒士之職，豈非各有專司麼？」闈臣聽了，不覺笑

道：「仙姑講的卻也在理，我敬一杯。」

道姑也微笑飲畢，道：「才女莫非說我講的不是，要罰我麼？我是隨口亂道，何足為憑。

　　摹仿承弓冶㈥，綿延衍派支。」

閨臣道：「昨日繡田，月芳二位姐姐只推不會寫字。若據這詩，豈非都是家傳麼？」

道姑道：

　　御宴蒙恩眷，欽褒值政熙。

余麗蓉道：「紫瓊姐姐府上『綠香庵』三字是鳳雛姐姐大筆，這卻知道；至於善隸書的卻不曉得。」

　　隸從丹籙化，額向綠香庵。

田鳳翾指著婉如道：「這位就是行家。」

道姑道：

閨臣道：「書香、文錦二位姐姐前在『紅文宴』蒙太后稱讚，業已名重一時，今又見之於詩，這才是

真正名下無虛哩。」

道姑道：

㈥　弓冶——指父子相傳的事業。禮記：「良冶之子，必學為裘；良弓之子，必學為箕。」意思是：善於冶鑄的人家，他的子弟看慣了鎔化金鐵補冶破鍋之類的東西，於是也學會了用獸皮補綴裘袍，把它弄完好；善於製弓的人家，他的子弟看慣了把角幹弄彎屈了製成弓，於是也學會了把柳樹枝條之類弄軟了來做成箕。

吐絨閒潑墨，窮絹愛和脂。遠谷馨彌潔，層崖影自垂。蜻蜓蘆繞斷。絡緯豆縈籬。團扇矜揮翰，齊紈羨折枝。

紫芝道：「這是昨日畫扇一段韻事，連花卉草蟲也都一一標明，就只『層崖影自垂』說的雖是撇蘭，幾乎把豬尾也露出來。」題花道：「我在這裏手不停毫，僅夠一寫，你還鬧我，設或寫錯，我可不管。」

道姑道：

凝神誇絕技，審脈辨良醫。

閨臣道：「若以『良醫』二字參詳，可見麗春姐姐岐黃原非尋常可比。但上句不知所指何人？」紫芝道：「你問他麼？就是那個拍桌子，打板凳，出神叫好的。」

道姑道：

詹尹(七)拈堯蓂(八)，君平(九)擲孔蓍。

花再芳道：「這兩句大約說的芸芝姐姐同妹子了。」紫芝不覺鼻中哼了一聲。

未知如何，下回分解。

──────────

⊖ 詹尹──古代卜筮的官。

⊗ 堯蓂（ㄇㄧㄥ）──蓂，古人認為是一種吉利的草，因而用牠做卜筮的工具。神話傳說：這種草當初生長在堯的廚房裏。牠能自己搖動而生涼風，使食物不致腐臭。所以稱做「堯蓂」。

⊙ 君平──姓嚴，漢代星相家。

第九十回　乘酒意醉誦淒涼句　警芳心驚聞慘淡詞

話說紫芝聽了再芳之言，不覺冷笑道：「這詩倒像只講善卜之人；至於姐姐初學起課，似乎不在其內。」

道姑道：

閨臣道：「這兩句不獨讚蘭言姐姐風鑑之精，連磊落性情也描寫出來，真是傳神之筆。」

道姑道：

紫芝道：「此言素精算法幾位姐姐。但我昨日曾要學算，不知可在其內？」再芳道：「够了！莫刻薄了！」

道姑道：

紫芝道：「這個大家都知，就只再芳姐姐一心只想學課，只怕是聽而不聞。」再芳道：「對牛彈琴，牛不入耳，駡的狠好，咱們一總再算帳！」

　　盤走珠勤撥，籌量算慎持。乘除歸揣測，默運計盈虧。

　　只因胸磊落，屢晰貌�qiǎn嬉。

　　饗致焦桐㊀惜，絃興改縵悲。

㊀　焦桐——故事傳說：東漢蔡邕，聽見人家用桐木燒飯的爆炸聲音，知道是可以做琴的好材料，就要了去製成七絃琴，彈起來聲音果然很好聽。因為琴尾已經燒焦了，於是叫做「焦尾琴」。後來一般用「焦桐」二字作為琴的代詞。

道姑道：

　　繁音聞李嶠（二），翁響嫋桓伊（三）。

閨臣道：「此是品簫吹笛諸位姐姐考語。」

道姑道：

　　庭院深沉處，鞦韆蕩漾時。綵繩微雨濕，絳袖薄暉移。

紫芝道：「這四句只好去問『老姐』、『小姐』，他們昨日都瞻仰過的。」眾人不懂。施豔春把「黃食」笑話說了，無不發笑。

道姑道：

　　鬥草蜂聲鬧。

春輝道：「昨日我們在百藥圃摘花折草，引的那些蜂蝶滿園飛舞，真是蝶亂蜂狂。今觀此句，古人所謂『詩中有畫』，果真不錯。」

道姑道：

　　評花猿意知。

閨臣道：「此句對的既甚工穩，而且這個仙猿非比泛常，此時點出，斷不可少。」

道姑道：

　　經綸收把握，竿笠弄漣漪。博奕連排道，樗蒲（四）屬戲嬉。含羞撕片葉，……

青鈿道：「這幾句所講垂釣、博奕都切題，就只麗輝姐姐『撕牌』二字未免不切。」紫芝道：「妹妹：你那里曉得，那時他雖滿嘴只說未將剪子帶來，其實只想以手代剪。這個『撕』字乃誅心之論，

如何不切!」麗輝道:「此時我一心在詩,無暇細辯,隨你們說去。」

道姑道:

角勝奪枯其。

闔臣笑道:「連他們奪狀元籌也在上面,可謂無一不備了。」紫芝道:「豈但奪籌,只怕還有奪車

哩。」小春道:「斷無此事。」

道姑笑道:「何能斷其必無?」

門後爭車竟,樽前賭硯貼。

小春道:「真是『怕鬼有鬼』!你這仙姑不是好人,我敬你一杯。」青鈿道:「下句是玉芝妹妹同老

師賭東以硯爲贈的話,且不必管他。此詩我不喜別的,只喜這個『覓』字用的得神。」小鶯道:「何

以見得?」青鈿道:「桌上只見棋盤,並不見人,及至找到門背後,才知他們奪車,豈不得神麼?」小

春道:「你且慢些笑人,安知詩中就無飛鞋那齣戲呢?」青鈿道:「這樣好詩,如何有這腌臢句子!」

道姑道:「他只知做詩,那里還管腌臢,就是有些屁臭,亦有何妨。

鞋風羅襪冷,……

小春道:「這個『冷』字用的雖佳,但當時所飛之鞋只得一隻,必須改爲『鞋飛一足冷』才妙。」

㈠　李嶠——唐人,善吹簫。

㈡　桓伊——晉人,善吹笛。

㈢　蒱——古代博戲的一種:博具是木製的「馬」,分做梟、盧、雉、犢、塞五種花色。擲殼字看得采多少,以定輸贏。有四種貴采,六種雜采之分。後來一般用「樗蒱」二字作爲各種賭博的代詞。樗蒱也可寫作摴蒱。

㈣　樗(ㄕㄨ)蒲

道姑道：

杼散斧柯糜⑤。校射肩舒臂，烹茶乳沁脾。

宰玉蟾道：「這三句含著三個典故：一是馨、香二位姐姐觀棋，一是鳳雛姐姐射鵠，一是紫瓊姐姐品茶。妹子素日雖有好茶之癖，可惜前者未得躬逢其盛，至今猶覺耿耿。」紫芝道：「你既如此羨慕，將來燕府少不得要送茶⑥與你，何必著急！」玉蟾登時羞得滿面通紅。

道姑聽了，不覺暗暗點頭道：

藏鉤⑦猜啞謎，隔席疊芳詞。抵掌羣傾倒，濡脣衆悅怡。

紫芝道：「這是猜謎、行令以及笑話之類。但爲何缺了剔牙一件韻事？」再芳道：「你拿鏡子照，我真服他是個神仙。」

滿鼻子都是鼻烟，若編在詩裏還更好哩。」紫芝道：「若把鼻烟也編成詩句，我真服他是個神仙。」

道姑笑道：我雖非神仙，曾記詩中卻有一句：

指禪參郢鼻，……

眾人聽了，莫不發笑。閔蘭蓀道：「這句自然是聞鼻烟了。請教『郢鼻』二字是何出處？」閨臣道：「妹子記得莊子曾有『郢人漫堊鼻端』之說，大略言：郢人以石灰如蠅翼之大，抹在鼻尖上，使匠人輪起斧斤，運斤成風，照著鼻尖用力砍去，把灰削的乾乾淨淨，鼻子還是好好，毫無損傷。今紫芝妹妹鼻上許多鼻烟，倒像郢人漫堊光景，所以他用『郢鼻』二字。」紫芝道：「仙姑只顧用這故典，我看你下句怎麼對！果眞對的有趣，我才服哩。」

道姑道：「那得好對，無非也是本地風光：

牙慧剔豐頤。

紫芝拍手笑道：「這句真對的神化！我敬一杯。」再芳道：「郚是地名，還是豐滿之意，以郚對豐，似乎欠穩。」春輝道：「難道姐姐連書經『王來自商至於豐』也不記得麼？況如今沛郡就有豐縣，此是借對極妙句子，姐姐說他欠穩，未免孟浪。」

道姑道：

嘲說工蟾弔，詼諧任蝶欺。

閨臣道：「此句大約又是紫芝妹妹公案。他是座中趣人，與眾不同，所以『郚鼻』之外，又有這個考語。」

道姑道：

聰明蠻點婢，綽約豔諸姬。

畢全貞正在打盹，忽聽此句，不覺醉眼矇矓道：「為何又鬧出髻鬟，這是何意？」麗蓉同妭兒只管望著小鸞，小鸞只急的滿面通紅。林書香道：「據我看來：這句或者說的是玉兒也未可知。」

道姑道：

倦每嗤休矣，……

（五）柎散斧柯糜——柯，斧柄；糜，爛。神話傳說：晉王質到山裏砍柴，還見兩個童子在下棋，他就坐下旁觀。童子給他棗核一樣的東西吃了，一點也不感飢餓。童子下完棋，對他說：「你的斧柄已經爛了。」他起身回家，下山一問，誰知已經過去一百年了。

（六）送茶——古時婚禮中，男方要送茶給女方。就是第六十一回文中所說的「下茶」。

（七）藏鈎——一種猜東西的遊戲。參加的人分為兩方面，人數相等，把鈎藏在一人手中，由對方去猜在什麼人手裏。

紫芝道：「此句描寫座中磕睡光景，卻是對景挂畫，但這『矣』字是個虛字，頗不易對。仙姑：你可曉得，他們不但愛睡，還愛吐哩。」

道姑點頭道：

　　哇恒鄙出而

眾人聽了，忍不住一齊發笑。紫芝道：「這個『而』字對的雖密密可圈，就只他們哇的還有一個蝦仁兒，可惜不曾表出，未免缺典。」

道姑道：

　　白圭原乏玷，碧斌忽呈疵。

紫芝道：「這兩句我最明白，大約上句說的是諸位姐姐美玉無瑕，下句是我醜態百出了。」花再芳道：「座中就只你愛罵人。」閔蘭蓀道：「而且你又滿嘴亂說。」畢全貞道：「這句說的不是你是誰！真有自知之明！」

道姑道：

　　戎鼓連宵振，……

青鈿道：「為何忽要擂鼓？莫非要行『擊鼓催花』之令麼？若果如此，這個『戎』字只怕錯了，還請另改一字。」

道姑點頭道：「貧道只顧多飲幾杯，那知卻已醉了。

軍茄徹曉吹。

寶雲道：「這句更古怪，莫非要打仗麼？可謂奇談了！其中是何寓意，尚望仙姑指示。」

道姑道：「此詩語句莫不明明白白，何須指示。況暗寓仙機，誰敢洩漏！」

將驍單守隘，卒勁盡登陴。蠢豎妖氛黑，⋯⋯

閨臣道：「仙姑既言仙機不敢洩漏，我們也不必苦人所難。況這詩句明明說著軍前之事，何必細問。

據我拙見：大約將來總有幾位姐姐要到軍營走走。就只末句『妖氛』二字，只怕其中還有妖術邪法之

類，這倒不可不防。請教仙姑：這話可是？」

道姑道：「剛才有言在先，此詩虛虛實實，渺渺茫茫，貧道何能深知。好在所剩無幾，待我念

完，諸位才女再去慢慢參詳，或者得其梗概，也未可知。

旗招幻境奇：短帘飄野店，古像塑叢祠。炙熱陶朱宅，搓酥燕趙帷。衡冠徒爾爾，橫槊

亦螢螢⑧。

花再芳道：「據這幾句細細參詳，卻含著『酒色財氣』四字，莫非軍前還有這些花樣？」

道姑道：「若無這些花樣，下句從何而來⋯⋯

裂帛淒環頸，⋯⋯」

眾才女聽到此句，個個毛骨悚然，登時都變色道：「據這五字，難道還有投環自縊之慘麼？」

⑧　這裏四句，分說財、色、氣、酒，預射後文的酒、色、氣、財四關。第一句：炙熱，興盛的樣子；陶朱，春秋時大財主，據

　　說是范蠡的化名。第二句：搓酥，形容女人身體的潤澤；燕趙帷，代表女人，是由古詩「燕趙多佳人」的句子而來。第三

　　句：衡冠，是說在生氣的時候，頭髮上竪，把帽子都衝動了；徒爾爾，不過如此的意思。故事傳說：春秋時，趙蘭相如奉

　　命去，和秦王談判，因為生氣，以致「怒髮衝冠」。這裏引用這個故事，意思說，像那樣的生氣，也算不了什麼。第四句：

　　槊，長矛。故事傳說：曹操向東吳進兵時，在江面船上喝醉了酒，手中橫着槊，嘴裏念着詩。螢螢，迷糊的樣子。

道姑歎道：「豈但如此！雕鞍慘抱屍。壽陽梅碎骨，……」

眾人都驚慌戰栗道：「這竟是傷筋動骨，軍前被害，不得全屍了！何至如此之慘！」一面說著，都滴下淚來。

道姑道：「你道這就慘麼？還有甚於此的！此時連貧道也不忍朝下念了：

姑射鐩攢肌。染磧模糊血，埋塵斷缺齒。」

小春、婉如、青鈿諸人聽了，都垂淚道：「這個竟是死於亂箭之下，體無完膚了！莫講日後自己不知可遭此阨，就是別位姐姐如此橫死，令人何以為情，能不肝腸痛碎！」說著，都哽咽起來。

道姑道：

甫為攜幃婦，遽作易菌鬟。

畢全貞道：「這是合歡未已，離愁相繼。若由上文看來，大約必是其夫軍前被害，以致拆散鴛鴦，做為鰲婦了。」

道姑道：

淚滴天潢冑，魂銷梵宇尼。

錦雲道：「我們這裏那有皇家支派？這個尼姑又是何人？真令人不解。」洛紅蕖惟有暗暗嗟歎不已。

道姑道：

井幾將入井，……」

玉芝道：「若以『入井』二字而論，豈不又是一位孀婦？以此看來：那碑記所說『薄命誰言座上

無」，這話果真不錯。」井堯春道：「請教仙姑：此句莫非是我休咎麼？」道姑道：「此詩虛虛實實，何能逆料就是才女。總而言之，此皆未來之事，是是非非，少不得日後自然明白。」青鈿道：「這兩個『井』字不知下句怎對，請仙姑念來，我們也長長見識。」

道姑道：

緇却免披緇。

閨臣歎道：「據這『緇』字，除了瑤釵姐姐再無第二人。但彼時他雖微倖入場，何以竟至『免披緇』？難道那時竟要身入空門麼？」緇瑤釵乳母在旁歎道：「那時若非老身再三勸解，他久已躲入尼菴了。這位仙姑果真猜的不錯。」眾人聽了，這才明白，都道：「這兩句竟是天生絕對，若非仙筆，何能如此。」

道姑道：

琴瑟乩俱發，羹羹慈易姜。

小春道：「剛才仙姑說『百卉』二字係指我們而言；若果如此，你們聽這下句，豈不令人鼻酸麼！請教仙姑：據這詩句看來，我們眾姊妹將來死於非命的不一而足，難道都是生平造了大孽而遭此報麼？」道姑搖頭道：「如果造了大孽，又安能名垂千古。」小春道：「既如此，為何又遭那樣慘死呢？」道姑道：「慈莫慈於剖腹剜心，難道當日比干也造甚麼孽？這總是秉著天地間一股忠貞之氣，不由就把生死置之度外。」

小春道：「世上每有許多好人倒不得善終，那些壞人倒好好結果，這是何意？」道姑道：「『君子疾沒世而名不稱』，豈在於此。若只圖保全首領，往往遺臭萬年。卽以比干而論：當日他若逢迎君

上，紂必甚喜，比干亦必保其天年；今日之下，眾人一經說起，莫不唾罵。因其不肯逢迎，遇事強諫，以致不得其死；今日之下，眾人一經說起，莫不起敬。豈非不得善終反強於善終麼？所以世間孽子、孤臣、義夫、節婦，其賢不肖往往只在一念之差。只要主意拿得穩，生死看得明，那遺臭萬年，流芳百世，登時就有分別了。總之：人活百歲，終有一死。當其時，與其忍恥貪生，遺臭萬年，何如含笑就死，流芳百世。貧道為何忽發此言？只因內中頗有幾位要應『含笑就死』這句話哩。但世事變遷莫定，總須臨時方見分曉。下面還有兩段結句，待我念來。凡此根蔕，奚殊鐵引磁。」

卞家分主客，孟氏列墳茔(九)。

蘭言道：「據這幾句，可見大家連日聚會，果非偶然。」玉芝道：「若據『根蔕』二字，豈非把我們認真當作花卉麼？」

道姑道：

　　武功宣近域，儒教聘康逵。中幗紳聯笏，釵鈿弁系綏。

史幽探道：「幸而還有這幾句，畢竟閨中添了若干榮耀，可以稍快人意。」

道姑道：

　　四關猶待陣，萬里遥尋碑。瑣屑由先定，窮通悉合宜。

小春道：「也不知四關所擺何陣；若請教仙姑，大約又是不肯說的。自從『戍鼓連宵振』一連幾十句，鬧的糊里糊塗，只怕還是『迷魂陣』哩。」融春道：「上文明明說著妖氛幻境，如何不是迷魂陣。若據第二句，只怕還有人到泣紅亭走走哩。」

道姑道：「諸位才女：你看後兩句，豈非凡事都不可勉強麼？下面貧道也有幾句妄語。」因伸出

長指道：「總要搔著他的痛癢，才能驚醒這一場春夢哩。

　　爪長搔背癢，口苦破情癡。積毀翻增譽，交攻轉益訾。朦朧嫌月姊，跛鼇逞風姨。

　　鏡外埃輕拭，……

貧道今日幸而把些塵垢全都拭淨，此後是皓月當空，一無渣滓，諸位才女定是無往不利。但此中誤事

之由，誰得而知。待我再續一句，以足百韻之數，以明此夢總旨：

　　紛紛誤局棋。」

閨臣聽了，猛然想起碑記一局之誤，連忙問道：「請教仙姑：何以誤在棋上？」道姑道：「其中奧妙，

固不可知；但以管窺之見：人生在世，千謀萬慮，賭勝爭強，奇奇幻幻，死死生生，無非一局圍棋。

只因參不透這座迷魂陣，所以為他所誤。此時貧道也不便多言，我們後會有期。」當即作別而去。

眾人送過，各自歸席，重整杯盤。玉芝道：「被這道姑瘋瘋顛顛，隱隱躍躍，說得心裏七上八

下。起切聽見那幾個慘死的，心中好不害怕，惟恐將來輪到自己身上；及至聽到名垂千古、流芳百世

幾句話，登時令人精神抖抖，生死全置度外，卻又惟恐日後輪不到自己身上。只要流芳百世，就是二

十四分慘死，又有何妨！不知區區日後可有這股福氣。」花再芳道：「妹子情願無福，寧可多活幾

時，那怕遺臭萬年都使得，若敎我自己朝死路走，就是流芳百世，我也不願。」閔蘭蓀、畢全貞聽

了，莫不點頭稱善道：「現成的眞快活倒不圖，倒去顧那死後虛名，非癡而何！」

　（九）塤（ㄒㄩㄣ）箎（ㄔ）——原是兩種樂器名，詩經：「伯氏吹塤，仲氏吹箎。」表示兄弟的和睦。因而後來一般就用「塤箎」

　　二字作為兄弟的代詞。

題花聽見這些不入耳之言，心中著實不快，只得用言把他們話頭打斷道：「他這百韻詩雖不能字字工穩，其中佳句也不少。剛才我一面寫著，細細看去，共總一千字，並無一個重字，倒是絕調。」蘭蓀鼻中哼了一聲道：「就只『遽作易茵蓘』、『萋萋蕊易蓘』，重了兩個『易』字。」春輝撲嗤笑道：「姐姐既不明白，不該亂說。『萋萋蕊易蓘』之易列在四寘，『遽作易茵蓘』之易列在十一陌，一是去聲，一是入聲，迥然不同，如何卻是重字？若是這樣，難道那兩個『從』字也算重字麼？」紫芝道：「姐姐說他也無重字，我同你賭個東道。」題花道：「如有，我吃三杯；若無，你吃三杯。何如？」紫芝道：「既如此，你先吃六杯，若無重字，照樣罰我。」題花著實詫異，只得飲了六杯道：「快說！快說！」紫芝道：「原來是這重字！『泣紅亭寂寂，流翠浦澌澌』，這是兩個重字。還有……」題花不等說完，忙走過道：「原來是這重字！若不好好吃六杯，大家莫想行令！」眾人道：「才聽道姑『壽陽梅碎骨』那些話，人接令罷。」蘭芝道：「還有兩個笑話未曾交卷哩。」紫芝只得照數飲了道：「姐姐請雖說無妨，畢竟心裏還跳個不住，莫若此時再掣一二十籤，略把心神定定，一總再說。如不能說的，照例飲三杯。」

錦雲道：「如此甚好。剛才掣的是天文，妹子交卷了。」

雲芽

『陰陽』、『合黃』俱雙聲　魏伯陽參同契　　陰陽之始，元合黃芽。

米蘭芬掣了禽名疊韻道：

杜字　尸子　　天地四方曰字。

『曰字』雙聲，敬沉魚姐姐一杯。」

沉魚謦了百穀雙聲道：

「大豆　崔豹古今注　宣帝元康四年，南陽雨豆。」

紫芝道：「上天雨豆，雖是祥瑞之象，不知那時可曾雨過蝦仁兒？」

未知如何，下回分解。

第九十一回　折妙字換柱抽梁　掣牙籤指鹿爲馬

話說紫芝道：「上天雨豆，雖是祥瑞之象，不知那時可曾雨過蝦仁兒？」紀沈魚道：「姐姐又要鬧了。」『陽雨』雙聲，敬錦楓姐姐一杯。」

廉錦楓掣了百官雙聲道：「今日行這酒令，已是獨出心裁，另開生面，最難得又有仙姑這首百韻詩，將來傳揚出去，卻有一句批語：

　都督　　張景陽集　　　價兼三鄉，聲貴二都。

『價兼』雙聲，敬堯蓂姐姐一杯。」

呂堯蓂掣了身體雙聲道：「錦楓姐姐大約喜愛此詩，所以讚他。妹子就承上文再替你足一句。

　髮膚　　劉勰文心雕龍　　辭采爲肌膚。

『辭采』雙聲，『爲肌』疊韻，敬小春姐姐一杯。」

秦小春道：「妹子不會說笑話，倒可以賤姓行個酒令。」玉芝道：「『秦』字之多，莫過戰國策，不知怎樣行法？」小春道：「此時就從妹子說起，把戰國策『秦』字，或句或讀，從一個字起，至十個字爲止，句句不離『秦』字。說出者免酒，說不出飲一杯接令。」玉芝道：「若是這樣，卽如『事秦』、『入秦』、『於秦』之類，不計其數，我們一百人，說到何時是了？」小春道：「這都不用，只用國名『齊秦』、『楚秦』之類。妹子先說一個，錯者罰：

秦；韓秦，韓與秦；韓不聽秦；韓調急於秦；韓必入臣於秦，韓出銳師以佐秦，韓令冷向借

救於秦；韓相公仲使韓侈之秦；韓爲中軍以與天下爭秦。」

小春方才念完，眾人紛紛都要交卷，這個說「我有『楚秦』」，那個說「我有『齊秦』」。……小春

笑道：「此事若非妹子預先埋伏，大家若都說出，還沒一人吃酒哩。我這『韓秦』，句句都是『韓』

字起頭，『秦』字落尾，一直到底，皆有次序，並非句中有了國名就算了。」玉芝道：「敎我白想了

兩個『齊秦』，那知這刻薄鬼用這壞心思！」小春道：「我替你主人敬酒，還說壞麼？」

閨臣道：「幸而我還湊了一個，不至被他考倒。」

秦；魏秦；魏攻秦；魏不勝秦；魏挿盟於秦；魏折而入於秦；魏王且入朝於秦；魏因富丁且

合於秦；魏令公孫衍請和於秦；魏請無與楚遇而合於秦。」

眾人道：「國名雖有，要似『魏』字句句起首，卻想不出，只好各飲一杯。怪不得那道姑說『隔席疊

芳詞』，原來又有這些花樣。」

小春掣了天文雙聲道：

『月夺　春秋保乾圖　日以圓照，月以齶全。

『以圓』、『月以』俱雙聲，敬素輝姐姐一杯。」玉芝道：「如今又掣出天文，莫非那位仙姑又要來

了？但他指爪俱有數寸之長，聞得痲姑指爪最長，莫非他是痲姑前來點化麼？」閨臣點頭道：「妹妹

這話，只怕竟有幾分意思。」

蔣素輝掣了蟲名雙聲道：「他臉上光光的並無一個痲子，如何說是痲姑？我去請敎揚子，到方言

找找去……

蚰蜒　揚雄方言

蚰蜒自關而東，謂之蝚蚭。

本題、『螟蛉』俱雙聲，敬紫綃姐姐一杯。」

顏紫綃掣了宮室雙聲道：「誰知因談麻姑，咱倒想起金剛經來⋯

園囿　金剛經　祇樹給孤獨園與大比邱眾。

『園與』雙聲，敬麗春姐姐一杯。」蘭英道：「我們座中只有閨臣、紫綃二位姐姐最喜靜養功夫，那知行令飛起書來也是不離本意。」

潘麗春掣了藥名雙聲。玉芝道：「這牙籤有些作怪，倒像曉得麗春姐姐知醫，他就鑽出來。請教姐姐：假如今日多飲幾杯，明日吃甚麼可以解酒？」麗春道：「葛根最解酒毒，葛粉尤妙。此物汶山山谷及灃鼎之間最多。據妹子所見：惟有海州雲臺山所產最佳，多月土人採根做粉貨賣，但往往雜以豆粉，惟向彼處僧道買之，方得其真。」

寶雲道：「昨日家母所要方子，姐姐可曾帶來？」麗春道：「此方乃人家必需，萬不可少的，妹子意欲濟世，所以都記在心裏。此時就教玉兒寫，待我念來：全當歸捌錢，川芎叁錢，益母草叁錢，炙甘草壹錢，炮薑炭伍分，桃仁（研）拾粒。水對黃酒各壹碗，煎壹碗溫服。」幽探道：「此方治何病症？」麗春道：「昨日師母因家父做過御醫，命寶雲姐姐告訴我，當日老師有位姨娘，因產後瘀血未淨，以致日久成痞去世，惟恐別位姨娘再患此症，所以問我可有秘方。恰好我家祖傳有這『生化湯』古方，凡產後瘀血未淨，或覺腹痛，即服叁伍劑，最能去瘀生新；每日再能飲一杯童便，可保永無存瘀之患。此方若能刋刻，家家施送，真是陰隲不小。至師母所問腫毒之藥，惟『五黃散』最妙。凡腫毒初起，用好燒酒調搽數次即消。這也是我家秘方。大家記了，即或自己不用，傳人濟世，也是好的。」蘭芝道：「這其方用黃連、黃柏、黃芩、雄黃、大黃，每樣伍錢，共研極細末，磁瓶收貯；凡腫毒初起，用好燒酒

算麗春姐姐行了一個小令，我們也飲一杯。」

麗春道：「妹子就借『葛根』交卷了…

葛根　管子　地者，萬物之本原，諸生之根菀。

『萬物』雙聲，敬紫櫻姐姐一杯。」董寶鈿道：「妹子聞得葛根人都叫作葛梗，這是何意？」麗春道：

「前人醫書並無『梗』字之說，大約這是近日醫家寫錯了。」

魏紫櫻掣了宮室雙聲道：「若非『根』字，何能承上。我只好也用元韻…

門楣　晏子　楚人為小門於大門之側而延晏子⊖」

紫芝向再芳道：「姐姐如發倦，何不進去這小門打個盹去？」再芳不解此書之義，因答道：「他們既延

晏子，我就進去何妨。」眾人忍不住發笑。紫櫻道：「『延晏』雙聲，敬紫菱姐姐一杯。」

易紫菱掣了列女雙聲道：

「婉兒　皇甫謐高士傳　老萊子為嬰兒戲以娛親。

『老萊』、『以娛』俱雙聲，敬藹香姐姐並普席一杯。妄用時音，自行檢舉，罰一杯。」春輝道：

「『兒』字讀作時音，與『婉』字同母，倒可不罰；但誤用時人，卻是要罰的。」紫菱道：「我用靈飛

經所載愛兒，何如？」青鈿道：「『愛兒』二字，見陶宏景真靈位業圖，不始於鍾紹京，誤用時書，

也罰一杯。」玉芝道：「令中不准用時人，為何姐姐要用婉兒？況且當日閱卷也有他在內，還算我們

⊖「楚人為小門於大門之側而延晏子」——故事傳說：春秋時，齊國派晏嬰使楚。晏嬰身體矮小。楚國戲弄他，就在大門旁開
一個小門，讓他走。晏嬰說：「我出使到『狗國』，該走狗門；現在我出使的是楚國，怎麼也讓我走狗門呢？」這話一說，
楚國立刻就改請他走大門。

不及門的老師哩。」

紫菱道：「我因他有個評論，心中甚爲不平，因此特將他的小名叫出，解解悶氣。」青鈿道：「

是何評論？」紫菱道：「妹子聞他向日曾以牡丹等類三十六花分爲師、友、婢、上、中、下三等，別

的失當之處也不管他，我只不服爲何好好把個鳳仙列之於婢？他說芙蓉朝開暮落，其性不常，不能

列之於友。至於鳳仙，非芙蓉可比，若澆灌得宜，不使結子，能開三月之久。俗語說的『花無百日

紅』，以鳳仙而論，實有百日之紅。向來有千層的，有並蒂的，又有一株而開五色的，各種顏色，無

一不備。即如桃紅一種，就有深淺三四等之分，其餘可想而知。又有一種千層並蒂，能葉上開花，名

叫『飛來鳳』；近日又有『千層頂頭鳳』，其花大如酒杯，宛如月季。各樣異種，不能枚舉。栽種既

易，又最長久。花之嬌妍，無過於此。妹子每年總以絕好美種栽植數百盆，以木几由高至下，層層羅

列，覺秋光明艷，賽過春花。如此佳品，求其列之於友而不可得，能不替他叫屈！」青鈿道：「此花

雖好，就只無香，列之於婢，或者因此。」紫菱道：「凡花有色者往往無香，即如有翼者皆兩其足。

天下之事，那能萬全。若因有色無香，就列之於婢，試問牡丹、芍藥、海棠之類，又何嘗有香？大約

色香俱全的惟有梅花，其次玫瑰，皆花中妙品。除此之外，豈可多得。」那邊若花聽了，暗向閨臣

道：「當日你說碑記我們都有『司花』字樣，紫菱姐姐這樣替鳳仙抱屈，莫非他是鳳仙主人麼？」閨

臣點頭道：「看這光景，只怕是的。」

蘭芝道：「諸位姐姐或說笑話，或行小令，也該結結帳替我生發了。」薛蘅香道：「我不會說笑

話，只好行個抽梁換柱小令。」青鈿道：「一切酒規照前，不必再宣，姐姐說罷。」蘅香道：「我說

一個『軍』字，把當中一豎取出，搓成團兒，放在頂上，變成『宣』字。」蘭言道：「這令雖有趣，

只怕一時要湊幾個倒費事哩。」秀英道：「我說一個『平』字，把當中一豎取出，搓團放在頂上，變成『立』字。」眾人齊聲叫好。玉芝道：「我說一個『車』字，把當中一豎取出，搓團放在頂上，是個⋯⋯」春輝道：「說了半截，怎麼不說了？」玉芝道：「才想的明明白白，怎麼倒又忘了？」青鈿道：「據我看來：你這抽梁換柱，大約也同『分之人也』，又是自創的時樣兒。」紫芝道：「把玉芝妹妹搓壞的那個團子，拉做長條兒，放在破車當中，仍是一整車，這叫做『反本還原』。」眾人笑着，都飲一杯。

米蘭芬道：「我飲兩杯，託玉姑娘替我說個笑話。我的表兄是個秀才，你若教我一個罵秀才的，格外再飲一杯。」玉兒道：「有一老翁，最喜說笑話。這日元宵佳節，出去看燈，遇見幾個秀才把他攔住，求他說笑話。老翁道：『笑話倒也不難。就只今日飲食不消，身子甚覺發懶。』眾秀才道：『爲何飲食不消？』老翁道：『前日偶爾吃了幾個未煮熟的湯圓，肚腹一連疼了兩日，剛才大解，細細一看，誰知還是幾個生圓⊖。』」青鈿笑道：「顏色可曾發綠？」綠雲道：「未發綠，倒變青了，所以都穿著青衫。」

呂瑞蓂道：「我還欠著一個笑話，我飲兩杯，只好也煩玉兒了。」玉兒道：「有個解子，解一和尚發配。行至中途，偶然飲醉，不知人事。和尚趁其睡熟，即將解子頭髮剃去，並將自己僧衣脫下，給解子穿了，又把枷鎖除下，也與解子戴了。登時逃去。解子酒醒，不見和尚，甚爲焦躁。徘徊許

⊖　生圓——生員的諧音，生員就是秀才，所以這裏說是「罵秀才的」。

久，忽見自己身穿僧衣；因將頭上一摩，宛然光頭和尚；及至細看枷鎖，也都戴在頸上。不覺詫異道：「和尚明明在此，我往何方去了？」蘭言笑道：「這個解子忘了本來面目，究竟醉後，還情有可原。近來世上竟有明明白白的，忽然胡言亂道，忘了本來面目，不知又是何意？」紫芝道：「大約還是宿酒未醒。」

青鈿道：「玉兒快接下去，我飲兩杯。」玉兒道：「有一道學先生，教人只體貼得孔子一兩句言語，便終身受用不盡。忽遇一個少年道：『在下生平也只體貼孔子兩句，極親切，自覺心寬體胖。』道學先生聽了，不覺起敬道：『不意先生如此青年竟有這等穎悟！不知是那兩句？』少年道：『食不厭精，膾不厭細⊖。』」說的眾人個個發笑。

紅珠道：「笑話完了，請蘅香姐姐接令罷。」蘅香道：「此後酒令所剩無幾，所有酒規，自應仍照前例，似可不必一總結算了。」蘅香掣了橋梁雙聲道：

「城池　嚴遵道德指歸論　通千達萬而志在乎陂池。

『陂池』疊韻，敬紫芝姐姐一杯。」

紫芝道：「這兩日我手氣不好，看牌就輸，何能掣著好籤。玉兒替掣一枝。只要掣著天文、地理寬寬題目，就有文章做了。」玉兒答應，掣了一籤。正要看時，青鈿奪過望望，是個天文，忙朝桶內一丟，道：「蟲名雙聲。」紫芝道：「完了！我因上手漏報『萬而』雙聲，正在得意，那知又弄出這個難題目！原來他的手氣比我還醜。我最惡的是蟲名，他偏要鑽出來，真是『怕鬼有鬼』。——莫非不是蟲名，你亂說罷？」青鈿道：「姐姐既嫌此題太窄，就另掣一籤何妨？」紫芝道：「呸！混說！我豈肯亂令！這總怪玉兒手氣不好。你想這個蟲名，卽如他們所飛蜘蛛、蚰蜒之類，所有雙聲疊韻，

聯經出版事業公司校印

都在本題身上，豈能教人吃酒？你若掣個天文、地理，有的是風雲、雷雨、江河、湖海，處處都可生發。如今弄了這個，還不可能敷衍交卷。我被你鬧的眞是『江郎才盡』了。」

春輝道：「別人掣籤，不過略想一想，卽刻就接令；他是先要談論一番，然後慢慢再搆思。玉兒！你寫了多時，只怕乏了，且到花園頑頑歇歇去，這里接令還早哩。」紫芝道：「姐姐倒不必激我。我雖想了一個蟲名，但報過之後，有人把這名字，不論顚倒，或在經史子集，或在註疏之中，道此兩個字的，我另外說一笑話；說不出，各飲一杯，何如？」蘭芝道：「這倒有點意思。假如座中有兩人道此二字呢？」紫芝道：「那怕十位道此二字，我就說十個笑話。倘你們說過之後，我也說出一個，怎樣呢？」眾人道：「我們自應也飲一杯。」幽探道：「忽又套出許多令來，還不知是個甚麼驚天動地的蟲名哩。妹妹請罷。」紫芝道：「諸位姐姐躲遠些，我說出來，被他咬了我可不管…

臭蟲　山海經　其狀如人而二首，名曰驕蟲。

「如人」雙聲，『人而』雙聲，『而二』雙聲，敬瓊英姐姐一杯，笑話一個，普席兩杯。」

呂祥蓂道：「你弄出許多雙聲，倒不如每人吃一壺罷。」寶鈿道：「這個頑的好，忽又鬧出臭蟲來了。」蘭言道：「我的菩薩！這兩個字卻從那部書上找去？我先認輸吃一杯。」戴瓊英道：「蘭芝姐姐不准一總結帳，我這笑話誰肯替我說，我好吃酒？」紫芝道：「你吃兩杯，我替你說過『翻勬斗』的令。」星輝道：「怎麼叫做翻勬斗？」紫芝道：「假如說一個字，一個勬斗翻過來，筆畫雖然照舊，卻把聲音變了。說不出，仍照前例飲一杯。我說一個『士』字，翻了一個勬斗，變成『干』

(三)「食不厭精，膾不厭細」——食不厭精，是吃飯要揀好米；膾不厭細，是吃肉絲之類的肉要吃細切的。語出論語。

字。」月芳道：「這倒有趣，可惜一時想不出。」秀英道：「我用賤姓『由』字，翻個觔斗，變成『甲』字。」春輝道：「紫芝妹妹故意弄這酒令惑亂人心，誰去想他！我們且將這杯飲了，再把普席兩杯乾了，好去替他捉臭蟲。」紫芝道：「去年我因臭蟲多的狠，買了一包毒臭蟲的藥，甚爲歡喜。及至打開一看，裏面寫著：『如捉住臭蟲，把藥塞他嘴裏，登時就可毒死，設或不死，再塞一二次，總以毒死爲度。』今年又買一個秘方，展開一看，卻是『勤捉』二字。」亭亭道：「姐姐且慢談論，妹子有話請教：這『臭蟲』二字，剛才姐姐宣令時，曾有不論顛倒之話，我卻想起一句。」紫芝道：「姐姐這話，好不令人毛骨悚然，莫非此書是兩個『王』字做的麼？」亭亭連連點頭。

未知如何，下回分解。

第九十二回　論果嬴佳人施慧性　辯壺盧婢子具靈心

話說亭亭點頭道：「還是『五行』哩。」紫芝道：「不必說，我吃一杯。」春輝道：「我也曉得了，上面還有『卯金刀』哩。」眾人不懂。春輝道：「漢書五行志曾有『為蟲臭惡』之句，卻是班固引劉向的話，所以他說『五行』篇，我說『卯金刀』了。」

眾人道：「請教臭蟲主人可能也說一個？」紫芝道：「你們可曉得本朝有個喜吃臭蟲的？」眾人道：「又說本朝了，罰一杯。」紫芝道：「我說晉朝郭璞，可使得？他註爾雅，曾言『負盤臭蟲』，難道你們還不該吃⋯⋯」略停一停，又接著道：「一杯麼？」春輝道：「你把一句話分做兩截說：這個意思，也教我們吃臭蟲了。」紫芝道：「話雖如此，但喜臭蟲之人，乃吃的是負盤，其形似蜂，若認做咬人的臭蟲，那就錯了。」春輝道：「吃到這些臭東西，還要替他考正，你也忒愛引經據典了。」紫芝道：「若不替他辯明，將來都要亂吃，姐姐還當得住麼？」春輝道：「他吃臭蟲，為何我當不住？看這光景，我又變做臭蟲了。——你可曉得我這臭蟲是愛咬人的？」說著，走了過來。紫芝道：「好姐姐！莫咬！算我說錯，罰一杯。」蘭言道：「二位姐姐莫鬧臭蟲了，天已不早，快接令罷。」

瓊英掣了宮室雙聲：

「承塵　　　　飛上承塵。

本題雙聲，敬芷馨姐姐一杯。」蘭言聽了，望了一望，不住搖頭。寶耕烟暗暗問道：「姐姐為何搖頭？」蘭言道：「此書原是『鳩來為我禍也飛上承塵』一連十個字，才是一句。今瓊英姐姐因上半句

話語不好，只飛下半句。我細細把他一看，那知此句竟是他的讖語，也是一位不得其死的。」耕烟道：「待我問他一聲。」因叫道：「姐姐要飛『塵』字，書中甚多，即如劉峻辨命論、班彪北征賦，以及晉紀總論、屈原漁父之類，都可用得，必定要用搜神記，這是何意？」瓊英道：「妹子原想用何水部集『尋玉塵於萬里，守金龜於千年』。誰知不因不由，忽把此句飛了出來。」

姚芷馨挈了財寶雙聲道：

「眞珠　陸賈新語

『玉於』雙聲，敬秀英姐姐一杯。」

閨臣道：「適因此珠，偶然想起昨託寶雲姐姐請問師母之話，可曾問過？」寶雲道：「昨日姐姐去後，妹子細問家母，據說姐姐之珠，乃無價之寶，務須好好收藏。家父眞珠雖多，類如此等的，也只得兩顆。但各珠名號不同，其類有龍、蛟、蛇、魚、鱉、蚌之分：龍珠在頷，蛟珠在皮，蛇珠在口，魚珠在目，鱉珠在足，蚌珠在腹。——姐姐之珠，乃大蚌所產，名『合浦珠』。」廉錦楓道：「師母這雙慧眼，眞是神乎其神，此珠果是大蚌腹中之物。」寶雲道：「姐姐何以曉得？」閨臣就把錦楓取參殺蚌各話說了。眾人聽了，莫不讚歎錦楓之孝。春輝道：「剛才我們說王休徵臥冰求魚，已是奇孝；誰知錦楓姐姐入海取參，竟將性命置之度外，如此奇孝，普席也該立飲一杯，大家也好略略學個樣子。」眾人飲畢。

秀英挈了列女雙聲，想了多時，忽然垂下淚來道：「此時我們只顧在此飲酒，只怕家中都是：

朝妹　戰國策

『汝暮去而不還，則吾倚閭而望。』

玉芝道：「『汝朝去而晚來，則吾倚門而望。』」閨臣同錦楓、亭亭聽了，都淚落如雨。座中凡有老

禹捐珠玉於五湖之淵。

親而在異鄉的，聽了此句，又見秀英、閨臣這個樣子，登時無不墮淚。蘭芝道：「姐姐：這是何苦！

甚麼飛不得，單要飛這兩句？究竟那位接令？眞鬧糊塗了。」司徒婉兒道：「他在那裡傷心，我替盟

姐說罷：『而晚』、『而望』俱雙聲，敬婉兒妹妹一杯。此係時音，不敢替主人轉敬。」題花道：「

時音還在其次；至戰國策正令雖未飛過，寶塔詞卻用的不少，只怕要罰一杯。」秀英道：「我用枚乘

七發『麥秀漸兮雉朝飛』。」紫芝道：「姐姐何不用齊書『虱有諺言，朝生暮孫』；或用徐幹中論『

小人朝爲而夕求其成』？普席豈不都有酒麼？」蘭言道：「秀英姐姐不必另飛，省得接令換人又要

爭論，好在戰國策與正令還不重複，也可用得。」

司徒婉兒掣了蟲名疊韻道：

「蒲盧」　爾雅　　果蠃蒲盧。

「果蠃」、本題俱疊韻，敬玉蟾姐姐一杯。」春輝道：「詩經是『螟蛉有子，果蠃負之』；爾雅又是

『果蠃蒲盧』。一物而兼三名，原不爲奇，最難得都是疊韻。古人命名之巧，無出其右，這可算得千

古絕唱了。」題花道：「此中還有幾個奇的：若把『蠃』字換個『鳥』字，博雅謂之『

果蠃桑飛』，卻又變成鳥名；再把『鳥』字，詩經謂之『果蠃之實』，忽又變成瓜名。

三個都是同音。這個不但命名甚巧，並且造字也巧。」玉兒道：「祝才女把『虫』字讀做『蟲』音，

不知有何出處？只怕錯了。」題花道：「我原知『虫』是古『虺』字，應當讀『毀』，只因一時匆忙

說錯，罰一杯。你這玉兒，我實在怕了！」

蘭言道：「玉兒：你既這樣聰明，我再考你一考：請敎店鋪之『鋪』，應做何寫？」玉兒道：「

應寫金旁之『鋪』。」蘭言道：「帳目之『帳』呢？」玉兒道：「此字才女只好考那鄉村未曾讀書之

人。我記得古人字書於帳字之下都註『計簿』二字，誰知後人妄作聰明，忽然改作貝旁，其實並無出處。這是鄉村俗子所寫之字，今才女忽然考我，未免把我玉兒看的過於不知文了。」蘭言道：「玉老先生莫動氣，是我唐突，罰一杯！」

玉蟾掣了花卉疊韻道：「我們連日在老師府上，妹子有個比語，說來求教：

芄蘭　家語　入善人之室，如入芝蘭之室。

『如入』雙聲，敬香雲姐姐一杯。」蘭言道：「此句飛的乃『言道其實』，萬不可少，恰恰飛到香雲姐姐，尤其湊巧。明日老師看見這個單子，見了此句，必說我們這些門生雖然年輕，還是識得好歹的。」小春道：「獨讚寶雲姐姐，豈不是今日的主人落空麼？」春輝道：「何嘗落空！你把飛的『芝蘭』二字翻個觔斗，豈不是今日的主人麼。」眾人聽了，不覺大笑，都道：「這句飛的原巧，也難得春輝姐姐這副錦心，這張繡口。」

香雲掣了蟲名疊韻道：

螳蜋　吳越春秋　夫黃雀但知伺螳蜋之有味。

「螳蜋，敬再芳姐姐一杯。」蘭言道：「每見世人惟利是趨，至於害在眼前，那里還去管他。所以本題疊韻，敬再芳姐姐一杯。」蘭言道：「每見世人惟利是趨，至於害在眼前，那里還去管他。所以俗語說的：『人見利而不見害，魚見食而不見鉤。』就如黃雀一心要捕螳蜋，那知還未到口，而自己卻命喪王孫公子之手，豈非為螳蜋所害？古人因貪利之輩不顧禍患，故設此語以為警戒，無如世人雖知其害之妙，及至利到跟前，就把『害』字忘了。所謂『利令志惛』，能不浩歎！」

青鈿道：「再芳姐姐接令了。」花再芳因紫芝臭蟲之令又多飲幾杯，正在打盹，忽聽此言，連忙接過籤桶，掣了一枝，高聲念道：「身體雙聲。」眾人聽了，想起蘭蓀的腳筋，由不得又要發笑；因

再芳性情不好，大家也不敢多言。紫芝卻暗暗寫了一個紙條兒拿在手裏。只見再芳在那裏一面搖著身子尋思，一面拿著牙杖剔牙。紫芳趁勢過去道：「姐姐只怕也是肉圓子塞在牙縫裏，我替你剔出來。」

再芳仰首張口。紫芝朝裏一望道：「這個好剔，只有豆大，是個紅的。」再芳道：「接過牙籤，放入口內，朝外一剔，看了一看，擲在地下道：『我說為何通紅，原來是個臭蟲。」再芳道：「左邊也塞的狠，你也替我剔出來。」紫芝又剔出，朝地下一丟道：「我只當是些脂蔴，原來是幾張虱子皮。」就勢把紙條遞過，隨即歸位。

再芳看了，樂不可支，慌忙說道：

「禿頭　穀梁傳

重字雙聲，敬瓊芳姐姐一杯。」引的眾人由不得好笑。春輝道：「這都是紫芝妹妹造的孽。我同你賭個東道：除前書之外，如再飛個禿字，或雙聲，或疊韻，我吃一杯。」紫芝想一想道：「有了：東觀漢記：『體，至於蘇武禿節效貞，孔融禿巾微行之類，那都不算。」又許氏說文：『倉頡出，見禿人伏禾中，因以制寶后少小頭禿，不為家人所齒。」季孫行父聘於齊，齊使禿者御禿者。字。』這是『因以』雙聲。還有風俗通：『五月忌翻蓋屋瓦，令人髮禿。』春輝道：「查出不算。」紫芝道：「既如此，就雖有，大家用過之書我都忘了，必須查查單子去。」春輝道：「我記得他們議論『菽水』，風俗通倒像有人用過。」紫芝道：「呸！我吃三杯饒你罷！」春輝道：「這個屋瓦』雙聲。別的也吃一杯。」

青鈿道：「剛才玉兒替紫芝姐姐掣的實係天文，我因題目過寬，所以改個蟲名，那知還是教他灌了好幾杯。」紫芝道：「並且亭亭姐姐說的那句漢書，還多謝你們把笑話也免了。」春輝道：「這個

虧吃的不小。怎麼九十多人都被他鬧臭蟲攪糊塗了？少刻這笑話一定要補的。」

葉瓊芳掣了獸名雙聲道：

「騧駼　　司馬文園集　　馼野馬，輴騟駼。

『野馬』疊韻，本題雙聲，敬銀蟾姐姐一杯。」玉芝道：「這兩句竟是套車要走了。」眾影環道：「車都套齊，久已伺候了。」史幽探道：「正是。天已不早，此令不知還有幾人？」玉芝道：「還有八位才女。」眾人齊催拿飯。蘭芝只說：「天時尚早，盡可從容。」

宰銀蟾掣了蔬菜疊韻道：

「壺盧　　劉義慶世說　　東吳有長柄葫蘆，卿得種來否？

本題雙聲，敬蘭芝姐姐一杯。」蘭言道：「玉兒：我考你一考：此句怎講？」玉兒道：「這是當日陸士衡弟兄初見劉道眞，以爲道眞不知問些甚麼大學問的話，誰知他只問壺盧種可曾帶來。看這光景，你們倒想家了。」史幽探道：「祝才女說的是書，何嘗問你們套車。」玉兒道：「我也學劉道眞了，請問婉春姐姐：你們會稽山的老虎最多，你來時可曾把虎鬚帶來？」婉春道：「姐姐要他何用？」紫芝道：「我要兩根送蘭蒜，再芳二位姐姐做剔牙杖。」蘭言道：「玉兒：你把單子拿來我看。」玉兒送過，蘭言看了道：「這『壺盧』二字，爲何寫做兩樣？究竟用那個爲是？」玉兒道：「歷來寫草頭雖多，但據我的意思：壺是飲器，盧是飯器，北邊此物極大，人都做爲器用，古人命名，必是因此。詩有『八月斷壺』之句，並非草頭。至於草頭二字，葫是大蒜，蘆是蒲葦，會義指事，迥然不同，不如無草頭最切。當日崔豹雖未言其所以，卻已用過。」蘭言道：「玉老先生請罷！將來我們再寫這兩個字，斷不『依樣葫蘆』，一定要改『新樣壺盧』的。」

蔡蘭芳掣了地理雙聲，忖一忖道：「妹子雖想了兩句，但一有普席之酒，一無普席之酒，若取吉利，卻無普席之酒。」蘭言道：「且把吉利的交了卷再講。」蘭芳道：

「黃河　王嘉拾遺記　黃河千年一清，聖人之大瑞也。

本題雙聲，『千年』疊韻，敬錦心姐姐一杯。」蘭言道：「普席之酒卻是何句？」青鈿道：「我猜著了：莫非虞荔鼎錄『寇盜平，黃河清』麼？」蘭芳道：「並非鼎錄，是呂氏春秋『呂梁未發，河出孟門』。」蘭言道：「這句卻有『呂梁』、『孟門』兩個雙聲，既如此，我們普席各飲半杯。」言錦心掣了花卉雙聲道：「妹子並無好句，不過搪塞完卷。至於以上所飛之句，處處入妙，卻有

一比：

　荷花　李延壽南史　此步步生蓮花也。

重字雙聲，敬閨臣姐姐一杯。」青鈿道：「且慢斟酒！這部南史，正令雖未用過，我記得剛才紅英、堯春二位姐姐以琴棋二字打賭，曾用李延壽南史；並且紅英姐姐曾借『李』字說過元元皇帝一個笑話。姐姐誤用重書，只怕要罰一杯。」井堯春道：「青鈿姐姐記錯了！我用的是李延壽的北史，並非南史。」青鈿只得飲了一杯酒道：「我今日鬧的糊里糊塗多吃了許多酒，總是『湖州老兒』把我氣的。」閨臣掣了時令雙聲道：「蘭芝姐姐：天已黃昏，所謂『臣卜其晝，未卜其夜❶』。請賜飯罷。妹子就用『黃昏』二字交卷，以記是日歡聚至以日繼夜之意。」青鈿道：「『黃昏』二字，雖是對景

❶「臣卜其晝，未卜其夜」——故事傳說：春秋時，陳敬仲陪著齊桓公喝酒喝得很高興。天快黑了，桓公叫拿燭來，準備繼續喝下去。敬仲辭謝說：；「我只計劃了白天裏，沒有計劃到晚上，不敢再喝下去。」

挂畫，就只可惜是個俗語。」閨臣道：「『日至虞淵⊖』，是謂黃昏。」見淮南鴻烈，豈是俗語。」春輝道：「他才把酒乾了，倒又想吃，眞是好量。」

忽聞遠遠的一片音樂之聲，只見髩環向寶雲道：「各燈都在小鰲山樓上樓下分兩層挂了，請小姐先去看看，如有不妥，趁此好改。夫人恐衆才女過去看燈，未備花砲，覺得冷淡，現命府中女清音在彼伺候。」衆人道：「旣已挂齊，我們就同去走走，少刻再來接令。」一齊出席，離了凝翠館。

寶雲道：「蘭芬姐姐如把這些燈球算的不錯，我才服哩。」蘭芬聽了，甚覺不懂，只得含糊應道：「妹子只能算算天文、地理、勾股之類，何能會算燈球。」董花鈿道：「我們今年正月在小鰲山看燈，那知轉眼又交夏令了。」只聞音樂之聲漸漸相近，不多時，來到小鰲山。原來三面串連大樓二十七間，只南面一帶是低廊，樓上樓下俱挂燈球，各種花樣，五色鮮明，高低疎密，位置甚佳。蘭芬道：「怪不得姐姐說這燈球難算哩。」

未知如何，下回分解。

⊖　虞淵──古代傳說太陽落入的地方。

第九十三回　百花仙卽景露禪機　眾才女盡歡結酒令

話說蘭芬道：「怪不得姐姐說這燈球難算，裏面又有多的，又有少的，又有長的，又有短的，令人看去，只覺滿眼都是燈，究竟是幾個樣子？」寶雲道：「妹子先把樓上兩種告訴姐姐，再把樓下一講，就明白了。樓上燈有兩種：一種上做三大球，下綴六小球，計大小球二十一個爲一燈；一種上做三大球，下綴十八小球，計大小球二十一個爲一燈。至樓下燈也是兩種：一種一大球，下綴二小球；一種一大球，下綴四小球。」眾人走到南邊廊下，——所挂各色連珠燈也都工緻，一齊坐下，由南向北望去，只見東西並對面各樓上下大小燈球無數，真是光華燦爛，宛如列星，接接連連，令人應接不暇，高下錯落，竟難辨其多少。

寶雲道：「姐姐能算這四種燈各若干麼？」蘭芬道：「算家卻無此法。」因想一想道：「只要將樓上大小燈球若干，樓下燈球大小若干，查明數目，似乎也可一算。」寶雲命人查了；樓上大燈球共三百九十六，小燈球共一千四百四十；樓下大燈球共三百六十，小燈球共一千二百。蘭芬道：「以樓下而論：將小燈球一千二百折半爲六百，以大球三百六十減之，餘二百四十，是二小球燈一百二十盞，於三百六十內除二百四十，餘一百二十，是四小球燈二百四十盞；先將一千四百四十折半爲七百二十，以大球三百九十六減之，餘三百二十四，是二小球燈二百四十盞，於三百九十六內除二百四十，餘一百二十，是四小球燈二百四十盞，先將一千四百四十折半爲七百二十，以大球三百九十六減之，餘三百二十四。至樓上之燈，先將一千四百四十折半爲七百二十，以大球三百九十六減之，餘三百二十四，

一　「雉兔同籠」——古代算法的一種。所謂「雉兔同籠」，指只知雉兔的頭和腳的總數，求雉兔各爲若干。算法是：足數折半，減去頭數，得兔數；從頭數減去兔數，得雉數。

用六歸：六三添作五，六二三三二二，逢六進一十，得五十四，是綴十八小球燈五十四盞；以三乘五四，得一百六十二，減大球三百九十六，餘二百三十四，以三歸之，得七十八，是綴六小球燈數目。」寶雲命玉兒把做燈單子念來，絲毫不錯。大家莫不稱為神算。又聽女清音打了一套十番㊀，惟恐過晚，都回到凝翠館。

青鈿道：「閨臣姐姐要用卽景『黃昏』二字，可曾有了飛句？」閨臣道：「我因剛才禪機笑話偶有所感，卻想起葛仙翁一句話來：

黃昏　抱朴子　謂黃老為妄言，不亦惜哉！

『為妄』雙聲，『亦惜』疊韻，敬紅珠姐姐一杯，普席一杯。」蘭言道：「閨臣妹妹這兩句，因世人不信人可成仙，特引此書為之提醒，雖是一片婆心，但看破紅塵，能有幾人？莫講成仙了道，略把爭名奪利各事看的淡些也就好了。我看賢妹仙風道骨，大約上了小蓬萊已得了元妙，日後飛昇時倘將愚姐度脫塵凡，也不枉今日結拜一場。」閨臣道：「姐姐說我日後飛昇，談何容易！這才叫作『望梅止渴』哩。」閔蘭蓀道：「你們只顧說這不中聽的話，豈不把笑話耽擱麼？」

掌紅珠道：「姐姐莫忙。適因『成仙了道』之話，倒想起一個笑話：一人最喜飲酒，並且非肉不飽，每日惟以賭錢消遣。一日，遇見仙人，叩求長生之術。仙人道：『看你骨格，乃有根基之人。我有仙丹一粒，你拿去服過之後，卽可長生不老。但有幾件禁戒之事必須牢記，設或誤犯，雖服仙丹，也是無用。』此人接過仙丹道：『請教所戒何事？』仙人道：『只得七個字：戒酒除葷莫賭錢。』此人思忖良久，把仙丹退還道：『這有何趣！』蘭言笑道：『以此而論：放著現成仙丹還要退回，你

「若敎他苦修，豈不難麼！」

紅珠掣了飲食雙聲道：「今日蒙蘭芝姐姐賜飯，明日還不能出門哩。」蘭芝道：「這卻爲何？」

紅珠道：「當日北齊皇甫亮曾對文宣有句話，妹子說來，姐姐就明白了··

酒漿　李百藥北齊書　一日醉，一日病酒。

『一日』、『一日』俱疊韻，敬春輝姐姐一杯，普席一杯。」蘭言道：「今日的酒，眞是絡繹不絕。又有兩位令官監酒，絲毫不能容情，大約座中未有不是盡歡盡量。明日病酒這話眞眞不錯。」小春道：「只要有了雲臺山的葛粉，怕他怎麼！」

春輝道：「妹子因古人造字有象形之說，意欲借此行個酒令，但大家都是急欲回去，如不高興，我就說個笑話，好接前令。」蘭芝道：「天時尚早，好姐姐，你把象形酒令宣宣罷。」春輝道：「我說一個『甘』字，好像木匠的鉋子。」蘭言道：「果然神像。此令倒還有趣。」玉芝道：「玉兒··這個字怎麼寫？」玉兒道：「金旁加個包子。」玉芝道：「只怕有些杜撰。」玉兒道：「此字見顧野王玉篇，如何是杜撰。」題花道：「你剛才說那八個弟兄都有綽號，我也送你一個綽號，叫做『知古今』。」施豔春道：「我說一個『且』字，像個神主牌。」褚月芳道：「我說『非』字，好像書吏帽子。」紫芝道：「倒是一張好篦子，可惜齒兒太稀了。」婉兒道：「我說『母』字，好像篦子。」書香道：「我說『山』字，像個筆架。」秀英道：「我說『酉』字，像個風箱。」小春道：「我說『傘』

〇十番——爲一種音樂合奏。所用的樂器，隨時間、地點而有變更，也不限於十種，其中還有粗細之分，以前常用的是嗩吶、笙、海笛、星堂、小鑼、齊鈸、胡琴、懷鼓等等。後來流行的十番鑼鼓，不再用管絃樂器，而專用鑼、鼓、堂鼓、木魚等幾種打擊樂器。

字，就像一把傘。」紅蕖道：「我說『册』字，像一座栅欄。」紫芝道：「我說一個『出』字，像兩

個筆架。」春輝道：「這是抄人舊卷。」尹紅萸道：「我說『皿』字，像一頂紗帽。」印巧文道：「

我說『乙』字，像一條蛇。」柳瑞春道：「我也說個『一』字，像一條扁擔。」眾人道：「這兩個乙

字都好。」春輝道：「諸位姐姐如不賜敎，請用一杯，好接令了。」紫芝道：「姐姐如吃三杯，我再

說個頂好象形的。」春輝道：「我酒已十分，再吃三杯，豈不醉死麼！」紫芝道：「或者題花姐姐說

個笑話也使得。」題花道：「笑話倒不難。但說過之後，你的字設或無趣，並不貼切，卻怎樣呢？」

紫芝道：「如不貼切，我也還你一個笑話。」

題花道：「我因春輝姐姐才說醉死之話，卻想起一個笑話：一人最好貪杯。這日正吃的爛醉，那

知大限已到，就在醉中被小鬼捉去。來至冥官殿上，冥官正要問話，適值他酒性發作，忽然大吐，酒

氣難聞。冥官掩鼻埋怨小鬼道：『此人如此大醉，爲何捉來？急速放他回去。』此人還陽，只見妻妾

兒女都圍着慟哭，連忙坐起道：『我已還魂，不必哭了。快拿酒來！』妻妾見他死而復生，不勝之

喜，一齊勸道：『你原因貪杯太過，今才活轉，豈可又要飲酒！』此人發急道：『你們不知，只管快

些多多拿來，那怕吃的人事不知，越醉越好。』妻妾道：『這卻爲何？』此人道：『你不曉得，我如

果醒了，就要死了。』」蘭言笑道：「過於明白，原非好事，倒是帶些糊塗最好。北方有句俗語，叫

做『憨頭郞兒增福延壽』」，又道『不癡不聾，不作阿家翁』。這個笑話，細細想去，卻很有意味。」

題花道：「笑話已說，你的字呢？」紫芝道：「我說一個『艸』字，神像祝大姐夫用的兩把鋼

叉。」引的眾人好笑。題花拿着酒杯過來道：「你不好好說個笑話，我一定灌三杯！」紫芝道：「我

說！我說！你過去！那公冶矮的兄弟名叫公冶矬，也能通獸語。這日正向長官賣弄此技，忽聽豬叫。

長官道：「他說甚麼？」公冶嫽道：「他在那里敎人說笑話哩。」青鈿道：「題花姐姐，今日且由他去，明日我們慢慢編幾個再罵他。」春輝笑道：「『雅豬』二字從未聽過。」紫芝道：「這豬昨日用尾撤蘭，今日又要聽笑話，倒是極風韻的雅豬。」青鈿道：「至於豬能風韻，尤其新奇。豬又何幸而得此！」隨手掣了一籤，高聲念道：「水族雙聲。」紫芝道：「忽然現出水族，莫非祝大姐夫果眞要來耍又麼？」

春輝道：「妹妹莫鬧！我才想了一個『石首[三]』，意欲飛竹書紀年『帝遊於首山』之句，雖可替敬一杯，但今日我們所行之令，並非我要自負，實係前無古人，後無來者，竟可算得千古獨步。此時只剩三人就要收令，必須趁此將這酒令略略表白一句，庶不負大家一片巧思。」玉芝道：「你說這是獨步，將來設或有人照這題目也湊一百雙聲疊韻，比我們還強，豈不敎人恥笑麼？」春輝道：「若照我們題目，也把古人名、地名除去，再湊一百個，何得能彀。況且你又誤猜將及百條，也要除去，尤其費事。卽使勉強湊出，不是博雅，方言的別名，就是山海經、拾遺記的冷名，先要註解，豈能雅俗共賞。我們這個好在一望而知，無須註解，所以妙了。總而言之：別的酒令，無論前人後人，高過我們的不計其數；若講雙聲疊韻之令，妹子斗膽，卻有一句比語：

石首　　任中丞集　　千載美談，斯爲稱首。

『斯爲』疊韻，敬寶雲姐姐一杯。」蘭芝道：「這個雖是魚名；若據左傳，卻是人名；按地理又是縣名。雖與果蠃之義不同，難得一名卻是三用。如此之巧，大家也該賞鑑一杯才是。」蘭言道：「這杯一定乾的。但下手只剩兩位就要收令，姐姐分付快些拿飯，行令的行令，用飯的用飯，才不就擱。」

[三] 石首——有三種解釋：一，魚名，就是黃花魚，省稱黃魚。二，人名，春秋詩人。三，縣名，屬湖北省。

眾人道：「姐姐旣不拿飯，少刻令完一齊都散，看你攔住那個！」蘭芝見天色不早，又因酒已不少，只得分付拿飯。

寶雲擎了人倫雙聲道：「剛才起令，良箴姐姐曾有『東都妙姬，南國麗人』之句，此時將要收令，必須仍要歸到我們身上，才有歸結。並且妙姬麗人，只言其美，至於品行，尚未言及，妹子意欲點他一句，心裏才覺釋然。——無奈難得湊巧之句。雖有幾句好的，偏偏書又被人用過。」蘭言道：「品行一層，乃萬萬不可少的，姐姐若不略點一句，將來後人見這酒令，還把我們當做一羣酒鬼哩。」

寶雲忖一忖道：「曹大家乃自古才女，莫若用他著作點染，尤其對景：

夫婦　班昭女誡　女有四行，一曰婦德。

「一曰」雙聲，敬周慶覃姐姐一杯。」玉芝道：「周者，普徧之意，只怕令要全了。」青鈿道：「好容易我才捉住一位！請教寶雲姐姐：『夫婦』同『石首』旣不同韻，又不同母，失了承上之令，豈不要罰麼？」紫芝道：「我同妹妹格外賭個東道：如寶雲姐姐被罰，我也吃一杯；倘你說錯，也照此例。你可敢賭？」青鈿道：「我就同你賭！」寶雲道：「婦首同韻，青鈿妹妹輸了。」青鈿道：「我不信！婦首聲音懸殊，豈能歸在一韻？而且一上一去，斷無此理。」玉兒把沈約韻譜送過，青鈿繙開看了，氣的閉口無言。一面飲酒，只將「湖州老兒」罵個不了。蘭芝道：「你雖恨他，我卻感激他，不想這位老先生倒會替我敬酒。」說的青鈿撲嗤一笑，把酒都噴出道：「我活到如今，才曉得『夫婦』卻敎做『夫否』。」

周慶覃擎了地理雙聲道：「今諸位姐姐所飛這些雙聲疊韻，經史子集無般不有，妹子在旁看着，何敢贊一詞。只有莊子一句恰對我的光景：

湖河　　莊子　　吾驚怖其言，猶河漢而無極也。

『河漢』古音雙聲，『而無』今音雙聲，敬若花姐姐一杯，普席同慶一杯。」若花道：「偏偏輪我收

令，又教我說笑話，這卻怎好？」題花道：「容妹子略想一想，替你說罷。」

玉芝道：「剛才春輝姐姐說我們今日之令乃千古絕唱，既如此，妹子明日就將此令按着次序寫一

小本，買些梨棗好板，僱幾個刻工把他刻了，流傳於世，豈不好麼？」題花道：「有一教書先生最好

放屁，……」玉芝道：「我正說刻書，題花姐姐忽說放屁，這是怎講？」題花道：「……惟恐學生聽見不

說笑話哩。」玉芝道：「原來如此。你快說，先生好放屁便怎麼？」蘭言笑道：「他替若花姐姐

雅，就在坐位之後板壁上刻一小洞，以便放屁時放在洞外，可掩其聲。一日，先生外出，東家偶進書

房，看見此洞，細問學生。學生告知其故。東家皺眉道：『好好板壁，為何如此遭遭！卽或忍不住放

幾個屁，也是人之常情，何必定要如此。你務必告訴先生：以後屁只管教他放，板是

亂刻不得的。』」眾人聽了，笑的個個噴飯。玉芝道：「我剛要刻酒令，他就編出這個笑話，真是刻

薄鬼。」

　　若花把籤桶搖一搖道：「起首是『五百歲爲春』以及『吉日辰良』等句，莫不暗寓祥瑞之意。此

刻輪到妹子收令，必須也用一個佳句才有始有終。但一句要把他收足，業已費事，且又有承上及雙聲

疊韻之難，不知題目可能湊巧。」隨卽擎了一枝花卉雙聲。青鈿道：「此題還不甚窄，姐姐擬用何

名？」若花道：「我才想『合歡』二字，既承上文，又與現在光景相符，必須用此才妙。」青鈿道：

「既如此，所飛之句，何不用嵇康養生論呢？」若花搖頭，忖一忖道：「有了：

合歡　　禮記

酒食者，所以合歡也。

『合歡』雙聲，合席歡飲一杯。」眾人讚道：「此句收的不獨『酒食』二字點明本旨，且『合歡』二字又寓合席歡飲之意。雖只數字，結束之妙，無過於此，若非錦心繡口，何能道出。能不佩服！」玉芝道：「結的固好，但禮記有人用過，要罰一杯。」

未知如何，下回分解。

第九十四回　文豔王奉命回故里　女學士思親入仙山

話說玉芝道：「禮記有人用過，要罰一杯。」若花道：「這又奇了！剛才我看單子，無論正令旁令，並無『禮記』二字。爲何有人用過？只怕玉兒寫錯了。」玉芝把單子取來一看，只見「齊莊中正」之上寫着「中庸」二字，這才明白，道：「原來是我未報禮記，報了中庸，無怪姐姐忽略過了。」題花道：「如今看着雖算重了一部，安知後世不將中庸另分一部哩○好在旁令所飛之書甚多，也補得過了。」蘭言道：「我只喜起初是若花姐姐出令，誰知鬧來鬧去，還是若花姐姐收令，如此湊巧，這才算得有始有終哩。」眾人因天色不早，當卽出席，再三致謝而散。

次日，蔣、董、掌、呂四家小姐彼此知會，都稟知父親，就借卜府邀請眾才女聚了一日。閨臣、若花同史幽探諸人也借凝翠館還席。接着大家又替若花、蘭音、紅紅、亭亭分着餞行。一連聚了幾天。那「長安送別圖」詩詞竟有數千首，恰恰抄成四本，極盡一時之盛。登時四處轟傳，連太后、公主也都贈詩頒賜。

這日欽限已到，若花同蘭音、紅紅、亭亭前去叩別老師。方才回寓，禮部早有官員把勅令齎來，並催急速起身，以便覆旨。四人忙備香案接了御旨，上朝叩謝。適值國舅也因接了勅命上朝謝恩，一同回到紅文館。那九十六位才女也都齊齊候送行。眾人因國舅雖係男裝，並非男子，都來相見。閨

○　中庸本是禮記中的一篇。宋朱熹撰章句，把它抽出單印，和大學、論語、孟子合稱「四書」。中庸從禮記中抽出單印，是唐代以後的事，所以這裏故意作揣測的語氣。

臣預備酒飯。大家都是戀戀不捨，略略坐了一坐，當即出席。國舅家人已將三輛飛車陸續搭放院中，都向西方按次擺了。眾人看時，那車只有半人之高，長不滿四尺，寬約二尺有餘，係用柳木如窗櫺式做成，極其輕巧；周圍俱用鮫綃爲幔；車內四面安着指南針；車後拖一小木如船柁一般，車下盡是銅輪，大小不等，有大如面盆的，有小如酒杯的，橫豎排列，約有數百人之多，雖都如同紙薄，卻極堅剛。當時議定：國舅、若花坐前車，紅紅、亭亭坐中車，蘭音與僕人坐後車。國舅把鑰匙付給僕人，又取三把鑰匙遞給紅紅道：「一是起匙，一是行匙，一是落匙。上面都有名目。如要車頭向左，將柁朝右推去；向右，朝左推去。緊隨我車，自無舛錯。車之正面有一鮫綃小帆，如遇順風，將小帆扯起，尤其迅速。」並引紅紅、亭亭將車內如何運動鑰匙之處交代明白，輕輕上了前面飛車。僕人上了後車。國舅道：「就請賢甥同三位學士及早登車，以便趲路。」

若花、蘭音、紅紅、亭亭望着眾才女不覺一陣心酸，那眼淚那裡忍得住，如雨點一般直朝下滾，個個哽咽不止；眾人無不滴淚。亭亭向閨臣泣道：「前寄家書，不知何時方到。賢妹回到嶺南，千萬丁囑我母不可焦心。俟到彼國，自必即託若花妹妹遣人伴我前來迎接；設或此去不能安身，亦必星夜仍回嶺南。我無着己之親，只得寡母一人，今忽遠隔外洋，不能侍奉，惟望妹妹俯念當日結拜之情，替我早晚照應，善爲排解，使無倚閭之望，永感不忘。妹妹！你今受我一拜！」不覺放聲大哭，跪了下去，只管磕頭道：「妹妹！你同我不啻嫡親手足，這個千斤擔子要放在你身上了！」霎時哭倒在地。閨臣正因姊妹離別傷感，適聽亭亭囑託堂上甘旨，猛然想起父親流落天涯之苦，跪在地下，也是大放悲聲，同亭亭抱頭慟哭。眾人看着，無不心酸。國舅在車內催了數遍。婉如、小春一面哭着，把亭亭、閨臣攙起。亭亭哭的如醉如癡，暈過幾次。禮部官員又差人前來相催。亭亭那裡捨得上車，只

管望着閨臣慟哭。多九公惟恐誤了欽限，暗暗分付眾鬟環，硬把亭亭擁着，同紅紅上了當中飛車。若

花、蘭音也只得含悲上車。國舅同紅紅、僕人都將鑰匙上了，運動機關，只見那些銅輪，橫的豎的，

莫不一齊亂動：有如磨盤的，有如輾轆的，好像風車一般，個個旋轉起來。轉眼間離地數尺，直朝上

升，約有十餘丈高，直向西方去了。大家望眼連天，淒然各散。

隔了幾日，紅文館眾才女紛紛請假回籍：閨臣仍同林婉如、秦小春、田鳳翾、洛紅蕖、廉錦楓、尹紅

萸、魏紫櫻、薛蘅香、姚芷馨各自回家；余麗蓉、司徒嫵兒同林書香、陽墨香、崔小鶯也回淮南；

宋良箴、顏紫綃姊妹八人同回嶺南；其餘眾才女也就四散。

陰若花乘了飛車，自從長安起身，沿途因遇逆風，走了十餘日才到本國。那知女兒國王因次子之

變，受了驚恐，又因思想若花，竟至一病不起，及至若花趕到，業已去世。諸臣扶立若花做了國王。

將蘭音、紅紅、亭亭都封為護衛大臣；即差使臣到天朝進表謝恩。亭亭因思親心切，隨即請了飛

車，帶了熟悉路境之人到了嶺南，接了緇氏回女兒國去了。及至閨臣到家，亭亭早已起身。

林氏見眾人回來，歡喜非常。閨臣把赴試光景及若花各事，都向母親、叔、嬸略略告訴一遍。林

氏命人大排筵宴，並命外面也擺筵席。原來小峯、廉亮近日都把書籍丟了，求唐敏請了兩位教師，日

日跟着習武。當時唐敏請多九公就在外面聽房同教師坐了。飯罷，林婉如、秦小春、田鳳翾都拜辭，

同多九公回去。顏紫綃因聞祖母去世，急急回家，同哥哥顏崖扶柩回籍去了。宋良箴仍把祁氏留下做

伴。廉錦楓同良氏、廉亮在新房居住。紅蕖、良箴、閨臣住在樓上。

次日，閨臣同林氏商議，因父親至今不歸，要到小蓬萊再去尋訪。林氏道：「此雖要緊之事；我

因紅蕖媳婦業已長成，意欲秋天替小峯成親，你何不再躭擱幾月，把這喜事辦了再去呢？」閨臣道：

「母親既有此意，女兒自應在家照應，分分母親之勞。」忙了幾時，到了重陽吉期，小峯同紅蕖成了百年之好。剛過滿月，接着尹元差人來接廉亮、錦楓完姻，並接良氏同去。大家餞行，忙了幾日，良氏帶着兒女去了。閨臣心內雖急如星火，偏偏婉如同田鳳翾的哥哥田廷結了婚姻，因田廷親向任山南總兵，現在告老，必須等他來年三月回來方能迎娶，林之洋何能離開，閨臣只好呆呆等候。轉眼到了新春。那時雖有許多媒人來替閨臣作伐，林氏同女兒商議，閨臣是要等父親回來隨父親做主，林氏只得把媒人回了。到了四月，婉如姻事才畢。洛承志也遣人來接宋良箴到小瀛洲合卺；林氏替他備辦妝奩，卽託祁氏送去。忽忽忙忙，一直到了七月，才把上小蓬萊的行期定了。

閨臣因明日就要起身，這晚正在樓上收拾，忽聽嗖的一聲，擁進一片紅光，仔細一看，原來是顏紫綃。連忙見禮坐道：「妹子聞得姐姐扶柩安葬，屢次遣人到府問信，總無消息，那知姐姐卻已回來。爲何貪夜至此？」顏紫綃道：「咱自京師歸家，適值咱哥哥顏崖也中武舉回來。到了家中，聞得賢妹就要遠行，因此貪夜趕來，一者送行，二者還有一事相商：咱家中現在一無牽掛，咱情願伴你同去。你意下如何？」閨臣聽了，雖覺歡喜，奈自己別有心事，只得說道：「雖承姐姐美意，但妹子此去，倘尋得父親回來，那就不必說了；設或父親看破紅塵竟自不歸，抑或尋不着父親，妹子自然在彼另尋一個修煉之計，歸期甚覺渺茫。尚望姐姐詳察。」紫綃道：「若以人情事務而論：賢妹自應把伯伯尋來，夫妻父子團圓，天倫樂聚，方了人生一件正事。但據咱想來：團圓之後，又將如何？樂聚之後，又將如何？再過幾十年，無非終歸於盡，臨期誰又逃過那座荒邱？咱此番同你前去，

卻另有癡想，惟願伯伯不肯回來，不獨賢妹可脫紅塵，連咱也可逃出苦海了。」閨臣忖道：「怪不得碑記說他『幼諳劍俠之術，長通元妙之機』。果然竟有道理。」連忙說道：「姐姐既如此立意，與妹子心事相合，就請明日過來，以便同行。」紫綃點點頭，將身一縱去了。次日，把行李搬來。林氏正愁女兒無伴，今見顏紫綃同去，甚是歡喜。

當時閨臣拜辭祖先，並向母親、叔、嬸灑淚拜別。因對小峯道：「你年紀今已不小，一切也不消再囑。總之：在家須要孝親，為官必須忠君，凡有各事，只要俯仰無愧，時常把天地君親放在心上，這就是你一生之事了。」又向紅蕖拜了下去。紅蕖急忙跪下道：「姐姐為何行此大禮？」閨臣滴淚道：「你當年替母報仇，忿不顧身，又能不憚勞悴，侍奉祖父餘年：如此大孝，將來母親甘旨，妹妹自能侍奉承歡，無須諄囑。但愚姐此番遠去，缺了孝道，全仗妹妹一人偏勞，你當受我一拜。」二人拉淚起來。林氏又囑付一番，合家灑淚而別。

閨臣、紫綃帶着乳母到了林之洋家，婉如同田鳳翾都從婆家過來送行。多九公因京中回來，一路過於辛苦，不能同去；小春有病，也未過來。林之洋又帶了幾樣貨物，託丈母江氏在家照應；帶着兒子、呂氏、閨臣、紫綃，辭別眾人，上了海船，一直望小蓬萊進發。沿途雖賣些貨物，也不敢過於耽擱，只向抄近水面走去。

不知不覺過了新春，於四月下旬到了小蓬萊。閨臣同紫綃別了眾人，上山去了。林之洋等到兩月之後，不見回來，十分着急。每日上山探聽，那有踪影。看看又是一月，海上秋涼，山林蕭瑟。這日正在山上探望，忽遇一個採藥的女道童。

未知如何，下回分解。

第九十五回　因舊恙筵上談醫　結新交庭中舞劍

話說那個女道童手中拿着兩封信遞給林之洋道：「這是唐、顏二位仙姑家書，拜煩順便替他寄去。」林之洋把信接過，正要細細盤問，那個女童忽然不見，迎面卻站着一個青面獠牙宛如夜叉一般，吼了一聲，奔了上來。林之洋連說：「不好！……」直向山下飛跑，那夜叉也隨後跟來。林之洋跑到船上，忙叫放槍。眾水手放了幾槍，雖打在他的身上，那夜叉只當不知，仍是吼叫連聲，要向船上擁來。嚇的眾人慌忙開船。林之洋連日上山辛苦，又吃這一嚇，竟自渾身發燒，臥牀不起，足足病到次年三月回到嶺南，還未大好。呂氏把兩封信送交林氏，林氏看了，知道閨臣看破紅塵，不肯回家，只哭的死去活來。顏崖接了妹子之信，也是訴說看破紅塵之話，並囑哥哥即到小瀛洲投奔洛承志，日後勤王，立點功業，好謀個出頭之日。顏崖得了此信，約了婉如丈夫田廷一同前去，並託小峯向洛紅蕖要了一封家信。

原來小峯自閨臣起身後，日日跟着顏崖、田廷習武，甚屬投機。去年同多九公說了，把秦小春配了顏崖。今見顏崖、田廷要到小瀛洲，即向母親說知，也要跟去碰碰機會。顏崖把家眷託多九公照應，同了小峯、田廷向小瀛洲進發。路上恰好遇見廉亮，一路同行，頗不寂寞。大家談起行藏，小峯把實情說了，廉亮等四人都有願去投奔之意。顏崖道：「咱路上恰好遇見廉亮，尹玉、魏武、薛選，都因武試落第回來，一路同行，頗不寂寞。大家談起行藏，小峯把實情說了，廉亮等四人都有願去投奔之意。顏崖道：「咱正愁人少不能壯觀，若得四位兄長同去，添了許多威風，那更妙了。」

七人曉行夜住，這日來到小瀛洲山下，顏崖把信交小卒投了，史述同洛承志、宋素迎下山來。大家見禮，彼此問了名姓。顏崖把眾人來意及大家姐妹都是同年的話說了。史述見七個人相貌堂堂，威風凜凜，如同七隻猛虎一般，十分歡喜，即請上山。小卒在前引路，進了山寨。只見裏面有兩個少年大漢迎了出來，一個面如重棗，一個臉似黃金，都是虎背熊腰，相貌非凡。彼此也見了禮。洛承志指著紅面少年道：「這位是我們各家姐妹的世兄，乃禮部尚書之子，姓卜名璧，那黃面的乃新科才女燕紫瓊之兄，名叫燕勇。我們雖然初會，但各家姐妹卻久已相聚多時了。」史述把七人名姓來向二人說了。大家聚談，甚是相投。顏崖問起後寨有無家眷在內。洛承志道：「史家哥哥嫂夫人就是新中才女，姓宰名銀蟾；燕勇哥哥娶的是史家嫂嫂令妹宰玉蟾；宋素哥哥娶的是燕勇哥哥令妹燕紫瓊；卜璧哥哥尚未定婚，小弟賤內是宋家哥哥令妹：都是前歲在此完姻，家眷都在後寨。後面房屋甚多，略爲消停，七位哥哥自應也將家眷接來在此同居，才覺放心。」眾人點頭。

史述命人擺了酒席，十二位公子各按年齒坐了。酒過數巡，顏崖道：「卜家哥哥爲何不隨任⚊京華？到此幾年了？」卜璧歎道：「提起此話甚長。小弟於三歲時染了驚風之症，一病垂危。彼時合家正在悲泣，適值有一道人化緣，問知此事，把我看了，說尚有一分可救，如肯給他抱去，等他醫好，再抱來送還。那時我家父母因我業已無救，只好隨他抱去。──誰知他竟把我治好！」廉亮道：「這個道人也就非凡，莫非是位仙家麼？」卜璧道：「此人並非眞是道人，乃隴右寒士，當年上京不第，流落京師。家父念他斯文一脈，延請管理書啟，時常周濟；後來他父母殯葬各事，也是家父幫他辦

理。此人更為感念，只恨無以報答。那年小弟染了驚風，他原有奇方可以療治，無如當年先兄也於三歲時染患驚風，此人獻方，我家父母聽了醫家之話，竟不肯用，以致就擱無救，所以到了小弟染患此症之時，不敢再去獻方，只好託了一個道家，暗用此計，把小弟騙出。他即替我推拿服藥，竟自醫好。他辭了家父，把小弟帶到隴右，就在他家住了多年。」薛選道：「此人是何名姓？那時既將哥哥治好，為何不送還伯伯，卻帶回他鄉，是何道理？」卜璧道：「這人乃史家哥哥族兄，名叫史勝，素精岐黃。他因母病不能治好，立誓不再談醫。他將小弟療治，實因要報家父之情。及至治好，不將小弟送還，更有深意。至今談起，猶令人感激涕零。」田廷道：「不知有何深意？」卜璧道：「他因驚風一症固因受熱、受寒、受風，以及傷食、痰火，皆可染患。但富貴人家惟恐小兒受涼，相待如同手足。——好在他自從做了這件好事，過了幾年，又請教師教我騎射，習學武藝。他本要將我送到史伯伯麾下謀一出身，因我年紀尚小，後來因聞史，洛二位哥哥在此，才把我送到山上。到此已三個年頭了。」

魏武道：「那時哥哥所服是何妙藥，可能百發百中麼？」卜璧道：「我那史家哥哥說：小兒驚風乃第一險症，醫家最為棘手，歷來小兒因此喪命的固多，那療治訛錯的也就不少。即如今人凡遇小兒驚風，不論寒熱，不問虛實，總以一派金石寒涼之藥投之，——如牛黃丸、抱龍丸之類，——最害人不淺。即使百中治好一個，那知受了金石之毒，就如癡獃一般，已成廢人。他說：你要曉得小兒驚風，其症不一，並非一概而論，豈可冒昧亂投治驚之藥。必須細細查他是因何而起。如因熱起，則清

其熱；因寒起，則去其寒；因風起，則疏其風；因痰起，則化其痰；因食起，則消其食。如此用藥，不須治驚，其驚自愈，這叫做『釜底抽薪』。再以活蠍一個，足尾俱全的，用蘇薄荷葉四片裹定，火上炙焦，同研為末，白湯調下，最治驚風抽掣等症。蓋蠍產於東方，色青屬木，乃足厥陰經㈢要藥。凡小兒抽掣，莫不因他疾引起風木㈢所致，故用活蠍以治其風，風息則驚止。此史家哥哥因傷了兒女無數，臨症極多，方能得此不傳之秘。——如無活蠍，或以醃蠍泡去鹹味也可，但不如活蠍有力。小弟只吃了數十個活蠍，又服了幾劑清熱的藥，並未吃過牛黃，抱龍之類，病倒好了。當日在家，那些小兒科用的總是一派驚風的藥，那知越吃越離『鬼門關』近，這樣治病，無怪又生出閻殿的事來。」小峯道：「這卻為何？」卞璧道：「那大方脈㈣對小兒科道：『我把年紀大的都醫的變成小孩子給你醫了，你為何總不教他長大給我醫呢？』因此把小兒科痛打。豈非又生出閻殿的事麼？」大家不覺大笑。顏崖道：「小弟向有便血之症，不知這位史家哥哥可有妙方，拜煩便中替我問問。」卞璧道：「凡便血以柏葉炒成炭，研末，每日米湯調服貳錢；或以柿餅燒存性，亦用陳米飲調服貳錢；連進十服，無不神效。這也是目覩的秘方。」

飯罷散坐。洛承志道：「燕家哥哥向來飯後總要舞一回劍，今日為何把這工課輟了？」燕勇道：「剛才俺見他們七位哥哥所帶器械莫不雄壯精緻，想來技藝必是高強，所以不敢班門弄斧。」尹玉

㈡　足厥陰經——人體內血液流行的脈管，古稱經脈，省稱經。經分手足各六支，名「十二經脈」。足厥陰經是十二經脈之一，中醫認為這一經脈是屬於肝部的。

㈢　風木——中醫說法：肝屬木，其動為風，所以風病皆起於肝木。

㈣　大方脈——中醫的十二科之中，給成人治病的有「大方脈科」，給兒童治病的叫做「小方脈科」。

道：「小弟向在海外只知讀書，因前歲廉家哥哥到了舍下，忽要習武，家父請了教師，小弟這才跟著學了兩年。雖然勉強進了武學，其實並無一技之長。向日在家屢要要學劍，奈教師此道不精，不過敷衍教了兩個勢子，卻是一毫無用。哥哥既精此技，倘蒙指點，情願拜從為弟子。」燕勇道：「大家弟兄相聚，原該彼此切磋，兄長為何說這客套話？若是這樣，小弟倒不敢亂談了。」眾人道：「燕家哥哥說的不錯，以後都不准客氣，才見我們弟兄親熱。」

燕勇道：「尹家哥哥向日既學過兩個勢子，何不給俺們看看呢？」尹玉道：「當日那教師原說過他不諳劍法，不過胡亂學兩路欺那外行，若講戰鬥，必須另求明師才能有濟。今聽哥哥之言，果然不錯。可見教師並非有心欺人，竟是苦於不諳。應如何習學之處，尚求指示。」

燕勇道：「古之劍可施於戰。自古帝王各有劍士；至劍士之多，莫過我朝太宗。──太宗有劍士千人，都有萬夫不擋之勇，惜其法不傳。斷簡殘編中雖有一二歌訣，亦不詳其說。近有好事者得之朝鮮，其勢法俱備，小弟略知其詳。即如初學先要曉得眼法、擊法、刺法、格法、洗法，這些勢子，俺都有圖，哥哥且看了，小弟再慢慢指點，自然就能領會。還有兩首劍訣，可惜後面一首遺失二句，現在只存得十四句，待俺念來。

電掣昆吾⑤晃太陽，一升一降把身藏。搖頭進步風雷響，滾手連環上下防。左進青龍雙

探爪，右行單鳳獨朝陽。撒花蓋頂遮前後，馬足之中用此方。

第二首是：

蝴蝶雙飛射太陽，梨花舞袖把身藏。鳳凰展翅乾坤少，××××××××。

×，（以上遺失二句）掠膝連肩劈兩旁。進步滿堂飛白雪，回身野馬去思鄉。」

把詩念完，手中執劍，即照上面勢子舞了一回。尹玉惟有佩服。小峯、廉亮在旁看著甚覺眼熱，也都跟著習學。一連學了幾日，莫不心領神會。

眾人看見魏武、薛選放的連珠槍竟是百發百中，個個稱奇。大家住在山上，不是操練人馬，就是各人習學武藝，所以此術久不靈了。眾人因聞燕勇、顏崖都會劍俠，意欲跟著習學，──誰知二人胸襟都不能至公無私，遇事每存偏祖，都把家眷陸續接來。不知不覺，過了一年。這日洛承志因文府久無消息，不知何時才起義兵，要到淮南探聽一番。

未知如何，下回分解。

（五）昆吾──原是山名。山海經說：昆吾的石頭可以鍛鍊成鐵，製成劍能夠剉玉如泥。後來因而就以「昆吾」作為劍的代詞。

第九十六回　秉忠誠部下起雄兵　施邪術關前擺毒陣

話說洛承志要到淮南探聽信息，史逑道：「小弟記得女試那年，卞家哥哥初到山寨，我們去到淮南，文家哥哥曾再三囑付。嗣後萬萬不可親自下山，惟恐被人看出，彼此性命交關；如有起兵之舉，自然先令徐家哥哥前來送信。——為何此時又要前去？況且那時回到半路，果被巡兵看出破綻，若不虧燕家哥哥拔刀相助，我們何能敵得許多官兵？」燕勇道：「小弟只因一時路見不平，此刻四處緝捕，教俺有家難奔；怎麼哥哥又要前去？」

忽見小卒來報：「余公子到了。」眾人甚喜，迎進山寨。同史逑、洛承志道了闊別，問了眾人名姓，序齒歸坐。史逑問起文府之事，余承志道：「文伯伯自從平了倭寇，就在劍南鎮守。後因各才女俱請假回籍，卽命弟五個一同完姻。誰知剛過吉期，文伯伯竟在劍南一病不起。及至他們弟兄趕到，延醫診治，奈積勞成疾，諸藥不效，竟至去世。幸虧武后因念文芸哥哥向日代理節度印務尚屬出力，仍命承襲父職。去歲孝服已滿。今因心月狐光芒已退，特囑小弟前來暗暗通知：明年三月初三桃會之期，一同起兵，先把武氏弟兄四座大關破了，諸事就易如反掌。」

廉亮道：「四關都叫何名？」余承志把「北名酉水，西名巴刀，東名才貝，南名无火」，以及命名之意也說了。尹玉道：「他因『木』字犯諱，缺一筆也罷了；就只『焱』字暗中缺一筆未免矯強，才貝尤其利害。文家哥哥命小弟到此，一來通信，二來就命與諸位兄長商量破關之策。並命小弟到河薛選道：「這四關那一處易破，那一處難破？」余承志道：「聞得酉水、无火二關易破，巴刀最凶，

東同章家十位哥哥酌議。」洛承志道：「為何不請章伯伯示下，倒同十位哥哥商酌？」余承志道：「

章伯伯也於三年前去世，如今章菰哥哥接襲其職。」宋素道：「據文家哥哥意欲先破某關？」余承志

道：「有人議論宜先破難的；若把易的破了，恐他兵馬並在一處，那難的更難了。若據文芸哥哥之

意，先破易的為佳：蓋四關破他兩關，先挫動他的銳氣，那兩關就勢如破竹了。」眾人道：「此說甚

善。將來自應先攻酉水、無火二關為是。」

余承志連連點頭，即欲別去。眾人再三挽留。余承志道：「我還要到河東把事議定，好回文府送

信，豈可在此躭擱。」卞璧道：「哥哥既有正事，弟等也不敢過於扳留；但臨期在何處會齊，還要通

個信息才好。」余承志道：「如先攻南北二關，自然在酉水關會齊。到了臨時，少不得自有關照。前

日文家哥哥說：成敗在此一舉，彼時所有各家眷屬，都要帶在軍營，惟恐事有不測，與其去受武氏弟

兄荼毒，莫若合家就在軍前殉難，完名全節，以報主上，倒可免了許多後累。」眾人連連點頭。

余承志別了眾公子，到了河東，見了章府十位公子，即回淮南，將各話回了文家弟兄。

那時承志已同司徒婋兒婚配，林書香、陽墨香也都招贅在家。只有余麗蓉因隱姓埋名住在文府，

尚未許字；恰好洛承志差人下書替卞璧作伐，余承志當即應允，把余麗蓉送到小瀛洲草草完婚。

過了新正，文芸、章菰、史逕彼此知會，約定桃會之日，在酉水關會齊。至期一齊起兵前進，都

說奉了太后密旨，調赴酉水關有緊急軍情會議。沿途盡是淮南、河東官軍旗號；史逕一枝人馬也充做

官軍。恰好三月初三日，三路約有二十萬人馬陸續到齊，離關五里，放了三聲大砲，安營下寨。各家

眷屬在大營後面也立了一個營盤。大營裏面是文芸、文蓝、文其、文菘、文苏、章菰、章芝、章蔷、

章蓉、章薌、章莒、章荅、章芹、章芬、章艾、史述、卞璧、燕勇、宋素、顏崖、田廷、魏武、薛選、尹玉、廉亮、唐小峯、余承志、洛承志；還有文府小姐林書香丈夫陽衍、章府小姐蔡蘭芳丈夫蔡崇、譚蕙芳丈夫譚太、葉瓊芳丈夫葉洋、褚月芳丈夫褚潮…共三十四位公子。女營是文府章氏夫人、章府水氏夫人、柳氏夫人、燕勇之母葉氏夫人、小峯之母林氏夫人、廉亮之母良氏夫人、魏武之母萬氏夫人、薛選之母宣氏夫人…共八位夫人。那眾公子之妻是章蘭英、邵紅英、戴瓊英、由秀英、田舜英、錢玉英、井堯春、左融春、廖熙春、鄡芳春、酈錦春、鄒婉春、施豔春、柳瑞春、潘麗春、陶秀春、林書香、陽墨香、蔡蘭芳、譚蕙芳、葉瓊芳、褚月芳、宰銀蟾、宋良箴、余麗蓉、宰玉蟾、燕紫瓊、秦小春、林婉如、薛蘅香、魏紫櫻、廉錦楓、尹紅萸、洛紅蕖、司徒嫵兒…共三十五位才女。

眾人初意，原想起兵之時把中宗迎至大營才好起事，不意是時太后已命中宗仍回東宮。好在宋素原是中宗堂弟，當時眾公子卽推宋素權在大營執掌兵權，彼時朝中是張易之、張昌宗、張昌期用事，日日殺害忠良，荼毒生靈，無惡不為。文芸、章荇、史述商議：此時朝中惟張柬之、桓彥範、李多祚、袁恕己、薛思行、崔元暐最為忠直可靠，必須此六人做了內應，先除內患，裏外夾攻，方易蕆事。於是替宋素寫了六封書信，暗把此意通知，並囑六人卽到東宮預先通信，以免臨時倉卒。發過書信，大小營盤四面扯起義旗。

早有探事的報進關去。武四思忖道：「連日各處關津來報，都說文芸、章荇帶領人馬前來，我正疑惑；那知他要追步徐敬業、駱賓王的後塵，竟來『太歲頭上動土』，若不給他一個下馬威，他也不知利害！」卽分付大將毛猛在關前把酉水陣擺了。

次日，文芸、章萰、史逝帶領人馬，同眾弟兄殺奔關前，武四思領了一枝人馬出來迎敵。文芸早已提鎗躍馬，直奔武四思殺來。毛猛輪動大斧，與文芸殺在一處。鬥未數合，文芸用了一個撥草尋蛇勢，一桿銀鎗，直向下身刺來；毛猛說聲「不好」，只聽嗤的一聲，肚腹著了一鎗，跌下馬去。文芸、章萰、史逝催動人馬，一擁齊上，掩殺一陣。

武四思來到酉水陣前，大聲叫道：「文芸、章萰休得無禮！我這里有座小小酉水陣，你如破了此陣，我將此關情願奉獻，若要膽怯不敢進陣，我刀下開恩，饒你們去罷！」文芸道：「老狗休得誇強！你看老爺破這狗陣！」卽令鳴金收兵，一同回營。文芸道：「他這陣不知是何邪術，賢弟如何輕入重地！況頭一次就得勝仗，何必急急定要破他此陣？」文芸道：「五弟不可造次！今日已晚，明日再同老狗計較。」正要躍馬進陣，文芸連忙叫道：「今日武四思傷了許多人馬，也就挫他銳氣，小弟正要趁勝破他酉水陣，為何卻要收兵？」文芸道：「他把這陣恰恰攔在關前，你不把此陣破了，如何進得關去？我明日一定要到陣裏看看。」薛選道：「既如此，小弟也奉陪走走。」宋素道：「據我愚見：總以慢慢智取，最為上策。」

次日，武四思又在軍前喊叫：「那個敢去破陣！」眾公子齊到疆場。文芸一馬當先道：「武四思！你連日只管教我們去破陣，我也有個『盤蛇陣』，你敢破麼？你如敢進我陣，我們也進你陣。」武四思道：「我進你陣，安知你不用暗劍傷人？」文芸道：「既如此，為何你又教我進你陣呢？」武四思道：「孤家這陣，不但不用暗劍傷人，若傷損你們一根毫毛，久後我定死刀箭之下。」文芸道：「老狗既對天賭誓，我就前去看看。」將馬一縱，跟著武四思闖進陣去。武四思早已不見；但見柳暗花明，山青水碧，偏地芊眠芳草，駿雲驕嘶。從容下了馬，幾忘身在

戰場，手牽著絲繮，順步行去。路旁有一竹林，林中有七個人，都是晉代衣冠㊀，在那裏小酌，那股酒香，陣陣直向鼻中撲來。只聽林中有個白衣少年道：「此刻爲何只覺俗氣逼人，莫非有甚麼俗子來此窺探麼？」文芸聽了，知他明明譏刺，意欲發揮幾句。看了看，這七個人都是放蕩不羈，目空一切。只得忍耐走過道：「這些狂士，滿臉酸氣，總是書在肚內不能鎔化，日積月累釀出來的。凡讀書人沾了酸氣，未有不迂，若同他較量，他一味歪纏起來，如何擺脫？只好由他說去。」

正朝前進，忽覺酒氣薰人，忙掩鼻道：「那裏來的這股酒臭！」只見迎面來了一羣醉貓，把去路攔住。都是酒氣醺醺，身子亂幌，搖著頭，伸著手道：「來，來，來！豁三拳，放你去！」文芸笑道：「你這羣醉貓，吃了幾杯酒就這樣爛醉！這宗酒量也出來丟醜，還敢攔我去路！」即挺手中鎗，左五右六，撒花蓋頂，四面八方一陣亂挑，把一羣醉貓殺的尿屎遍地，四散奔逃。不覺掩鼻皺眉道：

「蠢材，蠢材！該死，該死！只顧亂殺，那知這羣醉貓酒吃多了，卻從下面還席，被他這股臭氣把馬也薰跑了。」

望前走了數步，路旁一家門首飄出一個酒帘㊁，那股酒香眞是芬芳透腦。文芸嗅了這味，只覺喉嚨發癢。信步走進酒肆，只見上面有一副對聯，寫著：

下面落的款是「歡伯㊃偶書」。當中有紅友㊄題的額，是「糟邱㊅」兩個大字。旁邊還有麴秀才㊆寫的一副對聯，是：

　　　　盡是青州從事，那有平原督郵㊂。

　　　　三杯軟飽後，一枕黑甜餘㊇。

裏面坐著許多人，也有獨酌的，也有聚飲的，個個面上都帶三分春色，齊讚酒味之美。只得也檢一張

聯經出版事業公司校印

桌兒坐了。

有個酒保上來陪笑道：「客官要飲那幾種名酒？」文芸道：「酒家，你姓甚麼？」酒保道：「小人姓杜⑼。」文芸道：「這姓姓的不好，乃杜絕之意，豈不敎我飲麼？以後必須另換好姓，不許姓杜了。」酒保道：「客官分付，小人怎敢再姓杜。但據小人愚見：若做賣酒生意，這個杜姓卻不可少。」文芸道：「何以見得？」酒保因指肚腹道：「客官若非『肚兒』想吃一杯，豈肯進我小店，小人若不虧『肚兒』會裝酒，何能消得多貨？小人之所以諄諄要姓『杜』者，卻是爲此。」文芸

㈠　這裏七個人，指的是晉代文學家嵇康、阮籍、山濤、向秀、劉伶、阮咸、王戎。這七個人都歡喜喝酒，彼此很要好，常常在竹林裏面聚會，別人稱他們為「竹林七賢」。

㈡　酒帘——古時酒店用長的竿子挑着旗幟招徠顧客，這種旗幟叫做酒帘。也叫帘子、酒旗、酒望子。參看第二十二回註㈠。

㈢　盡是青州從事，那有平原督郵——故事傳說：晉代桓溫手下有一位官吏，善於辨別酒味的好壞，嘗到好酒，他說是「青州從事」，壞酒，就說是「平原督郵」。因為青州有齊郡，齊臍同音，意思是說喝了好酒可以通到臍下，平原有鬲縣，鬲膈同音，意思是說喝了壞酒到膈便不能下去了。從事、督郵都是官名；膈是胸腹之間的肉膜。

㈣　酒為歡伯，除憂來樂——酒的別名。焦氏易林說：「酒為歡伯，除憂來樂。」

㈤　紅友——酒名。宋蘇軾經過宜興黃土村時，當地人請他喝「紅友酒」。

㈥　糟邱——糟，釀酒糧食的渣滓，糟邱，指釀酒的渣滓堆積成山。

㈦　麴秀才——麴，同麵，酒母。神話傳說：唐葉法善會道術。有人在葉處，想喝酒，忽見一人敲門進來，自稱是麴秀才，禁用

㈧　小劍擊他，倒在階下，變做一瓶好酒。「三杯軟飽後，一枕黑甜餘」——宋蘇軾的詩句。軟飽，指喝酒後的情況；黑甜，熟睡的意思。

㈨　小人姓杜——杜康，周人，善造酒。後來一般用「杜康」二字作為酒的代詞。這裏酒保姓杜，也是影射着酒。

道：「你是木旁之『杜』，怎麼賴做肉旁之『肚』，豈不鬧出白字麼？」酒保道：「當日我們木旁之

杜與肉旁之肚聯過宗的，算是本家，偶爾借用，也還不妨。」

文芸道：「這話可謂杜撰了。——我且問你：我要飲天下美酒，可有麼？」酒保道：「有，有，

有。」忙到櫃上檢了一塊粉牌，雙手捧來，彎著腰道：「客官請看：這就是各處所產名酒。如要那幾

種，我家無不現成，比別家分外醇美，客官吃了，還要同我做主顧哩。」文芸道：「你家可肯賒麼？」

酒保道：「只要客官肯照顧，那怕立摺子三節結帳都使得。我們是老實生意，斷不開你老人家的虛

帳。」

文芸接過粉牌，只見上面寫著：

山西汾酒。江南沛酒。眞定煑酒。潮洲瀝酒。湖南衡酒。饒州米酒。徽州甲酒。陝西灌酒。湖州潯酒。巴縣咋酒。貴州苗酒。廣西猺酒。甘肅酒乾。浙江紹興酒。鎮江百花酒。揚州木瓜酒。無錫惠泉酒。蘇州福貞酒。杭州三白酒。直隸東路酒。衛輝明流酒。和州苦露酒。大名滴溜酒。濟甯金波酒。雲南包裹酒。四川瀘江酒。湖南砂仁酒。冀州衡水酒。海甯香雪酒。淮安延壽酒。乍浦鬱金酒。海州辣黃酒。蕪湖五毒酒。河南柿子酒。泰州枯陳酒。福建浣香酒。茂州鍋疤酒。山西潞安酒。樂城羊羔酒。成都薛濤酒。山陽陳罈酒。清河雙辣酒。高郵孫羹酒。紹興女兒酒。琉球白酎酒。楚雄府滴酒。貴筑縣夾酒。南通州雪酒。嘉興十月白酒。鹽城草釀漿酒。山東穀轆子酒。廣東甕頭春酒。琉球蜜林酎酒。長沙洞庭春色酒。太平府延壽益酒。

文芸看了酒名，再加這股酒香直朝鼻內鑽去，只覺口涎直流道：「這酒我都要嘗嘗，你先把水牌前面

十種各取一壺來。」酒保答應，登時取了十壺放在面前；又取幾樣下酒之物；桌上放了十個酒碗，把

酒斟了。文芸忖道：「莫非這酒下了毒藥麼？」嗅了一嗅，香不可當。拿起一碗酒剛放嘴邊，忽然搖

頭道：「不可，不可！使不得，使不得！」一面說著「不可」，已將十碗都嘗了半碗，道：「酒味雖

美，那知我生平最喜吃陳酒，他這酒都是新釀，如何吃得！趁酒保在那裡張羅賣酒，且到前面看看可

有陳酒。此時只覺發渴，須用醇酒解解口渴才好。」

暗暗提著鎗出了酒肆，走不多時，遠遠有個酒望子飄在那裡。連忙趨行，來到酒肆門首。只見

路旁有個文士，一手提著酒壺，一手拿著衣服，同一老者講價，把衣服賣了，沽一壺酒去了。看那

衣服，只覺金碧輝煌，華彩奪目。因他生性好飲，一時無錢沽酒，所以把他賣了。」文芸別了老者，走進酒肆，檢

馬（一）。是當今才子。有個酒家，卻是女子，正要上來問話，又有一人拿著一頂金貂前來換酒（二）；酒家把那人

副座兒坐了。

打發去了，這才走到文芸面前。

未知如何，下回分解。

（二）那個文士複姓司馬——指漢司馬相如。故事傳說：司馬相如愛喝酒，在成都，因為沒有錢，就把穿的鸙鶒裘拿到市上換酒喝。

（一）一人拿著一頂金貂前來換酒——指晉阮孚。金貂，指上面飾有貂尾的貴重帽子。故事傳說：晉阮孚愛喝酒，因為沒有錢，就把戴的金貂拿到市上換酒喝。

第九十七回　仙姑山上指迷團　節度營中解妙旨

話說酒家走到文芸面前道：「客官可喜陳酒？若要吃新酒，小店卻無此物，只好請向別家照顧。」

文芸道：「我不喜陳酒，何必又到你家！請敎娘子尊姓？在此開張幾年了？」酒家道：「小婢姓儀。此店自夏朝開設至今，將近三千年了。」文芸忖道：「原來是個老酒店，怪不得那人以貂冠換酒，可見其酒自然不同。」因問道：「你家共有幾種名酒？」酒家道：「我家名酒甚多。請問客人，還是要飲自古名人所造的陳酒呢？還是要飲古來各處所產的陳酒呢？」文芸道：「古人名酒固佳，但恐其人前後或居一鄉，酒味難免雷同，我要各處所產名酒。」

酒家卽從櫃上撿了一塊粉牌，文芸接過。只見上面寫的盡是古來各處所產名酒，約有一百餘種。前後看了一遍道：「這酒每樣我都嘗一碗，如果可口，將來自然照應。但今日可肯賒我幾碗？」酒家搖頭道：「近來飲酒的每每吃了都怕還錢，所以小店歷來概不賒欠。客官只看剛才那位姓阮的拿著貂冠還來換酒就明白了。」文芸從身上把寶劍取下道：「就把此劍權押你處。你就照著粉牌所開酒名，每樣一碗，先斟三十碗解解口渴，隨後只管慢慢照樣斟來。如果醇美，把這粉牌吃完，我自重重賞你。」酒家答應，拿著寶劍去了。

文芸看那正面也有一副對聯，寫的是：

萬事不如杯在手，一生幾見月當頭。

下面落的款是「醴泉侯㊀偶題」。正面有閨秀黃嬌㊁寫的匾，是「般若湯㊂」三個大字。各座上人人

暢飲，個個歡呼。

酒家剛把三十碗酒擺在面前，那股酒香直從碗內陣陣冒將出來。文芣只覺喉內倒像伸出一隻小手
要來搶吃光景，那裡忍得住。只得發個狠道：「武四思！你就下了毒藥，我也顧不得了！」轉眼間三
十碗早已告乾，把嘴咂一咂道：「不意世間竟有如此美酒，無怪那位司馬先生連鸕鶿裘也不要了！我
也明知酒是害人，無奈這張嘴不能由我做主，只怕將來竟要把命結識他哩！話雖如此，究竟不可多
飲，要緊要緊！切記切記！」自己正在囑付，酒家道：「客官可要再飲幾碗？」文芣忖多時道：「
索性放量飲幾碗，明日再戒罷。」因向酒家道：「剛才我已說過，
來問？」酒家又擺了三十碗，文芣仍舊一氣飲乾，一連幾次，登時把粉牌所開百十種酒都已飲完，只
覺天旋地轉。立起身來，拖著銀鎗，出了酒肆，走未數步，跌在地下，竟自昏迷不醒。

文芸同眾人在外面候了多時，總不見文芣出陣，甚不放心。薛選道：「昨日我同文芣哥哥有約，將馬一
待小弟前去探探。」文芸道：「我也同去。」文芸道：「我們此去務要小心。」二人點頭，將馬一
縱，闖進陣內，只覺四處酒氣薰人。薛選不會飲酒，被這酒氣一薰，早已醉倒在地；文芣飲了幾杯
也就醉倒。文芸等之許久，見無消息，只得暫且收兵。

次日，武四思兵丁將文芣送到文芸營裏，教他看看文芣身上可有傷痕，可曾服毒；這是他自己貪

㊀ 醴泉侯——酒的別號。唐子西著陸諳傳，把酒當作人來加以敍述，作成傳記，說他的封爵是「醴泉侯」。

㊁ 黃嬌——指酒。元段繼昌歡喜喝酒，把酒叫做「黃嬌」，是和酒親切的意思。

㊂ 般（ㄅㄛ）若（ㄖㄜ）湯——般若，智慧的意思。般若湯，和尚對酒的代詞。和尚是不許吃酒的，歡喜喝酒的和尚只能偷偷的喝，不敢說是酒，就把酒叫做「般若湯」。

飲過度，以致送命。若知此陣利害，及早收兵；如再執迷不醒，少不得都同文芸一樣。那兵丁交代回去。文家弟兄並眾公子團團圍著觀看，只見文芸面色如生，口中宿酒仍向外流，酒氣薰人。文芸因他胸前尚溫，即請醫家設法解救。挨了半日，只聽他說了一句「後悔無及」，早已氣斷身亡。文家弟兄個個頓足慟哭，口口聲聲誓要殺了武四思方消此恨。隨即草草殯殮，寄在鄰近廟內。此信傳到錢玉英耳內，聞知丈夫被害，只哭的死去活來；章氏夫人也是慟哭不已。

次日，武四思又在戰場叫人去破陣。文芸、章荿正要率領眾人出去，只見宋素、燕勇、唐小峯、洛承志道：「我四人願到陣中探探二哥並薛家哥哥消息，看他究竟是何妖術。」文芸道：「千萬小心！」四人來到陣前，也不同武四思答話，一直衝進陣中。到了裏面，被酒氣一薰，那不會飲酒的早已暈倒在地；那會吃酒的先有三分醉意，及至鬧到後來，弄的糊裏糊塗，不因不由就想吃一杯了。因此凡入陣的莫不被他醉倒。

眾公子候了一日，杳無音信。次日都在營中計議。文芸道：「才到第一關就如此失利，這卻怎好！」章荿道：「按這『酉水』二字而論，無非是個『酒』字，何至如此利害？」史述道：「偏偏我們弟兄所去之人並無一人回來；如能略曉其中光景，也好設法破他。」

只見家將來報：「宰、燕二位才女要來求見。」文芸分付請進。宰玉蟾、燕紫瓊進來，向眾人垂淚道：「我們丈夫被武四思困在陣中，存亡未卜。特來面請諸位將軍將令，願到陣中探聽虛實，再來繳令。」文芸道：「二位嫂嫂千萬仔細！」二人答應，出了營盤，玉蟾騎了銀鬃馬，紫瓊騎了赤兔馬，一直衝進陣中去了。文芸同眾弟兄等候多時，忽見從空落下一個人來，眾人一看，原來是燕紫瓊。史述忙取一杯茶放在面前，紫瓊把茶喝了兩口，精神略覺清只見他滿面通紅，坐在地下，噓噓氣喘。

爽，眾人間起陣中光景，紫瓊立起道：「剛才我二人闖進陣去，裏面水秀山青，無窮美景。才走幾步，一般酒香直向鼻孔鑽來；玉蟾姐姐不善飲酒，受了這股酒氣，早已醉倒。我到各處探了一遍，幸喜我們去的七人雖都醉倒，尚屬無妨。原想把玉蟾姐姐駝了回來，那知他陣中四面安設天羅地網，我費盡氣力才能逃出。小峯將軍乃閨臣姐姐胞弟，今既困在陣中，妹子且到小蓬萊求閨臣姐姐。他如今業已成仙，不可能見面，只好且去碰碰。」說著，將身一縱，忽然無踪。眾公子看了，略覺放心。

紫瓊來到小蓬萊，走到石碑跟前，看見唐敖所題詩句，正在嗟歎，只見有個道姑在那里探藥。紫瓊上前合掌道：「仙姑請了！」道姑也還禮道：「女菩薩從何至此？來此有何貴幹？」紫瓊把要訪唐閨臣、顏紫綃之意說了。道姑道：「我在此多年，並未見此二人。」紫瓊把起兵被困之話說了。道姑道：「他這四陣，雖有酉水、巳刀……各名，其實總名『自誅陣』。此時雖有幾人困在其內，他斷不敢傷害；他若傷了一人，其陣登時自破。」紫瓊道：「昨日文府五公子業已被害，為何仙姑還說這話？」道姑道：「凡在陣中被害的，那都是自己操持不定，以致如此，何能怨人？所謂『自誅陣』者，就是這個取義。」紫瓊道：「請敎仙姑可有破他之法？」道姑笑道：「我們出家人只知修行養性，那知破陣之術。據我愚見：女菩薩何不『卽以其人之道還治其人之身』呢？」紫瓊聽了，正要朝下追問，那個道姑忽然不見，知是仙家前來點化，只得望空拜謝。回到大營，對眾人說了，都摸不著是何寓意。

文芸道：「他那座陣團團把城圍住，他們出入毫無挂礙，何以我們一經進陣就被醉倒？必定另有趣避之法。那仙姑所說『卽以其人之道還治其人之身』，定是這個緣故。必須把他兵丁捉住一個，看他身上帶著何物就明白了。」隨卽派了卡璧、史述去辦此事。紫瓊回後營去了。不多時，卡璧、史述

捉住一個大漢，身上搜出一張黃紙，上寫「神禹之位」四個硃字。細拷那人，才知武四思軍中凡有從陣內出入的，胸前都放這張黃紙，才不為酒所困。文芸聽了，如獲至寶。即將大漢打入囚籠。隨即寫了數千紙條，每人胸前各放一張，點了三千精兵，每人也是一張，文芸道：「我們這三千兵須分三隊前進：第一隊，卞璧、顏崖二位哥哥領一千步兵，從正面正中進陣；第二隊，林烈哥哥同章薖兄弟領一千步兵，從正面左首進陣；第三隊，蔡崇哥哥同四弟文菘領一千步兵，從正面右首進陣。過了此陣，凡到關者俱先放號砲。小弟同史述哥哥帶領五千馬兵隨後接應。進關後毋許傷害良民。章薖兄弟同諸位緊守大營。」眾人齊聲答應。分派已畢，約有初更時候，各帶人馬，一齊衝入陣內。誰知六位公子同三千雄兵倒像下了一個酒館，個個醉倒在內。

文芸同史述等了多時，毫無響動，甚覺驚慌。連忙回營把大漢提出細細拷問，才知武四思每逢擺設此陣，手下兵將俱不准飲酒；至進陣之日，內中倘有一人在本日預先犯了酒戒，連隨去之兵無論多寡，也都困在陣內，並且書符、帶符之人，不獨本日不准飲酒，還要焚香叩祝，說個「戒」字，才能保得入陣不為所困。文芸命人把大漢仍舊打入囚籠，即同眾弟兄沐浴焚香，一齊叩拜，虔誠書寫，並命各營一概不准飲酒。次日書寫完畢，復又設了香案叩頭禱告，分給眾兵；眾兵也都磕頭領受，各說「戒」字。當時分派廉亮、陽衍、章蓉領了一枝人馬，惟恐陣中正面有自己被困兵將在內，都從兩旁進陣。四位公子領命，帶了眾兵從兩旁衝進陣去。文芸、史述在後面接應，忽聽連聲號砲，慌忙領兵奔到關前，望了望，城上盡是自己旗號，正自得意，做夢也不知今日來破陣，一切並未準備。眾原來武四思因昨日才陷了文家三千人馬，家眷打入囚籠。城上供著一個女像，一個男像，卻是儀狄、杜康，

兵攻進城去，武四思被亂箭射死，家眷打入囚籠。城上供著一個女像，一個男像，卻是儀狄、杜康，

還有幾十碗燈，被余承志擊的粉碎。這裏剛把牌位擊了，那酉水陣還有未盡的妖氣，化一陣狂風也都散了。接著大隊人馬進城，陣中所困兵將俱已甦醒歸隊。宰玉蟾也回女營。惟文蔀醉在地下，被眾兵把胸前誤踹幾腳，業已無救，文氏弟兄慟哭一場，當卽盛殮。關上派了章菖、章蓉、章芬、章艾帶領四千兵把守。

歇兵一日，卽向无火關進發。那日離關五里下寨，探子來報關前已擺无火陣，外面看不見兵馬，惟見許多雲霧圍護。次日，林烈一馬當先，前去挑戰。

未知如何，下回分解。

第九十八回　逞雄心挑戰无火關　啟慾念被圍巴刀陣

話說林烈前去挑戰，同武七思鬥了幾合，武七思回馬便走。林烈道：「你不過引我進陣，我倒要進去看看！」來到陣前，武七思朝裏一閃，早已不見。林烈衝進陣內，只見裏面輕雲冉冉，薄霧漫漫，遠峯忽隱忽現，疎林旋露旋藏。把神窅了一窅，下馬緩步前進。雲霧漸淡，日色微明，四面也有人烟來往，各處花香鳥語，十分嵯峨。迎面有座衝天白石牌樓，上寫「不周山境」四個大字。穿過牌樓，路旁遠遠一座高嶺，頗可盤桓。遙見山下立著一條大漢，不知為甚暴跳如雷，喊了一聲，把頭直朝山上觸去。只聽呱刺一聲響亮，倒像起了霹靂一般，把林烈振的只覺滿耳鐘兒磬兒亂響，再看那山已被他觸去的缺陷了半邊⊖。那缺陷處處塵土飛空，烟霧迷漫，霎時天昏地暗，好不怕人。慌忙跑開怒氣所使。可見孟子『至大至剛』之話⊖，並非無因而發。」道：「嚇殺我了！從未見過這樣鐵頭！我想此人之頭即使純鋼鑄的，也不能把山觸通，大約總是這股

前面又有一條大漢立在那里，也是怒氣衝衝。忽見一隻猛虎，比水牛還大，直向那漢奔去。林烈道：「此人手無寸鐵，這卻怎好！」只見那虎離此人不遠，正要迎頭撲去；忽聽那人大喊一聲，圓睜二目，忽把眼角裂開，冒出幾點熱血，直朝虎頭潑去⊜。那虎著了此血，身子幌了一幌，幾乎跌翻，只聽吼了一聲，逃竄而去。林烈道：「剛才那人之頭把山觸通，業已奇極；那知此人眼角之血竟會打虎，可謂奇而又奇！莫非他眼中會放彈麼？——即使放彈，也不過替虎搔癢，虎又安能畏彈？可見此人眼角之血竟勝於彈，將來竟可叫做『鐵血』了。以此類推，原來氣之為用，竟是無所不可。」

忽見那面有個婦人在那裏燃火煉石④。林烈上前問道：「請教大娘：煉這石塊有何用處？」婦人道：「只因有個大漢把不周山觸壞，天維被他振的也有微缺，我煉這石要去補天。」林烈忖道：「原來石可補天，無怪杞人要發愁了。」

又朝前進，道旁現出一座戰場，有個黑面大將在那裏殺的烟霧衝天。忽聽他喊了幾聲，就如霹雷一般，振的耳根嗡嗡亂響，內中只聽得一句「力拔山兮氣蓋世⑤」。林烈點頭道：「氣能蓋世，怪不得孟子有『塞於天地之間』那句話哩。」

遊了多時，甚覺腹飢。路旁有許多店面，進前看時，那賣飲饌的只得酒肆、茶坊、蒸餅、饅頭之類。信步走到一個蒸餅鋪。正要進去，只見裏面坐著一人，卻是周朝打扮，不知爲甚同人吵鬧，氣的頭髮根根直豎，把頭上戴的冠都衝起來⑥。看罷吐舌道：「這人如此硬髮，若被他打上幾髮，氣的如何受

㈠ 這裏是指共工。古代神話：大地的西北方有一座不周山，撐着天。古代的共工，和顓頊爭着做皇帝，失敗了，生起氣來，一頭向不周山撞去，把這個撐天的柱子撞斷了。

㈡ 孟子「至大至剛」之話——至大，無可比擬，沒有限量的意思；至剛，不可屈撓的意思。孟子：「我善養吾浩然之氣。……其為氣也；至大至剛，以直養而無害，則塞於天地之間。」

㈢ 這裏是指朱亥。故事傳說：戰國時，魏無忌派朱亥往秦國，秦王把朱亥放在虎圍裏。老虎想吃朱亥，朱亥發怒，睜大着眼睛看着，眼眶都裂開了。血濺在老虎身上，老虎嚇得不敢動。

㈣ 這裏是指女媧。古代神話：女媧因為天有一角塌倒，就煉石頭去墊補。

㈤ 這裏是指項羽。歷史紀載：西楚霸王項羽兵敗，在垓下被圍，作了四句歌：「力拔山兮氣蓋世，時不利兮騅不逝；騅不逝兮可奈何！虞兮虞兮奈若何！」

㈥ 這裏是指藺相如。參看第九十回註㈣。

得住！離開他罷。」走到間壁饅頭鋪，又有一個周朝人坐在那裏，倚著桌案，不知爲甚氣得鬍鬚根根直豎，把桌案都戳翻了。嚇的連忙走開道：「這人更惹不得！設或性子發作起來，把鬍子朝你身上亂戳，還戳幾個洞哩！」

又走到一個肉包鋪。裏面蒸的肉包，熱氣騰騰，兩旁坐著無數罪犯，都是披枷帶鎖，鳩形垢面，個個歎氣唉聲。上前拱手道：「諸位爲何犯此重罪？我看你們人人嗟歎，莫非有甚寃枉，誤犯此罪麼？」衆人都歎口氣道：「這是自作自受，有何寃枉！」因手指蒸籠道：「我們的罪都是爲他而起，以致弄出人命事來，此時身不由己，後悔無及。但願將軍奉勸世人把個『忍』字時時放在心頭：卽使命運坎坷，只要有了忍字，無論何事總可逢凶化吉，不遭此禍了。」林烈聽了，正要答話，忽覺一股棗香撲鼻，那廂有個棗糕店。行至跟前，把馬拴在外面，走進去檢張桌兒坐了。再看那些吃糕之人，個個面黃肌瘦，都帶病容，剛把糕吃了，忽又蹙額皺眉嘔了出來；及至勉強重復吃進，少時仍舊嘔出。又有許多肚腹膨脹之人，也是骨瘦如柴，飲食費力，個個愁眉苦臉，極其可憐。因拱手道：「諸位爲何染此重恙？莫非命運不濟，患這孽病麼？」衆人都歎口氣道：「這病何關命運，總是自作孽！因吃蒸籠道：「無非因他而起，以至日積月累，弄的食不下咽，無藥可醫，如今後悔已晚。但願將軍奉勸世人把個『耐』字時時放在心頭：卽使命運不濟，只要有了耐字，無論何事總可轉禍爲福，不染此患了。」

林烈把蒸籠望一望道：「怎麼此處蒸籠竟如此害人！那邊被他害的都身犯重罪，這裏又被他害的都不能飲食。如此可惡，等我吃了棗糕再同他算帳！」一片聲喊叫：「快拿糕來！」走堂雖然答應，卻把糕拿到別桌去。林烈喊道：「你這囚徒！大約因我後到，不肯把糕授在人前，難道我連露肘破肩

的乞丐也不如麼！再不拿來，你且吃我幾拳！」走堂見他喉急，只得把別桌剩的冷糕湊了一盤送來。

林烈一見，不由心頭火起，拿起盤子，照著走堂臉上連糕一齊摜去，那盤子恰恰揷在走堂面上，喊了

一聲：「打死我了！」渾身是血，早已跌翻。只見四處蒸籠熱氣直朝外冒。林烈道：「我正要同你算

帳，你還朝我冒氣！索性給他一不做，二不休！」雙手舉起大刀，照著那些蒸籠左五右六一陣亂砍；

登時自己無名火引起陣內邪火，四面熱氣都向口鼻撲來，一交跌倒，昏迷過去。

次日，譚太、葉洋進陣，也無消息。

文芸十分著急，暗暗命人把武七思兵丁捉了一個，細細搜檢，胸前有一張黃紙，寫著「皇唐婁師

德之位」。大家甚喜，立時沐浴焚香，寫了許多分給眾兵，照前說個「戒」字，帶在胸前。到晚，派

魏武、尹玉、卜璧各帶兵馬一千進陣；余承志、洛承志帶領接應眾兵，只等號砲一響，就衝殺過去。

那知等之許久，竟似石沉大海。文芸又將那兵丁提出再三拷問，受刑不過，才說出實情：原來身上雖

帶了黃紙，仍須寫個「忍」字焚化，跪吞腹內，方能進陣出入自如，但不許動怒生氣，一經誤犯，更

有性命之憂。文芸命人把他打入囚籠。即如法炮製，果然把陣破了。攻進城內，武七思久已逃竄。城

上供著共工、霸王、蘭相如、朱亥諸人牌位，當卽焚毀。陣內所困譚太、葉洋、林烈三人均已無救，

隨卽盛殮。大兵陸續進關，宋素安撫百姓，秋毫無犯。文芸把酉水關章氏弟兄分了兩個來此鎮守。

歇宿一宵，正要起兵，只見女營來報：文蔄之妻邵紅英、林烈之妻林書香、譚太之妻譚蕙芳、葉

洋之妻葉瓊芳，俱投環殉節。章、文兩府弟兄聽了，好不傷悲，只得裝殮題和⑦，同眾人之柩寄在一

⑦　題和——棺材前後兩頭叫做「和」。題和，是把死者的名子寫在棺材頭上。

處，並派兵丁看守。

這日來到巴刀關安營下寨。次日陽衍出去挑戰，同武五思鬪了兩合，即引進陣去。陽衍進了巴刀陣，但覺香風習習，花氣溶溶，林間鳴鳥宛轉，池內游魚盤旋，各處盡是畫棟雕梁，珠簾綺戶，那派豔麗光景，竟是別有洞天。於是下馬緩步前進，微聞環佩之聲，只見有二女子遠遠而來，生得嬌妍絕世，美麗無雙。那路旁的鳥兒見了這兩個美人，早已高高飛了；池內游魚，也都驚竄深入〇。又有一個美人不知爲甚忽然用手捧心，那種張目蹙額媚態，令人看了更覺生憐〇。轉到前面，順步看去，也有手執紅拂的〇，也有手捧花的，個個彬彬大雅，綽約絕倫。意欲上前同他談談，無奈這些婦女都是正顏厲色，那敢冒昧唐突，惟有空懷羨慕，徒自垂涎。看了多時，只得歎氣另向別處走去。

行未數步，兩旁俱是柳巷花街，其中美女無數，莫不俊俏風流。正要上前談談，忽聞一陣花香，笑道：「郎君原來路旁一片芍藥，開的甚覺爛漫。花間走出一個美女，懷抱琵琶，手執一枝芍藥〇，笑道：「郎君到此，即是奇緣；果蒙垂青，願諧永好。」陽衍正在心蕩神迷，一聞此語，慌忙接過芍藥道：「承女郎見愛，何福能消！但未識芳閨何處？」女子道：「儂家離此甚近，穿過這條花街，過了那條柳巷，前面一帶桑林便是。望郎君玉趾早臨。」即向桑林去了。陽衍樂不可支，剛要舉步，復又忖道：「莫非他要害我麼？」思忖多時，忽又笑道：「癡子，癡子！天下豈有美人而能害人之理！況如此絕色，即使不測，亦有何妨！」於是急急趕去，歡歡喜喜，成其好事。……

次日，章芹、文其、文菘也衝進陣去。……

隔了一日，武五思命人把陽衍、章芹、文其、文菘四個屍首送到文營，並勸文芸、章菘「早早收

兵；若再執迷不醒，這四人就是前車之鑒」。文芸、章菘見兄弟被害，十分悲慟。登時傳到女營、陽

墨香、戴瓊英聞知此信，即到大營，撫著陽衍、文其屍首慟哭一場，姑嫂兩個，旋即自刎。

由秀英、田舜英得了丈夫凶信，把文菘寶劍每人各拿一把，暗暗騎了兩匹馬，來到陣前，口口聲

聲只要武五思出來答話。兵丁報進，步五思乘馬出來，遠遠望見秀英、舜英，不覺喜道：「孤家正在

鰥居寂寞，那知天送兩個絕色女子與我！」一面思想，已到陣前。武五思看見二人執劍放馬，全不在部位上，秀英、舜英早已右

手執著寶劍，左手抖著絲韁，望前奔來。正要細細盤問，純是一團溫柔嬝

娜樣子。看了又是好笑，又是可憐，意欲把兩個活捉過來，又萬萬不能。只得狠一狠道：「如今只好

留個絕色，把那姿色略次的結果了罷。」即舉大斧，向著舜英迎頭砍去。舜英馬望旁邊一撒，一斧砍

空；隨又一斧，才把秀英砍下馬來。秀英一見，那敢怠慢，雙手舉劍，用盡平生之力，趁勢一劍刺

去，恰中肋上。武五思喊了一聲，坐不住雕鞍，跌倒在地。秀英慌忙也跳下馬去，一連又是兩劍，早

㈧ 這裏是指毛嬙、麗姬。參看第四十八回註㈢。

㈨ 這裏是指西施。故事傳說：西施生病，用手捧着心口，很難過的樣子。由於西施貌美，雖然這個樣子，別人還認為很好看。

㈠○ 這裏四個人，是指謝道蘊、劉臻妻陳氏、蘇蕙、班婕妤。

㈠一 手執紅拂的──指紅拂。傳奇故事：紅拂名出塵，隋代楊素的侍姬，楊素會客的時候，她在一旁侍候，手裏拿着紅拂，所以稱做紅拂女。

㈠二 懷抱琵琶，手執一枝芍藥──唐白居易有琵琶行詩，寫一個藝妓；詩經有「贈之以芍藥」的句子，寫女人和男人互相笑謔。因此，這裏就借用琵琶、芍藥來指行為不正當的女人。封建社會中認為是淫亂行為。

已結果。眾兵見秀英如猛虎一般，誰敢上前；一齊放箭。秀英跨上馬去，身上業已中箭，仍催馬上前，又傷了幾人，登時死於亂箭之下。及至文芸得信，帶兵前來接應，秀英、舜英已經被害，幸喜把屍首搶回。來到營盤，誰知文菘因在陣內未受大傷，竟自甦醒過來，文芸喜出望外。把眾人殯殮，寄在廟內。

次日，宋素同卞璧也困在陣內。這里四處派人捉拿武氏兵丁，偏偏一個也捉不著。眾公子正在發愁，恰好燕紫瓊從小蓬萊回來。

未知如何，下回分解。

話說燕紫瓊來到營中道：「我因丈夫被困，卽至小蓬萊，一步一拜，叩求神仙垂救。適蒙仙人賜了靈符一道，靈藥一包。此符乃請柳下惠臨壇，臨期焚了，自有妙用。」文芸道：「這藥有何用處？」紫瓊道：「據說此藥是用狠獸之心配成。凡去破陣之人，必須腹內先吃了狠心藥，外面再以『柳下惠』三字放在胸前。到了陣內，隨他百般蠱惑，斷不爲其所害，再有靈符之力，其陣自然瓦解。」把符藥交代，回女營去了。

到了二更，文芸派了兵將，焚了靈符，把陣破了。攻進城去，裏面雖有張易之差來幾員將官，那里禁得起眾公子一齊并力，早已抱頭鼠竄而去。宋素、卜璧向日都不在色慾上留意，所以都好好回來。武五思家中一無所有，惟供著許多女像，當卽一一焚毀。文芸也領大兵進城。宋素安撫百姓。歇宿一宵。次日派了蔡崇、褚潮帥領二千兵在此鎮守，大隊人馬又朝前進。

這日來到才貝關。武六思早已把陣擺了，來到疆場喝道：「誰敢破我此陣！」章荭縱馬出來，同武六思略門兩合，卽衝進陣去。到了裏面，只見四處青氣衝霄，銅香透腦，章荭不覺歎道：「世上腐儒只知妄說銅臭，那曉其香之妙，可惜未被這些臭夫聞此妙味。」遠遠望去，各處銀樹玉路，朱戶金門，光華燦爛，頗有富貴景象。慢慢提著絲繮，來到一座衝天牌樓，上面寫著「家兄」兩個金字。穿過牌樓，人來人往，莫不喜笑顏開，手內持錢。錢有大小，其字亦多不同：有寫「天下太平」的，有

寫「長命富貴」的，……只見有個晉代衣冠之人，生得面黃肌瘦，肚腹鼓脹，倒像患了積痞一般，坐在那裏，四面許多錢把他團團圍住，他卻滿面歡容，一個一個拿著賞玩㊀。

正朝前進，忽見一個大錢阻住去路。那錢豎在那裏，金光閃閃，其大無對。下面密密層層，有億萬人來來往往，都想爭奪此物。細細看去，士農工商，三教九流，無一不有。也有緋袍象簡㊁在那裏伸手的，也有胥吏隸役在那裏勒索的，也有鑽穴踰垣在那裏偷竊的，也有殺人放火在那裏搶刼的：種種惡態，不一而足。大在那裏撞騙的，也有花言巧語在那裏欺哄的，也有暗設牢籠在那裏圖謀的，也有設備賭具在那裏引誘的，也有怒目橫眉在那裏恐嚇的，也有捏造詞訟在那裏訛詐的，也有描寫假字錢之下懸著無數長梯，梯旁屍骸遍地，白骨如山，都因求此物，死於非命。章荭看了，暗暗點頭，走遠遠見那錢孔之內，銅馨四射，金碧輝煌，宛如天堂一般。把馬拴在一旁，沿梯而上，走嗟歎不已。

到錢眼跟前，輕輕鑽進，四處一望，裏面盡是瓊臺玉洞，金殿瑤池，地下碧玉為路，兩旁翡翠為牆，氣象之富，景致之精，迥非人世所有。遊玩多時，越看越愛。忖道：「如此洞天福地，倘得幾間幽室，在此暫住幾時，也不枉人生一世。」

正在凝想，迎面忽現一所高堂大廈。走進看時，前後盡是瓊樓瑤室，畫棟朱欄，各種動用器皿，件件俱全。看罷雖然歡喜，復又搖頭道：「這樣精室，若無錦衣美食，兩手空空，也是空自好看。」再到各房張望，誰知那些錦繡綾羅，山珍海錯，金銀珠寶，但凡吃的、穿的、用的，無一不備。不覺恨道：「早知如此，為何不將僕婢帶來！」只見有個老蒼頭手拿名單，帶著許多長隨㊂，小廝上來磕頭，更有一個老嫗，帶著幾個影環也來叩見。章荭道：「那個蒼頭名叫甚麼？你們共來幾人？」蒼頭道：「小人姓王㊃，因我年老，人都稱我王老㊃。連老奴共有十六人來此伺候。現有眾人執事名單㊄，

請恩主過目。」

章菈接過，只見上面寫著：「管總帳家人二名：四柱、二柱。」看罷點頭道：「管理總帳全要舊管、新收、開除、實在，算的明白。今派四柱，倒也湊巧；為何又把二柱派在內呢？」二柱道：「只

① 這裏是指和嶠。故事傳說：晉和嶠有愛錢的癖，做官時千方百計的弄錢。

緋袍象簡──指官吏。緋袍，紅袍，象簡，象牙做笏的，都是從前官吏服用的東西。

長隨──明代小太監做大太監的隨從，叫做傔從。後來作為一般奴僕的通稱。

② 王老──錢的代詞。唐王元寶很有錢。當時的錢上面有「元寶」二字，一般人因而就把錢叫做「王老」。出南部新書。

③ 這裏名單裏的人名，是古來錢名或和錢有關的名詞。對文，南北朝梁初時鑄的錢，原名「五銖」，一般人為了牟利，把五銖的邊剪掉，舊式帳上開列有四種項目，也叫做「四柱」。

④ 對文，南北朝梁時鑄的錢，都有輕重意義的；四柱、二柱，南北朝梁時鑄的錢，輕重攙雜着用，中等的叫「對文」，大的叫「比輪」。榆莢，漢時鑄的錢。五分，漢時鑄的錢，所以叫「四柱」。

⑤ 寶貨，周景王時鑄的大錢，上面有「寶貨」兩字，四方形，王莽時作金銀龜貝錢布之類的錢，漢時鑄的錢，四方形，上面有孔，像破瓦一樣。蕤文，漢時一種鑄有兩條魚形的錢；也叫做輕影錢。半兩，秦時鑄的錢，重半兩，後來漢時鑄的錢一種八銖錢，一種四銖錢，也都叫做「半兩」。赤仄，漢武帝時鑄的錢，一個當五個。厭勝，漢時鑄的錢，長方形，上有龍馬花紋，同古來刀布差不多。契刀、錯刀，王莽時鑄的錢，契刀身形如刀，長二寸，另外有一環，上面有「契刀五百」四個字，錯刀上面有「一刀值五千」的文字。貨泉，王莽時鑄的錢。沈郎，晉吳興沈克鑄的一種小錢。白選，漢武帝時鑄的兩種錢，以銀錫白金鑄成，值三千。鵝眼，魏時鑄的小錢。行葉、莢子，錯刀和赤仄錢的別名。縵環，南北朝宋時鑄的一種最輕的錢，放在水裏不沉，隨手就破碎了，幾十萬錢還不滿一把。傳形，三國蜀劉備時鑄的一種值百傳形五銖錢，錢──「五」字在左，「銖」字在右。水浮、風飄，魏時鑄的小錢。二銖，南北朝宋時鑄的錢。三銖、四銖、五銖，漢魏六朝時鑄的錢。戴皮、糊紙，隋時鑄的小錢。

因小人算盤不精，往往算錯，只能管得兩柱，故此王老把小人派了幫著四柱做個副手。」章菀道：「他也是個人，你也是個人，爲何你只管得一半？以後必須好好學算盤，倘把算盤學精，就是替人管管錢穀徵比也是好的。」二柱連道兩個「是」，閃在一旁。

章菀又朝下看：「管廚家人一名：對文。」把頭點點道：「廚子最愛開謊帳，全要替他核對明白，今派對文管理，倒也罷了。但只每日茶酒洗澡幾個零碎錢，就便也加上些，我主人就架不住了。」對文道：「小人不敢。但只每日茶酒洗澡幾個零碎錢，還求主人見諒。」章菀道：「只是不要過於離奇，這都使得。天下那有分文不苟的，況且你又不圖廉潔牌坊。」對文道：「這是恩主明見。」

章菀又朝下看：「管銀家人一名：五分。」管錢家人一名：四文。」章菀道：「管銀錢家人卻派五分、四文，這是何意？」五分道：「小人向日做人最老實，凡有銀子出入，每錢一千只落五分，從不多取，所以王老特派小人管這執事。」四文道：「小人向日也最老實，每錢一千只扣四個底兒，不像那些下作人，每錢一千，每千四文，不但偷偷摸摸，倒串短數，還擾許多小錢，小人斷不肯的。」章菀點頭道：「每兩五分，每錢一千，也算得好的，就只你們名字被外人聽了未免不雅，必須另改才好。」王老道：「不消改得，他們都有乳名，就叫乳名也好。」五分道：「小人乳名楡莢。」四文道：「小人乳名比輪。」章菀道：「將來再派比輪替我照照應應車輛。怪不得五分生得又瘦又小，原來乳名卻叫楡莢，外面刮動風須要留神，設或被風吹去，我的銀帳少不得又要另換新手，那時再想你『五分』，只怕不止了。」

又把單子看去：「管金珠家人一名：寶貨。管紬緞家人一名：豐貨。管果品點心家人一名：藕心。管魚蝦海菜家人一名：鯨文。管酒家人一名：半兩。管厠家人一名：赤仄。管門家人一名：厭

勝。廚子二名：契刀、錯刀。水夫一名：貨泉。」章荭道：「那寶貨、豐貨以及藕心幾人派的執事都

還相稱；但管酒家人爲何卻派半兩？」王老道：「老奴因他素日替主人管酒，不敢過於弄詭，每日只

偷得半兩，不過略略殺殺饞蟲，所以小人派他管這執事。」章荭道：「每日只偷半兩，並不爲多，此

人派他管酒，也還不差，但派定之後，莫要認眞放出量來，那可使不得。」半兩道：「恩主只管放

心，小人量窄，卽或放量，也不過幾杯兒。」章荭道：「莫講每日只得半兩，就是再添幾兩，這個東

道我老爺也做得起，就只怕的久而久之，把兩丟了上了斤，或者才開一罈你倒先去了半罈，我可供應

不上了。——這都慢慢再定章程。我還要問蒼頭：你把茅廁派了赤仄，這是何意？」王老道：「老奴

因他名內厌字，原是厠的本字，難得這樣巧合；又因他姓赤，惟恐厠內倘有赤痢血痔之類，也好敎他

觸目驚心，時常打掃，因此把他派了。」章荭點頭道：「這個也還人地相宜。爲何你把管門家人卻派

厭勝呢？」王老道：「老奴派他，卻有深意。因他素日替人管門，最厭客人來拜；他這脾氣，恰恰與

姓相合。並且勝字也可讀做平聲，所謂『厭勝』者，就如厭之不勝其厭，因其如此之厭，所以凡

有客來，總是一槪回他不在家，且又能言善辯，憑著三寸不爛之舌，能令客人不得進門。門上有了這

樣能事家人，恩主於五倫之中，雖於『朋友』這倫有些欠缺，畢竟少了許多應酬之煩。人生在世，只

要自己暢心適意，那裏管他五倫、四倫，就缺幾倫也還是個人，難道人家就不把你當人麼？」章荭

道：「你這蠢材，莫非瘋了！怎麼同我『你』呀『我』的混鬧起來！」王老道：「老奴只顧亂說，那

知說的倒忘形了。」章荭道：「厭勝善於回客，可有甚麼憑據麼？」王老道：「雖無憑據，卻有一個

笑話。當日他替人管門，一日，適値主人的表叔走來，正要進內。厭勝未曾留神，只當客人來拜，連

忙上前攔住道：『我家主人不在家，請老爺改日再來罷。』這位表叔太爺聽了，上前狠狠踢了一腳

道:「你這囚徒,也不仔細看看!我是你主人的表叔,怎麼也回我不在家!」

一面說笑,又將小廝名單呈上。上面寫著四人名姓,是沈郎、鵝眼、荇葉、茱子。章荔把四人望

了一望,只見個個腰如弱柳,體態輕盈,眞是風兒略大就可吹得倒的,卻是絕美的俊僕。

那老嫗也把僕婦影環帶來侍立一旁。章荔道:「你姓甚麼?他們都叫甚麼名字?」老嫗道:「老

婢姓子,那些姐兒哥兒因我年老,都叫我子母○,叫來叫去,無人不知,倒像變成名字了。這個名字

內中有個母字,雖不吃虧,但仔細想來,到底過板。今日老爺何不替我起個風騷名字呢?倘能又嬌又

嫩,不像這麼老腔老班,那就好了。」章荔忖道:「這個老狐狸頭上並無一根黑髮,還鬧這些花樣,

倒是一個『老來俏』。我且騙他一騙。」因說道:「你要改名字,惟有『青蚨』二字可以用得,雖

係蟲名,乃人人所愛之物,你若改了,將來必是人人喜愛。況這『青』字就有無窮好處,諸如『青

春』、『青年』之類,都是返老還少之意。並且內中還有『青絲』,你目下髮雖如霜,叫來叫去,安

知不變滿頭青絲呢?」子母道:「多謝老爺厚意。如今改了青蚨,日後設或有點好處,我一定繡個眼

鏡套兒送你老人家。」

章荔道:「再過幾十年,我眼睛花了,少不得要託你做的。這六個僕婦都叫甚麼名字?管甚麼執

事?」子母道:「一個是替奶奶管香粉的,名叫白選;一個是替奶奶管胭脂的,名叫紫紺;這個專管

奶奶裹腳布,名叫貨布;那個專管奶奶挑雞眼,名叫雞目。還有兩個:一名縋環,專管奶奶釵環;一

名傳形,專替奶奶畫小照。」章荔道:「奶奶纏足要用多少布,卻要派人專管?倒是這個畫小照的卻

不可少;並且連挑雞眼也都派人,難爲你想的到,將來告訴奶奶,一定要賞的。但那縋環爲何生的那

樣瘦小?莫非有病麼?」子母道:「縋環雖瘦,還算好的,剛才還有幾個僕婦,諸如水浮、風飄、裁

皮、糊紙之類，都生的過於瘦弱，老婢惟恐不能做事，都回他們去了。」

章荄道：「那八個影環都叫甚麼名字？」子母手指四個年紀大的道：「那穿白的名叫二銖，專管奶奶銀帳；穿青的名叫三銖，專管奶奶錢帳；穿紅的名叫四銖，專管奶奶賭帳；穿黃的名叫五銖，專管奶奶吃帳。他們都以銖字爲名，就如『五分』、『四文』之意，每日所落不過幾銖，斷不敢多取的。」又指四個年紀小的道：「一名幣兒，專管奶奶幣帛；二名泉兒，專管奶奶茶水；三名布兒，專管奶奶洗腳布，四名刀兒⑦，專管奶奶修腳刀。」章荄道：「奶奶洗腳布、修腳刀也都派人，你這辦事可得上等考語，叫做『明白諳練，辦事精詳』。」

眾人領了執事退出。影環烹茶，安設牀帳。章荄手執茶杯，復又忖道：「今日卻敎那個影環暫伴一宿呢？」正在凝思，忽有四個絕色美人前來陪伴。問其姓名，一名孔方、一名周郭⑧、一名肉好⑨，一名元寶。四人陪著用過宴，到晚就寢。次日起來，有這些美人陪伴，天天珠圍翠繞，美食錦衣，享盡人間之福。過了幾時，四個美人都已有孕，忙向三官跟前焚香叩禱，各佩『男錢』一枚，以爲得子佳兆。那知四美竟生五男。章荄因兒子過多，要想生個女兒，於是又找幾個「女錢」，給他們

⑥ 子母——神話傳說：南方有一種蟲，名叫青蚨，也叫青蚨。用這種蟲的血塗在錢上，當使用的時候，留子錢在家，母錢就會飛回來；留母錢在家，子錢就會飛回來。

⑦ 幣兒、泉兒、布兒、刀兒——幣、泉、布、刀，都是古代錢的通稱。

⑧ 周郭——錢外面一轉的邊叫做周郭。

⑨ 肉好——錢外面的邊爲肉，內面的邊爲好。肉指錢體，好指錢孔。

佩著，果然又生二女○。這五男二女○年紀略大，請了一位西席教他們念書。那位西席年紀雖老，卻

甚好學，每逢出入，總有文字隨身，就只為人過於古板，人都稱他「老官板○」。又過幾年，陸陸續

續把兒女都已婚配。真是日月如梭，剛把兒女大事辦畢，轉眼間孫兒孫女俱已長成，少不得也要操心

陸續辦這嫁娶。不知不覺，曾孫繞膝，年已八旬。

這日，拿鏡子照了一照，只見面色蒼老，鬢已如霜。猛然想起當年登梯鑽錢之事，瞬息六十年如

在目前。當日來時是何等樣精力強壯，那知如今老邁龍鍾，如同一場春夢。早知百歲光陰不過如此，

向來所做的事頗有許多大可看破。今說也無用，且尋舊路看看當年登梯之處。即至錢眼跟前，把頭鑽

出，朝外一探，不意那個錢眼漸漸收束起來，把頭項套住，竟自進退不能。……

文營眾將見章荭進陣，到晚無信。次日，宋素、燕勇又要進陣。文芸道：「宋家哥哥現在大營執

掌兵權，豈可屢入重地？況前在酉水陣業已受困多日，營中人心頗為惶惶，何必又要前去？」宋素

道：「眾弟兄在此捨死忘生，不辭勞苦，原是為著我家之事。今我反在營中養尊處優，置身局外，不

獨難以對人，心中又何能安！況『死生有命』，兄長斷斷不要阻我。」即同燕勇進陣，也是一去不

返。

次日，燕紫瓊、宰玉蟾聞得丈夫又困在陣內，嚇的驚慌失色，坐立不寧。二人商議，惟有且到陣

中看看光景，再為解救；如無指望，就同丈夫完名全節，死在陣內，倒也罷了。當即命人通知大營，

各跨征駒，闖進陣去。武六思忽見兩個婦女進陣，惟恐逃遁：忙又作法焚符，密密佈了幾層天羅地

網。文芸只當紫瓊必定回來，那知也是毫無影響。因向眾人道：「此時連宋家嫂嫂也不回來，其中邪

術自必更甚。據小弟愚見：我們只管同他對敵，切莫輕入陣內；俟宋家嫂嫂回來，再作計較。」

顏崖聽了，正因連日未要大斧，心中氣悶，當即請令帶領精兵一千前去挑戰。恰好張易之、張昌宗因折了三關，甚覺害怕，又差李孝逸統領大兵前來接應，早被顏崖把他偏將傷了兩個。次日，魏武也去討戰，一陣銀鎗，也傷他一員大將。李孝逸因連傷三將，十分氣惱，即親自出馬。文營眾公子也到陣前。余承志、洛承志一見，想起當年父親被害之事，恨不能生食其肉，各催坐下馬，鎗鞭並舉，與李孝逸戰在一處。鬥了多時，李孝逸被余承志一鎗刺在腿上，大敗而逃。眾公子帶領人馬一擁齊上，把各兵殺的五零四散，各自逃生。及至再去討戰，並無人應，只好暫且回營。恰好把李孝逸兵丁捉了幾個，身上搜檢，一無所有；細細拷問，都說到關之日，武六思給了一碗符水喝在腹內。一連幾個，隔別訊問，都是如此。

次日，又去挑戰。武六思只在陣前立著，叫人去破陣，並不出馬。及至眾人趕到跟前，他即跑進陣去，等你剛要收兵，他又百般叫罵。文芸氣的暴跳如雷，正要催馬進陣，只見余承志、洛承志、唐小峯、章蓉、章蕙、史逃、顏崖、尹玉一齊攔住道：「連日章荇、宋素二位哥哥俱困陣內，此時營中惟仗哥哥調遣，今再進陣，設被圍困，豈不令諸將無主麼？我們八人情願領精兵八百進陣，看看虛

（一）迷信的說法，有一種「布泉」錢，孕婦掛在身上，可以生男；有一種「五銖」錢，孕婦掛在身上，可以生女。這兩種錢也叫「男錢」、「女錢」，都是南北朝累時鑄的。

（二）五男二女──古錢名，背面有「五男二女」字樣，鑄的時代不同。

（三）老官板──明時把壞錢叫做「板兒」。從前官家鑄的錢，每板六十四個，板板都是一樣的。因而一般就用「板板六十四」來形容拘泥不活動的人。這裏就借「官板」以形容古板。後來就稱好錢為「老官板兒」。

實，再來繳令。」文芸只得應允回營。八位公子帶著八百精兵，衝進陣去，裏面登時也變出八百八個

幻境，都是各走一路，彼此不能見面。那有主意的，把錢不放在心上，任他搖惑，總不動心，還至

有害；最怕是見錢眼紅，起了貪心，自然生出無窮事端，性命也就莫保了。文芸見他八人一去不歸，

更覺發慌，次日又去討戰。武六思立在陣前，任你辱罵，總不出馬。文芸看看手下雖有強兵猛將，無

奈這陣圍在關前，不能攻打城池，徒自發急。

那女營之內司徒嫵兒、宋良箴、洛紅蕖、鄡芳春、酈錦春、宰銀蟾、秦小春、廉錦楓八位才女，

聞得丈夫困在陣內，嚇的淚落不止，一連數次遣人到大營打聽，總無影響。看看又是一日。這八個才

女走出走進，歎氣唉聲，不知怎樣才好。那跟前有子的，還有三分壯膽；那無子身上有孕的，也有一

分指望，就只那跟前一無所有的，到此地位，毫無想頭，只等凶信一到，相從於地下，這就是他收緣

結果。一時想起碑記中薄命之話，再看看書香、秀英諸人前車之鑒，不由不毛骨悚然，肝腸寸斷。洛

紅蕖惟有焚香求闔臣來救小峯之命。眾人見他如此，也都沐浴焚香，叩求過往神靈垂救。八人一連跪

求三日，水米不曾沾牙，眼淚也不知流了多少。真是至誠可以感格，那青女兒、玉女兒早已約了紅孩

兒、金童兒各駕風火輪來到女營。文芸聞知，即親自迎到大營。

未知如何，下回分解。

第一百回　建奇勳節度還朝　傳大寶中宗復位

話說文芸同眾公子把紅孩兒……四仙邀進大營，問了備細。復又施禮道：「蒙四位大仙法駕光降，現在武六思抗拒義兵，肆其邪術，困我多人，以致我主久禁東宮，不能下慰臣民之望，惟求早賜手援！」紅孩兒道：「我們當日原與羣芳有約，今因苦苦相招，不能不破殺戒，亦是天命，莫可如何。事不宜遲，將軍就於今夜三更，帶領人馬前去破陣，我們自當助你一臂之力。」文芸再三稱謝道：「請教大仙：他這陣內是何邪術？」金童兒道：「此陣名喚『青錢陣』。錢為世人養命之源，乃人人所愛之物，故凡進此陣內，為其蠱惑，若稍操持不定，利欲薰心，無不心蕩神迷，因而失據。」

文芸道：「請示大仙：晚間須由幾路進兵？」紅孩兒道：「只消三枝人馬。到了夜間，將軍命人預備香案，我等將王衍、崔鈞(一)二公靈魂請來，借其廉威，庶免『阿堵』、『銅臭』之患。少時百果仙姑就到。臨期金童大仙同了百果仙姑即先進陣，以核桃先救被困各兵。那時將軍領一枝人馬隨同小仙破他陣之正面，再發兩枝人馬，一隨青女仙姑破他左面，一隨玉女仙姑破他右面。好在武氏弟兄除擺『自誅陣』之外，一無所能，此陣一破，其關不消費力，唾手可得了。」文芸道：「請教核桃有何用處？」青女兒道：「今夜凡去破陣之人，臨期每人必須或食核桃或荊臍十數枚，方能避得那股銅毒。」玉女兒道：「凡小兒誤吞銅器，即多吃核桃，其銅即

────────

(一) 王衍，崔鈞——歷史紀載上稱為不愛錢財的兩個人，王衍，見第三十八回文。崔鈞，漢代人。他的父親崔烈用錢五百萬買官做，問他外間批評怎麼樣，他答道：大家都說這個官有點銅臭氣味。

化為水；如無核桃，或荸薺也可。將軍如不信，即取銅錢同核桃或荸薺慢慢嚼之，其錢立時粉碎。」

文芸隨即命人多備核桃、荸薺，以為破陣之用。──誰知城外並無此物。

忽報有位仙姑手提花籃來至大營，原來是百果仙子到了。文芸慌忙迎接進內。青女兒道：「仙姑

為何來遲？」百果仙子指著花籃道：「我恐此物不夠將軍之用，又去找了幾個，因此略為就擱。」將

花籃付給文芸道：「將軍可將籃內核桃，凡進陣之兵，每人分給數枚；分散完畢，仍將此籃交還小

仙，另有妙用。」文芸接過一看，只得淺淺半籃，不覺暗笑。玉女兒道：「將軍今晚要帶多少兵丁進

陣？」文芸道：「共分三處，必須三千人馬。」玉女兒笑道：「莫講三千，就是再添幾倍，他這核桃

也夠用的。」

文芸即訊魏武、薛選挑選精兵三千，每人十枚，按名分散。薛選把花籃接了，走出營外，同魏武

商議道：「剛才那位玉女仙姑說，『再加幾倍這核桃也夠用的。』既如此，每人何不給他二十個，看

他可夠。況且多吃幾個，走進陣去，更覺放心。」於是按著營頭分散。及至把三千兵丁散完，再看籃

內，仍是淺淺半籃。魏武道：「據我愚見：這樣不花錢的核桃，我們索性把那不進陣的眾兵也犒勞犒

勞罷。」薛選道：「設或用完，怎麼回去交令？」魏武道：「倘或不夠，我們給他剩幾個也好交令

了。」二人隨又按營分派，每名也是二十個。那些兵丁一個個也有抬筐的，也有擔籮的，亂亂紛紛，

費了許多工夫，才把二十萬兵丁散完，再把籃內一看，不過面上去了薄薄一層。薛選只管望著籃內發

獸。魏武道：「你思忖甚麼？」薛選道：「我想這位仙姑若把這籃核桃送我，我去開個核桃店，豈不

比別的生意好麼？」魏武笑道：「你若開了核桃店，我還弄些大扁杏仁來託銷哩。」說著，一同來到大

營交令。百果仙子把花籃看了，向文芸笑道：「今日營中有了小仙核桃，將軍可省眾兵一餐之費。」

文芸道：「這卻爲何？」百果仙子道：「二十萬兵丁每人都有二十個核桃，還算不得一頓飯麼。」魏

武、薛選一面笑著，把分散眾兵之話說了，文芸這才明白。眾公子聽了，莫不吐舌稱奇，讚歎不已。

少時，擺了素齋，大家略爲吃些。到了三更，營中設了香案，文芸虔誠禮拜，紅孩兒焚了兩道

符；百果仙子提著花籃，同金童兒先進陣中去了。魏武、章芝領了一千人馬隨在青女兒之後，薛選、

章藶領了一千人馬隨在玉女兒之後，文芸帶著一千人馬隨著紅孩兒：三路人馬，一齊衝進陣去。霎時

邪氣四散，紙人紙馬，紛紛墜地。魏武、薛選早已攻進關去，四處號砲衝天。文芸方才進城，後面接

應人馬也都到了。武六思早已逃竄。他向無妻室，所有僕人也都四散。家內供著和嶠牌位，早被眾公

子擊碎。再查所困陣內之人，章荔、燕勇、宰玉蟾、燕紫瓊在陣多日，均已無救，餘皆無恙。至宋素

焚香迎接，歡聲載道。文芸把武六思家內查過，正要前去拜謝眾仙，忽有軍校飛報：「那五位大仙未

曾進關，忽然不見，連宋素、文菽二位公子也不知何處去了。」文芸火速命人四處追尋，並無蹤影。

這日略爲安歇。次日，又報四處勤王之兵刻日可到。文芸又寫了書信，暗暗通知張柬之等，於某

日都在東宮會齊。

文芸查點人馬，並未損傷一兵。男營之中被害的是章荔、章芹、文薜、文其、文苏、林烈、陽

衍、燕勇、譚太、葉洋；女營之中被害的是由秀英、田舜英、宰玉蟾、燕紫瓊，自盡的是邵紅英、戴

瓊英、林書香、陽墨香、譚蕙芳、葉瓊芳。文芸想想當日起兵時原是好好弟兄五個，今二、三、五弟

都沒於王事，已覺傷痛，及至大功垂成，四弟又復不見，只剩獨自一人，手足連心，眞是慟不欲生。

又恐章氏夫人悲傷成疾，只得勉強承歡。每聽半夜哀鴻，五更殘角，軍中警枕，淚痕何嘗得乾！

正要統領大兵前進，張易之聞知各關攻破消息，因太后抱病在宮，即假傳勅旨，差了四員上將，帶領十萬大兵前來迎敵，被眾公子帶著精兵殺的四散逃生。諸軍齊集長安城下。張柬之、桓彥範、李多祚、袁恕己、薛思行、崔元暐、李湛、敬暉得了此信，立即帥領林兵羲，同文芸、余承志、洛承志等把中宗迎至朝堂，斬張易之、張昌宗於廡下；進至太后所寢長生殿。太后病中驚起，問誰作亂。李多祚奏道：「易之、昌宗謀反，臣等奉太子令，已除二患，惟恐漏洩，故未奏聞。但臣等稱兵宮禁，罪當萬死！」太后見光景不好，只得說道：「叛臣既除，可命太子仍回東宮。」桓彥範道：「昔日天皇以愛子託陛下，今年齒已長，願陛下傳位太子，以順天人之望。」當即收張昌期等立斬於市。次日，太后歸政。中宗復位，上太后尊號爲則天大聖皇帝，大赦天下，諸臣序功進爵。中宗因此事雖賴張柬之等竭除內患，但外面全是文芸一干眾將血戰之功，故將起兵三十四人盡封公爵，妻封一品夫人，追贈三代，賜第京師。其有被害以及盡節者，男入賢良祠，女入節孝祠，所有應得公爵，令其子孫承襲。並又派官換回鎮守四關各將。眾公子謝恩退朝，暫歸私邸，地方官帶領夫役起造府第。卞濱見了卞璧，喜出望外。各家歡慶，自不必說。

過了幾時，太后病愈，又下一道懿旨，通行天下：來歲仍開女試，並命前科眾才女重赴紅文宴，預宴者另錫殊恩。此旨一下，早又轟動多少才女，這且按下慢慢交代。

卻說那個白猿本是百花仙子洞中多年得道的仙猿。他因百花仙子謫入紅塵，也跟著來到凡間，原想等候塵緣期滿，一同回山。那知百花仙子忽然命他把那泣紅亭的碑記付給文人墨士去做稗官野史；

他捧了這碑記日日尋訪，何能湊巧？轉眼唐朝三百年過去，到了五代晉朝，那時有一位姓劉的㊀可以承當此事，仙猿把碑記交付他，並將來意說了。他道：「你這猴子好不曉事，也不看看外面光景！此時四處兵荒馬亂，朝秦暮楚，我勉強做了一部舊唐書，那裏還有閒情逸志弄這筆墨！」仙猿只得唯唯而退。及至到了宋朝，訪著一位複姓歐陽的㊁，還有一位姓宋的㊂，都是當時才子，也把碑記送給他們看了。二人道：「我們被這一部新唐書鬧了十七年，累的心血殆盡，手腕發酸，那裏還有精神弄這野史！」

這仙猿訪來訪去，一直訪到聖朝太平之世，有個老子的後裔㊃，略略有點文名；那仙猿因訪的不耐煩了，沒奈何，將碑記付給此人，逕自回山。此人見上面事跡紛紜，補綴不易。恰喜欣逢聖世，喜戴堯天，官無催科之擾，家無徭役之勞，玉燭長調，金甌永奠；讀了些四庫奇書，享了些半生清福。心有餘閒，涉筆成趣，每於長夏餘多，燈前月夕，以文為戲，年復一年，編出這鏡花緣一百回，而僅得其事之半。其友方抱幽憂之疾，讀之而解頤，而噴飯，宿疾頓愈。因說道：「子之性既懶而筆又遲，欲脫全稿，不卜何時，何不以此一百回先付梨棗，再撰續編，使四海知音以先覩其半為快耶？」嗟乎！小說家言，何關輕重！消磨了三十多年層層心血，算不得大千世界㊄小小文章。自家做來

㊀ 有一位姓劉的——指後晉劉昫。劉昫作舊唐書。

㊁ 一位複姓歐陽的——

㊂ 還有一位姓宋的——指宋歐陽修和宋祁。歐陽修和宋祁作新唐書。

㊃ 有個老子的後裔——本書作者李汝珍的自指。

㊄ 大千世界——佛家說法，人類所住的世界一千個，合稱為小千世界，小千世界一千個，合稱為中千世界，中千世界一千個，合稱為大千世界，總稱三千世界。上面還有華藏世界等。意思是世界無量無邊，不可思議的。

做去，原覺得口吻生花；；他人看了又看，也必定拈花微笑；；是亦緣也。正是：

鏡光能照眞才子，花樣全翻舊稗官。

若要曉得這鏡中全影，且待後緣。

中國古典小說新刊

鏡花緣

中華民國七十二年十二月初版　　　　　　　　定價：新臺幣200元
中華民國八十五年六月初版第八刷
有著作權・翻印必究
Printed in R.O.C.

著　者　李　　汝　　珍
發行人　劉　　國　　瑞

本書如有缺頁，破損，倒裝請寄回發行所更換。

出 版 者　聯經出版事業公司
臺北市忠孝東路四段555號
電　話：3620308・7627429
發行所：台北縣汐止鎮大同路一段367號
發行電話：6 4 1 8 6 6 1
郵 政 劃 撥 帳 戶 第 0100559-3 號
郵撥電話：6 4 1 8 6 6 2
印 刷 者　世和印製企業有限公司

行政院新聞局出版事業登記證局版臺業字第0130號

ISBN　957-08-1231-1(平裝)

國立中央圖書館出版品預行編目資料

鏡花緣一百回 / 李汝珍著 . --初版 .
--臺北市：聯經，民72
面； 公分 . -- (中國古典小說新刊)
ISBN 957-08-1231-1(平裝)
〔民85年6月初版第八刷〕

857.44   83006221